中山自然科學大辭典

第一冊

自然科學概論與其發展

名譽總編輯　王　雲　五

編輯委員會召集人　李熙謀(常務)　鄧靜華　易希陶

本冊主編　李熙謀　徐賢修　劉世超

出版權授權人　中山學術文化基金董事會

出版者　臺灣商務印書館

中華民國六十四年五月

本册編輯委員及撰稿人

（以姓名筆畫為序）

于濟昌　沈君山　徐賢修　陳賢芳　傅溥　劉源俊

丘宏義　李熙謀　陳元祥　張奕華　劉世超

中山自然科學大辭典序

　　誠如余在雲五社會科學大辭典序言中所稱，半世紀來余兩度主編綜合性之百科大辭書均功敗垂成，乃退而籌編專科大辭書。十數年來，成書不下十種，其最著者莫如敎育大辭書。至於分科之綜合大辭書，亦嘗念念不忘。以茲事體大，遲遲未果。幸而五年以前，當余八十初度，若干親友同學爲余募集獎學基金，而政大校長劉季洪先生以余夙對社會科學饒有興趣，遂發起編纂社會科學大辭書，冠以余名，藉留紀念，當承嘉新水泥公司主者張敏鈺翁明昌二君及嘉新文化基金會贊助，慨捐編撰經費先後共百數十萬元，於是經費已有着落。

　　自時厥後，即由劉季洪先生組織出版委員會，經一致推劉君爲主任委員，並公推程天放楊亮功陳雪屏三先生爲召集人，（嗣程君作古改推羅志淵先生爲繼）分設十二組。每組設主編一人，撰稿人由十數人至數十人不等，全部不下二百人，咸爲國內社會科學與人文科學之權威，各就專長，分條撰述，歷時三載，全書千萬言有奇，分冊付印。今則全部出版已逾一年，初版及普及本各印千部，殆已悉數售罄。現正就變動較多之國際關係與歷史學二冊，從事增訂，其他諸冊亦分別校正手民之誤，擬續印第三版。

　　自去年春間，社會科學大辭書陸續發行將竟，余又計議編印自然科學大辭書及應用科學大辭書二者，均仿社會科學大辭書體例及編撰方法，向中山學術文化基金董事會提議，先編自然科學大辭書十部門，各一冊，都十冊，當經董事會通過，並撥款一百五十萬元爲編撰費，以李熙謀鄧靜華易希陶三先生爲編輯委員會召集人，並以李君任常務，分設十組，按自然科學所轄十部門，分別聘李熙謀徐賢修劉世超三先生主編第一組之自然科學概論與其發展，鄧靜華先生主編第二組之數學，曹謨先生主編第三組之天文學，林爾康先生主編第四組之物理學，朱樹恭先生主編第五組之化學，林朝棨先生主編

第六組之地球科學，李亮恭先生主編第七組之生物學，劉棠瑞先生主編第八組之植物學，易希陶先生主編第九組之動物學，葉曙先生主編第十組之生理學，另由各主編分約學者專家撰稿，每組亦自十數人至數十人不等，合計亦不下二百人，咸為在台各著名大學之自然科學權威教授，或為專門研究機構之主持研究專家。余不敏，並承編輯委員會推為名譽總編輯，余於自然科學為門外漢，僅能就半世紀以上之編輯著作經驗作涓滴之貢獻。

　　全書分訂十巨冊，每冊字數在百萬上下，都一千萬左右，擬從本年八月起每兩月印成一冊，陸續出版，務於六十二年終全部完成。其發售，分二種，一為分冊零售，二為預定全部。

　　明年終自然科學大辭書出齊後，將以半年時間合編十冊之總索引，另行發售，按四角號碼排比，與各分冊之索引分別按各該冊條文筆畫或字母排列者，各盡其用。

　　本書全部完成後，余苟健在，當依原計議，續行籌款，繼編應用科學大辭書亦十冊。合以上三書計得三十餘巨冊，三千餘萬言，將於科學知識無所不包。余前此兩度嘗試綜合性百科全書而功敗垂成者，將因是而局部得償宿願，不其懿歟？是為序。

　　中華民國六十有一年七月二十日王雲五識

中山自然科學大辭典　第一冊
自然科學概論與其發展
目　　次

自然科學概論與其發展

前　言　　　　　　　　李熙謀

　　自然科學一辭，向乏明定之範疇。世界學者，意見不一，各有主張。在西方文字中，有天文科學，地球科學，純粹科學，實驗科學等名詞。在不久之未來，海洋科學，大氣科學，生命科學等，必將成為習用之自然科學名稱。從事高能物理研究者，已有核子物理科學，電漿物理科學等發展。英國學者李約瑟氏著中國之科學與文明，未將數學列入自然科學之內。但是古代民族文明之發展，多數從數學開始。埃及尼羅河之氾濫，須年年劃定界線。金字塔之建築，須測算方位。我國古時大禹治水，與井田經界之整理，都必須借助於測丈與計算。因實用上之需求，故古代文明中，數學首先發展，乃是自然之情勢。凡自然界之事事物物，現象環境，足資研究考證，可叙述原始，或記載變遷，有條理，有體系，皆可成為科學之一門，皆可名為自然科學。

　　古代文明發展最早者，有三個地區，即巴比倫，埃及與中國。巴比倫與埃及的文化，何者發展在先，常為學者討論之問題（註一）。在西方文字中，有關巴比倫與埃及的文明，大半由考古學者，發掘古代埋藏之遺物中得來。當埃及與巴比倫文化極盛時期，雖已有草紙（Papyrus），但尚無印刷術，故流傳不廣，年代稍久，即多堙沒（註二）。

　　埃及與巴比倫，在自然科學上的貢獻，經稽考而能斷定者，大約在下列三方面：㈠數學，㈡天文，㈢醫療。惟缺書籍遺留，難記其詳，遠不若繼承埃及巴比倫文化之希臘。其先哲如臺利斯（Thales of Miletus），蘇格拉底，柏拉圖，亞里斯多德，幾莫不推崇為西方文化之領導者。

　　古代中國，在自然科學方面的成就，亦在天文與數學，與巴比倫及埃及，極為相似。所不同者，中國古代天文與數學方面之發展，皆有詳盡之記載，有關之文字，流傳下來，為數極多。英國劍橋大學教授李約瑟（Dr. Joseph Needham）氏，搜集中國書籍，有關中國古代天文數學之著作，極為豐富。李氏所著中國之科學與文明一書之第三冊，其第一篇即是中國之數學，第二篇即是中國之天文。中國文字中，有關數學之書籍，最古者，為周髀算經及九章算術。在周髀一書中，詳載周公與商高討論數理問題之問答。秦漢以後，算術著作，代有刊行。其著稱者，如孫子，五曹，夏侯陽，及張邱建等之算經（註三）。

　　中國古時，有關天文之記載，最早之書籍，是尚書堯典。天文之應用，首是曆象，其次是農耕。中國古時言天者，有宣夜，蓋天，渾天三家。天文儀器，有璇璣玉衡及渾天儀等。有關天文之著作，尤不可勝計，幾乎歷代都有之。如石申之天文，甘德之天文星占，張衡之靈憲及渾儀注等（註四），僅舉其一二耳。中國歷史上，豐富之數學與天文著述，是則埃及與巴比倫所望塵莫及也。

　　古代西方文化，繼巴比倫埃及而起者，是希臘。蘇格拉底，柏拉圖，阿里斯多德，是哲學思想與科學思想之先進者，前節已叙述之之。其在自然科學方面，歐幾里德（Euclid）是幾何學之創作者。阿里斯塔克斯（Aristarchus of Samos），是著名的天文學者，在自然科學有多方面之成就。阿基米德（Archimedes of Syracuse）是數學家，物理學家，工程學者。以上各學者，是希臘文化中，少數著稱之科學學者，是西方早期科學文化之領導人物。

　　西方文明，尤其是自然科學，在羅馬帝國時期，未曾受到重視。雖有一般性質科學的討論，而無專門學術，如數學，物理等之研究。於是自然科學之發展，遭遇了打擊。這一個時期，約在公元四世紀之季，至公元十二世紀之初，這是科學發展中的黑暗時期（dark age）（註五）。

　　自然科學在中國之發展，自三代秦漢以還，向極自由，無宗教信條之干擾，此為一幸事。科學記載，如信

都芳，李藉，甄鸞，李淳風等，評述周髀，祖冲之推算 π，戴震之探討數理，郭守敬之著述天文，馬端臨在文獻通考，詳述彗星，星雲，及流星的記錄，明代朱載堉之音律研究與發明，均是中國歷代學者，在自然科學的貢獻。所可惜者，前代中國學者，在學術上之成就，大都各自分道揣研之結果。因此零星斷片，未能集合而有體系，或成為學派，在學術上，發生力量。

西方文化，經過黑暗時期之後，繼之而起者，就是文藝復興，這是西方文化與西方科學之復甦，亦是西方文化與西方科學真正發展之開始。在這文藝復興時期，及文藝復興之前後，直至工業革命開始，在這一段期間，西方科學文明，從篳路藍縷起步，終至燦爛光輝，使人類文明，進入今日之境界，則當時之科學家，及自然科學之先驅者，都發揮了他們的貢獻。這時期科學之發展，是科學歷史之一環，似值得記載，爰舉述如次。

自羅馬帝國衰落後，希臘之西方文化，由希臘傳入小亞細亞，再由小亞細亞傳至近東各國，西方文化逐漸至敘利亞，波斯，及其他諸回教國家。柏拉圖，亞里斯多德，歐幾里德，托勒密（Ptolemy）諸家的學術與著作，初迻譯成敘利亞文，繼轉譯為阿拉伯文，在當時的巴格達（Bagdad），特設譯學館，專從事此譯述工作，可見當時諸回教國家對希臘文化之欽慕，亦可想見諸回教國家對學術風氣之隆盛。巴格達城建有天文臺，為回教國家學者，研究天文氣象之所。著名之天文學者，為阿勃泰尼（Al-Battani）。物理學家，有阿金提（Al-kindi），對氣象，光學等，有重要著作。以上二位學者都是公元九世紀人。有阿海任（Alhazen）者，是一光學專家，嘗研究光及色之傳播，實驗光之入射角與反射角，他是公元十世紀時人。阿必羅尼（Albiruni），是一位多才多藝的波斯人，他原是醫生，但嗣後成為天文家，數學家，物理學者，歷史學者，地理學者，他是回教國家黃金時代最著名而有才華的學人（註六）。阿必羅尼曾依照阿基米德原理，測定一十八種寶石的比重。

近東回教國家初期的譯述工作，主旨全在充實阿拉伯國家的文化。所以希臘的哲學，文學，科學等著作，都譯成阿拉伯文，以應回教國家的需要，這是在歐洲文化經歷黑暗時代，而回教國家文化極盛之際。在西方文藝復興之前夕，歐洲民族求知潮流，漸漸興起，所以前期希臘文化，凡文藝及科學著作，反由阿拉伯文，譯成拉丁文者，以供當時西方歐洲學術上發展之需要。有阿達拉（Adelard）氏，將歐幾里德的幾何，譯成拉丁文。英人羅伯脫（Robert），譯可蘭經為拉丁文。也有人將亞里斯多德的物理及其他著作，譯成拉丁文。這許多學術書籍，對英國學者培根（Roger Bacon）（1214—94）氏，在思想上，發生很大的影響。培根氏以後在學術上，有很多創見，在自然科學之發展，他極主張重實驗（註七），他認為發展自然科學，而無實驗，並不運用數學，是空泛無據的。

在文藝復興時期，學術空氣，雖在歐洲各國，驟然興起，但自然科學，並未立即受到重視。惟在此時期，有二位學者，於自然科學，有特殊成就者，似值得記述。一位是達文西（Leonardo da Vinci）（1452—1579），他是意大利人，是一位天才科學家，他對數學，生理學，解剖學，均有特殊貢獻。不特此也，達文西在工程技術，也有獨特之創見，他對飛行有興趣，曾設計直昇機，降落傘，在達文西當時，他的思想是驚人的。與達文西同時期，有德人杜勒（Albrecht Dürer），在科學上有很多成就。杜勒專擅數學及光學，尤好研究動植物之成長及人體之構造。

歐洲文化，經過黑暗時期以後，達到文藝復興，學術空氣，漸臻甦復。自然科學種子，由回教國家輸入，文化與科學之發展，乃重上正軌。在科學發展之初期，天文與物理科學，首先受到當時學者，作為研究對象。波蘭人哥白尼（Nicolas Copervicus）（1473—1543），創地球繞日運行說之第一人。在哥白尼氏以前，世人都崇奉亞里斯多德天動地靜的理論，地在中樞，太陽於二十四小時繞地一周，這是宗教上之信條，反之者為叛道。哥白尼冒了生命危險，創地球繞日之新說，地球除公轉外，並於二十四小時內，自轉一週，這都是哥氏之創見。在天文學術方面，繼哥白尼氏而起者，是丹麥人鐵可勃雷（Tycho Brahe）（1546—1601），鐵氏有一座簡單的天文臺，所以觀測極廣泛，記錄相當準確。他的記錄中，載有恒星位置共七百一十九座。鐵氏助手德人刻卜勒（Johannes Kepler）（1571—1630），不特能繼承鐵氏的天文研究，且於鐵氏去世後，更能將天文學術發揚光大。刻卜勒在天文學上不朽之成就，是他有關天文的三定律，這三定律，建立了近代文學的基礎。三定律如下：

一行星繞日運行，其軌道不是圓形，而是橢圓形，太陽位置，處在橢圓焦點之一。

二行星繞日運行，其運動並非等速，若將太陽與行星連成一線，在等時間內，此線所掃過橢圓之面積，必相等。

三行星繞日一週期之平方，與行星距日遠近之立方

，成正比。

在物理科學上，有偉大之貢獻，與刻卜勒同時期者，是意大利人伽利略（Galileo Galilei）（1564－1642）。物與物間，能起相互作用，這個觀念，是伽利略所倡議。他發明了二具研究物理與天文之重要工具，一是顯微鏡，一是望遠鏡，他嗣後又發明溫度計。伽利略有了新的觀察遠處的機器，他發現月球表面崎嶇凹凸之情形，測得木星有衞星，太陽有黑點。他著名的比薩（Pisa）斜塔試驗，證明了物質下墮，其下墮之速度，與物體之大小及重量無關。伽利略在物理學上之成就，不勝枚舉，玆僅略及其一二耳。

歐洲在科學發展之過程中，因為自然科學之思想，與宗教奉行之教條相衝突，有堅信科學眞理之學者，因此犧牲生命者，伽利略即是其中之一。勃羅諾（Giordano Bruno）（1547－1600），亦堅信地球繞日論者，卒受宗教審判，後被用火刑柱燒死（註八）。

歐洲之知識界，到了這時期，因為回教國家文化及希臘文化，雙方傳入，求知心情殷切，追求眞理之熱誠，移向自然科學，於是不少科學家，應運誕生。在數學，物理，化學，生物，生理，地理，地質，動物，植物等各方面，自公元十六世紀以後，歷代都有傑出專家出現。若干著稱學者，與自然科學發展，有貢獻，或與自然科學歷史發展有關者，分別舉述如後。

空氣重量

空氣是否有重量？是當時學者討論問題之一。法國科學家巴斯噶（Blaise Pascal）（1623－62），深信空氣有重量，他曾實驗高度於氣壓有關。伽利略的門生托里拆利（Evangolista Torricelli）（1608－47）亦信空氣有重量，托氏知道空氣壓力，加於水面上，這壓力可使水在眞空中，升高三十五呎。同樣的，若這壓力加在水銀面上，在一支眞空的玻璃管中，可使水銀在這玻璃管中，升至二呎半高。後來物理學上，所稱之托里拆利管，及托里拆利眞空，即所以紀念托里拆利而命名。

光　學

荷蘭物理學家海更斯（Christian Huygens）（1629－95），是一位天才數學家，他於光學，光學上之原理，及力學尤多貢獻。海氏自製光學上透鏡，他自製顯微鏡及望遠鏡，他以子波（Wavelets）放射原理，以解釋雙折射。司乃耳（Willebroid Snell）（1591－1626）亦是荷蘭物理學家，他對光學有極深入之研究，光線由一介質射入另一介質，若是二介質之折射率不同，則光之射入角，在此二種不同之介質中，亦不相同，在此不同介質中之入射角之正弦比，是一常數。在物理學上，稱此比例常數爲，司乃耳定律。

抽氣機

古立克（Otto von Guericke）（1602－86）是一位德國學者，是抽氣機的發明家，他以二個馬德堡半球（Magdeburg hemisphere），併合後，將空氣抽淨，以二組馬拉之，每組馬各爲八匹，不能使二個半球分開，此顯示空氣壓力，加於半球上者至大。虎克（Robert Hooke）（1635－1703）是英國物理學家，虎氏曾將抽氣機，加以改良，並用以作若干實驗，如空氣之彈性，空氣之壓縮係數，及空氣之重量等。波義耳（Robert Boyle）（1627－91）也是英國物理學家，他的主要研究，在空氣體積，在不同壓力之變改。若溫度不變，定量之氣體，加以壓力，氣體積被壓而改縮，壓力加一倍，氣體積減一半，氣體積與壓力相乘之積，爲一常數。在物理學上，這稱爲波以耳定律。

生理科學

歐洲在公元十六世紀及十七世紀時期，也產生了若干科學家，注意到生理科學這一方面。英國學者哈維（William Harvey）（1578－1657），是專心研究人身中血的循環。丹麥科學家史梯諾（Niels Steno）（1648－86）則好研究人體的軀機組織。意大利數學家兼天文學者鮑雷利（Giovauni A. Borelli）（1608－79），以力學原理，應用於生活機體的機動能，其所得結果，有極佳的收穫。在公元十七世紀時，有關生理學問題之研究與討論，都着重於動物，尤着重於人的問題，及人的兩性之產生問題，這問題的爭論，持續了相當的時間。在這個時期，也有若干學者，因當時顯微鏡的觀察技術，不太精密，認爲微生物界之繁衍，是一種自然生殖（Spontaneous generation）。當時的學者，意識中的微生世界，是一個奇異的世界，永遠是一個謎。

宇宙觀之改變

自哥白尼開始，歐洲學者，不特推翻了地球中心論，即對太陽中心論，亦有懷疑。公元一六八六年，法國學者方德奈（Le Bovier de Fontenelle）（1657－1757）發表世界多元論（On the Plurality of worlds），當時有不少學者，異口同聲，謂與此意見，

表示同情（註九）。

學術團體

英國學者培根（Francis Bacon）（1561—1626）是一位哲學家，亦是研究科學的學者，他頗不滿敎條主義，常予以批評，他是英國皇家學會（Royal Society）的最早倡議者。公元十七世紀時，英國皇家協會之成立，對科學之發展，實有重大關係。該學會於一六六二年成立，不久此學會即成爲國際科學界論壇，於後來科學上發展，如公開討論，公開表達，無私無偏的批評辯論，以求眞理，其於學術上貢獻的價值，實無可估計。在十七世紀後半期，德國，法國，意大利等國的學會，亦相繼成立，於是各國學會，遂成爲科學思想交流之中心。科學交換制度化，規定十分嚴格，如持久的觀察，可複演的實驗，及數據等，是必須具備的條件。規格嚴，成就正確，因此而能發展日新之科學。所以日後歐洲科學，能蓬勃興起，誠非偶然。

牛頓及其他科學家

公元十七世紀，歐洲誕生了幾位傑出的科學家，使整個自然科學領域，漸臻於輝煌成熟的階段。在這幾位傑出的科學家中，最重要而成就最豐富者，當然是牛頓Isaac Newton）（1642—1727）。他的學識才能是多方面的。牛頓於物理學上的力學，光學，熱力學，天體力學等，無不精湛深入。他能將以往各家的科學思想，綜合而成一家言。他早期發表的不朽著作，就是自然科學數學原理（Philosophiae Naturalis Priscipia Mathematica）。牛頓看見蘋菓墜地，發現萬有引力，成爲自然科學發展史上之美談。在他所著自然科學數學原理一書中，牛頓說明運動三定律。他發明數學中的微積分，（或說牛頓與德國數學家萊布尼玆共同發明）。牛頓在物理學上的建樹，實奠定了古典物理的基礎。天文學家賀萊（Edmund Halley）（1656—1742）於一七〇五年鑑定一彗星，後人爲紀念他的發現，榮譽歸他，即命之爲賀萊彗星。賀萊曾協助牛頓研究地球之引力，牛頓之自然科學數學原理之出版，賀萊實出全力以助成之。萊布尼玆（G. W. Leibniz）（1646—1716），是著名的德國數學家及物理學者，萊氏與牛頓二人，後世公認爲共同發明微積分之學者。二位德國海德堡（Heidelberg教授，一位名爲克奇荷夫（Gustar Robert Kirchhoff）（1824—87），另一位名爲本生（R. W. Bunsen）（1811—99），於公元一八五〇年，證明光譜上某條光線，與某種物質，常有關聯，這一關聯，不會變更。引用

這樣的關聯，克霍夫與本生，斷言太陽上，有若干元素之存在。

巴黎天文台

法王路易十四世，爲各國學者，便利研究起見，特在巴黎建立國家天文台，時在公元一六六七年。竣工之後，法國學者畢卡（Jean Picard），荷蘭物理學者海更斯（Christian Huygens），丹麥天文家樂姆（Olaus Roemer），意大利天文學者加錫尼（G. D. Oassini），均會集於此，從事學術研究與探討，厥後均有輝煌之成就。樂姆是確定光有一定速度的第一人。加錫尼對若干行星之週期，如木星，火星，金星等，觀察及記錄，至爲詳盡，並曾計算金星與太陽之距離。海更斯於光學貢獻最大，他是主光學之波動說者，他曾改進望遠鏡之構造，以便利天文上觀察。

地球科學

歐洲學者，在觀察及從事發展天文學術時期，同時也注意到地球及地球構造等問題。在牛頓所著自然科學數學原理一書中，曾探討地球形狀等。地球形狀，幾成爲當時科學家主要的討論問題。因此，探險隊曾幾度出發，作鐘擺試驗，以推定各地點與地球中心之距離，由此實驗結果，乃斷定赤道地區距離地心，較南北兩極距離地心爲大，因爲南北極地區，其形狀都是扁平面。爲遠洋航行上的需要，所以風，潮汐，氣象，地磁等，亦爲當時重要之研究。蘇格蘭軍事工程師里特（William Reid）（1791—1858）曾從事氣象預測工作。英國因爲地理上的形勢，以及商務上的需要，於氣象科學，特別注意，故曾設立專門機構，以主其事。關於地磁研究，則英國之吉柏特（William Gilbert）（1546—1603）及德國的高斯（K. F. Gauss）（1777—1855）均曾作深入之探求。作地球之地層研究，最深入者，是法國學者戴蒲豐（Georges Louis Leclerc, Comte de Buffon）（1707—1788）。戴氏曾研究地形，地熱，化石等，依據他各種研究所得的結果，他將地球的成長，分爲七個時代。除戴蒲豐外，研究地層的成長者，尚有哈頓（James Hutton），哈氏是英國學者，他認爲地殼之分層，都因爲沙石長期積聚，或因河床，海底，高山，深谷，變遷而成。二位英國的地質學家，一位是史密斯（William Smith）（1769—1839），另一位是萊伊爾（Charles Lyell）（1797—1875），亦曾致力於各地層之化石及岩石之研究。德國學者洪保德（Heinrich

Alexander Von Humboldt）（1769—1859）對地球物理，曾作長期之研究，頗多成就。

物質變換

在這時期，自然科學，正向各方面發展中。有一部份學者，亦在物質變換上，研究其變換之情形，及變換的結果，並注意重量在物質變換中之重要性。參加此工作者，有好幾位當時著名科學家。英國的化學家布拉克（Joseph Black）（1728—99），從事此研究工作，並深入研究化學上的反應，曾發現一種與空氣不同的氣體，後來方鑑定即是二氧化碳。化學家兼物理學者卡文狄許（Henry Cavendish）（1731—1810）是十八世紀時英國的著名學者。卡文狄許發現了氫，但當時尚不知有氫之存在，故卡氏命之謂「引燃之空氣」（Inflammable air）。他對氣體，曾作多種測驗，其中一項重要的結果，是同量之不同氣體，其重量並不相同。與卡文狄許同時期的英國化學家普力斯萊（Joseph Priestley）（1733—1804）在化學上功績，是分離氧之成功，可惜的，蒲氏信「燃素」（Phlogiston）之存在，此一觀念，對他學術思想之發展，有了阻礙。法國科學家拉瓦錫（Antoine Laurent Lavoisier）（1743—94），是當時一位極負盛名的化學家，他曾將卡文狄許的很多實驗，重複試驗。拉瓦錫實驗中，並將氫與氧化合而為水，予以證明。化學上很多名詞，化學元素很多名詞，是拉瓦澤所創議釐定，一般從事化學者，多認拉氏於近代化學之建立，有極大貢獻。

化學元素之原子觀念

原子觀念與分子觀念，因化學元素之發現，漸引起當時科學家之研究與討論。參加此問題之討論與研究者，應上溯牛頓時代。從那時候起，經過卡文狄許，拉瓦錫，及同時期的化學家與物理學者，以及公元十八世紀後半期英國化學家道爾頓（John Dalton）（1766—1844），德維（Sir Humphry Davy）（1778—1829），法國化學家給呂薩克（Gay-Lussac）（1778—1850），意大利物理學家兼化學家亞佛加德羅（Amedeo Avagadro）（1776—1856）等，實驗與理論，同時發展。道爾頓是近代科學，原子理論的倡議者。給呂薩克在化學理論與實驗方面，成就極多。化學上一個定律：「任何種氣體，在相等壓力下，若增加溫度相等，其體積之擴張亦相等」。這即是著稱之給呂薩克定律。亞佛加德羅的假設是：「一克分子的任何氣體，在同溫度及同壓力下，其體積亦相同。」物理學上的亞佛加德羅常數是 6.023×10^{23} 每克分子。

「無法衡量東西」

科學發展初時，無人知道「熱」，或「電」，究竟是何物。在未明瞭牠們的真正性質以前，歐洲科學家，稱牠們為「無法衡量東西」"Imponderables"。為了「熱」的問題，很多學者，曾熱烈研究討論。英國布拉克曾注意物質在變態時，與「熱」必牽合在一起。如冰之融解，水之蒸發，均有定量的熱消失。反之，如水凝結為冰，汽凝結為水，有等量之熱回復，布拉克名此「熱」為「潛熱」。為計算「熱」的量起見，於是有溫度計之設計與製造。伽利略曾製空氣溫度計，牛頓曾有油溫度計之擬議，而現在一般通用之水銀溫度計，則是德國物理學者華氏（Gabriel Dauiel Fahrenheit）（1686—1736）之設計。美國學者湯普生（Benjamin Thompson, Count Rumford）（1753—1814），曾設法實驗「熱」之重量，但是湯氏的實驗，是否定的。

靜電

電之名詞與電之觀念，導源於希臘時代。公元十七世紀後期，法國學者杜萬（C. F. Du Fay）（1698—1739）根據實驗，有二種不同的靜電，即是玻璃棒上的電，與火漆棒上的電，性質不同，故主張電的二流說。美國科學家富蘭克林（Benjamin Franklin）（1706—90），則持不同的意見，富氏謂電的不同性質，原因由於一則過多，一則缺乏，其為電則一，故主張電的單流說。杜萬二流說，分電為陽電與陰電，陽電與陰電之間，發生引力，即異性電間，產生引力，同時，同性電間，則生拒力。法國電學家庫侖（Charles Augustus Coulomb）（1736—1806），曾證明兩個靜電荷間，發生引力或拒力。庫侖以扭秤（Torsion balance）證明兩電荷間之拒力或引力，與牛頓萬有引力之公式，也相符合。

電流及其效應

意大利物理學者伏特（Count Alessandro Volta）（1745—1827）發明了伏特堆（即俗名乾電池）及驗電儀，伏氏是注意流動電的第一人。德維曾研究電流行經金屬導線，及其所發生之作用。德國物理學家歐姆（Georg Simon Ohm）（1787—1854）曾將電流經過電線，比擬「熱」之經過傳「熱」之導體，有相同之情形。歐姆定律，為電流與電動勢成正比，與電阻為反比

，這是電學基礎定律之一，歐姆因此定律，於一八四一年，獲得英國皇家協會獎金之榮譽。丹麥物理學家奧司特（Hans Christian Oersted）（1777－1851）在公元一八二〇年時，將一金屬線，懸置於磁針之上，以電流通過金屬線，磁針即轉動。若將金屬線移置於磁針的下面，仍以電流通過金屬線，則磁針向相反方向轉動。法國物理學家安培（Andre Marie Ampire）（1775－1836）作更進一步的實驗。安氏以二條平行的金屬線，使電流在線中通過，若二條線內電流方向相同，則二線相互吸引。若二線內的電流方向相反，則二線相互拒斥。這一項試驗，闡明了電動機的基本原理。

電機學與射電學

在公元十九世紀，英國誕生了二位學者，對電學上均有偉大的貢獻。一位是法拉第（Michael Faraday）（1791－1867），法氏初時從德維學，任德維助手，以其好學而有天才，成就極多，尤以電磁感應方面，有驚人的創作。他於一八三一年，設計第一座發電機，卒告成功，實開電機學的新境界。德維故世後，法氏即繼德維主持英國皇家學院。電學中電容量單位名爲法拉（Farad），如此命名，即所以紀念法拉第在電學上之功績。電阻單位名歐姆，電流單位名安培，分別紀念歐姆與安培，亦以他們在電學的貢獻，而享受此榮譽也。第二位英國學者，在電學上建樹不朽之功績者，是馬克士威（James Clerk Maxwell）（1831－79），馬氏於射電學的成就，完全在學理。磁力線與電力線的消長，馬氏以數學推廣，獲得結果，即是電磁學上著稱之馬克士威方程式。從這方程式，馬氏演算推測，電磁力線的消長循環，成爲波浪形，所以電磁學上，也稱之爲馬克士威波浪方程式。光之傳播，其進行方式，亦爲波浪形。公元一八六四年，馬氏發表他的著作：「光之電磁波原理」，馬氏於光之電磁波性質，有透徹之瞭解。德國物理學者赫芝（Heinrich Rudolf Hertz）（1857－94），將馬克士威理論，予以實驗證明。赫氏用火花隙，以高壓電加予兩端，使發生火花，產生電磁波，並用接收器，安裝於相當距離處，收接此電磁波，以證明電磁波確實發生與傳播這一個實驗，可稱謂是近代無線電交通之先驅。

能量不滅

在公元十九世紀時，科學界有一熱烈討論的問題，參加此討論者，皆爲當時歐洲的傑出科學家：如英國的湯姆生（William Thomson, Lord Kelvin）（1824－1907），德國物理學家赫爾姆霍兹（Hermann Helmholtz）（1821－94）因爲都篤信「能量不滅」，故他們斷定，在這宇宙間，各種功能，儘管從某一種（如，熱，電或光）轉變爲另一種，但宇宙間，各類功能之總和，是一常數，是即「能量不滅」之原理。宇宙間之能量，不會增加一些，也不會減少一些，所以當時的科學家，都否定「永恒運動」。英國物理學家焦耳（James Prescott Joule）（1818－1889），曾與湯姆生合力從事熱力學研究與發展，亦爲深信「能量不滅」論者。

以 太

在公元十九世紀時，科學界更有一困擾問題，這就是以太的是否存在。水紋之傳播，水是傳播之介體，聲之傳播則藉空氣。所以光之傳播，依機械理論言，也必有介體，爲傳播之憑藉。當時不少科學家，參加此問題之研究，於無可奈何中，創議一介體，名之曰以太（Ether），此乃完全是一假定的東西。爲了確定以太之是否存在，很多科學家，設計實驗方法以求證。其中最著稱的，就是邁克生（Albert Abraham Michelson）（1852－1931）與莫立（Edward Williams Morley）（1838－1923）的實驗。邁氏與莫氏合作的實驗，用一光線，以反光鏡，使分爲二支光線。其中一支順地球自轉方向進行，在相當距離遠處，安置反光鏡，使此支光線，仍折回原出發點。其另一支光線，則令向垂直方向進行，於相等距離遠處，亦安置反光鏡，令此支光線，亦折回原出發點。反光鏡之距離雖相等，但是順地球自轉方向這支光線，其所經行之路程較短，所以這二支光線，折同一原出發點時，所經路程不相等，相遇時，必產生干擾現象。但是邁克生莫立實驗，他們始終沒有發現干擾現象，好像地球是靜止不動的。這個實驗，使以太的是否存在，成了一個疑問。照英國科學家法拉第力線（Lines of force）與力線場（Field）之說，二個電荷間有電力線，二個磁極間有磁力線，電力線之消長，產生磁力線，磁力線之消長，亦發生電力線，電磁力線，相互消長，波浪起伏，散發傳播，無遠勿屆。依此理論，可舍以太觀念，亦能導致科學之發展。

光 譜

牛頓於一六六六年發現光譜，克奇荷夫及本生發現，凡化學物質，在氣態時，各自發出特殊的光譜。所謂光譜學，即光譜分析，自成一專門學問。光譜學之應用

，最有效而重要，是在天文及化學方面。氦之發現，是由光譜學而獲得的。若干金屬及氣體，都憑藉光譜分析，因此發現或證實。太陽上有何種氣體或原素，宇宙間各星球上，有何物質存在，都可用分光鏡，及參考光譜學，求得答案。

生物學

生物學可大別爲二大部門，即植物學與動物學。歐洲若干國家之生物學家，對植物與動物之分類及定名，曾發生過很多爭論。同時因爲物種繁多，爲求成爲有系統之學問，分類及定名，有其必要。在植物學方面之分類，在工作與成就上，爲後人所推崇者，是瑞典植物學家林奈（Karl Linnaeus）（1707－1778），林氏是雙名分類法之創建者。在動物學方面，從事分類者，是法國生物學家丘維爾（Georges Cuvier）（1769－1832），丘氏的方法，將動物界分爲四大類。林奈與丘維爾，於植物學及動物學發展史上，其成就，均相當輝煌。但林丘二學者，對於物種之變遷，在思想與觀念，似趨於過份保守，他們深信物種之「固定」與「不變」。拉馬克（Jean Baptiste de Monet de Lamarck）（1744－1829）也是法國的生物學者，他思想較爲開展。拉馬克認爲物種無界限，環境可影響物種，器官之運用或不用，可使器官發達或退化。

微生物學

微生物學，是生物學之一部門，亦稱細菌學，法國化學家巴斯德（Louis Pasteur）（1822－95）是微生物學之傑出學者。巴氏於發酵研究，成就最多，在巴氏以前，發酵問題認爲與生物無關。傳染病菌，是巴氏之發現，高溫消毒，是巴氏所創議，於近代醫療衛生，巴氏之貢獻，洵屬偉大。

進化論

由研究動植物形態變更，推論到物種之改進，科學發展史上著稱達爾文（Charles Darwin）（1809－1882）之「進化論」，即是此學說之結晶。達氏於公元一八五九年，發表了他的名著「物種源流」，不特科學界在生物科學上，是一種創見，他的立論，實震撼當時歐洲之整個思想界。「物種源流」名著，提出了若干警世危言，如「優勝劣敗，適者生存」，及「自然淘汰」等。言論思想，影響所及，使社會與國際政治，都受了衝擊。達爾文的學說，曾掀起了科學界的熱烈辯論，接受者固多，反對者亦不少。當時的德國，自由思想泛濫，對達爾文言論與思想，幾望風影從。其在法國，除拉馬克一派外，都深閉固拒，不予接受，亦可見德法民族性之不同。在十九世紀後半期，及二十世紀早期，白種人以優秀民族自負，傲視其他種族，導致世界於糾紛，其亦達爾文思想作祟歟。

放射性與電子之發現

公元十九世紀之季及二十世紀之初，固是生物科學蓬勃興起時期，在這同時期，物理科學，亦有不尋常之發展。法國物理學家柏克勒爾（Antoine Henri Becquerel）（1852－1908）於一八九六年，發現鈾礦物之放射現象。德國物理學家倫琴（Wilheim Kourad Roentgen）（1845－1923）於一八九五年，發現 X- 射線。居禮夫人（Madame Marie Curie）（1867－1934）發現釷之放射性，並於一八九八年，發現新元素鐳。英國物理學家湯姆生（J. J. Thomson）（1856－1940）於一八九七年，發現了電子。在過去時期，科學家都以爲原子是任何物質最小分子，是無可再分的個體。故湯姆生之發現，打破了此觀念，在自然科學發展史上，這一發現，有劃時代的重要性。德國的物理學家蒲朗克（Max Planck）（1858－1947）於熱力學貢獻極多，蒲氏最著稱的成就，則是他的量子論。在過去時期，一般想象，以爲輻射能是繼續不斷的東西。但依照量子論，輻射能不是連續的，而爲分離的個體，就是說，光非連續的，而是分離個體的。每個體的能量，與光之頻率有關聯，頻率愈高，輻射能愈大。物理學上的光電效應，依量子論說法，可得到滿意的解釋。

公元二十世紀初期，是歐洲物理科學發展極盛時期，各家紛起，凡古典物理所不能解釋，或解釋而不得洽意者，乃尋求更洽意的新學說，務祈物理現象，實驗結果與理論，相互證驗而後已。當時歐洲各國學者，殫精竭慮，以求此問題的答案，上節述及德國物理學者蒲朗克創量子論，即是其中之一例。其他著名學者，在此物理科學思潮中，有特殊成就者，爲數不少，茲僅舉傑出而於自然科學有重要影響者數位，如次：

相對論

德國物理學家愛因斯坦（Albert Einstein）（1879－1955）於一九〇五年發表狹義相對論，於一九一五年發表廣義相對論。愛氏推演量子論，應用於光電效應適合理論的解釋。他的著稱的方程式 $E = mc^2$ 表明了「能」

與「物質」的相等。在這方程式中，E 是「能」，m是「物質」，c 是光速度。此公式之正確性，至核子物爆炸，發生巨大威力，始得到了證明。愛氏發明了宇宙之中，能即物質，物質即能之關係。愛氏於第二次世界大戰時期，移居美國，後即歸化為美國公民。

量子力學

德國物理學家海森堡（Werner Karl Heisenberg）於一九二五年發表量子力學體系。

波動力學

司洛丁格（Ervin Schrodinger）是奧國的物理學家，戴布勞格利（Louis Victor de Broglie），是法國物理學家，二人都致力於波動力學。凡粒子行經電力線場，如電子穿過原子核心的靜電力線場時，每顯示波動特性。依戴布勞格利氏之理論推廣，若一粒子有質量為 m，其速度為 v，在適宜情形下，此行動之粒子，顯示波動特點，而此波動之波長 λ，與粒子的質量及其速度的關係，有如下列公式，$\lambda = \dfrac{h}{mv}$。公式中之 m 與 v，分別為粒子之質量與速度，h 為蒲朗克常數，以紀念蒲氏量子論的貢獻。此公式常稱為戴布勞格利公式，純由理論推演所得結果，但後用電子，質子，中子，α 粒子等試驗，證實此結果的正確。

人工蛻變元素

自湯姆生氏發現電子，柏克勒爾及居禮夫人發現放射性，於是歐洲自然科學家，對物質觀念為之丕變，舍棄了原子為物質最小個體的見解。各國從事此問題的研究之學者，風起雲湧。英國科學家倡導此研究者，首推拉塞福氏（Ernest Rutherford）（1871－1937）。拉氏初從事研究釷鐳之放射性，他分析結果，得三種不同之射線，即帶正電之 α 射線，帶陰電之 β 射線，與成波動之 γ 射線。拉氏在進行此項研究工作，卒於一九一九年，以 α 粒子，撞擊氮原子，使氮原子蛻變為氧原子，同時放射一質子，這是有史以來，元素由人工使之蛻變的第一次。

原子模型及正子與中子之發現

原子之結構，物理科學家，已約略具有構想，有陽電荷的核心居中，帶陰電荷的電子繞行於四周，各家設想，擬具模型，於是有湯姆生模型，有拉塞福模型，有包爾（Niels Bohr）模型等。諸家構想之模型，其主要組織，皆以陽電荷的質子，及陽電荷的電子，結合而成。在公元一九三二年，原子科學上，有二項新發現，使原子構造的觀念，不得不加以修正。美國物理學家安德生（Carl David Anderson），於是年發現了正子，其電荷與重量，與電子相等，惟電荷的性，與電子相反，是正電荷，是電子的對等粒子，故在粒子物理學上，稱之為正子。於同一年間，英國物理學者查兌克（Sir James Chadwick），發現了中子，中子是無電荷的粒子，既無陽性電荷，亦無陰性電荷，故名之為中子，其重量比質子的重量略大。因為中子無電荷，不受任何電力線場之阻撓，故穿透力極強。

粒子加速器

二十世紀初期，由電子時代進入核子時代，正子與中子之發現，科學家對於核子科學之研究，倍加興趣與努力。初期發展中，就成最特出的機構，應是美國加州大學之輻射研究所，該所的創始者，為物理學者勞忍斯（Ernest O. Lawrence），故該所又稱為勞忍斯輻射研究所。勞氏是核子科學的拓荒者，他為了研究原子核心，特設計及建築了核子迴旋加速器，使核子在此器中，達到高速，以之撞擊靶子（如金屬面），使被撞擊靶子中的原子，分裂為碎塊，以供研究，鑑定碎塊為任何粒子，或其他較輕之原子。

連鎖反應

意大利物理學家，後入籍美國的費米（Enrico Fermi）（1901－1954），初研究量子論的應用，並致力於中子與微中子研究。費氏在核子科學上最大的貢獻，是他於一九四二年十二月，在芝加哥大學體育館，引發成功原子堆的連鎖反應。連鎖反應是原子彈之前奏，第二次世界大戰時，同盟國以原子彈使日本投降，費米之成就，功不可沒。

原子能和平用途與能源

美國以原子彈獲取勝利，但鑑於其威力之凶猛，足以毀滅整個世界及人類，於是亟亟倡導原子能和平用途運動，以轉移原子能之毀滅力量，用於為人類謀福利之途徑。現在已有若干原子放射性同位素，用於醫療，若干同位素，用於農業，以改良品種。原子能之爆炸威力，予以適當之控制與調節，使之發電。滋生反應器，雖現時尚在實驗發展階段，設一旦發展得結果，核子燃料，在反應器中，滋生量多於消耗量，燃料將永無匱乏之

虞，這是核子科學家所夢寐以求的希望，現在正努力追求中。

介　子

核子科學之發展，在和平用途方面，雖略偏重於應用，但已有不少核子科學家，從事核子科學研究，他們的興趣與工作，完全是在科學真理之追求。我人若瞻望自然科學未來的趨向，我們知道自然科學，尤其物理科學，現在正到達了無窮創造的階段。從原子核心的分裂，已發現介子，重介子，超介子等。這各種介子的發生，完全由高速粒子，撞擊原子，使原子分裂而來。使用之粒子速度愈高，則從原子核心分裂出來碎塊愈多，能使明瞭核心內部組織之資料愈完備，這是核子科學家，最大的願望。在第二次世界大戰後數年中，所用之同步廻旋加速器，能使質子加速至三億至四億電子伏。用這樣高速質子，撞擊靶子，可產生一大群派介子（Pi.Meson）。在一九五〇年前後，美國勃洛克海文（Brookhaven）研究所建造的質子同步加速器（Proton-Synchrotron），或稱宇宙加速器（Cosmotron），可將質子能增強，高達三十億電子伏，能產生比質子更重的粒子，如超介子等。超介子常與另一種粒子名K介子者，同時產生，超介子及K介子，在核子物理科學，統稱為奇異粒子。美國加州大學之貝伐加速器（Bevatron），能增強高速粒子，到達六十億電子伏，如此高能的粒子，撞擊靶子，能產生反物質（Anti-matter）。如反質子（Anti-proton），反中子（Anti-neutron），反超介子（Anti-hyperon）等。現在美國國家核子加速器研究所，已完成世界最大的粒子加速器，高達四千億電子伏，在計劃中者，將為二萬億電子伏的加速器。基本粒子之研究，在今後數十年內，必佔自然科學發展之最重要部份。揭開宇宙的真諦，乃是此項研究的終極目標。

自然科學今後之發展

學術之進步，猶宇宙之博大，是無可限量的。自然科學之發展，尤其在物理科學方面，這是一個事實。以積聚之經驗，豐富之資料，進步之工具，新穎之技術，從事研究，今後各方面之發展，較之過去，必更為輝煌，更為豐碩，乃是預料中事。核子科學研究，已如前節所述，現已成為一專門學科，名為粒子物理學（particle physics）。粒子物理學的主要發展任務，一言以蔽之，在窮究原子核心之奧秘。電漿物理學，是自然科學發展之另一新區域。模擬宇宙洪荒之世，混沌初開，星體

未成，穹蒼間瀰漫了星雲，即近代科學所稱之電漿。美國航空太空總署（NASA）曾如此說：「宇宙研究之科學目的，在求瞭解太陽系之如何逐漸形成（註十）。電漿物理學，是主要的太空研究，以尋求太陽系的來源。宇宙如何創造，是自然科學家另一探求研究的區域。天文學者，對此問題，意見殊不一致，祇少有三種不同的理論。荷蘭天文家歐特（J. H. Oort）深信宇宙的開始，是一大爆炸（big Bang）（註十一）。此乃天文學者中三種不同理論之一，但至今無定論。最近太空觀察，有廓塞星（Quasar）與波塞星（Pulsar）之發現。從太空觀察中，也測得紅向移動（Red Shift），這顯示宇宙間星體，正向無窮限之外緣奔馳。紅向移動現象，也顯示天體宇宙外緣，似在無窮限擴展中。以上所述各項自然科學之發展趨向，極富刺激性與挑戰性，最優秀科學家，將不畏艱困，接受此極富希望之挑戰。

中國學者與自然科學

中國科學家，上及三代，中經漢唐宋明，歷代在自然科學，均有不尋常之貢獻，本章前節，業加叙述。惟自然科學，為何未在中國生根而發揚成長，至今尚是學術界議論的問題，意見紛然，莫衷一是。近代西方科學輸入我國，自明季開始。當時有天主教士利瑪竇（Mattes Ricci），湯若望（Adam Schall von Bell），南懷仁（Ferdinand Verbiest）等，先後來我國，以天文，數學，農事等，介紹於我國。利瑪竇於公元一五八一年，抵達我國，時歐洲文藝復興，尚在初期，自然科學之發展，猶限於天文及數學等部門。中國學者，如徐光啟，李之藻等，與諸天主教士，時相交往，並作學問上切磋。徐光啟與李之藻，並曾與利瑪竇合作譯著歐幾里德之幾何學，以及「同文算指」與「測量法義」等書（註十二）。惟中國自然科學之基礎，並未因此建立。遜清末年，八國聯軍之後，國人忧於國勢之危，於是李鴻章張之洞諸憂時之士，鑒於西方國家，船堅器利，當時奏准清廷，設立兵工，造船，煉鋼等廠，以為如此，可致國家於富強，而自然科學，未之計及。故直至前清末年，自然科學基礎，依舊空虛。

民國成立，留學歐美之士返國者漸衆，國內公私立大學，及研究院所，逐漸成立，於是一般西方科學，在國內學術機構，成立專門科系，從事教學與研究，自然科學，即在此新潮學術中，在國內生根滋長之部門。

民國四十四年，時張其昀先生長教育部，督纂中華民國科學誌，執筆者均是國內各學科之專家學者。內容

包括工程，經濟，社會，農學，醫學，商學，人文等各專門學術。自然科學，別爲專篇，分爲十章，爲數學，物理，化學，天文，氣象，動物，植物，生理，地理，及地質。參加中華科學誌撰述者，爲周鴻經，鍾盛標，張儀尊，高平子，薛繼壎，王友燮，李順卿，柳安昌，孫宕越，及阮維周等諸先生。祇數學一門，由周鴻經先生搜集，爲中國數學家，在國內外學術刊物——如英美德法日意等國之數學期刊——所發表者，有九百餘篇之多，此足以顯示中國科學家，自民國以來，在自然科學方面，所努力與成就，誠是豐碩可觀。

　　以上所叙述，是有史以來，自然科學發展之概略。在發展之初期，中國學者，在數學天文各方面，皆有獨特的貢獻。近代科學，無可否認的，中國所有者，皆自歐美輸入，但在數十年內，中國學者，已有相當成就，以國人稟賦之高，假以時日，他日在自然科學上之建樹，可以預期也。

　　王雲五先生以國際學術介紹於國人之心願，主持編纂中山自然科學大詞典，分爲十門如下：

　　一、自然科學概論與其發展
　　二、數學
　　三、天文學
　　四、物理學
　　五、化學
　　六、地球科學
　　七、生物學
　　八、植物學
　　九、動物學
　　十、生理學

每門各別爲一冊，全部合十冊。編寫的體裁，原訂仿辭典格式，每一詞爲一條，加以詮釋。詞之排列次序，則按詞之第一字筆劃爲準。惟其後未能嚴格一律，有數冊採用分類次序排列者，而第一冊自然科學概論與發展史，是記載各門科學歷史之發展與演進，不以一詞一語爲主，乃採取了綜合一貫之叙述。本篇包括下列各門：數學，化學，生物，及地球科學，分述如后。

附　　註

註一：George Sarton 著："A History of Science" 第十九頁，有如下一句，"It is im-possible of course to say when Egyptian culture began and to decide whether it is anterior to Mesopotamian and Chinese culture or not."

註二：George Sarton 著："A History of Science" 第五十一頁："……the written documents preserved only a part of it to begin with, and the majority of those documents have been lost. Only those enclosed in tombs had a chance of survival."

註三：見李約瑟氏著：「中國之科學與文明」，第三冊第三十三頁（英文本）。

註四：見李約瑟氏著：「中國之科學與文明」，第三冊第一九六頁至二〇九頁（英文本）。

註五：參閱 Charles Suiger 著："A Short History of Scientific Ideas" 第一三六頁及一三七頁。

註六：參閱 Charles Singer 著："A Short History of Scientific Ideas" 第一五〇頁至一五三頁。

註七：參閱 Charles Singer 著："A Short History of Scientific Ideas" 第一七一頁。

註八：有關天文各節，均參閱 Charles Singer 著："A Short History of Scientific Ideas" 第二一二頁至二五九頁。

註九：參閱 Charles Singer 著："A Short History of Scientific Ideas" 第二九一頁。

註十：參閱 "Plasma Physics, Space Research, and the Origin of Solor System" by Haunes Alfvin, on "Science" vol.172, No. 3987, June 4, 1971.

註十一：參閱 "Galaxies and the Universe" by J. H. Dort, on "Science" vol. 170, No. 3965, December 25, 1970.

註十二：參閱李約瑟氏著：「中國之科學與文明」，第三冊第五二頁至五三頁，又第一一〇頁（英文本）。

數學發展史

中國數學　　　　　傅　溥

數學爲文化的一部分，我國係文明古國，數學發達之早，領先世界，爲一不爭事實。慨自滿清末年以來，海運大開，西學湧至，喧賓奪主。潮流所趨，一般人慕新棄舊，遂令我國許多先哲的豐功偉績，湮沒無聞，良堪浩嘆。際茲復興中華文化運動聲中，允宜將我國歷代數學狀況，重要著作，以及傑出數學家業績等，一一表而出之，藉使世人明瞭我國過去文化的輝煌燦爛，源遠流長；同時鼓勵後進，發奮圖強，克紹先哲箕裘。

所謂中國數學，它的發展情形，根據現存文獻顯示，約可分爲六個時期。即：曖昧、茁壯、鼎盛、代數學突飛猛晉、衰退、與復興。過此即便世界化，不復再有中西之分了。

壹、曖昧時期

這個時期，上自太古，下迄暴秦，爲時約計二千五百餘年，即所謂先秦時代。在先秦時代，我國數學發展，業已達到了相當程度，祇是有關這類專書，並無一册流傳下來。因爲文獻無存，情況難明，無法指出某人有某種成就，僅能在其他文獻中，東鱗西爪，略窺一斑，故稱之爲曖昧時期。

周朝以前數學知識的一鱗半爪

「易」繫辭云：「上古結繩而治，後世聖人，易之以書契。」

「釋名」云：「契，刻也；刻識其數也。」

「世本」稱：「隸首造數。」

漢時徐岳所著的「數術記遺」云：「隸首注術，乃有多數。」又謂：「黃帝爲法，數有十等；及其用也，乃有三焉。」

「管子」輕重戊云：「伏羲作九九之數，以應天道。」三國時魏人劉徽注「九章算術」序云：「包羲氏………作九九之數，以合六爻之變。」

周朝的數學教育

「內則」云：「六年教之數學方名，十年出就外傅，居宿於外，學書計。」

「白虎通」云：「八歲毀齒，始有識知。入學。學書計。」

「周禮」保氏云：「教民六藝，六曰九數。」漢鄭玄釋周官保氏稱：「九數：方田、粟米、差分、少廣、商功、均輸、方程、贏不足、旁要；今有：重差、夕桀、勾股。」足見周人於小學時期，即曾注重數學教育。

命數法

根據「世本」隸首造數的記載，我國有數之早，實較世界上任何文明國家爲最。「易」繫辭上云：「萬有一千五百二十」；此外，「周易」、「禮記」、「春秋左傳」、「毛詩」等皆言及「萬民」；「書經」言及「兆民」；「逸周書」世俘篇：「凡武王俘商舊玉，億有百萬」，具見一、十、百、千、萬、億、兆等命數名稱，我國自古以來，就一直使用迄今，從未更改過。

但這些一、十、百、千、萬、億、兆等命數名稱，除了「易」繫辭上的「萬有一千五百二十」中的萬以下名稱，明白表示了依十進位外，其餘萬以上的名稱萬、億、兆間的關係如何呢？又在億、兆以上是否更有表示大數的名稱呢？關於這兩個問題，漢朝時候何徐岳所著的「數術記遺」中，曾予我們以圓滿的答覆。「數術記遺」云：「隸首注術，乃有多數。」又謂：「黃帝爲法，數有十等；及其用也，乃有三焉。十等者，億、兆、京、垓、秭、壤、溝、澗、正、載；三等者，謂上、中、下也。其下數者，十十變之，若言十萬曰億，十億曰兆，十兆曰京也。中數者，萬萬變之，若言萬萬曰億，萬萬億曰兆，萬萬兆曰京也。上數者，數窮則變，若言萬萬曰億，億億曰兆，兆兆曰京也。」這三等數中十十而變的下數，我國一直延至滿清末年，猶在使用中。例如稱我國當時人口爲四百兆；庚子年義和團之亂，向八國所認賠款爲四百五十兆兩等是。實則我國當時人口爲四億，庚子賠款爲四億五千萬兩也。

太古時代的數字

　　在未有文字之前，一切事項，皆以結繩爲記，數字當亦不能例外。「易」繫辭云：「上古結繩而治，後世聖人，易之以書契。」「釋名」云：「契，刻也；刻識其數也。」結繩之制，已不可考。書契之作，今日可考者，最早當推殷代的甲骨文字，其次爲周、秦的吉金欵識。茲將殷代甲骨文，周、秦時代鐘鼎文（一稱金文），以及周代散見於錢幣上的各種數字，和現今數字對照，表列於下，藉以示明其變遷的一斑。

古 今 數 字 對 照 表

亞剌伯數字	小寫	大寫	甲骨文（商朝）	鐘鼎文	錢幣文（周朝）	算籌數字（前期）單 十	算籌數字（後期）單 十	商用數碼
1	一	弌或壹	一	一	一 丨	一 丨	丨 一	丨
2	二	弍或貳	二	二	二 ‖	二 ‖	‖ 二	‖
3	三	叁	三	三	三 ‖‖	三 ‖‖	‖‖ 三	‖‖
4	四	肆	亖	亖 四 ⊠ ‖‖ 田 ⊠	‖‖‖	‖‖‖ Ⅹ 亖 Ⅹ	Ⅹ
5	五	伍	Ⅹ	Ⅹ	亖 Ⅹ Ⅹ ⊠	亖 ‖‖‖	‖‖‖ ○ 三 ○	8
6	六	陸	人	人	人 人 人 ⊥ T	⊥ T	T ⊥	⊥
7	七	柒	十	十	木 半 T ⊥ Ⅲ	⊥ Ⅱ	Ⅱ ⊥	⊥
8	八	捌	)(	)(	Ⅹ 土	土 Ⅲ	Ⅲ 土	土
9	九	玖	匊	匊 匊	匊 土	土 Ⅲ	Ⅲ ⊠ 土 Ⅹ	夕 久
10	十	拾	丨	◆ 十 ⇧				十
100	百	佰			⊠			30
1,000	千	仟			f			千
10,000	萬	萬			万			万
0	零	零						○

算籌數字

　　我國古代計算數學問題時，並不像今日用筆將數字書寫於紙面上，而是用算籌擺在算盤上，來表示出那被計算的數目，然後依照計算法則，搬運算籌，故稱計算爲運算。這種計算時專用的籌子，有時單稱「籌」，或稱「策」，或稱「算」，名稱雖異，其實同係一樣東西。不論籌字也好，策字也好，或算字也好。它們頂上都冠有一個竹字，可見這種東西，古代都是用竹製成的。

　　基本算籌數字，共分一、二、三、四、五、六、七、八、九等九個，零則空一位置。因爲用算籌表數時，

爲了整齊美觀，不是縱列，便須橫擺，所以算籌數字也就有相反的前、後期兩種之分，一如上面數字對照表中所顯示的。這兩種算籌數字的構造，其間差別，僅係縱橫的互異，只要說明其一，便可得知其二。現在爲了便於觀察起見，特將後期使用的九個基本算籌數字，分單、十、百、千、萬等位，重新抄錄於下：

	1	2	3	4	5	6	7	8	9
單百万 位	丨	‖	‖‖	‖‖‖	‖‖‖	T	⊤	Ⅲ	Ⅲ
十千 位	一	二	三	亖	亖	⊥	⊥	土	土

它們的組成，「孫子算經」中說得明白：「凡算之法，先識其位。一從十橫，百立千僵。千十相望，萬百相當。」又云：「六不積，五不隻。」它的方法是：不論從擺或橫例，每一算籌都各代表一，將它們累積起來，至所要代表的數為止。但是累積程度，也有一定限制，不能超過五籌，此所謂「六不積」也。倘若該數超過了五，便要將從橫和所積聚的籌相反的一籌來代表五。這一從橫相反的籌代表五的辦法，也要該數超過了五，纔可實行。恰恰是五時，還是使用積聚方法，此所謂「五不隻」也。

由一至九，如此用算籌來排列的方法確定後，那麼，單位的一是用從籌呢？還是用橫籌？依照前面數字對照表中所顯示，前期用得是橫籌，後期即「孫子」的辦法，用得是從籌。單位的一用了從籌後，為了區別起見，那十位的一就不能不用橫籌，百位的一又不能不再用從籌，千位的一不能不再用橫籌。如斯從橫相間，纔不至於混淆不清。此即「孫子」所謂「一從十橫，百立千僵；千十相望，萬百相當。」也。但我們要知道，「孫子」的規定，決不是唯一的辦法。在我國古代甲骨文和鐘鼎文中的一、二、三、四等數字都是橫排的；和由前期算籌數字蛻變而來的，我們今日通用的數字一、二、三，也都是橫排的，便是絕好的證據。

左傳中亥字的謎

我國古老的十三經之一的「左傳」，它裏面載有一個有趣味的故事，原文如下：「二月癸末，晉悼夫人食輿人之城杞者。絳縣人或年長矣，無子而往與於食。有與疑年，使之年。曰：臣，小人也，不知紀年。臣生之歲，正月甲子朔，四百有四十五甲子矣。其季於今，三之一也。吏走問諸朝。……史趙曰：亥有二首六身，下二如身，是其日數也。士文伯曰：然則二萬六千六百有六旬也。」這個故事中的老人，他一生總共經過了四百四十五個甲子。而最後一個甲子僅及其三分之一，一共活了二萬六千六百有六旬，當易於算出。唯史趙這個捉狹鬼，他不直言日數，偏製作成一個啞謎：「亥有二首六身，下二如身，是其日數也。」來難倒人。士文伯也就聰明，不由「正月甲子朔，四百四十五甲子矣。其季於今，三之一也。」來推算，卻根據史趙的啞謎：「亥有二首六身，下二如身，是其日數也。」答出了正確的日數二萬六千六百有六旬。他的理由何在？這就不能不歸着到算籌數字了。原來「亥」字的形狀，它頂上像算籌數字的二，下面三個人字，各像算籌數字的Ｔ，連結起來，便成‖⊥⊤⊥。依照「孫子算經」的規定，不是二萬六千六百有六旬，是什麼？

十進記數法

如前所述，我國命數方法，分有三等。雖則分節的情形各有不同，但都是依十進位，故記數時甚為方便。又用算籌排列數字。雖僅能排出由一至九的九個有效數字，因為係在算盤上排列，如某一位數字為零，可於該處空一位置，亦不發生困難。茲將「數術記遺」中所記上、中、下三等記數的定位方法，列表於下，藉資對照。

載正潤溝壤𥝲垓京兆億萬千百十單 位位位位位 位位位位位位位位位	上
十萬千百十兆千百十萬千百十億千百十單 萬兆兆兆兆位萬萬萬億億億位萬萬萬位位位位 兆位位位位　億億億位位位位　位位位 位　　　　位位位	中
十萬千百十兆千百十萬千百十億千百十單 萬兆兆兆兆位萬萬億億億位萬萬萬位位位位 兆位位位位　億億億位位位位　位位位 位　　　　位位位	下

這三種記數方法，如用現今十的乘冪來表示，則如下表：

上　10^4　10^8　10^{16}　10^{32}　10^{64}　10^{128}　10^{256}　10^{512}　10^{1024}　10^{2048}　10^{4096}

中　10^4　10^8　10^{16}　10^{24}　10^{32}　10^{40}　10^{48}　10^{56}　10^{64}　10^{72}　10^{80}

下　10^4　10^5　10^6　10^7　10^8　10^9　10^{10}　10^{11}　10^{12}　10^{13}　10^{14}
　　萬　億　兆　京　垓　秭　壤　溝　澗　正　載

這種光輝燦爛的十進法，我國自古以來，即行採用。反觀世界各國，究竟如何呢？印度在西曆五百年前後，方始採用。歐洲方面，西曆八百二十五年前後，雖由亞剌伯數學家阿爾柯瓦歷杏美（Al-Khowarizmi）著了一本書介紹前去，但沒有立即通行。經過了幾百年，因為商人覺得它較羅馬記數法更為便捷，方纔推銷開來。這事在我國數學史上，是值得自豪的一點。

干支的使用

我國古代用甲、乙、丙、丁、戊、己、庚、辛、壬、癸十天干，來和子、丑、寅、卯、辰、巳、午、未、申、酉、戌、亥十二地支互相配合，由甲子開始，終於

癸亥，以六十爲週期，週而復始的表示年、月、日、時的先後次序，爲時甚早。例如殷朝皇族都以生日的干命名：湯名天乙，紂即帝辛等是。七十餘年前，河南彰德附近發見殷朝遺留下來的甲骨文字甚多，其卜辭皆以六十甲子紀日，且有六十甲子表，始於甲子而終於癸亥。於此可見我國算術中，關於整數性質最小公倍數、最大公約數的闡明，爲時之早，出人意表。

八卦

我國古代伏羲氏所畫的☰乾、☱兑、☲離、☳震、☴巽、☵坎、☶艮、☷坤等八個卦，它的作成方法是這樣的：先由陰--陽—兩種不同爻中，每次取出三爻，作成四個不同組合。再將這四個組合中的元素，又各分作排列。照代數學中組合、排列的公式，由這種方法作成的不同排列，總共有八個。而八卦的卦數恰好相符，一個不多，一個也不少。足徵這種組合、排列的研究，我國遠在西曆紀元前四千餘年，不但早已着手，而且有了正確的收穫。

河圖與洛書

我國傳說：伏羲氏王天下，龍馬負圖出於河，遂則其文以畫八卦；大禹治水，理龜負文列於背，有數至九。河圖、洛書，究在什麼時候始有？雖不可考，但鑑於「易經」中第十一章有：「河出圖，洛出書，聖人則之。」「書經」顧命篇中有：「弘璧琬琰在西序，大玉夷玉天球河圖在東序。」「論語」子罕第九中有：「子曰：鳳鳥不至，河不出圖，吾已矣夫。」「墨子」卷五非攻下第十九中有：「河出綠圖」「莊子」天運第十四中有：「九洛之事」之句，其爲時之早，當在西曆紀元前

一，二千年。殆無疑問。河圖、洛書二圖，根據宋儒傳統的註解，都是由從一至九的這九個有效數字構成。河圖排列的方法是：如果把它中央部分的五與十除掉不算，它內中所含的偶數或奇數，加起來的和都是二十。洛書不但是中國第一，而且是世界上第一個縱橫圖。（縱橫圖即英文的 magic square，因爲我國現代學者的知識，和古代文化脫了節，這個古代原有的學語縱橫圖，竟數典忘祖，被由英文譯出的魔方陣，或幻方取代了。）它的構造是：不論依直行也好，橫列也好，或對角線也好，它那三個小方格中的三數，加起來的和都是十五。縱橫圖的研究，係組合解析（combinatorical analysis）中的一部分。我國數學發達之早且深，於此又復得一明徵。

墨子的幾何學界說與數理哲學

墨子名翟，爲孔子以後的哲學家。倡兼愛說，著有「墨子」十五卷七十一篇傳世，今僅存五十三篇。其中經上、經下、經說上、經說下四篇，是他的科學著述。依照近世科學的分類，其內容爲有關論理學、認識論、幾何學、數理哲學、力學、光學等的研究。經上所載的爲界說（定義），經下所載的爲定理，經說上、下則爲經上、經下各條的解釋或說明。茲將其中有關幾何學界說與數理哲學的各條，列舉於下：

點：

經　「端，體之無序而最前者也。」　墨子稱點爲端。

經說　「體也若有端，端是無間也。」

直線：

經　「直，參也。」

經說　（缺）

等長的線：

經　「同長，以正相盡也。」

經說　「同，捷與狂之同長也。」

長的比較：

經　「仳，有以相攖，有不相攖也。」

經說　「仳，兩有端而后可。」

平：

經　「平，同高也。」

經說　「平，謂臺執者也；若弟兄。一然者，一不然者，必不平也。是非平也。」

叠合：

經　「次，無間而不攖攖也。」

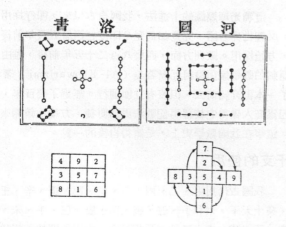

書洛　圖河

4	9	2
3	5	7
8	1	6

經說　「次，無厚而后可。」

空間與時間：

經　　「久，彌異時也。宇，彌異所也。」

經說　「久，合古、今、旦、暮；宇，冢東、西、南、北。」

有限空間：

經　　「窮，或有前，不容尺。」

經說　「窮，或不容尺，有窮；莫不容尺，無窮也。」

又：

經　　「有間，中也。」　　墨子稱形體的界爲有間。

經說　「有間，謂夾之者也。」

又：

經　　「間，不及旁也。」　　墨子稱界內所含曰間。

經說　「間，謂夾者也。尺，前於區穴，而後於端。不夾於端與區內。」　　墨子稱線爲尺，稱面爲區。

又：

經　　「纑，間虛也。」

經說　「纑虛也者，兩木之間，謂其無木者也。」

又：

經　　「盈，莫不有也。」

經說　「盈，無盈無厚，於石無所往而不得。」

矩形：

經　　「方，柱隅四讙也。」

經說　「方，矩見支也。」

圓：

經　　「環柜秪。」

經說　（缺）

又：

經　　「圓，一中同長也。」

經說　「圓，規寫支也。」

圓心與圓周（半徑）：

經　　「中，同長也。」

經說　「心中，自是往相若也。」

體積：

經　　「厚，有所大也。」

經說　「厚，惟無所大也。」

又：

經　　「體，分於兼也。」

經說：　「體，若二之一，尺之端也。」

關於數理哲學的：

經　　「始，當時也。」

經說　「始，時或有久，或無久。始當無久。」

又：

經　　「止，以久也。」

經說　「止，無久之不止，當牛非馬，若矢過楹；有久之不止，當馬非馬，若人過梁。」

又：

經　　「得，堅、白不相外也。」

經說　「得，二堅異處不相攖，相非是想外也。」

又：

經　　「攖，相得也。」

經說　「攖，尺與尺俱不盡，端與端俱盡，尺與端或盡或不盡。堅白之攖相盡，體攖不相盡。」

又：

經　　「非半不斲，則不動，說在端。」

經說　「非斲半，進前取也。前，則中無爲半，猶端也。前後取，則端中也。斲必半，無與非半，不可斲也。」

綜觀上面所錄的這些命題和界說，它的內容與系統，幾乎和歐幾里得「幾何原本」中的，完全一致。如果墨子門徒克紹箕裘，繼續鑽研了下去的話，也許發展成功了另一種型式的歐幾里得幾何學，亦未可知。

幾何學中使用的工具

我國使用規、矩二器來作圖，爲時甚早，恐怕還要超過希臘的柏拉圖（Plato）。「墨子」卷七天志上第二十六，云：「輪匠執其規、矩，以度天下之方、圓。」「孟子」卷四離婁章句上，云：「孟子曰：離婁之明，公輸子之巧，不以規、矩，不能成方、圓。」又「孟子」卷七盡心章句上，云：「孟子曰：梓、匠、輪、輿，能與人規、矩，不能使人巧。」「荀子」賦篇第二十六，云：「圓者中規，方者中矩。」此外，「莊子」徐無鬼第二十四，與「周禮」多官輿人中，亦莫不皆言：「圓者中規，方者中矩。」「韓非子」卷二有度第六。云：「巧匠目意中繩，然必先以規、矩爲度。」尸佼「尸子」卷下，云：「古者亻爲規、矩、準、繩，使天下倣焉。」綜覽上面所引述的這些古代文獻，我國在幾何學中使用規、矩爲工具來作圖，而且僅僅限於這兩種工具，不但和西曆紀元前四世紀時，希臘哲學家柏拉圖的規定相符，而且爲時之早，恐怕還要超過他呢。因爲墨子、孟子等先賢先哲，皆爲與柏拉圖同時代的人物，他

們著作中所引述的事件，必定早於其生存時代的緣故。規、矩這兩種數學工具，在我國使用時間，究竟要早到什麼程度？山東嘉祥縣漢武梁祠石室中，有「伏羲氏手執矩，女媧氏手執規」的造象，並且蛇身人面。這個造象，當然是一本「列子」卷上黃帝第二，所謂「庖犧氏、女媧氏、神農氏、夏后氏，蛇身人面，牛首虎鼻。」的原意。其又一石，作：「伏羲氏手執矩」，旁記：「伏羲倉精，初造王業，畫卦結繩，以理海內。」蓋漢朝人根據傳說，以為規、矩二器，係由伏羲氏所製定的。一說係倕所製，漢朝王符「潛夫論」卷一讚學第一。稱：「昔倕之巧，目茂圓方，心定平直。又造規、繩、矩、墨，以壽後人。」我國使用規、矩，因為為時極早，故關於幾何圖案的作品，自古代以迄漢朝，到處可見。不久在殷墟堀得的車軸，其飾物有成五邊形，並有遞增至九邊形的。寶雞鬥雞台出土的陶器，和西安出土的漢磚，其上亦多附有由線條交錯，組合而成的幾何學圖案。

惠施的逆理

　　惠施戰國時人，莊子之友。司馬彪註謂曾相梁惠王，其事蹟不可考。「漢書」藝文志有「惠子」一篇，今久佚；僅「莊子」天下篇中載有其逆理三十二條，流傳至今，膾炙人口。惠施為一大數學思想家，他的逆理立論，多為現代數學的新概念，涵義之深，非但後世一般註解者茫然不解，摸不着頭腦，即明哲如莊子，也是莫明其妙，謂：「其道舛駁，其言也不中。」孔子道不行而欲乘桴浮於海，惠施因思想超逸而不為世瞭解，其際遇蓋相同也。在惠施的三十二條逆理中，茲將其有關數理方面的，從現代數學的眼光，來一一加以解釋。

宇宙和點的界說：

　　「至大無外，謂之大一。」　　惠施所謂的大一，即現今所謂的宇宙。

　　「至小無內，謂之小一。」　　惠施所謂的小一，即現今幾何學中的點。

關於整數論的：

　　「雞三足」　　雞有三足？它的第三隻足在那裏？這個問題如要回答，當然可以說還有一隻「零」足。因為「零」是一個加之不為多，減之不為少的特別整數。我們要知道，這個詭辯並不稀奇，稀奇的是承認「零」為普通的整數，竟能遠在二千餘年前，惠施逆理的主論中見之，為時之早，是我國數學史上值得自豪的一點。

關於集合論的：

　　「黃馬驪牛三」　　「黃馬驪牛三」是「黃馬驪牛兩隻牲畜，可以構成『黃馬』、『驪牛』、『黃馬與驪牛』三個集合」的簡語。集合論這一門數學分科，係輓近數學大家坑陀爾（Cantor：1845～1918）纔行建立的，關於這種基本概念，惠施早在二千餘年前就已經有了，他的思想超逸，真是駭人。

關於歐幾里得幾何學的：

　　「日方中方睨」　　日中時太陽在最高的位置，沿着圓周運行的太陽（依照當時的天文學知識），一經達到了最高點日中的位置後，自然就要開始走下坡路了。

　　「輪不蹍地」　　圓與平面，僅能相切於一點。故車輪轉動時，理論上僅係與地面接觸於一點，不時變更它的位置，並非如一般人所見到的情形一樣，蹍地而過。

　　「天與地卑，山與澤平」　　天與地卑，係根據當時天文學的蓋天說立論：天如碗，地如盤，以碗覆在盤上，那盤碗接觸處，豈不是天地一樣高低。山與澤平，則係根據地形而言，因為高原處的沼澤，可與海洋附近的山岳齊平也。

關於射影幾何學與非歐幾何學的：

　　「南方無窮而有窮，今日適越而昔來。」　　拿直線看做半徑為無限大的圓周一部分，不論由它那一端前進，所能到達的無窮遠點，都只是一個，這是輓近射影幾何學與非歐幾何學中，纔有的概念。在這兩種幾何學的空間中，人們沿着直線進行，經過無限遠點後，是會週而復始，再行回到原處的。差幸當時的速度都不太快，所以惠施僅言「今日適越而昔來」，倘若日後速度能夠增快至無限大時，那就簡直可說，「瞻之在前，忽焉在後。」了。又「南方無窮而有窮」，亦和西洋「宇宙有限無終」的學說相符。

關於微積分學的：

　　「丁子有尾」　　丁子有尾？尾在那裏？這個問題的答案是，它有一條「無限小」的尾巴。

　　「無厚不可積也，其大千里。」　　這句話不但是現今積分的原理，而且積字的意義，與積分的積，始終一貫。

關於函數論的：

　　「天下之中央，燕之北，越之南，是也。」一個平面上只有一個無窮遠點，在平面上不論朝那一方向進行，會合處都是這個無窮遠點，這是現代複變數函

數論中，纔有的概念。燕、越兩國都有廣大的面積，南北遙峙，燕之北，越之南，已不再如今日適越而昔來。在直線上進行，而是在平面上擴展了。惠施拿這個無窮遠點來作為天下的中央，作成這個逆理，他的思想除了由歐幾里得空間進到非歐與射影空間外，現在更由非歐與射影空間，進到了函數論空間。他這種放蕩無羈，飄忽不定的想法，是如何值得稱奇和讚嘆啊！

　　與希臘哲學家這羅建立的相同逆理：

　　西曆紀元前五世紀時，希臘有個以製造逆理著稱的哲學家這羅（Zeno），曾經製作出了四條逆理，膾炙人口。這四條逆理的內容，在惠施逆理中，不但應有盡有，而且為數之多，惠施遠超過了他。好在這羅早於惠施百餘年，不然的話，人們還要懷疑他是抄襲惠施的呢！鑒於當時交通的不便，在短短百餘年內，這羅的四條逆理，似也不能馬上傳到東方來。真是英雄所見，大略相同吧。茲將惠施那些和這羅逆理內容相同的逆理，抄錄於下：

　　　「一尺之搖，日取其半，萬世不絕。」
　　　「指不至，至不絕。」
　　　「飛鳥之影，未嘗動也。」
　　　「鏃矢之疾，而有不行不止之時。」

貳、茁壯時期

　　這個時期，起自西漢，終於隋朝，為時約計四百餘年。在此期間，數學從秦火的廢墟上堀起，它不僅蘇甦，而且茁壯起來了。兼長數學的學者輩出；內容充實，組織完備的劃時代傑作，亦迭興。有關兩漢以及三國時代的算學制度，雖不可考，但隋朝於國學中添置算學，確定編制，却載在史册。「隋書」百官志稱：「算學博士二人，算助教二人，學生八十人，兼隸於國學。」「舊唐書」職官三，亦稱：「隋始置算學博士二人於國庠」。當兩漢及三國時期，數學的研究，即已風起雲湧，其後再經隋朝如此提倡與鼓勵，不但增加了一般人興趣，而且確定了數學家出路，下一鼎盛時期的到來，實在奠定於此。尤其值得注意的是，後世疇人奉為圭臬的算經十書，除掉「緝古算經」係唐朝算曆博士王孝通的傑作外，餘九書皆為此一時期的作品。其中除「綴術」一書早已失傳，無法考究外，茲將其餘「周髀算經」、「九章算術」、「孫子算經」、「海島算經」、「五曹算經」、「夏侯陽算經」、「張丘建算經」、「五經算術」等八種，與遞補「綴術」的「數學記遺」一名著的內容，以及各傑出數學家的業績，分別介紹於下：

周髀算經

　　「周髀算經」為我國最古老的算書，共分上、下兩卷，卷又各分之一、之二、之三等篇。卷上之一敍述周公與商高的對話，討論直角三角形的性質，即西洋所謂畢打哥拉司（Pythagoras）定理。這定理在那時的證明，當然不是我們現今一般使用的歐幾里得方法。其次涉及表竿、圓、與正方形的使用，以及高與距離的測量等。卷上之二推出兩個新人物，一是陳子，一是榮方。他們二人繼續討論日影，有時估計它在不同緯度地方的不同長度，有時利用璿璣，測量太陽的直徑。並附有一張稱為「日高圖」的圖畫，圖中畫有許多底邊長短不一的直角三角形。此後陳子與榮方即逐漸退出，插入正式課文。卷上之三開始處插入一張稱為「七衡圖」（以北極星為中心，七個同赤緯的圓周環繞着它。）的圖畫，課文中并有涉及秦相呂不韋的地方。卷下之一、之二、之三所述，有太陽歲動的計算，使用水準為日影獲得水平面的方法，作成了一年二十四氣各氣日影的長度表。也敍述得有由觀測日升和日落，藉以決定子午線的方法；各恆星的南中，二十八宿，十九年週期，以及其他天文學上的事項。書中以三為圓周率，直角三角形勾、股、弦的比為三、四、五。除了直角三角形的性質外，也含有分數的使用，分數的乘、除、與公分母的求法。平方根的求法雖未明白規定，但實際上確已使用了。例如課文中有「勾、股各自乘，并之為弦實，開方除之，即弦也。」詞句，就是一個證據。這句話的意義是：拿表竿的長（股）和日影的長（勾）的值各自乘，將所得的兩個平方相加（并），再取其和的平方根（開方除之），即為直角形的弦長。如以 a 代表勾，b 代表股，c 代表弦，那麼，這句話的意義就成了下面這個公式：

$$c = \sqrt{a^2 + b^2}$$

其他諸如五的平方根的值，僅取與其值最接近的整數，而於其後加上有奇二字。書中也包括得有等差級數的觀念，因為它說了每個赤緯圓均相距一九八三三里；二十四氣各氣間日影的增減，皆為九寸九又六分之一分。

　　直角三角形性質的討論，在課文最先部分的前端。為了顯示古代文化的原始面貌，實在值得把它詳細的重述一遍，現在照錄於下：

　　　「昔者周公問於商高曰：『竊聞乎大夫善數也。請問古者包犧立周天歷度，夫天不可階而升，地不可得尺

、寸而度,請問數安從出?』

商高曰『數之法,出於圓、方。圓出於方,方出於矩,矩出於九九八十一。故折矩以爲勾,廣三、股修四、經隅五。旣方其外,半之一矩。環而共盤,得成三、四、五。兩矩共長二十有五,是謂積矩。故禹之所以治天下者,此數之所生也。』

周公曰:『大哉言數。請問用矩之道?』

商高曰:『平矩以正繩,偃矩以望高,覆矩以測深,臥矩以知遠,環矩以爲圓,合矩以爲方。方屬地,圓屬天,天圓地方。方數爲典,以方爲圓。笠以寫天,天靑黑,地黃赤。天數之爲笠也,靑黑爲表,丹黃爲裏,以象天地之位。是故知地者智,知天者聖。智出於勾,勾出於矩。夫矩之於數,其裁制萬物,惟所爲耳。』

周公曰:『善哉。』」

「周髀」二字的意義,在算經卷上之二中,載得明明白白:「榮方曰:周髀者何?陳子曰:『古時天子治周,此數望之從周,故曰周髀。髀者,表也。』」唐李籍所撰「周髀算經音義,即從此說;髀,步米切。但亦有主張「天之體轉四方,地體卑不動,天周其上,故云周。」的。持此說者爲虞喜,見胡震亨題辭。

此書著作年代,尤難查考。第一,此書一般雖認係周朝時代的數學教本,但「前漢書」藝文志中,並無記載。關於「前漢書」藝文志未載「周髀算經」的原因,有三種可能解釋:一是「前漢書」著作當時,認爲此書並不重要,值不得收錄(這是難於相信的);一是「前漢書」著作時,此書並不存在;一是「周髀算經」在「前漢書」著作時,用的並不是現今名稱。最後一說似較合理,因爲「藝文志」中所載十八種曆法及二十二種天文學書籍,實際上早就失傳,例如在「日月宿曆」與「夏殷周魯曆」等著作中,就可能含有「周髀」中的若干資料。在「周髀」課文中,因爲有涉及呂不韋的地方,故此書的著作,不能早於秦始皇時代,可以斷言。但這種關於呂不韋的引用文句,也有被前漢著作家事後加入的可能,眞相如何?尚不可知。在另一方面,此書的著作,也不能後於它的首先註釋人趙君卿。趙君卿生存年代,雖不能確知,但一般都認爲係後漢末年前後的人。又趙君卿註釋此書,也不能早於後漢靈帝在位期間,因爲他引用得有靈帝時由劉洪作成的「乾象曆」。其後蔡邕在其失傳了的著作之一的「表志」中,引用得有「周髀」;而「表志」的著作,係在靈、獻二帝之間。無疑的,「周髀」曾參加過漢朝特色的「蓋天論」與「渾天論」的宇宙論爭辯。因爲趙君卿在他的序言中說過:張

衡的「靈憲」,是後一派的重要書籍;而「周髀」則是前一派的偉大著作。又王充所著的「論衡」,其說日篇中若干議論,與「周髀」中一部分,亦極爲類似。更進者,「周髀」中有許多事項,是與後漢章帝時的「四分曆」平行的。錢寶琮在其所著「中國算學史」中,曾將「周髀」與劉歆的「三統曆」,以及漢武帝丁丑年的「太初曆」間類似處,詳細擧出。可見承認「周髀算經」爲漢時著作的趨向,實占優勢。這種結論,作爲最後的折衷日期,或可無保留的加以接受。不過書中的內容,大部分陳舊,又不難使人相信它係戰國時代的作品,甚或比這更早。採取這種觀點的雖亦有人,但由宋朝鮑澣之與明朝皇子朱載堉等所作的傳統估計,而由西方漢學家諸如畢約(Biot)等加以接受,一直遺留在數學史中的傳說,謂「周髀」係西曆紀元前十一世紀的數學最良好記錄,則沒有人再加以支持了。

九章算術

「九章算術」較之「周髀算經」,遠爲完備與進步。全書共分九卷,卷各一章,合計二百四十六題。其內容概要如下:

(一)方田(以御田疇界域) 這章中揭示了測量矩形、梯形、三角形、圓、弧形、環形等幾何圖形的面積的正確法則,也給與了分數的加、減、乘、除以及約分的各種算法。圓周率用的是三,如以 d 表直徑,c 表圓周,則它給予圓的面積公式是 $\frac{3}{4}d^2$ 或 $\frac{1}{12}c^2$。以 a 表弓形的弦,b 表其矢,則弓形面積的公式,它用的是 $\frac{1}{2}(a+b)b$。

(二)粟米(以御交質變易) 這章中使用百分法和比例,其最後九個問題,相當於

$$\begin{cases} x + y = 78 \\ xu + yv = 578 \end{cases}$$

$$\begin{cases} x + y = 2100 \\ \dfrac{x}{u} + \dfrac{y}{v} = 620 \end{cases}$$

等一類的不定方程式,但竟避免了不定方程式,而採用了比例的推理。

(三)衰分(以御貴賤稟稅) 衰分亦作差分,它討論合資問題與比例,內中并含有一些好像和上章脫了節的比例問題。反之,上章中最後九個問題,似乎又應當劃歸到本章來研究纔對。衰分章中也含有對於品質不同的商品課稅問題,與等差級數、等比級數等,它們都是

用比例來解出的。

　　㈣少廣（以御積冪方圓）　　本章研究由圖形的面積及已知邊，來推求出其他未知邊的方法。需要開平方與立方的地方甚多，前者的方法，當然會導出第九章中的二次方程。

　　㈤商功（以御功程積實）　　本章研究的問題，在測量幷決定諸如角牆、圓牆、角錐、圓錐、圓錐台、四面體、楔形等物體的體積。此外關於牆垣、城廓、堤坊、溝渠、以及河川等的體積或容量，亦曾論及。

　　㈥均輸（以御遠近勞費）　　本章處理追逐問題與混合法，尤其是關於納糧人將其所納的糧，由家鄉運送至城市，所需要的時間。也有將稅負依人口分配的比例問題。

　　㈦盈朒（以御隱雜互見）　　盈朒亦作盈不足。這種成語，可應用到滿月與新月上去，指出其過多或過少的狀態。這章書的篇幅，全部貢獻給了一個中國的代數發明，就是主要用於解出一元一次方程式的「假定法」（rule of false position）。所謂「假定法」，是解出

$$ax + b = 0$$

方程式時，不去直接求取 x 的值，而假定 x 等於 g_1 時，

$$ag_1 + b = f_1 \ ; \cdots \cdots \cdots \cdots \cdots \cdots (1)$$

x 等於 g_2 時，

$$ag_2 + b = f_2 \circ \cdots \cdots \cdots \cdots \cdots (2)$$

(1)−(2)，得

$$a(g_1 - g_2) = f_1 - f_2 \circ \cdots \cdots \cdots (3)$$

又由(1)，得

$$ag_1g_2 + bg_2 = f_1g_2 ,$$

由(2)，得

$$ag_1g_2 + bg_1 = f_2g_1 ,$$

隨之得

$$b(g_2 - g_1) = f_1g_2 - f_2g_1 \circ \cdots \cdots (4)$$

(4)÷(3)，得

$$-\frac{b}{a} = \frac{f_1g_2 - f_2g_1}{f_1 - f_2} \circ$$

但

$$-\frac{b}{a} = x ,$$

故 x 的值，可改由

$$\frac{f_1g_2 - f_2g_1}{f_1 - f_2}$$

來求出。

　　㈧方程（以御錯糅正負）　　「方程」一詞，強被

日本人加上了一個式字，習非成是，弄得我們現在也都稱爲「方程式」了。所謂「方程」，據劉徽註釋：「程，課程也。群物總雜，各列有數，總言其實。令每行爲率，二物者再程，三物者三程，皆如物數程之。並列爲行，故謂之方程。」方程這章書中，使用了正、負數去研究一次聯立方程式。這是負數出現，較世界上任何文明國家，都要早得多的一個證據。再這章書中最後一個問題，含有四個方程式與五個未知數，也是不定方程式的嚆矢。

　　㈨勾股（以御高深廣遠）　　用代數學的術語來說，這章書中研究的對象，就是在前介紹「周髀算經」時敍述過的，直角三角形性質的推敲。這章書中二十四個問題的第二十題，包括得有

$$x^2 + (20 + 14)x - 2 \times 10 \times 1775 = 0$$

這樣一個方程式。書中有：「今有池，方一丈。葭生其中央，出水一尺。引葭赴岸，適與岸齊。問水深、葭長各幾何？」「今有竹，高一丈。末折抵地，去本三尺。問折者高幾何？」等二題，其後也出現在印度的數學書籍中，並進而向中世紀的歐洲傳播。相似直角三角形的重要，是它能夠測出高與距離，已如前述。

　　「九章算術」課文，在每一問題的開始，都冠以「今有」；每一答數的開始，冠以「答曰」；說明的開始，冠以「術曰」等詞句。劉徽最初註釋本中，方田、少廣、商功，勾股各章，原俱有圖，但早經失傳。現今版本上所載者，是清代學者戴震補加的。

　　「九章算術」和「周髀算經」一樣，不但作者何人無法查考，即著作年代，亦難於確定。據「周禮」的註解，那職掌以德行教導國子的保氏，他所教授的學科。內有「九數」一種。這「九數」二字的意義，雖有人認爲係屬九九乘數表，但由鄭玄所引鄭眾首先的註解，說他對「九數」的解釋，列成了一個表，這表恰合我們今日所存「九章算術」中的九個標題，一一吻合。是與「九章算術」相似的課本，至遲在東漢初年，早就存在了。又「九章算術」方田章：「畝法二百四十步」，爲秦、漢田制；衰分章：「公士」、「上造」、「簪裊」、「不更」、「大夫」，爲秦、漢爵名，說見「前漢書」百官公卿表，及「續漢志」百官志。均輸章：「筭」、「傜」、「蹴」爲漢代賦稅名稱，說見「史記」平準書、「鹽鐵論」、及「前漢書」百官公卿表、食貨志；而長安之「上林」爲漢初都苑，見「史記」高祖本紀、及蕭何傳。但亦不能據此就斷定「九章算術」爲漢朝人所作，因爲劉徽所註「九章算術」的序文中，有一段稱：

「往昔暴秦焚書，經術散壞。自時厥後，漢北平侯張蒼，大司農中丞耿壽昌，皆以善算命世。蒼等因舊文之遺殘，各補刪補。故校其目，則與古或異；而所論者，多近語也。」是「九章算術」一書，開始於秦、漢以前，至漢經張、耿的刪補，方始完成，甚明。

又「九章算術」一書的名稱，亦不見於「前漢書」藝文志中。隨之在前介紹「周髀算經」時揭載過的議論，在此又不得不重複敍述一遍。即它的內容，曾經包括在名稱與現今迥異的其他書籍中，致今我們今日沒有方法辨認出來。一如張蔭麟在其所著「九章及兩漢的數學」中指出的一樣，它無力使劉歆在其所著的「七略」中提及。它的全名首次出現的處所，係在兩件刻有「光和」年號，銅製的標準度量衡器的銘文中。

有一件事可以單獨確定，就是「九章」代表了，遠較「周髀」更為進步的數學知識狀態。如果說「周髀」係戰國時代的著作，那麼，「九章」的著述，必定在前漢時期。如果說「周髀」的著作在前漢時期，那麼，「九章」的著述，必定在後漢初年。但一部著作的完成，決不能一步登天，內容立刻充實，必須有一個孕育期間。最安全的見解，是「周髀」由周朝時候萌芽，而於漢朝時候成熟；「九章」則於秦朝或前漢時代萌芽，後漢時代成熟。

孫子算經

在我國流傳下來最古老的算書中，除了「周髀算經」和「九章算術」外，便要推「孫子算經」了。孫子不詳其為何代人氏，當與著作「孫子兵法」而享盛名的孫武有別。因子為古時男子通稱，凡姓孫的男人，均可稱為孫子的緣故。「孫子算經」共三卷，「隋書」經籍志作二卷。清戴震以書中有「長安、洛陽相去」，及「佛書二十九章」等語，斷為漢明帝以後時人。阮元以書中有「棊局十九道」，亦疑為漢朝以後的人。「夏侯陽算經」序云：「五曹、孫子，述作滋多。」；「張丘建算經」序亦有：「夏侯陽之方倉，孫子之蕩杯。」等語，則其人至遲亦在夏侯陽和張丘建之前了。

「孫子算經」確言籌位，詳陳縱橫布算之義，已如前述。這部關於算籌運用極其重要的算經，它對於乘法、除法，面積與體積的測量，分數的處理，與平方根、立方根的求法等，也都可謂開門見山，單刀直入。書中首先陳述當時使用的度量衡制度，然後附加了一張各種金屬諸如金、銀、銅、鐵、鉛、以及玉、石等的密度表。除開其他項目的研究外，它解決了一個不定解析（一

次等餘式）問題。此類問題的解決，在數學史中，「孫子」要算是世界上最早的，實在值得引以自豪。這是「孫子算經」較之「九章算術」，更為進步的重要地方。但它對於所有各問題的解法，却沒有更加詳明的，一一表示出來。

「孫子算經」中首先解出的不定解析問題，是：「今有物，不知其數。三三數之，賸二；五五數之，賸三；七七數之，賸二。問物幾何？」

孫子的方法，是：在 5×7，3×7，3×5 的倍數中，決定分別用 3，5，7 去除它時，餘數都是 1 的「用數」71，21，15，然後作成

$$70 \times 2 + 21 \times 3 + 15 \times 2 = 233 。$$

這樣求得的和 233 固然是一個解，因為 233 較

$$7 \times 5 \times 3 = 105$$

為大，在逐次減去 105 後，最後所得較 105 為小的23。孫子纔取作答數。這個問題如用現代等餘式來表示，便是：

$$N \equiv 2 （以 3 為則），\equiv 3 （以 5 為則），\equiv 2 （以 7 為則）。$$

「孫子算經」中的不定解析問題，曾經引起過數學史專家們的莫大注意。偉烈・亞力（Alexander Wylie）在其所著「中國算術漫談」中，曾費去了若干篇幅；而用現代眼光來加以討論的，則要推李儼的「中算史論叢」，與錢寶琮的「古算考源」了。

隨着時間的推移，「孫子」的不定解析問題，其後根據「易經」中一句「大衍之數為五十」的不明瞭說法，復又獲得了「大衍術」的名稱。宋朝數學大家秦九韶的「大衍求一法」，就是源出於此。

有趣味的問題是，在「孫子算經」最後幾個問題中，竟有一個係預言胎兒性別的。它的原文是：「今有孕婦，行年二十九歲。難九月，未知所生？」「答曰：生男」「術曰：置四十九，加難月，減行年。所餘，以天除一，地除二，人除三，四時除四，五行除五，六律除六，七星除七，八風除八，九州除九。其不盡者，奇則為男，偶則為女。」觀此，它或已捲入了外來泉源的課題。但不論一般計算也好，或關於運命的計算也好，在當時都是相去不遠的。另一方面，書中的出現有多頭、多手、多足的奇人與動物，又不禁使人興起一種由印度寺廟中輸入的感覺。

圓周率的改進

「周髀算經」中使用的圓周率，固然是三，在前已

經說過。就是在「九章算術」中也好，或「孫子算經」中也好，它們所用的圓周率值，也都是三。這個值三，不論在記憶方面也好，或計算方面也好，雖皆非常便利，但是過於粗疏，自然會引起學者的不滿。首先發難加以改算的是劉歆，繼之者爲張衡、劉徽、王蕃、皮延宗等人。劉歆求得的值是 3.1547，他在王莽時所製嘉量斛上的銘文：「律嘉量斛：方尺而圓其外，庬傍九厘五毫，冥（面積）百六十二寸，深尺，積（容積）千六百二十寸，容十斗。」中的庬傍九厘五毫，就是依照這個圓周率值，計算出來的。但其後祖沖之以他求得的密率考之，謂此斛當徑一尺四寸三分六厘一毫九秒三忽，庬傍一分九毫有奇，指出了歆值猶嫌不夠精密。張衡求得的值爲 $\sqrt{10} = 3.1622$，劉徽求得的值爲 3.14，王蕃求得的值爲 $\frac{142}{45} = 3.155$，皮延宗的率未詳。這就是「隋書」律曆志所稱：「圓周率三，圓徑率一，其術疏舛。自劉歆、張衡、劉徽、王蕃、皮延宗之徒，各設新率，未臻折衷。」也。在這幾個改進後的圓周率中，當以稱爲「徽率」的劉徽的3.14最爲接近，至其算出方法，容後在劉徽所創「割圓術」條中，再行詳述。

徐岳的數術記遺

徐岳字公河，東萊人。著有「數術記遺」一卷，其體裁雖與上述三書迥異，但相當重要。據「晉書」記載，徐岳曾與劉洪、高堂隆、韓翊等研究天文曆算，是則他的活躍年代，當在後漢末年。書中稍帶道家色彩，而註釋人甄鸞的註釋，後纔雜得有佛教思想，致使許多學者都懷疑全係後人僞著，甚或就是註釋者甄鸞自己的手筆。書中除了前已介紹過的三種命數法外，並記載得有天目先生的遺言，曰：「隸首注術，乃有多種。及余遺忘，記憶數事而已。其一積算，其一太乙，其一兩儀，其一三才，其一五行，其一八卦，其一九宮，其一運算，其一了知，其一成數，其一把頭，其一龜算，其一珠算，其一計算。」在這十四種方法中，除了「五行」、「八卦」等與占卜有關，且文句簡潔曖昧，令人費解外，餘皆爲籌算、珠算、或世界上最古老的縱橫圖—洛書。「珠算」條的正文爲：

「珠算：控帶四時，經緯三才。」

甄鸞的註釋爲：

「刻板爲三分，其上下二分以停遊珠，中間一分以定算位。位各五珠，上一珠與下四珠色別。其上別色之珠，當其下四珠。珠各當一，至下四珠所領，故云控帶

四時。其珠遊於三方之中，故云經緯三才也。」

上面這兩段文字，它所說明的，顯然是珠算算盤的濫觴。其每行所能記錄的數目，都是八。如果不因文中有一「帶」字，或會以爲係一種載着珠子的長方槽。實際上這段文中所謂的「帶」，無疑的就是今日算盤上使用的鐵絲或竹籤。

其他「太一」、「兩儀」、「三才」三種方法的註釋，也都牽涉到了珠字。關於那些曖昧的說明，日人三上義夫在其所著「中國算學之特色」中，曾經努力闡明過。「太一」法的正文是：「太一算：太一之行，去來九道。」註釋爲：「刻板橫爲九道，竪以爲柱。柱上一珠，數從下始。故曰去來九道也。」它的意思是說，每行皆有一珠，各行皆由橫線分成九格。隨之上下移動算珠，由一至九這九個自然數，便可一一標示出來了。此法顯示我們今日的坐標觀念，早已隱藏在這種珠算算盤制度中了。它係依十的乘方的進度構成 x 軸，由一至九的進度構成 y 軸。假如算珠能夠善伺人意，聽命在連續曲線上運動，那麼，德加爾特（Des cartes）的圖表世界，豈不早就已經建立起來了。

另一種稱爲「兩儀」方法所用的算珠，分黃藍二色。一色與左方的 y 軸相關，另一色則與右方的 y 軸相關。兩方 y 軸的劃分，都和「太一」法相同。這種方法由現代解析幾何學的眼光看來，簡直是兩組坐標的變換。第三種稱爲「三才」方法所用的算珠，亦隨其三才的三，分成三種顏色，但各行均由橫線分成三格。任何一數，也都能由它標出。這三種方法，雖然遲至第六世紀方始出現，但它們皆能認識出坐標的關係，却是引人入勝的。

「九宮」的正文爲：

「九宮算：五行參數，猶如循環。」

甄鸞的註釋爲：

「九宮者，即二四爲肩，六八爲足，左三右七，戴九履一，五居中央。」

唐王希明「太乙金鏡式經」亦稱：

「九宮之義，法以靈龜。以二四爲肩，六八爲足，左三右七，戴九履一，此不易之道也。」

這實在是組合解析中的縱橫圖的我國最早文獻之一。

劉徽的業績

劉徽三國時魏人，不詳其身世，曾對「九章算術」加以詳註。又自撰「重差」一卷，附於「九章算術」之末。這卷書後人將其改名爲「海島算經」，與「九章算

術」分離，另刊單行本行世。又其註釋「方田」章中圓田術時，曾創立「弧矢割圓術」，藉以求出圓周率的眞數。徽所撰註，崇尚理證，務求明晰，未嘗拘泥於古法。較之趙君卿的註釋「周髀」，尤勝一籌。中國數學得由經驗的公式，作合理研究，劉徽之功，實不可滅也。茲將其業績，分述於後：

(一)詳註九章

劉徽「九章注」自序云：「徽幼習『九章』，長更詳覽。觀陰陽之割裂，總算術之根源，探賾之暇，遂晤其意。是以敢竭頑魯，采其所見，爲之作注。事類相推，各有攸歸。故枝條雖分而同本幹者，知發其一端而已。又所析理以辭，解體用圖，庶亦約而能同，通而不黷，覽之者思過半已。」「九章算術」選題凡二百四十六則，相傳算術亦不下數十種。徽以理法詳解各術，歸納於乘、除、齊、同四字（說見方田章合分術注）。衆分錯雜，非通分不能相加減，乃以母互乘子謂之齊，群母相乘謂之同。知齊、同之要，而後可運用命分。盈朒術「以所盈及想不足，互乘所出率，並爲實。」云云；方程術欲消去一項，先以此項的係數，遍乘他行各項，然後直除相消，皆齊、同之效用也。粟米章的今有術，徽註亦以爲「九數都術」，凡粟米、衰分、均輸三章中問題，及方程、勾股二章中各數題，均可同以今有術馭之。後世稱爲異乘同除，或同乘異除，亦乘、除、齊、同之用也。徽序所謂「枝條雖分而同本幹者」，或卽指此乘、除、齊、同四字而言。

徽註大都釋明「九章」舊術，無多大更易。但亦間有創設新術，可與舊術相輔而參用處。除方田章圓田術註中所創弧矢割圓術另條陳述外，其他如方程章「五雀六燕」題、「麻麥菽荅」題，創設了方程新術。先消各行之下實（常數項），轉消去未知量，求其一行內二量正負相當者，對易其數爲二量各當之率。代入他行，得他未知量相當率。乃置方程任一原式，依衰分術求得各未知量之值，有時較舊術爲簡。又勾股章勾股容圓術原祇

$$D = \frac{2ab}{a+b+c}$$

一術，徽又添加

$$D = a+b-c, \quad D = \sqrt{2(c-a)(c-b)}$$

二術。式中 D 爲圓徑，a 爲勾，b 爲股，c 爲弦。商功章方亭求積：方亭上下方邊 a_1，a_2，高 h，體積 V，舊術爲

$$V = \frac{1}{3}(a_1{}^2 + a_2{}^2 + a_1 a_2)h,$$

徽又創

$$V = a_1 a_2 h + \frac{1}{3}(a_2 - a_1)^2 h$$

一術。

少廣章開方術云：「若開之不盡者，爲不可開；當以面命之。」徽註云：「術或有以借算加定法而命分者，雖粗相近，不可用也。凡開積爲方，方之自乘當還復。其積分，令不加借算而命分，則常微少；其加借算而命分，則又微多。其數不可得而定，故惟以面命之，爲不失耳。……不以面命之，加定法如前，求其微數。微數無名者，以爲分子。其一退以十爲母，其再退以百爲母，退之彌下，其分彌細。……」創立以十進小數爲方根畸零不盡部分，以替代命分的法則，尤足稱道。

徽註方田、少廣、商功、勾股各章，原俱有圖。但圖本單行，早經失傳。各章註文，脫誤亦甚，校讀匪易。清戴震爲之撰「訂訛補圖」，尙多遺漏。李潢繼之著「細草圖說」，校訂尤多，乃稍可讀。

我國古時幾何學的證明方法，雖不似西洋歐幾里得「幾何原本」的精審，然平面積各術，可以「青出朱入」、「移盈補虛」，化各種圖形爲直角形，以定其積。立體積各術，可以解剖各種形體，分求其積，而合併計之。證法均屬簡要易明，有裨實用。商功章徽註謂：「斜解立方，得兩塹堵。雖復橢方，亦爲塹堵。」長方柱體積爲廣、袤、高的連乘積，故塹堵體積爲其廣、袤、高連乘積的二分之一。又云：「斜解塹堵，其一爲陽馬，一爲鱉臑。陽馬居二，鱉臑居一，不易之率也。合兩鱉臑成一陽馬，合三陽馬而成一立方，故三而一。」隨之陽馬體積爲立方體體積三分之一，鱉臑體積爲立方體體積六分之一。既知長方柱體、塹堵、陽馬、鱉臑體積的算法，則其他各種形體體積，不難析體用圖，推計而得。例如一方錐可析爲四陽馬；羨除積可析爲兩鱉臑夾一塹堵；芻童積中有長方柱體一，四面有四塹堵，四角有四陽馬等是。

方田章宛田術徽註以爲：「折徑以乘下周之半，卽圓錐之冪。今上徑圓弯而與圓錐同術，則冪失之於少矣。」；弧田術徽註以爲：「弧田若爲半圓形，是以周率爲三，失之於少。若不滿半圓，則此術益復疎闊。」，持論均是。少廣章開立圓術，及張衡周率 $\sqrt{10}$ 等的謬誤，徽知之甚審。然註云：「欲陋形措意，懼失眞理。敢不闕疑，以俟能言者。」未爲更定新術，亦可見其用心

審愼。

(二)造重差法

劉徽「九章註」自序又云：「徽尋九數，有重差之名。……凡望極高，測絕深，而兼知其遠者，必用重差。勾股則必以重差爲率，故曰重差也。……輒造重差，并爲註解，以究古人之意，綴於勾股之下。度高者重表，測深者累矩，孤離者三望，離而又旁求者四望。觸類而長之，則雖幽遐詭伏，靡所不入。」蓋徽以「九章」勾股章所列諸測望問題，應用相似勾股形測算高遠，題理太嫌淺薄，未足以博盡群數。乃校正「周髀」測日高術、造重差法九則，附於「九章」之後。此九則問題中，二望者三則，三望者四則，四望者二則。首題云：「今有望海島，立兩表齊高三丈，前後相去千步，令後表與前表參相直。從前表却行一百二十三步，人目着地，取望島峯，與表末參合。從後表却行一百二十七步，人目着地，取望島峯，亦與表末參合。問島高及去表各幾何？」「答曰：島高四里五十五步，去表一百二里一百五十步。」「術曰：以表高乘表間爲實，相多爲法。除之，所得加表高，即得島高。求前表去島遠近者，以前表却行乘表間爲實，相多爲法。除之，得島去表里數。」設表高爲 a，表間爲 d。前後却行步數各爲 b，b^1，則島高爲

$$\frac{ad}{b^1 - b} + a,$$

島遠爲

$$\frac{bd}{b^1 - b}。$$

按此題如以近世平面三角法取之，須用二仰角的餘切差爲法，兩次測望，即所以求二仰角的餘切也。他題求目的物之深者，用二俯角的餘切；求目的物之廣者，用二方位角的餘切。未知其遠，而求其高、深、或廣者，皆須重表，累矩，求差以推算之，故曰重差。徽所撰「重差」一卷，至唐代組立算經十書時，與其所註「九章算術」分離，別爲一書而冠以「海島算經」名稱。蓋重差指其爲算之術，而海島則指其設算之物，非有兩意也。

這卷「海島算經」，西洋科學史專家極爲重視。法人房·黑（von He'e），曾將其譯成法文行世。它雖未涉及過角的性質諸如正弦、餘弦、正切、餘切等名稱，但偉烈·亞力在其所著「中國文獻註釋」中，竟稱之爲「實用三角法中的九個問題」。劉徽泉下有知，亦足深以爲榮也。

(三)創割圓術

「九章算術」方田章圓田術徽註，凡千八百言，創立弧矢割圓術，以求圓周率的眞值。理法確當，解釋詳明，實開圓周率研究的新紀元。其逐步演算，所引用的原則如下：

(1)圓的內接正六邊形各邊邊長，與其半徑相等。

(2)兩尖形的面積，爲其二對角線相乘積之半。

(3)直角三角形中，弦上的平方，等於其勾、股上平方的和。

(4)圓之內接正多邊形的邊數愈增，則其面積與圓積，亦愈益接近。邊數增至無可再增時，則其面積與圓積密合。

(5)設 S_n，S_{2n} 各爲圓的內接正 n 邊形、正 $2n$ 邊形面積，S 爲圓的面積，則

$$S_{2n} < S < S_{2n} + (S_{2n} - S_n)。$$

劉徽首先以原則(1)證明徑一周爲內接正六邊形的周率；以原則(2)認明圓之內接正十二邊形的面積爲 $3r^2$（r 爲圓的半徑）。乃知以 3 爲圓周率時。不論求周、求積，均嫌太少。次言若以圓周割之爲六等分，十二等分，二十四等分，順次遞求其內接正多邊形邊長及面積時，割之愈細，其面積與圓積，相差愈少。「割之不可割，則與圓合體而無所失矣。」因此證明「九章」圓田術「半周半徑相乘得積步」，允稱確當。茲錄其順次演算的法則如下：

設 PQ 爲圓之內接正 n 邊形的一邊，PR，PQ 爲其內接正 $2n$ 邊形的二邊，O 爲圓心，由原則(3)，得：

$$OS = \sqrt{OP^2 - PS^2} = \sqrt{r^2 - (\frac{PQ}{2})^2},$$

$$SR = OR - OS = r - OS,$$

$$PR = \sqrt{PS^2 + SR^2};$$

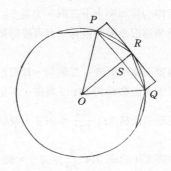

隨之得圓之內接正 $2n$ 邊形的周長為 $2nPR$。

徵以圓之內接為一尺，或 1000000 忽，用上術次第求出其內接正 12，24，48，96 邊形的邊長及全周，更由原則(2)，得

$$兩尖形 OPRQ 的面積 = \frac{1}{2} PQ \times OR，$$

$$圓之內接正 2n 邊形面積 = n \left(\frac{1}{2} PQ \times OR \right)$$

$$= \frac{1}{2} P_n \, r。$$

但 P_n 為圓之內接正 n 邊形的周長。茲將徵依此術順次遞求得的正 24，48，96，192 邊形各邊邊長、全周長、以及其面積，表列於下：

邊　數	每　邊　長	全　　周	面　　積
6	1000000	6000000	
12	517638	6211656	3000000
24	261052	6265248	3105828
48	130806	6278688	3132624
96	65438	6282048	3139344
192			3141024

圓之內接正 192 邊形的面積為 3.141024 平方尺，較之其內接正 96 邊形的面積，多 0.001680 平方尺。以此值加入於 3.141024，得 3.142704 平方尺。由原則(5)，得

$$3.141024 < \pi < 3.142704 ；$$
或

$$3.14 \frac{64}{625} < \pi < 3.14 \frac{169}{625}。$$

故可知圓周率如準確的取至小數點後第二位止，當為 3.14 強，此徵自知其率 3.14 為微少也。依原則(5)所得的圓周率上下二限，較希臘舊術須並求內接、外切二正多邊形全周所得的圓周率上下二限，尤為密近。故徵術能不需外切正多邊形面積的推算，且可獲得更為精密的值。

徵又論晉武庫中所藏王莽銅斛，其圓徑為 1.4332 尺；依徵推求，面積祇得 161 寸有奇，不足 162 寸。又謂正 192 邊形的面積 314 $\frac{64}{625}$ 平方寸，較圓冪為小；若再加 $\frac{36}{625}$ 平方寸，合成 314 $\frac{4}{625}$ 平方寸，使 $\pi = 3.14 \frac{4}{25}$

$$= \frac{3927}{1250}，則「盡其纖微矣」。$$

按於求得圓之內接正 3072 邊形的面積後，依徵術可得

$$\pi = 3.14159$$

準確至小數點後第五位。

五曹算經

「五曹算經」五卷，不明撰述人姓名，亦不詳其著作年代。觀「夏侯陽算經」序文中有句云：「五曹孫子，述作滋多。」足見其成書時間，當在「夏侯陽算經」以前。卷一曰田曹，為田畝求面積法則，內有鼓田、腰鼓田、蛇田、覆月田、牛角田等術。田疇界域不俱為直線，為「九章算術」方田章所未及。其鼓田、腰鼓田、蛇田等算法，為並兩頭廣及中央廣，以三除求得平均廣後，再以縱乘之，即得面積。覆月田、牛角田等術，則俱以半廣乘縱得面積，算法皆甚粗疏。四不等田術如以 a、b、c、d 順次表其四不等邊的長，則其面積為 $\frac{a+c}{2} \times \frac{b+d}{2}$，實與埃及古法暗合。卷二曰兵曹，為計算軍隊給養等事，大都為乘法問題。卷三曰集曹，詳粟米的互換，大都為除法問題。卷四曰倉曹，計算米糧租稅，以及倉窖容積。卷五曰金曹，計算戶調絲帛，以及交質變易。所有算術，均淺薄易曉，卑不足道。按魏、晉之際，公府職寮有東曹、西曹、以及戶、金、集、倉、水、賊、法、兵、車、戎、馬等三十餘曹，晉以後州郡橡屬，皆分曹理事，本書當為六朝時官曹應用算術的範本無疑。

夏侯陽算經

夏侯陽所著「夏侯陽算經」三卷，其著作年代，亦難於考證。觀「張丘建算經」序文中有句云：「夏侯陽之方倉，孫子之蕩杯」，是則此書之作成，當在「張丘建算經」之前。書中所述各法，較古時略有更革。定位之法，以本位為身，他位為外。相乘之辨，謂單位為因，多位為乘。又以倍、折代乘、除；以添、減之誼，致用於身外、隔位，故有隔位加幾，身外減幾之說。其引「時務」云：「十乘加一等，百乘加二等，千乘加三等，萬乘加四等；十除退一等，百除退二等，千除退三等，萬除退四等。」具有指數的意義，實即今日

$$10 = 10^1，100 = 10^2，1000 = 10^3，10000 = 10^4$$
；與

$$\frac{1}{10} = 10^{-1} \; , \; \frac{1}{100} = 10^{-2} \; , \; \frac{1}{1000} = 10^{-3} \; , \; \frac{1}{10000} = 10^{-4}$$

的說法。又以 $\frac{1}{2}$ 爲中牛，$\frac{2}{3}$ 爲太牛，$\frac{1}{3}$ 爲少牛，$\frac{1}{4}$ 爲弱牛，謂爲漏刻之數。此數曆家從來均應用之以誌十二辰的分數，爲我國曾經引用過十二進法之一證。

張丘建算經

「張丘建算經」三卷，其自序題云：「清河張丘建」，年代無考。今傳本卷中脫去最後數頁，卷下則缺首二頁，已非全帙。傳本中共有問題九十二則，囊括「九章」、「重差」而得其精微，較諸「五曹」、「孫子」等書，優勝多矣。其上卷第十、第十一兩問，解題須用最大公因數；中卷第七、第八、第九、第十等四題，相似三角形之底邊與高成正比；上卷第二十二、二十三、及下卷第三十六等題，皆爲等差級數的計算；中卷第二十二題弧田皆求矢術，爲二次方程問題；下卷第三十八題百雞百錢問題，一問三答，爲不定方程問題，均詳前人算書所未詳。

中卷第二十二題云：「今有弧田，弦六十八步五分步之三，爲田二畝三十四步四十五分步之三十二，問矢幾何？」

答曰：「矢一十二步三分步之二」。

術曰：「置田積步，倍之爲實。以弦步數爲從」「從」字下原缺，應補「法，開方除之，即得矢。」八字。按此題意爲知弧田的面積 A，弦 c，求它的矢 v。「九章」方田章弧田術爲

$$A = \frac{(c+v)v}{2} ,$$

故得

$$v^2 + cv - 2A = 0 \; \text{。}$$

上式即術曰：「置田積步，倍之爲實。以弦步數爲從法，開方除之，即得矢。」所由來。解二次方程式

$$v^2 + 68\frac{3}{5}v - 2 \times 514\frac{32}{45} = 0$$

所得的一根

$$v = 12\frac{2}{3} \; \text{（步）} ,$$

即爲本題的答數。

又百雞問題云：「今有雞翁一，值錢五；雞母一，值錢三；雞雛三，值錢一。凡百錢買百雞，問雞翁、母

、雛各幾何 ？」

答曰：$\begin{cases} \text{雞翁四，值錢二十，} \\ \text{雞母十八，值錢五十四；} \\ \text{雞雛七十八，值錢二十六。} \end{cases}$

又答：$\begin{cases} \text{雞翁八，值錢四十；} \\ \text{雞母十一，值錢三十三；} \\ \text{雞雛八十一，值錢二十七。} \end{cases}$

再答：$\begin{cases} \text{雞翁十二，值錢六十；} \\ \text{雞母四，值錢十二；} \\ \text{雞雛八十四，值錢二十八。} \end{cases}$

術曰：「雞翁每增四，雞母每減七，雞雛每益三，即得。」

按此題依現代數學列式，爲不定方程式

$$x + y + z = 100 ,$$

$$5x + 3y + \frac{1}{3}z = 100 ;$$

其三組解爲：

$$\begin{cases} x = 4 , \\ y = 18 , \\ z = 78 ; \end{cases} \quad \begin{cases} x = 8 , \\ y = 11 , \\ z = 81 ; \end{cases} \quad \begin{cases} x = 12 , \\ y = 4 , \\ z = 84 \text{。} \end{cases}$$

但「張丘建」術文非全豹，其意不過謂每母雞七，可當雞翁四與雞雛三，雞數相等，值亦相同。至於詳備解法，實無可考。

「張丘建算經」中，不但周經相與，皆取古率三；即如「九章算術」弧田術的粗疏，及立圓術謬誤處，亦皆襲用未改。此或由於張丘建僅熟諳古本「九章算術」，而未見到過劉徽註解的緣故。

祖冲之祖暅之父子的業績

祖冲之字文遠，范陽薊人。宋孝武使直華林學省，賜宅宇車服，解褐南徐州從事公府參軍。文嘉中用何承天所製曆，比古十一家爲密，冲之以爲尚疏。乃更造新法，於大明六年，表上之。其時太子旅賁中郎將戴法興，泥古强辯，以冲之術爲非。冲之乃隨法興所難，辯折之。文惠太子在東宮，見冲之曆法，啓武帝施行。文惠尋卒，事遂寢。轉長水校尉，領本職。冲之非特善算，註「九章」、造「綴術」數十篇；又嘗改造指南車，巧製自運器、千里舡、水碓磨等。其所製訂的圓周率 $\frac{355}{113}$，十六世紀時歐人亞得里安（Adrian），始求得之，後於冲之千百年。是我國數學史上，值得大書特書的一件

事。永元二年卒，享年七十有二。

　　祖暅之亦作祖晅，字景鑠，冲之之子。少傳家業，究極精微，歷官員外散騎常侍太府卿。梁初，因齊用宋元嘉曆，天監三年，下詔定曆。晅奏上冲之甲子元曆，八年，又上書論之。詔可，乃於九年正月施行，迄於陳氏，無所更改。晅之精於測驗，用重差術測算天體，睎望北極，知紐星去極一度有餘。「隋書」經籍志載：「祖晅有『天文錄』三十卷，『漏刻經』一卷。又編術數之書，成目錄一部，以別於四部，故梁有五部目錄。晅之子皓，亦善算曆。」

(1)祖冲之父子的圓周率

　　唐長孫無忌「隋書」卷十六，律曆志卷十一云：「……宋末南徐州從事祖冲之更開密法，以圓徑一億爲一丈，圓周盈數三丈一尺四寸一分五厘九毫二秒七忽，朒數三丈一尺四寸一分五厘九毫二秒六忽，正數在盈、朒二限之間。密率：圓徑一百一十三，圓周三百五十五；約率：圓徑七，圓周二十二。又設開差冪，兼以正圓參

之，指要精密，算氏之最者也。所著之書，名爲『綴術』，學官莫能究其深奧，是故廢而不理。」即置圓周率 π 的值如下：

$$3.1415926 < \pi < 3.1415927$$
$$\pi = 3.14159265 \cdots\cdots$$
$$\pi = \frac{355}{113}$$
$$\pi = \frac{22}{7}$$

「隋書」卷十六嘉量條，暨「晉書」卷十六嘉量條，並以

$$\pi = 3.14159265$$

的祖冲之率入算。「隋書」卷十六律曆志校劉歆斛銘，及後周武帝保定元年玉斗，亦用祖冲之率

$$\pi = 3.14159265,$$

惜其證法久已失傳。其子祖晅之則因劉徽的割圓術方法，繼續推算，結果如下：

邊數	每邊長	π	（差）		（差）
6	1000000	$\pi_6 = 3$			
12	0.517638	$\pi_{12} = 3.10\,\frac{364\frac{1}{4}}{625}$	$\frac{6614\frac{1}{4}}{625} = \frac{105}{625}(4 \times 3.9875 \times 3.9494)$		$\doteqdot \frac{105}{625}(4)^3$
24	0.261025	$\pi_{24} = 3.13\,\frac{164}{625}$	$\frac{1675}{625} = \frac{105}{625}(4 \times 3.9875)$		$\doteqdot \frac{105}{625}(4)^2$
48	0.130806	$\pi_{48} = 3.13\,\frac{584}{625}$	$\frac{420}{625} = \frac{105}{625}(4)$		$\doteqdot \frac{105}{625}(4)^1$
96	0.065438	$\pi_{96} = 3.14\,\frac{64}{625}$	$\frac{105}{625} = \frac{105}{625}(4^0)$		$\doteqdot \frac{105}{625}(4)^0$

等而下之，則：

$$\pi_{192} - \pi_{96} \doteqdot \frac{105}{625}(4)^{-1}, \qquad \pi_{384} - \pi_{192} \doteqdot \frac{105}{625}(4)^{-2},$$

餘類推。即：

邊數	每邊長	π	差		邊數	每邊長	π	差
96	0.065438	$\pi_{96} = 3.14\,\frac{64}{625}$			……	………	$=$ ………	$\frac{105}{625}(4)^{-3}$
192	…………	$\pi_{192} =$ …………	$\frac{105}{625}(4)^{-1}$		$\frac{n}{2}$	………	$\pi_{\frac{n}{2}} =$ ………	………
384	…………	$\pi_{384} =$ …………	$\frac{105}{625}(4)^{-2}$		n	…………	$\pi_n =$ ………	$\frac{105}{625}(4)^{-n}$

即

$$\pi_n = \pi_{96} + \frac{105}{625} (4^{-1} + 4^{-2} + 4^{-3} + \cdots\cdots)$$

$$= 3.14 \frac{64}{625} + \frac{105}{625} \left\{ \frac{\frac{1}{4}}{1 - \frac{1}{4}} \right\}$$

$$= 3.14 \frac{64}{625} + \frac{105}{625} \times \frac{1}{3}$$

$$= 3.14 \frac{99}{625} \doteqdot 3.14 \frac{100}{625} = \frac{3927}{1250}$$

$$= 3.1416 \text{。}$$

(2)祖暅之開立圓術

祖暅之開立圓術，先設一立方形，命其每邊之長爲 $D = 2r$，r 爲其內切圓半徑。因 $D^3 = (2r)^3 = 8r^3$，故原立方形可分成八個小立方形，如附圖中的 I。次假設原立方形縱、橫兩面各以圓柱相貫通，其小立方形如圖 II 所示，由一大立體 III 及三個小立體 IV_1，IV_2，IV_3 所拼成。若於距底面 a 處以一平面橫截此小立方形，則其截面亦有四形，計大、小正方形各一，長方形二，如圖 V，VI，VII 所示。又於勾股形，因已知其弦 爲 r，勾爲

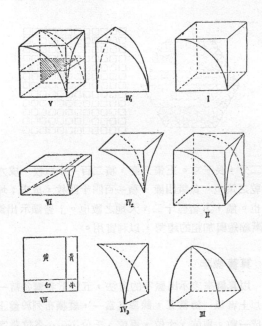

a，假令其股爲 b，則截得的大正方形一邊爲 b，其面積爲 $b^2 = r^2 - a^2$。又因截面的總面積爲 r^2，則於距底面 a 處所截三小立體形的面積爲 a^2。同理，此三小立體形在 1 處所截總面積爲 1^2，在二處所截總面積爲 2^2，……，在 r 處所截總面積爲 r^2。因爲以 r^2 爲底，r 爲

高的倒立方錐恰合上開條件，故此三小立體相合，可成一方錐形，其體積爲 $\frac{1}{3} r^3$。又小立方形的體積爲 r^3，故大立體形 III 的體積爲 $\frac{2}{3} r^3$。合此同樣的立體四個，可成一「盒蓋形」（以其形似盒子的蓋），其體積爲

$$4 \times \frac{2}{3} r^3 = \frac{8}{3} r^3\text{。}$$ 次設原立方形內切一球，平分爲上下兩半，而取其上半。於距底面 a 處以一平面截之，其截面的圓形面積爲 $\pi (r^2 - a^2)$，在底面處爲 πr^3。設其的體積爲 V，則

$$\text{盒蓋形：半圓球} = 4r^2 : \pi r^2$$

即

$$\frac{8}{3} r^3 : \frac{1}{2} V = 4 : \pi \text{。}$$

故得圓球體積 V 爲

$$V = \frac{4}{3} \pi r^3 \text{。}$$

甄鸞的著述

甄鸞字叔遵，仕北周，武帝時爲司隸校尉，漢中郡守。著有「甄鸞算術」一書，具見「隋書」。至於註釋算經之多，更不勝枚舉。舉凡「九章」、「孫子」、「五曹」、「夏侯陽」、「張丘建」、「數術記遺」、「海島」、「三等數」等算經，在未經其註釋前，皆不能成爲定本。阮元在其所著「疇人傳」中，盛讚：「鸞好學精思，富於論撰，誠數學之大家。」云云，允稱定論。

又清「四庫提要」稱：「『隋書』經籍志有『五經算術』一卷，『五經算術錄遺』一卷，皆不著撰人姓名。『唐藝文志』則有李淳風註『五經算術』二卷，亦不言爲誰所撰。今考是書，……悉加『甄鸞按』三字於上，則是書當卽鸞所撰。」按語恰當，足徵世傳的「五經算術」，亦爲甄鸞傑作。所謂「五經算術」，係指其研究資料，悉數取材於「詩經」、「書經」、「易經」、「禮記」、「春秋」、「論語」等經書而言。

失傳了的文獻

上面介紹過的這些算經，雖然寥寥僅有九種，但不意味着這個時期產生的數學文獻，並不豐富。因爲時代久遠，天災人禍，失傳了的決不在少數。就是我們今日能夠欣賞得到的這九種，也並不是都一直流傳下來，其中也有隱沒了若干世紀，後來又被發見；或在君王保存

珍本的計劃下，苦蒐而得的。例如「數術記遺」一書，雖在「崇文總目」之數，及至中興館閣收拾遺書，乃不復見。民間藏書之家，亦無該本。待宋朝鮑澣之客官中都，暇日於七寶山三茅寧壽觀所藏道藏中，方始再行發見。蓋以是書篇首冠有「余以天門金虎，呼吸精泉。」二語，類似道家說法，遂以見收。不然，則亦無傳矣。事見鮑澣之所作，「數術記遺」序文。玆將這個時期中，失傳了的數學文獻，而在史傳或其他書籍中，尚能窺知其名稱及卷數的，詳舉於下：

　　許商算術　　二十六卷
　　杜忠算術　　卷數不詳
　　高元算術　　三卷
　　三等數　　　一卷　董泉撰
　　劉炫算術　　一卷

　　綴術　　　　六卷；「舊唐書」經籍志及「新唐書」藝文志，皆作五卷。祖冲之撰。

　　這些失傳了的古代數學文獻，如果能夠一一找到來加以研究，看它們討論的題材是些什麼？法術進展到了若何程度？當然是件有趣味的事情。但是事實已成過去，追悔、冥想，也都無益。只有「三等數」和「綴術」二書，却值得令人囘味。因爲它們在唐朝時代，都各被列爲國學中必修科目之一。尤其是「綴術」的聲名卓著，而能加以瞭解的人不多，更加顯得它的陳義高深，以致猜測紛紜，莫衷一是。宋沈括所著「夢溪筆談」卷十八第三則云：「審方面勢覆，量高深遠近，算家謂之畫術。畫文象形，如繩木所用墨斗也。求星辰之行。步氣朔消長，謂之綴術。謂不可以形察，但以算數綴之而已。」似此所謂「綴術」云者。當爲天文學與歷法上的法術。沈括去唐不遠，當爲見到過「綴術」原書所下的評語，決不至信口雌黃，憑空捏造也。

参、籌算

　　計算的工具，現在學校中雖係使用筆，商場中使用珠算算盤，但在古代，我國却係使用算籌。計算時計算者將算籌布列於算盤上，依照計算法則，上下相呼，左右進退。算罷，僅有結果遺留在盤上，其間一切過程，皆了無痕跡。故所有算經中，都只載有「術曰」、「法曰」或「草曰」等條文，並無一個算式。學算者如果對於它的制度、排法，與法則，不早成竹在胸，縱然熟讀了各種算經，仍苦無從下手，一籌莫展。玆特分別說明於下：

籌制

　　算籌古代亦稱算策，或簡稱爲算。漢、唐以後，籌、策並用；宋以後，俗稱算子。至其形式，則「方言」謂：「木細枝爲策」，「說文」竹部稱：「算長六寸，計歷數者」，「前漢書」律歷志曰：「其算法用竹，徑一分，長六寸，二百七十一枚而成六觚，爲一握」。（下圖）按此制規定，籌徑與其長的比成60：1，似嫌太瘦，不便於用。其後北周甄鸞註「數術記遺」稱：「積

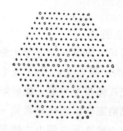

算，今之常算者也，以竹爲之。長四寸，以效四時；方三分，以象三才」。「隋書」律歷志云：「其算用竹，

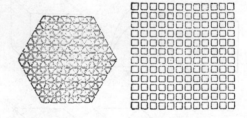

廣二分，長三寸。正策三廉，積二百一十六枚，成六觚；乾之策也。負策四廉，積一百四十四枚，成方；坤之策也。觚，方皆徑十二，天地之數也。」皆顯示出算籌逐漸縮短與加粗的趨勢，以利實用。

算籌數字

　　用算籌來表示出數字的方法，五以下者籌各當一，五以上者以一籌當五，餘籌各當一，縱橫布列於盤上，組成一數。單位、十位、百位、千位………各位數字，皆如法布列，惟算位自左而右，各位記數的籌，須縱橫相間，其式如下：

　　縱式　｜　‖　‖|　‖‖　‖‖|　丅　丅丅　丅丅丅　丅丅丅丅
　　橫式　一　二　三　亖　亖一　⊥　⊥一　⊥二　⊥三

　　這縱橫二式，作用相同。橫式在上古時代雖曾用過

，惟自「孫子算經」出現時起，概行改用縱式。例如6728一數，倘用算籌排列，則⊥〒≡〒 是。因籌沒有表零的東西，數中遇有零時，可於該零數處空一位置。例如6708作⊥〒 〒，6020作⊥ ＝ 等是。「孫子算經」曰：「凡算之法，先識其位。一縱十橫，百立千僵。千十相望，萬百相當。」又曰：「六不積，五不隻。」「夏侯陽算經」曰：「夫乘，除之法，先明九九。一從十橫，百立千僵。千十相望，萬百相當。滿六以上，五在上方。六不積聚，五不單張。」皆言算籌的表數方法。

延至宋、元兩朝，算家始應用〇號以代替空位。同時四籌作╳，五籌作丄或呂，九簡作⊠或乂。即：

縱式　〇　|　||　|||　||||或╳　||||呂　〒
　　　〒　〓　〓或⊠

橫式　〇　─　＝　≡　≣或╳　≣呂　⊥
　　　⊥　≝　≡或╳

正負數的表示法

用籌布數，對於正、負數的區分，除如「隋書」律曆志所云，正數用三角籌，負數用方籌，拿形式來表示外，亦有使用顏色的。「九章算術」方程章劉徽註云「正算赤，負算黑，否則以邪爲異。」宋朝楊輝以後，就是在數末加一邪籌，表示那數爲負數。例如川爲－3，≡||||爲－34等是。

運算法則

㈠加減法　籌算的加、減法，和現今仍在使用的珠算相似。加時將加數的算籌，併入到被加數的算籌中去；減時由被減數的算籌中，除去減數的算籌。惟運算開始，究係自數的左端？抑或係自數的右端？古代算書，並未明言。拿相傳下來的乘、除法加以考察，籌算的加、減法，似亦應自左而右，逐位併、減纔對。加法滿十，進入前位；減法上不足減下，則取用前位數，皆一如今日的筆算。

㈡乘除法　珠算歸除口訣，爲宋、元人所創製，宋以前無之。籌算乘、除口訣，則在默呼乘法表。乘法表在唐以前，列自「九九八十一」起，至「一一如一」止，凡四十五句。其次序恰與宋、元以後的，互相顛倒，見於「孫子算經」卷上者，就是這樣的。這四十五句乘法表，古人又簡稱曰「九九」，蓋取自表首的二字。「管子」輕重戊篇云：「宓戲作九九之數」；「韓詩外

傳」曰：「齊桓公設廷燎，東野人有以九九見者。」・「周髀算經」云：「數之法，出於圓方。圓出於方，方出於矩，矩出於九九八十一。」，趙君卿註云：「九九者，乘、除之原也。」；劉徽「九章」序云：「包羲氏始畫八卦，作九九之術。」；「夏侯陽算經」亦曰：「夫乘、除之法，先明九九。」；皆言九九爲算學的基礎，蓋指乘法表而言也。「九九」又稱「九九合數」，茲照錄於下：

九九合數

一一如一
一二如二　二二如四
一三如三　二三如六　三三如九
一四如四　二四如八　三四一十二　四四一十六
一五如五　二五得一十　三五一十五　四五得二十
　　　　　五五二十五
一六如六　二六一十二　三六一十八　四六二十四
　　　　　五六得三十　六六三十六
一七如七　二七一十四　三七二十一　四七二十八
　　　　　五七三十五　六七四十二　七七四十九
一八如八　二八一十六　三八二十四　四八三十二
　　　　　五八得四十　六八四十八　七八五十六
　　　　　八八六十四
一九如九　二九一十八　三九二十七　四九三十六
　　　　　五九四十五　六九五十四　七九六十三
　　　　　八九七十二　九九八十一

乘、除布籌運算法則，詳於「孫子」、「夏侯陽」等算經。二數相乘得積，先列一數於上格，次列一數於下格，無被乘數、乘數，或法、實等名稱。移下格的數，使其末位與上格數首位相齊。乃以上格首位數，遍乘下格數各位，自左而右，以乘得的積，列於二數之間。以後得的積，依次併入於前得的積。乘畢，則去上格數的首位，且將下格移右一位，以就上格數次位。再以上格次位數，遍乘下格數各位，併入中格積數如前。直至上格數各位盡去，下格數各位亦相繼撤去，中格所得，即爲二數的相乘積。「孫子算經」云：「凡乘之法，重置其位，上下相觀。上位有十步至十，有百步至百，有千步至千。以上命下，所得之數，列於中位。言十即過，不滿自如。上位乘訖者，先去之。下位乘訖者，則俱退之。六不積，五不隻。上下相乘，至盡而已。」例如753×324 的過程爲：

「重置其位」　將乘數三二四、被乘數七五三分別排列於上、下格，使三二四的首位數三，和七五三的末位數三對齊，如右式：

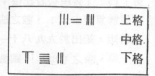

將上格的首位數三，乘下格的首位數七，以其積二十一（算經術語為：上三呼下七，三七二十一。下同）中單位的一，置於七的上方，二置於一的左方，并列於中格。如右式：

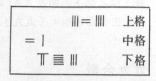

再以上格的首位數三，逐次分乘下格的五、三兩數，將所得的積各置於五、三兩數之上。將七五三退下一位，收上格的首位數。如右式：

繼以上格的次位數二，遍乘下格的七、五、三，將所得的積分別併入於中格。將七五三退下一位，收上格的次位數二。如右式：

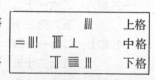

同樣，繼續以上命下，將所得的積分別併入於中格。上、下格俱收，得式如右：

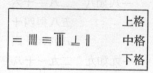

古籌算除法，稱被除數為實，除數為法，所得為商。其運算方法，適與乘法相反。置實於中格，法居下格，商置於上格，亦三重張位。先以法的首位數置於實的首位數下方，如不足除，則退法數一位。議得商的首位數後，以商的首位數遍乘法的各位數，自左而右，隨即由中格實中減去各乘得的數。乃退法數一位，再議商的次位數。以商的次位數遍乘法的各位數，自中格實中減去如前。至中格減盡，則上格所得即為商。如法數退無可退，而尚有餘實，則以餘實為分子，法數為分母，寄於商數下為剩餘分數。「孫子算經」云：「凡除之法，與乘正異。乘得在中央，除得在上方。假令六為法，百為實。以六除百，當進之二等，令在正百下。以六除一，則法多而實少，不可除。故當退就十位，以法除實，言一六而折百為十十，故可除。若實多法少，自當百之，不當復退。故或步法十者，置於十位；百者置於百位，餘法皆如乘時。實有餘者，以法命之。以法為母，實餘為子」。例如 243972÷753 的過程為：

先置被除數二四三九七二於中格為實，除數七五三於下格為法，如右式：

除數步退一位，則商數當在百位。先求百位的商，約得三。如右式：

因 753×3＝2259，2439－2259＝180，即被除數商三後，餘一八零七二。「退下位一等」，再求十位的商，約得二。如右式：

因 753×2＝1506，1807－1506＝301，即被除數商二後，餘三零一二。「退下位一等」，再求單位的商，約得四。如右式：

因 753×4＝3012，3012－3012＝0，即被除數商四後，適盡。「中位并盡、收下位。上位所得」為商。如右式：

㈥開平方法　古籌算關於由平面積以求方邊的，叫做開平方除；由立體積以求廣、袤、或高的，叫做開立方除。「九章算術」少廣章有開整平方及開整立方二術，詳布籌及運算法則，茲抄錄於下：

開平方布算，計列商、實、法、及借算四級。術曰：「置積為實，借一算步之。超一等。議所得，以一乘所借一算為法，而以除。除已，倍法為定法。其復除折法而下，復置借算步之如初。以復議一乘之，所得副以加定法，以除。以所得副從定法，復除折下如前。若開之不盡者，為不可開，當以面命之。」例如求 55225 的平方根時，先「置積為實」，於單位下置「借算」一，列式如下：

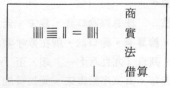

上式與代數方程式 $x^2-55225=0$ 的性質相仿，開平方除即為求此二次方程式的根。

因實有五位，移借算於百位，則商（即根）有十數；移借算於萬位，則商有百位數。是謂「借一算步之

，超一等。」今移借算一於萬位五下，則知根的百位數
爲二。列式如下：

上式與方程式$10000 x_1^2 - 55225 = 0$ 同義。

因$(2)^2 = 4$，又$5 - 4 = 1$，則去五留一。幷於借
算一上，置根的百位數二，稱之爲「法」。列式如下：

次「倍法爲定法」，即$(2) \times 2 = (4)$。列式如下。

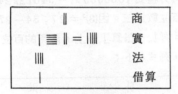

「定法」四一退，「借算」一二退至百位，則商在
十位。$15 \div 4 = 3$ 餘 3，約得根的十位數爲三。因$4 \times 3 < 15$ ，$43 \times 3 < 152$；又$152 - 43 \times 3 = 23$，故
確知根的十位數爲三。置三於商的十位，又置三於「定
法」四後，次第列式如下：

上面左式與$100 \cdot x_2^2 + 4000 x_2 - 15225 = 0$ 同義
次於「法」位四三加入三，得四六爲「定法」。列
式如下：

「定法」四六一退，「借算」一二退，商在單位。
$232 \div 46 = 5$ 餘 2，約得根的單位數爲五。
因$46 \times 5 < 232$，$465 \times 5 = 2325$，故確知根的單位數
爲五。即$\sqrt{55225} = 235$。次第列式如下：

上面左式與$x_3^2 + 460 x_3 - 2325 = 0$ 同義。

上式開方適盡。如不盡，則以餘數附加二位，再於
「法」位四六五加入五，得四七零爲「定法」，如前退
位約商。即劉徽「九章」註謂：「加定法如前，求其微
數。」是也。「孫子算經」則叛爲實、方、廉、隅諸名
稱，以馭開方。後此「張丘建算經」、「夏侯陽算經」
、「五曹算經」、「開元大衍曆經」、宋買憲「立成釋
鎖」等，幷沿用其法。今用「九章算術」原題，而以「
孫子算經」中術語，解說如下，藉資比較。

題旨　求五五二二五的平方根。

術曰：「置積爲實，次借一算爲下法。」

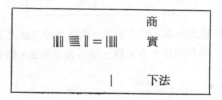

「步之超一位，至百而止。商置二百，於實之上。
副置二萬於實之下，下法之上，名爲方法。命上商二百
，除實，除訖。」

「倍方法一退，下法再退。」

「復置上商三（十），以次前商。副置三（百）於
方法之下，下法之上，名爲廉法。方、廉各命上商三（
十），以除訖。」

‖ ≡	商
＝‖‖ ＝ ‖‖‖‖	實
‖‖‖‖	方法
‖	廉法
｜	下法

「倍廉法，上從方法。」

‖ ≡	商
＝‖‖ ＝ ‖‖‖‖	實
‖‖‖‖ ⊥	方(廉)法
｜	下法

「一退方法，下法再退。」

‖ ≡	商
＝‖‖ ＝ ‖‖‖‖	實
‖‖‖‖ ⊥	方(廉)法
｜	下法

「復置上商五，以次前商。副置五於方法之下，下法之上，名曰隅法。方、廉、隅各命上商五，除實。除（盡）。」

‖ ≡ ‖‖‖‖	商
	實
‖‖‖‖ ⊥	方(廉)法
‖‖‖‖	隅法

上式開方適盡。如不盡，則「倍隅法，從方法」爲母，「不盡」爲子，除分數於整式後，如下式：

$$\sqrt{a^2+r} = a+\frac{r}{2a}$$

「九章算術」開立方，布算列商、實、法，及借算四級。并於「法」下、「借算」上列「中」、「下」二級，或副置之。其「下」的一級，與「借算」級的格次相當。術曰：「置積爲實，借一算步之，超二等。議所得，以再乘所借一算爲法，而除之。除已，三之爲定法，復除折而下。以三乘所得數置中格，復借一算置下格。步之，中超一，下超二位。復置議以一乘中，再乘下，皆副以加定法，以定法除。除已，倍下并中從定法，復除折而下如前。開之不盡者，亦爲不可開。」例如求三四零一二二二四的立方根時，先「置積爲實」，於單位下置「借算」一，列式如下：

≡ ‖‖‖‖ 　 ｜ ＝ ‖ ＝ ‖‖‖‖	商 實
	法
	（中）
｜ （下），借算	

上式與代數方程式 $x^3 - 34012224 = 0$ 同義。因實有八位，移借算於千位，則商（即根）有十位數；移借算於百萬位，則商有百位數，是謂：「借一算步之，超二等。」今移借算一於三四下，使成

≡ ‖‖‖‖ 　 ｜ ＝ ‖ ＝ ‖‖‖‖	商 實
	法
	（中）
｜ 　（下），　借算	

（上式與方程式 $1000000 x^3 - 34012224 = 0$ 同義）則知商的百位數爲三。因 $(3)^3 = 27$，$34 - 27 = 7$，則去三四留七。并於「借算」一上，置商的百位數的自乘數 $(3)^2$ 爲法，列式如下：

‖	商
⊤ ｜ ＝ ‖ ＝ ‖‖‖‖	實
⊤	法
	（中）
｜ 　（下），　借算	

次「三之，爲定法」，即以常數三乘 $(3)^2$，或

$$(3)^2 \times 3 = 27$$

爲「定法」，列式如下：

‖	商
⊤ ｜ ＝ ‖ ＝ ‖‖‖‖	實
＝⊤	定法
	（中）
｜ 　（下），　借算	

「定法」二七一退，「借算」一三退至千位，則商在十位。列式如下：

‖‖‖	商
⊤ ｜ ＝ ‖ ＝ ‖‖‖‖	實
＝⊤	定法
	（中）
｜ 　（下），　借算	

次副置中，下二格，中格以常數三乘百位商數三，下格爲常數「一」，而下格與「借算」格相當，列式如下：

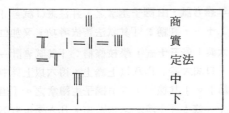

「中超一位」，如下式：

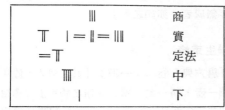

上式與方程式

$$1000x_2^3 + 90000x_2^2 + 2700000x_2 - 7012224 = 0$$

同義。假定商的十位數爲二，則以二乘中格，二的自乘乘下格，得

一 ⫴	中
⫾⫾⫾⫾	下

以「中」、「下」二格的數加入於「定法」，得二八八四。次以商的十位數二乘二八八四，由七零一二中減去之，即　$7012 - 2884 \times 2 = 1244$，如下式：

	商
	實
	定法
	（中）
	借算

次於前得的副置式

一 ⫴	中
⫾⫾⫾⫾	下

內，「信下，併中」，即 $4 \times 2 + 180 = 188$，加入「定法」，得三零七二。列式如下：

	商
	實
	定法
	（中）
	借算

假定

$$300 = a, \qquad 20 = b,$$

則

$$2884 = 3a^2 + 3ab + b^2,$$
$$3072 = [(3a^2 + 3ab + b^2) + (3ab + 2b^2)]$$
$$= 3(a+b)^2.$$

「定法」一退，「借算」三退至單位，則商在單位。如下式：

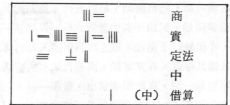

再如前法，副置中、下格，如下式：

	商
	實
	定法
	中
	（下）借算

「中」超一位，如下式：

	商
	實
	定法
	中
	（下）借算

上式與方程式

$$x_3^3 + 960x_3^2 + 307200x_3 - 1244224 = 0$$

同義。假定商的單位數爲四，則以四乘中格，$(4)^2$ 乘下格，得下式：

	商
	實
	定法
	中
	（下）借算

加入定法，得三一一零五六。如下式：

	商
	實
	定法
	（中）
	（下）借算

乘四，除實，適盡。得三四零一二二二四的立方根爲三二四。

「張丘建算經」開立方，其布算則列商、實、方法、廉法、隅、下法六級。玆爲節省篇幅，未便再行舉例，依其運算程序，列式對照，來作比較。

肆、鼎盛時期

這個時期，起自唐朝，終於五代，爲期約計三百餘年。唐家隋制，於國子監中設置六學，算學居一。在算學中，不但釐訂了編制，確定教科用書，勵行考試制度，而且崇其待遇，厚其薪給，開前代未有的盛典。故研究風氣盛極一時，專家學者輩出，數學一科，已不再屬曆法家的副業了。其制度疊見於「唐六典」、「通典」、「舊唐書」、「新唐書」、「大唐新語」、以及「通考」諸書。

唐朝的算學制度

算學編制

「唐六典」卷四稱：「算學博士二人，助教一人，算學生三十人，典學一人。」

教科用書

「唐六典」卷二十一稱：「算學博士掌教文武官八品以下，及庶人子之爲生者，二分其經，以爲之業。習『九章』、『海島』、『孫子』、『五曹』、『張丘建』、『夏侯陽』、『周髀』十有五人，習『綴術』、『緝古』十有五人。其『記遺』、『三等數』，亦兼習之。」

受業年限

「唐六典」卷二十一稱：『孫子』、『五曹』共限一年業成，『九章』、『海島』共三年，『張丘建』、『夏侯陽』各一年，『周髀』、『五經算』共一年，『綴術』四年，『緝古』三年。」計每科各七年。

考試制度

考試分科舉行。計：「九章」三帖，「海島」、「孫子」、「五曹」、「張丘建」、「夏侯陽」、「周髀」、「五經算」等七部各一帖，稱爲一組。另一組「綴術」六帖（或稱七帖），「緝古」四帖（或稱三帖）。

各組均爲十帖。凡算學皆錄大義本條爲問答，明數造術，詳明術理。無註者合數造術，不失義理，然後爲通。各經十通六，「記遺」、「三等數」帖讀，十得九爲第。每年終考試，由國子丞掌之，并注重口試。「唐六典」卷二十一，註稱：「其試法皆依考功，又加口試。」「唐六典」卷三十五，學校條稱：「其試者計一年所受之業，口問大義，得八以上爲上，得六以上爲中，得五以上爲下。」其檢監，則由國子主簿掌之。「唐六典」卷二十一條：「主簿掌勾檢監事，凡六學生有不率所教者，則舉而免之。其頻三年下第，算生九年在學，及律生六年無成者，亦如之。」

學生束脩

「唐六典」卷二十一稱：「其生初入，置束帛一篚，酒一壺，脩一案，號爲束脩之禮。」「唐摭言」稱：「龍朔二年九月，勅學生在學，各以長幼爲序。初入學，皆行束脩之禮於師。……俊士及律、書、算學，州縣各絹一匹，皆有酒脯。」

教師俸給

據「唐會要」稱：「開元二十四年，大歷二年，書、算博士及助教，各爲一千九百一十七文。建中二年，書、算、及律助教，爲三千文。」「新唐書」食貨志稱：「唐世俸錢，會昌後不復增減。今著其數：書、算、律學博士四千，書、算助教三千。」唐祚至天祐二年而斬，會昌以後史書尚記書、算博士及助教俸錢，可知終唐之世，算學制度，並未廢棄。

王孝通撰緝古算經

王孝通武德九年任算曆博士，曾校傅仁均戊寅術，後官通直郎太史丞。王氏少小學算，以迄皓首。鑽尋秘奧，曲盡無遺。對於「九章」，深覺其理幽而微，形秘而約。重勾可以測海，寸木可以量天，讚其爲宇宙至精。對於劉徽的註釋與其創造的「重差」，雖備極推崇，但憾舊經殘駁，尚有闕漏。兼之鄖祖晒之的「綴術」間有全錯不通，於理未盡處，乃起而撰述「緝古」一書，凡二十題，即後人聲稱爲「緝古算經」的。書成以表之於帝，表中有句曰：「請訪能算之人，考論得失。如有排其一字，臣欲謝以千金。」其自負絕學，有如此者。按唐朝算學制度中規定，「孫子」、「五曹」共限一歲，「九章」、「海島」共限三歲。「張丘建」、「夏侯陽」各一歲，「周髀」、「五經算」共一歲，「綴術

」四歲，「緝古」三歲，「記遺」、「三等數」皆兼習之。「緝古」以本朝著作，竟得列於學官，而限習又達三歲之久，其深奧可知。

「緝古算經」第一問，推算十一月朔半月度，創設了新術，解法確較舊術爲簡。

第二問至第十四問，均屬商功問題。凡稜台體積，倉窖容量，築堤、挖溝的土方計算，以及掘土、運土、填土等工程，均所問及。其問題每融合商功、少廣、方田、勾服、衰分、均輸數章之術爲一題。其解答方法，雖猶是劉徽的「析理以辭，解體用圖」的遺意，而題旨繁複，術理深奧，決非「九章算術」原題所可比擬。

第十五問至第二十問爲勾股問題。首二問爲有勾股相乘冪，及勾弦差或股弦差，求勾、股、弦三事。次二問爲有勾弦相乘冪，及股弦差，求股；有股弦相乘冪，及勾弦差，求勾。終二問爲有股弦相乘冪及勾，求股；有勾弦相乘冪及股，求勾。前此勾股問題，無以相乘冪爲問者，有之，自孝通「緝古算經」始。

「緝古算經」中問題，大都需要開帶從立方，纔能解決。所謂開帶從立方云者，即近世代數學中，解三次方程式

$$x^3 + ax^2 + bx + c = 0$$

的古來稱謂。「緝古算經」中稱常數項 c 爲「實」，x 一次方的係數 b 爲「方法」，x 二次方的係數 a 爲「廉法」，x 三次方的係數恆等於一，與劉徽少廣章註釋用語，大致相同。a，b，c 俱爲整數，b 有時爲零。「緝古」術文詳述「實」、「方法」、「廉法」各數的求法，其自註復略敍所以得術之由。但他的開帶從立方步驟，以及布籌圖式，則未著錄。這並不意味着，他對於三次方程式的解出，尚未發見公式。因爲「九章算術」少廣章開方、開立方二術求次商、三商，已經廣有開帶從平、立方的意義在內，孝通用此術以解題意，算草可以從略的緣故。我國流傳下來的數學文獻中，使用三次方程式解法的，要推「緝古算經」爲最早。它的算草未能流傳下來，殊爲可惜。否則，後於王氏八百餘年的意大利數學家惑羅（Ferro，Scipione del），得之大可作爲賭算武器，輕易擊敗他的敵手他達格利亞〔Tartaglia（Nicolo Fontana）〕，而拍昔娥里（Pacioli Luca）更不能專美於後了。

「緝古算經」第二問，分造仰觀台、及羨道二事。茲將其造仰觀台題文、答數，并用現代符號，圖解表出於下：

「假令太史造仰觀台，上廣袤少，下廣袤多。上下廣

差二丈，上下袤差四丈，上廣袤差三丈，高多上廣十一丈。甲縣差一千四百一十八人，乙縣差三千二百二十二人。夏程人功常積七十五尺，限五日役台畢。……二縣差到人共造仰觀台，………，皆從先給甲縣，以次與乙縣。台自下基給高，………，問台廣、高、袤，及縣別給高、廣、袤各幾何？」

答：「台高一十八丈；上廣七丈，下廣九丈；上袤一十丈，下袤一十四丈。甲縣給高四丈五尺；上廣八丈五尺，下廣九丈；上袤一十三丈，下袤一十四丈。乙縣給高一十三丈五尺；上廣七丈，下廣八丈五尺；上袤一十丈，下袤一十三丈。」

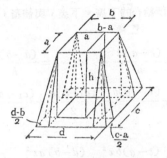

如圖所示：以 a，b 表上廣與上袤，c，d 表下廣與下袤，h 表高，V 表體積。分台成一個長方柱，四個楔形，及四個角錐。因其全體體積的和等於 V，故得

$$V = (ab + a \times \frac{d-b}{2} + b \times \frac{c-a}{2} + 4 \times \frac{1}{3} \times \frac{c-a}{2}$$

$$\times \frac{d-b}{2}) h$$

$$= \{ab + \frac{(d-b)a}{2} + \frac{(c-a)b}{2} + \frac{(c-a)(d-b)}{3}\} h$$

置 $p = h - a$，以 $h = a + p$，$b = a + (b-a)$ 代入於上式，得

$$V = \{a(a+b-a) + \frac{(d-b)a}{2} + \frac{(c-a)(a+b-a)}{2}$$

$$+ \frac{(c-a)(d-b)}{3}\}(a+p)$$

$$= [a^2 + \{(b-a) + \frac{c-a}{2} + \frac{d-b}{2}\}a + \frac{(c-a)(b-a)}{2}$$

$$+ \frac{(c-a)(d-b)}{3}](a+p)$$

$$= (a^2 + ma + n)(a + p),$$

或

$$a^3+(m+p)a^2+(n+pm)a=V-pn \quad 。$$

式中　$m=(b-a)+\dfrac{c-a}{2}+\dfrac{d-b}{2}$,

$$n=\dfrac{(c-a)(b-a)}{2}+\dfrac{(c-a)(d-b)}{3} \quad 。$$

於解出三次方程式

$$a^3+(m+p)a^2+(n+pm)a=V-pn$$

求得 a 後，因 $c-a$，$b-a$，$h-a$，$d-b$ 等皆爲已知數，故與此 a 值對應的 b，c，d，h 各值，亦皆隨之而決定。

次求乙縣差所給台的廣，袤，高如下：設 c_1，d_1，V_1 各爲乙縣差所給台的下廣、下袤、與體積，x 爲其截體的高，則：

$$c_1-a=\dfrac{(c-a)x}{h} \quad , \quad d_1-b=\dfrac{(d-b)x}{h} \quad ;$$

$$V_1=[ab+\dfrac{(c_1-a)b}{2}+\dfrac{(d_1-b)a}{2}+\dfrac{(c_1-a)(d_1-b)}{3}]x$$

$$=abx+\dfrac{(c-a)bx^2}{2h}+\dfrac{(d-b)ax^2}{2h}$$
$$+\dfrac{(c-a)(d-b)x^3}{3h^2}$$

即

$$x^3+\dfrac{3}{2}(\dfrac{ah}{c-a}+\dfrac{bh}{d-b})x^2+3\dfrac{ah}{c-a}\cdot\dfrac{bh}{d-b}x=$$

$$V_1\dfrac{3h^2}{(c-a)(d-b)} \quad 。$$

解上列三次方程式，即得乙縣差所給台高。隨之其下廣 c_1，下袤 d_1，以及甲縣差 先給台高，亦皆唾手而得。

又以 a，b，c 各表直角三角形的勾、股、弦時，則因「緝古算經」中第十七問爲已知 ac 積及 $c-b$ 差，求 b；其術須解下列三次方程式

$$x^3+\dfrac{5}{2}(c-b)x^2+2(c-b)^2x=\dfrac{(ac)^2}{2(c-b)}-\dfrac{(c-b)^3}{2}$$

所得 x 根即爲其股 b 的值。

李淳風註算經十書

「新唐書」、「舊唐書」李淳風傳稱：「李淳風岐州雍人，明天文、曆算、陰陽之學。貞觀初，以駁傅仁均曆議，多所折衷，授將仕郎，直太史局。顯慶元年，

復以修國史，功封昌樂縣男。先是太史監王思辯表稱：『五曹』、『孫子』十部算經，理多踳駁』，淳風復與國子監算學博士梁述，助教王眞儒等，受詔註釋傳本算書十種。計：『周髀』二卷、『九章』九卷、『孫子』三卷、『五曹』五卷、『張丘建』三卷、『夏侯陽』三卷、『五經算』二卷、『海島』一卷、『綴術』五卷、『緝古』三卷。書成，高祖令付國學行用。」

李淳風的註釋，對於算學義理，雖少發明，然較之甄鸞註僅能依數釋術者，已略勝一籌。其「周髀算經」日高術註，以「重差」術證舊術的不爲通例；「九章算術」開立圓術註，以「綴術」校正原術的謬誤等，有益讀者，誠非淺鮮。立圓術用勾股理，證明圓柱形內容一半球，球外容積爲圓柱體積三分之一；球的體積，爲圓柱體積三分之二。故球的體積，爲 $\dfrac{1}{2}D^3$（$\pi=3$），或 $\dfrac{11}{21}D^3$（$\pi=\dfrac{22}{7}$），D 爲球徑。其註釋或爲祖氏「綴術」佚文，似非淳風創解。

李淳風「九章」註中，對於圓周率的研究，輒抑劉徽而揚祖沖之。顧其取以入算者，乃爲沖之的約率 $\dfrac{22}{7}$，而非其圓率正數，或其 密率 $\dfrac{355}{113}$。遇有問題涉及周徑者，均附「密率」算術於原術之後，竟以 $\dfrac{22}{7}$ 爲「密率」，與「隋書」律曆志相出入，不知何據，豈以 $\dfrac{22}{7}$ 一率，較徽率 $\dfrac{157}{50}$ 爲密，故稱之爲「密率」歟？先是王孝通「緝古算經」亦以 $\dfrac{22}{7}$ 爲圓周率，而無「密率」之稱；自淳風誤稱 $\dfrac{22}{7}$ 爲「密率」後，致宋、元兩代疇人，皆爲所蔽，而沖之的圓率正數及密率 $\dfrac{355}{113}$，反被湮沒不彰了。

唐朝的算學大家與失傳了的算書

唐朝的算學大家，除了王孝通、李淳風外，尚有僧一行、邊岡、劉孝孫、陳從運、江本、龍受、韓延諸人，亦并稱善算，見諸史傳。

一 行

僧一行姓張氏，先名遂，「舊唐書」有傳。「唐六典」稱：「大衍曆開元十四年，嵩山僧一行承制旨考定，最爲詳密，今見行。」一行博聞强記，精於曆算，惜其著作均已失傳，遺留下來的少數記錄，實在無法評估他數學上發見的眞實價值。鄭處誨所著「明皇雜錄」有一篇關於一行的生活報告，茲將其中逸話一則，抄錄於下：

「僧一行姓張氏，鉅鹿人，本名遂。唐玄宗既召見，謂曰：卿何能？對曰：唯善記覽。玄宗因詔掖庭取宮

人籍以示之，周覽既畢，覆其本，記念精熟，如素所習。讀數幅之後，玄宗不覺降御榻爲之作禮，呼爲聖人。先是一行既從釋氏，師事普寂於嵩山。師嘗設食於寺，大會群僧及沙門，居數百里者，皆如期而至，且聚千餘人。時有盧鴻者，道高學富，隱於嵩山。因請鴻爲文，讚歎其會。至日，鴻持其文至寺，其師受之，致於幾案上。鍾梵既作，鴻請普寂曰：「某爲文數千言，況其字僻而言怪，盡於群僧中選其聰悟者，鴻當親爲傳授。」乃令召一行，既至，伸紙微笑，止於一覽，復致於几上。鴻輕其疎脫而竊怪之。俄而群僧會於堂，一行攝袂而進，抗音興裁，一無遺忘。鴻驚愕久之，謂寂曰：『非君所能教導也，當縱其遊學。』一行因窮大衍，自此訪求師資，不遠千里。嘗至天台國清寺，見一院古松數十步，門有流水。一行立於門屏間，聞院中僧於庭布算，其聲敕敕。既而謂其徒曰：『今日當有弟子求吾算法，已合到門。豈無人導達耶？』即除一算。又謂曰：『門前水合却西流，弟子當至。』一行承言而入，稽首諸法，盡授其術焉。而門水舊東流，忽改爲西流矣。」

邊岡

邊岡「宋史」作邊剛，太子少詹事。昭宗時，宣明曆施行已久，數亦漸差。詔岡與司天監胡秀林、均州司馬王墀，改治新曆，然術一出於岡。岡巧於用算，能馳騁反覆於乘除間，立先相減後相乘之法，令衰殺有倫。又作經術，求黃道月度。景福元年，曆成，賜名崇元。然亦有詆諮之者，例如元胡省三據「新唐書」律曆志註「通鑑」，稱：「岡用算巧，能馳騁反覆於乘除間，由是簡捷超經等接之術興，而經制遠大衰序之法廢矣。雖籌策便易，然皆冥於本原。」即其一例。

劉孝孫

劉孝孫不知何許人，宋本「張丘建算經」三卷，題：「唐算學博士臣劉孝孫細草」。「張丘建」球積術踵「九章」舊術之誤，孝孫以祖暅之之術校正，補密率術草於後。此孝孫或爲李淳風同時人，或在淳風之後，與隋初曆法家劉孝孫姓名偶同，並非一人。因「隋志」載彼一劉孝孫早已卒於隋，不應再又入唐的緣故。

陳從運

陳從運亦作陳運，據「宋史」律曆志載：「唐試右千牛衞胄曹參軍陳從運，著『得一算經』，其術以因折而成。取損益之道，且變而通之，皆合於數。」「新唐書」、「宋史」有：「陳從運『得一算經』七卷，『崇文總目』作『陳運「得一算經」七卷』是也。」陳從運又有「三問田算術」一卷，見「宋史」及「崇文總目」。

江本

據「玉海」載：「江本撰『三位乘除一位算法』二卷，又以一位因折進退，作『一位算術』九篇，頗爲簡約。」「新唐書」、「宋史」、「崇文總目」并有：「江本『一位算法』二卷。」

龍受

龍受亦作龍受益，或龍受一。「新唐書」藝文志有：「貞元時人龍受『算法』二卷」，「崇文總目」亦有：「龍受算法」二卷。「宋史」藝文志作：「龍受益『算法』二卷，『求一算術化零歌』一卷，『算範要訣』二卷，『明算指掌』三卷。」其書至宋尚存。宋紹興「秘書省續編到四庫書目有「求一算術歌」一卷，唐龍受益註『算範九例訣』一卷。其『六問算法』五卷，并『化零歌』附，宋晁氏『通考』作唐龍受益撰，宋晁公武「郡齋讀書志」作皇朝龍受益撰，其書至明尚存。這書就是明朝陳第「世善堂藏書目錄」中的唐龍受一「六問算法」五卷。

韓延算術

唐朝立於學官的「夏侯陽算經」三卷，延至北宗初時，業已失傳。元豐七年秘書省刻「算經十書」時，誤以中唐時人韓延所撰算書，充替梓行。故韓延著作，得藉「夏侯陽算經」名稱，流傳至今。其自序末段云：「是以跋涉川陸，參會宗流；纂定研精，刊繁就省；袪蕩疑惑，括諸古法；燭盡毫至，謹錄異同，列之於左。」此書對於古今制度，不特多資佐證，即關於唐朝的算學進步，亦可賴以考見一斑。

此外，「新唐書」藝文志所載，計有：

「九章術疏」九卷　　宋泉之撰
「七經算術通義」七卷　　陰景愉撰
「九章雜算文」二卷　　劉祐著
「謝察微算經」三卷
「新集五曹時要」三卷　　魯靖著
「五曹見一捷利算法」一卷　　魯靖著
「一行心機算術括」一卷　　黃棲岩註

等書，或爲唐以前專家撰述，或爲唐人著作，今俱失傳，無可深考。就中「謝察微算經」三卷，據「宋史」藝

文志稱：「『發蒙算經』三卷，原書早經失傳。」惟據宋元豐刻本『張丘建算經』百雞術後，添入謝察微擬立術一節，荒謬殊甚。清代「圖書集成」曆法典探錄「謝察微算經」，不足一卷。有大數、小數名目、度量衡及田畝單位名稱，「九章」名義，和用字義例等，竟與明朝程大位「算法統宗」第一卷語，絲毫無異，決非謝氏原本可知。

中國數學輸入日本

中日地域接近，我國數學，早於南朝梁元帝三年（日本欽明十五年），即已經由朝鮮，連同曆法一併開始輸入日本。日本大寶二年（我國唐朝武則天當政時期）設立學校，授算術、置天文博士、曆博士、天文曆生各十人、算生三十人。其所授「算經十書」，即爲我國的「周髀」、「孫子」、「六章」、「三開」、「重差」、「五曹」、「海島」、「九司」、「九章」、「綴術」等十種。大寶、養老間的「令義解」稱：「凡算經：『孫子』、『五曹』、『九章』、『海島』、『六章』、『綴術』、『三開』、『重差』、『周髀』、『九司』各爲一經，學生二分其經，以爲之業。凡算學生辯明術理，然後爲通。試『九章』三條，『海島』、『周髀』、『五曹』、『九司』、『孫子』、『三開』、『重差』各一條。試九全通爲甲，通六爲乙。若落『九章』，雖通六猶爲不第。其試『綴術』、『六章』者，准前『綴術』六條，『六章』三條。若以『九章』與『綴術』，及『六章』與『海島』等六經，願受試者亦同，合聽也。試九全通爲甲，通六爲乙。若落經者，『六章』總不通者也。雖通六，猶爲不第。」觀此，可見唐朝的算學制度，竟被日本完全採行了。

「類聚符宣抄」第九，康保四年（我國宋太祖乾德五年）算道狀讀書條，尚記及「九章」、「海島」、「周髀」、「五曹」、「九司」、「孫子」、「三開」各算書。天祿元年（我國宋太祖開寶三元）源爲憲序「口遊」一書，錄及九九。始九九，終一一，一如「孫子」所記。和算初期受到我國隋、唐影響之深，又於此可見。

中印的數學知識交流

印度古稱天竺，或稱身毒，爲亞洲文化早開國家之一。其與我國交通，雖不知始於何時，然兩國古代天文、曆法，實多相似處。其傳授之迹，却渺不可尋。近人研究中國佛教史者，謂佛教的傳入，當在西漢之末。對於佛經，則代有譯述，至唐爲盛。與佛經傳入同時，不但印度的「七曜」、「九執」等曆，次第輸入；即印度僧人通曆法者諸如瞿曇羅、瞿曇悉達、瞿曇謙、瞿曇譔、瞿曇晏等，亦相繼西來，任職於唐朝的司天台中。印度數學知識隨同輸入，自屬當然之理。但事實不一定與想像相符，有的知識雖經介紹，不見得就被接受下來。例如瞿曇悉達所著的「開元占經」中，即有算樣一條：

「樣：□一字、□二字、□三字、□四字、□五字、□六字、□七字、□八字、□九字、點，古天竺算法，用上件九個字乘除。其字，皆一舉札而成。凡數至十，進入前位。每空位處，恆安一點。有間感記，無由輙錯。連算便眼趁，須先及歷度。」

樣中所謂「一舉札而成」，當係一筆書成的意思。隨之他所介紹的一、二、三、………、九等九個數字，無疑的即爲蛻變成爲今日稱爲亞剌伯數字的，當時印度通行的屈曲連續數字。但此種印度筆算數字，雖經瞿曇悉達介紹進來，非但我國任何文獻中，找不着它的蹤跡，就是現存的「開元占經」上，亦係代之以□號，而於下方註出一字、二字、………、九字等數字，其未被接受可知。

又「隋書」卷三十四，經籍志中雖有「婆羅門算法」三卷，「婆羅門算經」三卷等記載，但書早已失傳。不但內容無從推測，即對於中國數學，曾否發生影響，亦難斷言。反之，印度數學在第五世紀以前，尚未發展；而我國數學則於三國及兩晉時代，即有趙爽、劉徽、孫子、張丘建諸名家的撰述甚富。細繹諸家學術，皆不似曾受外來影響。據數學史中記載，凡印度算法與我國算法雷同者，皆在第六世紀以後。是則中印數學知識交流，我國所受印度的影響少，印度受到我國的影響，却甚爲鉅大。

我國所受印度數學的影響雖少，但由佛經中傳來的印度命數名稱，諸如「阿由多」、「那由他」等，則深入社會各階層，亦毋庸諱言。茲將其大、小各數命名的方法，一併介紹於下，藉明究竟。

印度大數命名法

印度古代大數命名方法，有十進、百進、倍進、百百千進等多種。其中百進、倍進二法的輸入我國，全賴佛經。我國「佛本行經」以百千名俱胝（koti），百俱胝名阿由多（ayuta），百阿由多名那由他（niyuta），………是爲百進法。「華嚴經」卷四十五、卷六十五并稱：「一百洛叉（laksa）爲一具胝（koti），俱胝俱胝

爲一阿庚多（ayuta）阿庚多阿庚多爲一那由他（niyuta），………」則爲倍進法。此種倍進法，印度在西曆紀元前一世紀，即已論及。而「華嚴經」始譯於晉，再譯於唐。「倶舍論」兼用十進、百進二法，而此經則始譯於陳，再譯於唐。

印度小數命名法

印度小數命名方法，於元魏以後，方始輸入我國。元魏興和三年，月婆首郡（Upasunya）譯「大寶積經」卷八十八，卷八十九，歷舉：

百分、千分、百千分、億分（北周譯作倶致分，唐譯作拘胝分，即百百千分）；

百億分、千億分、百千億分，那由他分（即百百千億分）；

百那由他分，千那由他分，百千那由他分、億那由他分（即百百千那由他分）；

百億那由他分，千億那由他分，百千億那由他分，阿僧祇分（即百百千億那由他分）。

此法於十進法外，兼及百百千進法。以其擧義隱晦，故在我國，影響較微。

伍、代數學突飛猛進時期

這個時期，爲宋、元兩個朝代，約計四百年上下。唐繼隋後，雖於國子監設立算學，勵行考試制度，鼓勵數學研究；但科擧盛行結果，所取之士，大都僅足明算，無力進術，殊爲遺憾。這個時期則不然，非但大家輩出，著述風起雲湧，而且新術迭出，就中尤以「天元術」、「四元術」的發明，蜚聲中外，允推我國數學史上的黃金時代。

宋朝的算學制度

北宋的算學教育制度，見於「宋史」及「通考」的，有元豐算學條例，元祐異議，崇寧國子監算學敕令，大觀算學諸政。而「宋會要」、宋王栐「宋朝燕翼詒謀錄」、宋孫逢吉「職官分配」、宋洪邁「容齋三筆」、宋李攸「宋朝事實」所記，互有詳略。王栐稱：「宋代以書學、畫學、算學、律學弁列於文武二學」，孫逢吉稱：「國朝國子監，掌國子、太學、武學、算學、五學之政，於元豐六年，奉旨施行。」「宋會要」、「宋史」稱：「元豐七年，詒選命官通算學者，通於吏部就試。其合格者，上等除博士，中、次爲學諭。弁於武學東大街北，踏得地址，准其蓋造。迄元祐元年，尚未興工；其試選學官，亦未有應格，其事遂寢。」所謂元豐算學條例，今尙未知其詳。但元豐七年刋入秘書省的，有「九章」、「周髀」、「海島」、「孫子」、「五曹」、「張丘建」、「緝古」、「夏侯陽」諸經，則當時諸生所習者，必爲此諸書無疑。「通考」、「宋史」稱：「算學、崇寧三年立。將元豐算學條例修成敕令，學生以二百一十人爲額，許命官及庶人爲之。其業以『九章』、『周髀』、及假設疑數爲算問，仍兼『海島』、『孫子』、『五曹』、『張丘建』、『夏侯陽』算法，弁曆算、三式、天文書爲本科。此稱法算、曆算、三式、天文四科。四科外，人占一小經，願占大經者聽。公私試三舍法，略如太學。上舍三等推恩，以通仕、登仕、將仕郎爲次。崇寧五年丁巳，羅書、畫、算、醫四學，以算學附於國子監。十一月從薛昂請，復置算學。」「宋會要」稱：「崇寧六年，頒國子監算學敕令格式。」宋鮑澣之「九章」序稱：「本朝崇寧立於學官，故前世算數之學，相望有人。」北宋末年算學制度之見於「宋會要」的，計有下列諸條：

「大觀三年三月十八日禮部狀：據太常寺申，算學以文宣王爲先師。……十一月七日太常寺奉詒、天文算學，合奉安先師，弁配饗從祀，繪像；未盡典禮，可否禮官考古稽禮，考究以聞者。臣等竊詳，……今算學所習天文、曆算、三式、法算四科，其術皆本於（黃）帝，臣等稽之載籍，合之典禮，請尊黃帝爲先師。……王朴已上七十人，今欲擬從祀。」

「大觀四年三月二日，詒算學生併入太史局，學官及人吏等弁罷」。

「政和三年三月二十三日，大司成劉嗣明奏：承前算學內舍算學生武仲宣於去年三上封章，乞留算學時，奉聖旨今國子監依元豐六年九月十六日指揮施行。本監申：伏覩舊算學見今室間，舍屋具存，別無官司拘占相度，欲乞依舊爲算學，從之。六月二十八日，算學奏：承朝旨復置算學，今檢會崇寧國子監算學條令，乞下諸路提擧學事，司行下諸州縣等。……諸學生本科所習外，占一小經。遇太學私試，間月一赴，欲占大經者聽。補試（命官公試同），『九章』義三道，算問二道。算學命官公試：一入上等轉一官，三入中等循一資，五入下等占射差遣。算學升補上舍：上等通仕郎上舍，中等登仕郎上舍，下等將仕郎。學生習『九章』、『周髀』、及算問（謂假定疑數），兼通『海島』、『孫子』、『五曹』、『張丘建』、『夏侯陽』算法。私試：孟月（季月同）『九章』二道，『周髀』一道，算問二道。仲月『周髀』義二道，『九章』義一道，算問一道。陞補上、內舍，第一場『九章』三道，第二場『周髀』義二道，第二場算問五道。從之。」

「宣和二年七月二十一日詔：算學，元豐中雖承有司之請，未嘗興建。又所議置官，不過傳授二員。今張官置吏，考選而任使之，大略與兩學同。既失先帝本旨，賜第之後，不復責以所學，何取於教養，可并罷官吏。……」

宋鮑澣之「九章」序雖稱：「自衣冠南渡以來，此學既廢，非獨好之者寡，而『九章算術』，亦幾泯沒無傳矣。」但其後百年，臨川莫若序「四元玉鑑」尚稱：「方今尊崇算學、科學漸興。」可見算學之盛，自金迄元，未嘗稍替。

宋元兩朝的算書

宋、元兩朝算書、著錄於「宋史」藝文志、「崇文總目」、「秘書省續編列四庫全書」、「算法統宗」、「通志」等書中，而現在已經失傳的，計：

「宋史」藝文志所載的有：

李紹穀「求一指蒙算術玄要」一卷。

夏翰（一作翔）「新重演議海島算經」一卷。

徐仁美「增成玄一算經」（宋王堯臣「崇文總目」同，「宋史」律曆志作「增成玄一法」）三卷，「三問田算術」一卷，「新易一位算範九例要訣」二卷，「明算指掌」三卷。

任宏濟「一位算法問答」一卷。

楊鍇「明微算法」一卷（「崇文總目」作三卷），「法算機要賦」一卷，「法算口訣」（「崇文總目」作「算法口訣」）一卷，「算法秘訣」一卷，「算術玄要」一卷，「五曹乘除見一捷列算法」一卷，「求一算法」一卷（「崇文總目」作三卷，「解法求一化零歌」一卷。

宋紹興中，官撰「秘書省續編列四庫書目」復有：

「應時算法」一卷。

「應法序說」一卷。

「算法」一卷。

「乘除算例」一卷。

「里田要例算法」一卷。

宋鄭樵「通志」有：

青陽人中山子著「算學通元九章」一卷。

明程大位「算法統宗」內算經源流條稱：宋元豐七年刊（算經）十書入秘書省，又刻於學校：

「黃帝九章」、「周髀算經」、「王經算法」、「海島算經」、「孫子算經」、「張丘建算經」、「五曹算經」、「緝古算經」、「夏侯陽算經」、「數術記遺」。

元豐、紹興、淳熙以來刊刻者，有：

「議古根源」中山劉益撰

「益古算法」平陽蔣周撰

「證古算法」

「明古算法」

「辯古算法」

「明源算法」

「金科算法」

「指南算法」

「應用算法」

「曹唐算法」

「賈憲九章」（「宋史」作賈憲「黃帝九章細草」九卷）。

「通微集」

「通機集」

「盤珠集」

「走盤集」

「三元化零歌」

「鈐經」鹿泉石信道撰

「鈐釋」

諸書。程氏所舉各書，除「算經十書」外，已全數亡失。就中「議古根源」、「辯古根源」、「指南算法」、「應用算法」、「賈憲九章」、「鈐經」諸書，在宋楊輝著書中，并曾引述。此外附見於其他文獻中者，亦夥。例如在祖頤所作的「四元玉鑑」序文中，即有蔣周的「益古」、李文一的「照瞻」、劉汝諧的「如積釋鎖」、李德載的「兩儀群英集臻」、劉大鑑的「乾坤括囊」等多種。

宋、元兩朝算家的著述，流傳下來了的，計有：

秦九韶的「數學九章」十八卷。

李冶的「測圓海鏡」二十卷

「益古演段」三卷

楊輝的「詳解九章算法」（後附「纂類」）十二卷

「詳解算法」若干卷

「日用算法」二卷

「乘除通變本末」三卷

「田畝比類乘除捷法」二卷

「續古摘奇算法」二卷

朱世傑的「算學啓蒙」三卷

「四元玉鑑」三卷

其與李冶同時的，則有

楊雲翼的「勾股機要」

　　　　　「象數雜說」

　　　　　「積年雜說」

藏於家。見於明王圻「續文獻通考」、及明陳第「世善堂書目」者，尚有

　　陳尚德的「石塘算書」四卷

陳字玉汝，寧德人。又

　　　彭絲的「算經圖釋」九卷

彭絲一作彭綠，字魯叔，江西安福人。其見於明人著錄而流傳於今的算書，再有

　　　「丁巨算法」八卷

但殘本不足一卷。元代算書經明人輯刻者，有：

　　趙友欽的「革象新書」　五卷（明王煒刪定為二卷）。

　　賈亨的「算法全能集」　二卷（賈亨「永樂大典」引作賈通）。

　　安止齋何平子的「詳明算法」　上、下二卷。

凡此所錄，多未載入官書，宋、元兩朝間算書流傳之盛，可以概見。

宋刊算經十書

　　我國印刷術發明最早，五代時已有印行官本九經的盛舉。元豐七年九月，秘書省刻行算經十書，據程大位「算法統宗」古今算法書目所錄，有「周髀」、「九章」、「海島」、「五曹」、「孫子」、「夏侯陽」、「張丘建」、「五經程」、「數術記遺」、「緝古」等十種。其中「夏侯陽算經」一種，為晚唐韓延所撰算書，並非「夏侯陽算經原本」。因甄鸞所註「夏侯陽算經」原本，在宋初或已失傳，元封時人無知，誤以「韓延算書」為「夏侯陽算經」，故「新唐書」藝文志著錄，有「韓延夏侯陽算經」之目，而七年刊書時復誤刻了。「九章算術」盈不足、方程兩章，闕李淳風等註釋。歲久傳錄，不無錯漏。又唐代立於學官的算書，尚有劉徽「九章重差圖」、祖冲之「綴術」、董泉「三等數」等，皆無刊本。想與原本「夏侯陽算經」，俱於元豐以前亡佚了。

　　元豐刊本「周髀算經」及「九章算術」兩書後，均附有李籍的「音義」。舉凡經、註文字音義難通的，他都作了釋文考註。這種辦法，是仿效陸德明「經典釋文」前例。李籍的官銜是，假承務郎秘書省鈎校算經文字，好像是元豐刊書時所特委的。

　　崇寧朝復以算經十書立於學官。南渡後，此學廢而不理，算經十書，又幾乎被泯沒了。紹興中算士榮啓，得「黃帝九章」後，又為之撰序而梓傳於世。

　　慶元庚申請安縣主簿括蒼鮑澣之仲祺，在都城與太史局同知算造楊忠輔德之論曆。因從其家得古本「九章」，乃汴都的故書，有劉徽、李淳風二家的註釋，特為之撰跋一篇。嘉定間，澣之官汀州知州，五年又竟得「數術記遺」於七寶山三第寧壽觀道藏中，亦為之撰跋。六年，又撰「周髀算經」跋。程大位「算法統宗」謂：「宋元豐七年刊十書入秘書省，又刻於汀州學校。」汀州刻本雖未詳年代，或即為嘉定間鮑澣之官汀州時，主其事亦未可知。

沈括及其著述

　　沈括字存中，錢塘人。以父任為沐陽主簿，擢進士第，為館閣校勘，遷太子中允，提舉司天監。熙寧七年七月，上渾儀、浮漏、景表三議，具見「宋史」天文志。括學術淵博，文藝深長，兼通天文、方志、律、曆、算數、醫、卜之說。著書甚夥，有「樂律傳」、「熙寧奉元曆」、「修城法式條約」等種。仕至權三司使，以光祿少卿，分居潤州。又撰「夢溪筆談」二十六卷、「補筆談」二卷、「續筆談」一卷。夢溪，其潤州別業也。元祐八年卒，享年六十有五。

「夢溪筆談」

　　「夢溪筆談」所記載的，都係當時的一切科學知識。它雖然不是一部數學專門論著，但收容了不少有關代數、幾何方面有趣味的資料。其卷十八有隙積術及會圓術，開後世垜積術及弧矢割圓術的先河，尤為數學史上不可多得的資料。

　　隙積術云：「隙積者，謂積之有隙者；如疊棋、層壇、及酒家積罌之類。」設垜積上下長為a及a'，上下廣為b及b'，高為h，則垜積數

$$N=\frac{h}{6}\left[(2a'+a)b'+(2a+a')b+b'-b\right]。$$

　　會圓術云：「……予別為拆會之術：置圓田徑半之以為弦，又以半徑減去所割數，餘者為股，各自乘。以股除弦，餘者開方除為勾，倍之為割田之直徑。以所割之數自乘，退一位倍之。又以圓徑除所得，加入直徑，為割田之弧。……」這個結論，實和公式

$$a=c+2\frac{S^2}{d}$$

同值。式中a表弧長，c表弦，S表矢，d表直徑。他

這種方法，實在可以說奠定了十三世紀時郭守敬球面三角法的進展基礎。當然，郭守敬的

$$d^2(\frac{a}{2})^2 - d^2 S - (d^2 - ad) S^2 + S^4 = 0$$

方程式，要較它精確得多，但是遲了兩個世紀。

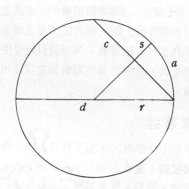

括又計算棋局都數，謂：「大約連書萬字五十二（10^{208}），非世間名數可能言之。」他這個結果雖然稍有錯誤，但計算方法却是正確的。「筆談」所載推算之術，爲：「初一路可變黑、白、空三局，自後增一子，即三因之。凡三百六十一增，皆三因之。」由這種算法所得都局數爲 3^{361}，但 3^{361} 僅能有一百七十三位，只能連書四十三個萬字，而非五十二個。又法：先計循邊一行得 $3^{19} = a$ 爲法，以 a 自乘、再乘、……、至十九乘，得 a^{19}，亦爲都局數。

秦九韶及其著述

秦九韶字道古，秦鳳間人。寓居湖州，少爲縣尉。淳祐四年，以通直郎通判建康府。寶祐間爲沿江制置司參議官，或以術學薦於朝，得對後，知瓊州。又知梅州，卒於梅。著有「數書九章」，此書「癸辛雜識續集」作「數學大略」，「直齋書錄解題」作「數術大略」，「永樂大典」及阮元「疇人傳」作「數學九章」，「宜稼堂叢書」本從王應遴，作「數書九章」計十八卷，實皆爲一書。其自序中有云：「九韶愚陋，不閑於藝。然早歲侍親中都，因得訪習於太史，又嘗從隱君子受數學。際時狄患，歷歲遙塞，不自意全於矢石間。嘗險罹憂，荏苒十禩，心槁氣落。信知夫物莫不有數也，乃肆意其間，旁諏方能，探索杳渺，粗若有得焉。」亦可概見其少年時行蹤，及求學經過。

「數學九章」

全書共計八十一題，整爲九類：一曰大衍類，爲問題須應用大衍求一術者；二曰天時類，爲曆家演紀之術，及雨、雪等量的求法；三曰田域類，爲田畝面積的算法；四曰測望類，即勾股重差術；五曰賦役類，即賦役均輸術；亦曰錢穀類，爲關於錢糧折解及倉窖容量問題；七曰營建類，爲建築工料及量工受素問題；八曰軍旅類，爲營陣布置，及軍需徭役等問題；九曰市物類，爲粟布交易以及本息孳生問題。此書對於前代各種算術，兼收並蓄，并立術草，間或以圖顯示。其田域類「三斜求積」：設 a、b、c 爲任意三角形的三邊，則此三角形的面積 A，可由解出二次方程式

$$A^2 - \frac{1}{4}\{a^2 b^2 - (\frac{b^2 + a^2 - c^2}{2})^2\} = 0$$

以求得之，爲從來算書所未及。大衍類的「大衍求一術」，及田域類、測望類問題的解出任意高次方程式的細草，亦詳前此算書所未詳。「數書九章」中問題，大都務取繁複，不避艱苦。營建類「計定域築」題二百七十二字，有題問數八十八；賦役類「復邑修賦」題答數，多至一百七十五條，並爲空前絕後。全書術、草，間有紕繆，文字亦多傳誤。宋景昌有「數書九章札記」四卷，附於「宜稼堂叢書」本「數書九章」後，於文字、術、草，多所校訂，使「數書九章」始成可讀之書。但大衍類「程行相及」題題旨矛盾，測望類高、深、廣、遠俱從表矩起算，不從人目，術、草均有微誤，宋氏並未校正。

大衍求一術

大術求一術，即整數論中所謂的等餘式解法，「孫子算經」中「有物不知其數」題屬之。設 A，B 二數同以 m 除之，其剩餘部分相等時，則此二數叫做等餘，現今數學中均以記號

$$A \equiv B \pmod{m}$$

來表示。隨之等餘式

$$Bx \equiv 1 \pmod{A}$$

的意義，就是用 A 除 Bx 時，其餘不盡的部分爲一。大衍求一術即爲規定 A，B 爲已知整數，而來決定滿足

$$Bx \equiv 1 \pmod{A}$$

的 x 整數值的方法。這個 x 的整數值，秦氏稱它做乘率。若 $B > A$，置 $B = A q_1 + b$（q_1 爲整數）而求滿足

$$bx \equiv 1 \pmod{A}$$

的 x 值即可。術云：「置 b 右上，A 居右下。立天元一於左上。先以右上除左下，所得商數與左上一相生入左下。然後以右行上下以少除多，遞互除之。所得商數，隨即遞乘歸左行上下。須使右上末後奇一而止。乃驗左上所得，以爲乘率。」設屢次商數爲 $q_1, q_2, q_3,$ ……，屢次餘數爲 $A_1, b_2, A_3, b_4,$ ……至 $b_{2n}=1$ 時，便停止不除。依術左行上下所得爲

$$k_1 = q_1，$$
$$k_2 = q_2 k_1 + 1，$$
$$k_3 = q_3 k_2 + k_1，$$
$$\cdots\cdots$$
$$k_{2n} = q_{2n} k_{2n-1} + k_{2n-2}$$

諸數。這個最後所得的 k_{2n} 值，即爲乘率 x 的最小整數值。西算整數論解不定方程式

$$bx = Ay + 1$$

以求 x 時，亦有用互除得商，累乘併算之法。雖所得結果相同，但其累乘併算的次序，却恰與秦氏求一術相反。
　　於解得

$$Bx \equiv 1 \pmod{A}$$

後，則

$$RBx \equiv R \pmod{A}。$$

甚明。秦氏稱此 B 爲衍數，Bx 爲用數，RBx 爲總數。
　　凡屬大衍類問題，皆需要解出一次等餘式。即設
$$N \equiv R_1 \pmod{A_1} \equiv R_2 \pmod{A_2}$$
$$\equiv R_3 \pmod{A_3} \equiv \cdots\cdots$$

時，來求出 N 值。式中 $A_1, A_2, A_3,$ ……皆爲除數；$R_1, R_2, R_3,$ ……皆爲剩餘（正整數）。設 $A_1, A_2, A_3,$ ……等互爲質數（素數），則即以 $A_1, A_2, A_3,$ ……等爲字母。若不互爲定數，則取 $A_1, A_2, A_3,$ ……等的因數 $a_1, a_2, a_3,$ ……等爲定母，且使這些定母皆互爲質數。同時并使 $a_1 a_2 a_3$ ……的連乘積 M，爲 $A_1, A_2, A_3,$ 等的最小公倍數。秦氏稱此 M 爲衍母，以各定母除衍母，即得衍數 $B_1, B_2, B_3,$ ……。諸衍數各滿衍母，去之；不滿，曰奇數；$b_1, b_2, b_3,$ ……是也。以奇數與定母，用大衍求一術求乘率。置各乘率對乘衍數，得用數。然後以剩餘乘用數，得各總數，併各總數。滿衍母，去之；不滿，即爲所求的數 N。這個結果，如用代數符號來表示，則爲

$$N = \sum RBx - kM \quad （k \text{ 爲整數}）。$$

「孫子算經」中「有物不知其數」題，即爲一次等餘式問題，但其乘率算法，爲「孫子算經」所未詳。晉

以後曆家所用求積年術，及唐、宋算家相傳的剪管術，皆爲此術。然書缺有間，未能深考。秦九韶整理舊術，著之「數書九章」中，俾後世學者得以考見古術，厥功甚偉。九韶以求乘率法術，須賴輾轉相除，至右上餘一乃止，故名其法爲求一術。大衍類第一題又以求一術解釋「易」繫辭「大衍之數五十，其用四十九」之文，故有衍母、衍數、用數、大衍求一術等名稱出現。是則未免穿鑿附會，和唐一行僧的大衍曆同病。用大衍求一術以解一次等餘式，其法與西算異趣，如遇繁雜問題，究以秦術較爲簡易。玆舉大衍類中最繁複者一題爲例：

「問欲砌基一段，見管大、小方磚，六門，城磚四色。令匠取便，或平或側。只用一色磚砌，須要適足。匠以磚量地計料，稱：用大方料，廣多六寸，深少六寸。用小方，廣多二寸，深少三寸。用城磚長，廣多三寸，深少一寸；以濶，深少一寸，廣多三寸；以厚，廣多五分，深多一寸。用六門磚長，廣多三寸，深多一寸；以濶，廣多三寸，深多一寸；以厚，廣多一寸，深多一寸。皆不匼匝，未免修破磚料裨補。其四色磚：大方，方一尺三寸。小方，方一尺一寸。城磚，長一尺二寸，濶六寸，厚二寸五分。六門，長一尺，濶五寸，厚二寸。欲知基深、廣幾何？」

「答曰：深三丈七尺一寸，廣一丈二尺三寸。」

按此題內容，實包含有二題：一爲求砌基的廣，一爲求砌基的深。先列大方邊，小方邊，城磚長、濶、厚，六門長、濶、厚，化爲分數，得：

130，110，120，60，25，100，50，20，

以上列諸數各除基廣，得整數商後，餘

60，20，30，30，5，30，30，10 分。以上列諸數各除基深，得整數商後，餘

-60，-30，-10，-10，10，10，10，10分。以少數加除數變爲餘數，則諸數除基深，餘數爲

70，80，110，50，10，10，10，10分。

　　解：先變諸除數爲定母，得

13，11，8，3，25，1，1，1

最右三行皆爲1，不必求其衍數及乘率。從左五行諸定母求衍母、衍數。再從各行定母、衍數，求奇數及乘率。以各乘率乘衍數爲用數，以用數撤乘廣剩餘併得總。滿衍母，去之；不滿，爲基廣。以用數乘深剩餘，併得總。滿衍母，去之；不滿，爲基深。演草如下表：

	大　方	小　方	城 磚 長	城 磚 濶	城 磚 厚	六 門 長	六 門 濶	六 門 厚
除數 A	130	110	120	60	25	100	50	20
定母 a	13	11	8	3	25	1	1	1
衍母 M	$13 \times 11 \times 8 \times 3 \times 25 = 85800$							
衍數 B	6600	7800	10725	28600	3432			
奇數 b	9	1	5	1	7			
乘率 x	2	1	5	1	18			
用數 Bx	19800	7800	53625	28600	61776			
剩餘 R	60	20	30	30	5	30	30	10
總 RBx	1188000	156000	1608750	858000	308880			
基　廣	$4119630 \equiv 1230 \pmod{85800}$　　∴廣＝丈 1,230							
剩餘 R	70	80	110	50	10	10	10	10
總 RBx	1386000	624000	5898750	1430000	617760			
基　深	$9956510 \equiv 3710 \pmod{85800}$　　∴深＝丈 3,710							

楊輝及其著述

　　楊輝字謙光，錢塘人。其履歷及生卒年月，無考。撰著甚富，雖經散佚，流傳迄今者尚有多種。輝的著述，大都注重應用算術，淺近易曉。不似秦九韶、李冶、朱世傑諸家著作，爲專門學問。自唐、宋以來，應用算術書籍皆已失傳，幸賴楊輝各書尚流傳至今，俾吾人得稍探其原委，吉光片羽，未始非絕好資料。

　　輝嘗鑑於「九章算術」傳本註釋的闕誤，於景定辛酉年，特撰「詳解九章算法」，并附「纂類」於後，共計十二卷。此書今日所傳者，非其全帙。次年又撰「日用算法」二卷，編詩括十三首，立圖草六十六問，以便初學。永嘉陳幾先爲之題跋，但書已失傳。咸淳甲戌年，作「乘除通變本末」三卷，上、中卷「乘除通變算寶」爲其自撰，下卷「法算取用本末」，則與史仲榮合作。德祐乙亥，輝始見中山劉益的「議古根源」演段釋鎖，有超古入神之妙，乃推廣其意，並以「五曹算經」田曹算法有未恰當處，輒刪改之，撰「田畝比類乘除捷法」二卷。是年冬，又因劉碧潤、丘虛谷見諸家算法奇題，及舊刊遺忘之文，撰「續古摘奇算法」二卷。以上諸書，當時均有刻本。明洪武戊午，古杭勤德堂翻刻「乘除通變本末」、「田畝比類乘除捷法」、「續古摘奇算法」三種共七卷，稱爲「楊輝算法」，後高麗（朝鮮）亦有重刊本行世。

　　楊輝所著各書，延至清季，「日用算法」早經失傳

，「續古摘奇算法」一種，採入「知不足齋叢書」第二十六集，不足一卷。「宜稼堂叢書」所刊，有「詳解九章算法」附「纂類」兩本，及「楊輝算法」兩本。但「九章算法」祇存商功、均輸、盈不足、方程、勾股等五章；「續古摘奇算法」祇一卷，且與「知不足齋」本互異，皆非全帙。「續古摘奇算法」中有縱橫圖多種，而「知不足齋」本及「宜稼堂」本，並闕之。

「詳解九章算法」及「纂類」

　　楊輝「詳解九章算法」，凡採「九章算術」題八十問，分章研究，以爲學算矜式。懼題意隱晦，則有轃題；見術文欠明，則另加註釋，一併附於劉徽註後，並撰詳草，以明其運算步驟。又增設「比類」題，以廣其功用。所謂比類云者，係指所問之事與原題有異，而算法步驟則極相彷彿，或稍加變通之意。「楊輝算法」諸書，亦多設比類題，以晝算數功用。「九章算術」商功章方亭、方錐、壍堵、鱉臑、芻甍、芻童諸體積問題後，概以垛積題爲比類。其垛積公式，除引用沈括隙積術外，更有下列諸式：

方　垛　　$1^2 + 2^2 + 3^2 + \cdots\cdots + n^2$
$$= \frac{1}{3} n \left(n + \frac{1}{2} \right)(n+1)$$
$$m^2 + (m+2)^2 + \cdots\cdots + (m+n)^2$$
$$= \frac{1}{3}(n-m+1)(m^2 + n^2 + mn$$

$$+\frac{n-m}{2})$$

三角垜　　$1+(1+2)+(1+2+3)+\cdots\cdots$

$$+(1+2+3+\cdots\cdots+n)$$

$$=\frac{1}{6}n(n+1)(n+2)$$

輝以「九章算術」問題的分類，間有未盡妥善處，乃作「纂類」以重訂之。另設乘除、互換、合率、分率、衰分、疊積、盈不足、方程、勾股九門，共六十九法，而以「九章算術」二百四十六問，分隸於各法之下。以原方田章各問隸乘除門，商工章各問隸疊積門，名異而實用。楊輝互換法曰：「以所求率，乘所有數，爲實。以所有率爲法，實如法而一。」置位草曰：「錢錢、物物、數數、率率，依本色對列。其各物原率，隨而下布。……」和現今的四率比例無異，粟米、衰分、均輸三章問題屬之。合率門諸題術文內，均有「置諸分數併而爲法」一語，以少廣章直田求從題，及均輸章八問，盈不足章一問屬之。分率門題問簡易者，僅爲除法的應用。原盈不足章六問，以盈不足術馭之，繁而無當，「張丘建算經」解此類題，爲之另立簡法。輝術與張同，隸之於分率門。輝以差分，均輸兩章類似題，併立衰分一門，分類均覺甚是。惟以少廣章開方術，附庸於勾股門下，則似欠斟酌。按「纂類」所錄「九章」題問，有重出者二問，脫漏者亦二問，故總數未差。

乘除捷法

古法籌算乘除，先置題示二數，乘置所得於中，除置所得於上，俱屬三重張位。移下數的位以定所得，默念九九數以增減中數，手續繁重。唐、宋應用算術有「一位算法」、「求一算法」等書，乘、除算法日趨簡易。然書缺有間，無從評考。幸楊輝所著「乘除通變本末」三卷，流傳獨永，古代籌算乘除法源流，藉此可以考見一斑。

楊輝稱被乘數爲實，乘數爲法，然相乘時法實仍可交換。其術有六：一曰單因，即一位數相乘。術曰：「置衆位爲實，陰記單位爲法，從上位因起。言十過身，言如就身，改之。」和珠算的單因步驟，完全相同。二曰重因。謂法數爲九九合數，即作二次單因。三曰身前因，凡法爲二位數而末位爲一者用之，即珠算中的掉尾乘也。四曰相乘，即通常的乘法。五曰重乘，將法數分辨爲二因數，作兩度相乘。六曰損乘，即法數爲九、八、或七時，可從十倍實數中，損去其一、二、或三成。

其乘法演草，亦較古法爲簡。例如對於 247×736 一計算，先列實、法算籌，使法數末位，與實數首位齊行如

以實數首位 ∥，因法數三位數，得 1472，作

退法數一位，以實數次位 三，因法數各位數，併入前得，作

再退法數一位，以實數末位 ⊤，因法數各位，併入前得，作 181792，即爲相乘的積。式中亞刺伯數字，在算盤上當然都係使用算籌來排列，此處爲了便於瞭解起見，特地改用亞刺伯數字來標出，藉示區別。

輝更擴充唐、宋相傳的求一算法，得乘算加法五術，除算減法四術。乘算加法五術：一曰加一位，凡法數爲十一至十九者用之。二曰加二位，凡法數爲一百一十一至一百九十九者用之。三曰重加，凡法數可分解爲因數，俱可用加法者屬之。四曰加隔位，凡法數爲一零一至一零九者用之。五曰連身加，凡法數爲二十一至二十九，二零一至二九九者用之。除算減法四術：一曰減一位，二曰減二位，三曰重減，四曰減隔位，其應用和乘算加法相仿。例如在 342×56 一計算中，因 $56 = 112 \div 2$，故可用加二位法。置實 ∥三∥ 的末位 ∥ 於百位，以 ∥ 因十二，得二十四，置於 ∥ 後成 三 224；見千位爲 三，以 三 因十二，加零於其後得四百八十，加入上得的實成 ∥ 4704；見萬位爲 ∥，爲 ∥ 因十二加兩個零於其後，得三千六百，加入上得的實成 38304；折半，得 19152，合問。又例如 $19152 \div 56$，先以 4 除 19152，得 4788。再以14除，用減一位法：置實 三⊤ᇰᆖ᷾，見首位 三 命商 3，「三四一十二」，除由 三 減 3 外，再減十二，作 3 ‖‖‖ ᇰᆖ᷾；見次位 ‖‖‖ 命商 4，「四四一十六」，除由 ‖‖‖ 減 4 外，再減十六，得 34 ᆖ ᷾，見十位 ᆖ 命商 2，「二四如八」，由 ᆖ 減 2 再減八，適盡。得商 342，合問。按晚唐「韓延算書」（即僞「夏侯陽算經」）已有「身外添幾」、「隔位加幾」、及「身外減幾」之術。「唐史」藝文志載陳從運「得一算法」七

卷，「宋史」律曆志云：「其術以因、折而成，取損、益之道，且變而通之，皆合於數。」或即楊輝（乘、除）加、減法的本原，亦未可知。

　　輝以一位除爲歸除，多位除爲商除。歸除有九歸新括，和現今珠算的口訣相仿。例如七歸新括有五句，分隸於四句五言古詩下。歸除古句新括云：「歸數求成十（七歸：遇七成十），歸除自上加（七歸：見一下三，見二下六，見三下十二即九）。半而爲五計（七歸：見三五作五），定位退無差。」其他若八歸五句，九歸六句等，亦分隸於上述五言古詩下。按「宋史」律曆志言：「有徐仁美者，作增成玄一法。設九十三問以立新術，大則測於天地，細則極於微妙，雖粗述其事，亦適用於時。」沈括「夢溪筆談」云：「算術多門，如求一、上驅、搭因、重因之類，皆不離乘除，惟增成一法，稍異其術，都不用乘除，但補齒就盈而已。假如除欲九者，增一便是；八除者，增二便是。」李冶「敬齋古今黈」云：「存中至今未遠，特著此術於筆談中，是必前所未有，以爲新奇而纂之耳。然今之算家自以此法爲九訣，而不以爲增成也。」據此可知北宋初年的增成算法，即爲後來九歸口訣的濫觴。

　　「乘除通變算寶」卷中有題云：「葛布二百三十七疋，每四三貫七百五十文，問錢幾何？」術云：「置布疋數，以斤求兩價念法，從尾損之。」其歌括有：「一求，剋退六二五；二求，剋退一二五；三求，一八七五；四求，剋退二十五；⋯⋯」等八句。蓋因 3750 可作 $\dfrac{60000}{16}$，$\dfrac{60000}{16}$ 更可作（$10000 - \dfrac{100000}{16}$）

），以 3750 乘，其結果與以（$10000 - \dfrac{100000}{16}$）乘同，故可由一萬內，損去十六分之一的十萬倍。元朱世傑「算學啓蒙」總括斤下留法有「一退六二五，二留一二五，三留一八七五，⋯⋯」等十五句，輝所引斤求兩價，當與此相仿。我國度量衡制大都十進，獨斤兩以十六進，故斤求兩價，有編造歌括的需要。

縱橫圖

　　現今由英文（magic square）譯出，通稱魔方陣的自然數排列，我國古時叫做縱橫圖。楊輝所著的「續古摘奇算法」中，錄有縱橫圖十三式，爲數學遊戲之作。其中三行者一式，四行、五行、六行、七行、八行者各二式，九行、十行者各一式。三行縱橫圖即古代九宮數的遺法，其他各圖皆舊籍所無。縱橫圖的名稱，似爲

楊輝所創設。此外，「續古摘奇算法」中，復載有「聚五」、「聚六」、「聚八」、「攢九」、「八陣」、「連環」等六圖，性質與縱橫圖相似，而形式不同。

　　朱子「易本義」所載的「洛書」，經緯四隅，交絡相直，皆得十五，極參伍錯綜之妙。此圖在唐以前名爲九宮，尚無「河圖」或「洛書」之稱。「數術記遺」述古算法，有「九宮」一種，甄鸞註云：「九宮者，即二四爲肩，六八爲足，左三右七，戴九履一，五居中央。」實爲世界上最古老的三行縱橫圖。「易乾鑿度」有「太乙取其數以行九宮」之說，此書雖屬緯書，如以其所錄曆術考之，大約爲戰國時作品。足徵九宮的創製，當在秦朝以前。後人或以九宮方法，代表事物的先後次序，或以之代表十以內的自然數，其運用源流，尚可追究。楊輝始創洛書造法：「九子斜排，上下對易。左右相更，四維挺出。戴九履一，左三右七。二四爲肩，六八爲足。」此說爲前代術數所無。

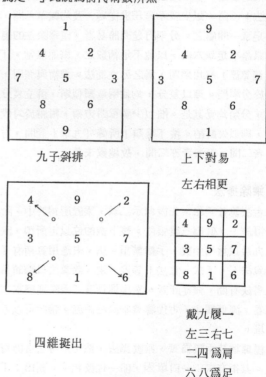

九子斜排　　　　上下對易

　　　　　　　　左右相更

四維挺出

戴九履一
左三右七
二四爲肩
六八爲足

　　楊輝所作四四縱橫圖有二式，一曰陰圖，一曰花十六圖，其縱橫徑隅四數相加，俱得三十四。若以橫直二線各從中間一截，分原圖成四個小正方形時，則此四個小正方形中各四數的和，亦均爲三十四。陰圖的易換術曰：「以十六子依次遞作四行排列，先以外四角對換，一換十六，四換十三；後以內四角對換，六換十一，七

換十。」花十六圖求等術曰：「以子分兩行 而二子皆等

13	9	5	1
14	10	6	2
15	11	7	3
16	12	8	4

→

4	9	5	16
14	7	11	2
15	6	10	3
1	12	8	13

陰圖

（十七），又分爲四行而橫行先等（三十四），乃不易
之數。即以此數 編排直行之數，使皆如元求一行之積三
十四而止。繩墨既定，則不患數之不及也」。

12	5	16	1
11	6	15	2
10	7	14	3
9	8	13	4

→

2	16	13	3
11	5	8	10
7	9	12	6
14	4	1	15

花十六圖

　　楊輝所作五五縱橫圖，亦有二式。第一式縱橫徑隅
五數的和，皆爲六十五；第二式因其自然數自九起至三十
三止，故縱橫徑隅五數的和皆爲一百零五。

1	23	16	4	21
15	14	7	18	11
24	17	13	9	2
20	8	19	12	6
5	3	10	22	25

五五圖一

12	27	33	23	10
28	18	13	26	20
11	25	21	17	31
22	16	29	24	14
32	19	9	15	30

五五圖二

　　楊輝所作六六縱橫圖有二，九九縱橫圖有一。其作
法：六六圖用井字分爲 九宮，則每宮四數的和爲 $n+$（
$n+9$）＋（$n+18$）＋（$n+27$）＝$4n+54$（n 爲由一至
九的自然數）。乃將 n 數依洛書式排列，再稍事整理，
使其縱橫徑隅六數的和皆爲一一一。九九圖用井字分成

九宮，每宮九數的和爲 $n+$（$n+8$）＋（$n+16$）＋…
…＋（$n+64$）＝$9n+288$，亦列成洛書格式，再事編排
，使其縱橫徑隅九數的和，皆爲三六九。

13	22	18	27	11	20
31	4	36	9	29	2
12	21	14	23	16	25
30	3	5	32	34	7
17	26	10	19	15	24
8	35	28	1	6	33

六六圖一

4	13	36	27	29	2
22	31	18	9	11	20
3	21	23	32	25	7
30	12	5	14	16	34
17	26	19	28	6	15
35	8	10	1	24	33

六六圖二

31	76	13	36	81	18	29	74	11
22	40	58	27	45	63	20	38	56
67	4	49	72	9	54	65	2	47
30	75	12	32	77	14	34	79	16
21	39	57	23	41	59	25	43	61
66	3	48	68	5	50	70	7	52
35	80	17	28	73	10	33	78	15
26	44	62	19	37	55	24	42	60
71	8	53	64	1	46	69	6	51

九 九 圖

　　楊輝 所作七七縱橫圖有二式，其縱橫徑隅七數的和
俱爲一百七十五。圖如下：

46	8	16	20	29	7	49
3	40	35	36	18	41	2
44	12	33	23	19	38	6
28	26	11	25	39	24	22
5	37	31	27	17	13	45
48	9	15	14	32	10	47
1	43	34	30	21	42	4

七　七　圖　一

61	3	2	64	57	7	6	60
12	54	55	9	16	50	51	13
20	46	47	17	24	42	43	21
37	27	26	40	33	31	30	36
29	35	34	32	25	39	38	28
44	22	23	41	48	18	19	45
52	14	15	49	56	10	11	53
5	59	58	8	1	63	62	4

八　八　圖　二

這兩個八八縱橫圖的作成方法，可由下面兩個副圖來說明它。

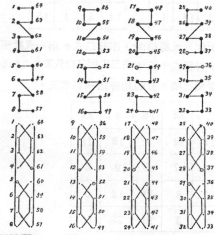

4	43	40	49	16	21	2
44	8	33	9	36	15	30
38	19	26	11	27	22	32
3	13	5	25	45	37	47
18	28	23	39	24	31	12
20	35	14	41	17	42	6
48	29	34	1	10	7	46

七　七　圖　二

楊輝所作八八縱橫圖，亦有二式。其縱橫徑隅八數的和，皆爲二百六十。圖如下：

61	4	3	62	2	63	64	1
52	13	14	51	15	50	49	16
45	20	19	46	18	47	48	17
36	29	30	35	31	34	33	32
5	60	59	6	58	7	8	57
12	53	54	11	55	10	9	56
21	44	43	22	42	23	24	41
28	37	38	27	39	26	25	40

八　八　圖　一

百子圖印十十縱縱圖，僅縱橫可合五百零五，於徑隅不合，其圖如下：

1	20	21	40	41	60	61	80	81	100
99	82	79	62	59	42	39	22	19	2
3	18	23	38	43	58	63	78	83	98
97	84	77	64	57	44	37	24	17	4
5	16	25	36	45	56	65	76	85	96
95	86	75	66	55	46	35	26	15	6
14	7	34	27	54	47	74	67	94	87
88	93	68	73	48	53	28	33	8	13
12	9	32	29	52	49	72	69	92	89
91	90	71	70	51	50	31	30	11	10

百　子　圖

百子圖的作成方法，更爲複雜。它的過程，可用下面三個副圖，來加以說明。

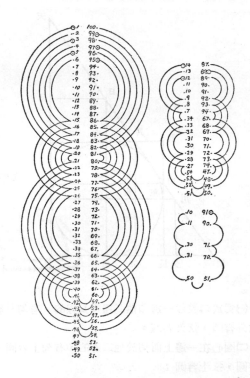

下列聚五、聚六、聚八、攢九、八陣、連環諸圖，爲縱橫圖中，別開生面的。除聚五、聚六兩圖跳過了幾個數，稍嫌躥等外，餘均按照自然數的順序，毫無不當的地方。

聚五圖

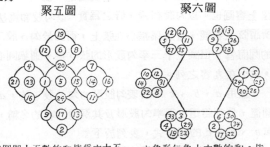

每個圓圈上五數的和皆爲六十五。

聚六圖

六角形每角上六數的和，皆爲一百一十一。

聚八圖

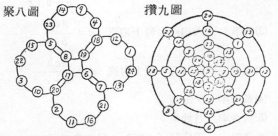

每個圓圈上八數的和，皆爲一百。

攢九圖

每條直徑上九數的和，皆爲一百四十七。

八陣圖

九環中任何一環上八數的和，皆爲二百九十二。

連環圖

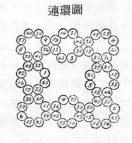

八環中任何一環上八數的和，皆爲二百六十。

宋丁易東撰「大衍索隱」三卷，其中卷「洛書四十九得大衍五十數圖」，和楊輝的「攢九圖」相似；下卷「九宮八卦綜成七十二數合洛書圖」，和楊輝的「連環圖」相似。「大衍索隱」稱：「夫洛書之變，神妙如此，而世鮮知之。吾故列此二圖右方，以爲通變之本。」茲將該二圖轉載於下：

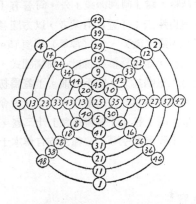

洛書四十九得大衍五十數圖

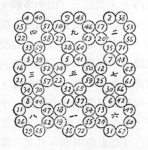

九宮八卦綜成七十二數合洛書圖

李治及其著述

李治字仁卿，號敬齋，金眞定欒城縣人。原名治，因嫌其與唐高宗同名，中年後乃改治爲冶（見繆鉞所著

的「李冶李治釋疑」）。因此，李冶、李治二名各書互見，其實皆係一人，更非魯魚亥豕之訛。冶爲李遹次子，自幼即喜算數。正大七年，登詞賦進士第，調高陵簿。未上，辟權知鈞州事。壬辰正月，城潰，微服北渡。甲午金亡，遂流落忻、崞間。先隱於崞山的桐川，聚書環堵，知究竟名理的可樂，戊申成「測圓海鏡」十二卷。後由崞之太原，居太原藩府之平定，寓聶珪帥府。晚家眞定府元氏縣的封龍山，和元裕、張德輝友善，時人號爲龍山三老，而自稱爲封龍老人。丁巳五月，元世祖方居潛邸，聞其賢，遣使召之，問對稱旨。至元元年，元世祖始立翰林院，王鶚薦冶爲學士。至元二年，召拜翰林學士，同修國史。翌年以疾辭，歸封龍山。十六年卒於家·享年八十有八。冶病革時，語其子克修曰：「吾生平著述，死後可盡燔去。獨「測圓海鏡」一書，雖九九小數，吾常精思致力焉，後世必有知者。」其自信如此。

　　冶撰著甚夥，除「測圓海鏡」外，尚著有「益古演段」三卷。其自序云：「近世有某者，以方圓移補，號益古集，眞可與劉（徽）、李（淳風）相頡頏。余猶恨其閟匿而不盡發，遂再爲移補條歘，細縉圖式，使粗知十百者，便得入室啗其文，顧不快哉。」蓋爲初學天元術者而作也。此外不關算數的著作，有：「古今黈」四十卷，「文集」四十卷，「壁書叢剒」十二卷，「泛說」四十卷。除「敬齋古今黈」一種今尚有傳本十二卷外，餘皆散失。

洞淵九容

　　「測圓海鏡」李冶自序云：「老大以來，得洞淵九容之說，日夕玩繹。」又云：「山中多暇，客有從余求其說者，於是乎又爲衍之，遂累一百七十問。」這部「測圓海鏡」中的一百七十題，皆在闡明勾股形內容圓徑，與其形內各段線長的關係。任設兩線段的長爲題問數，來求內容圓的圓徑。術草用天元術演段，開方得所求圓徑。卷首冠一勾股形容圓圖，凡一百七十題，皆共用之。其作圖方法，爲：先作一內切於天地乾勾股形的圓東南西北，由圓心「心」作川西、日北二線，各和勾、股平行。次作和勾、股平行而與圓相切的巽坤、巽艮二線，命其與天地線的交點爲月、山。再作日旦、月泉、山金、川夕四線，各與勾、股平行，因得同式相似勾股形十五個。但這十五個相似勾股形中的天日旦和日山朱，月川靑和川地夕，彼此相等，故祇得十三率。

　　除天地乾勾股形內容圓徑算法，爲古法所備者外，

尚有容圓九種，係本書所首創：

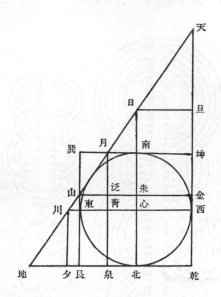

　　(一)切於勾股形一邊和他二邊延長線的，有勾外容圓，股外容圓，弦外容圓。

　　(二)圓心在一邊上而切於他二邊的，有勾上容圓，股上容圓，弦上容圓；

　　(三)圓心在勾股交點而切於弦的，爲勾股上容圓；

　　(四)圓心在勾或股的延長線上而切於他二邊的，有股外容圓半，及勾外容圓半。

　　此外，「測圓海鏡」第二卷第五題，法曰：「此爲弦上容圓也。以勾股相乘，倍之爲實；以勾股和爲法。」所謂弦上容圓，當然係指心在弦上，而切於勾、股二邊的圓而言。但圖上十三率勾股形的弦，無一通過圓心的，故不在九容之列。

　　茲用 a、b、c 來代表勾股形的勾、股、弦，d 表圓徑，分別將這十三率勾股形及其洞淵九容的名稱，d 與 a、b、c 的關係式，表列於下：

(1)通率　　天地乾　勾股容圓　$d = \dfrac{2ab}{a+b+c}$

(2)邊率　　天川西　勾上容圓　$d = \dfrac{2ab}{b+c}$

(3)底率　　日地北　股上容圓　$d = \dfrac{2ab}{a+c}$

(4)黃廣率　　天山金

(5)黃長率　　月地泉

(6)高率　　天日旦（上高），日山朱（下高）

(7)平率　　月川靑（上平），川地夕（下平）

⑻大差率　天月坤　勾外容圓　$d=\dfrac{2ab}{b+c-a}$

⑼小差率　山地艮　股外容圓　$d=\dfrac{2ab}{a+c-b}$

⑽皇極率　日川心　勾股上容圓　$d=\dfrac{2ab}{c}$

⑾太虛率　月山泛　弦外容圓　$d=\dfrac{2ab}{a+b-c}$

⑿明率　　日月南　勾外容圓半　$d=\dfrac{2ab}{c-a}$

⒀更率　　山川東　股外容圓半　$d=\dfrac{2ab}{c-b}$

各率勾股形的勾、股、弦，及其五和（勾股和、勾弦和、股弦和、弦較和、弦和和）、五較（勾股較、勾弦較、股弦較、弦較較、弦較較），凡十三事。就十三率而言，共計一百六十九事。「測圓海鏡」以勾 320，股 600，弦 680 為通率的勾、股、弦，而十三率一百六十九事，事事皆為整數。一率勾股形的任何一事，和他率勾股形的相當事相與的比，常為一定。凡通率以弦和和（$a+b+c$）為率，邊率以股弦和（$b+c$）為率，底率以勾弦和（$a+c$）為率，黃廣率以信股（$2b$）為率，……。例如：

通勾：邊勾＝通股：邊股＝$a+b+c:b+c$

通勾弦和：邊弦較和＝$(a+b+c)(a+c)$

$\qquad\qquad\qquad :(b+c)(c+b-a)$

任何一率的勾股弦和較函數，可與他率的勾股弦和較函數成等式，或與諸他率函數的和較成等式。此種等式，李冶錄得五百餘條，總稱「識別雜記」。其精思妙義，足以開啟數理蘊奧，惜錯綜複雜，整理匪易。茲摘錄數條於下，藉以窺見其一斑。「海鏡」書中簡稱勾股和曰和，勾股較曰差，勾弦較曰大差，股弦較曰少差。

㈠高弦＝極股，平弦＝極勾。

　　㹽弦＝極小差，明弦＝極大差，……

㈡角差＝高股－平勾＝高差＋平差＝明和－㹽和

　　　　＝通差－極差＝極差＋虛差＝……

　　傍差＝極弦－一徑＝高差－平差＝明差－㹽差

　　　　＝大差差－極差＝小差差＋極差＝……

㈢圓徑＝通率弦和較＝黃廣勾＝黃長股

　　　　＝大差弦較較＝小差弦較和＝太虛弦和和

㈣$\dfrac{1}{2}$徑²＝通大差×通小差＝大差股×小差勾

　　　　＝大差勾×小差股＝虛勾×通股

　　　　＝虛股×通勾

㈤$\dfrac{1}{4}$徑²＝邊股×㹽股＝底勾×明勾＝高勾×平股

　　　　＝高股×平勾＝明勾弦和×㹽股弦和

　　　　＝明股弦和×㹽勾弦和

㈥太虛積＝虛勾×虛股＝2 明勾×㹽股

　　　　＝2 明股×㹽勾

「洞淵」一辭，除見於李冶「測圓海鏡」自序外，即在其書中，亦間或出現。例如「海鏡」第十一卷第十八題又法云：「此問題係是洞淵測圓門第一十三，前答亦依洞淵細草，……」究竟「洞淵」為人？為書？固無法考證，而如「海鏡」第七卷引了「鈴經」中的勾外容圓法，即其與「鈴經」的孰先孰後？也都無從追究。

天元術

天元術為以天元一的「元」字代表未知數，或以太極的「太」字代表絕對項，各書寫於其係數的旁邊，藉以說明一元多次方程式中各項地位的方法。其源流固不自李冶始，不過李冶「測圓海鏡」中，言之獨詳。茲將其方法，略述於下：在方程式一次項的係數旁，記一「元」字；絕對項的常數旁，記一「太」字，太在元下。因元下必為太，太上必為元，故算式中既記有元字，就不必再記太字；或既記有太字，亦不必再記元字。元上一層為元的二次項；又上一層，為元的三次項；每上一層，即增加一次。太下一層為元除常數；又下一層，為元再除常數；每下一層，即以天元多除一次。故元下諸項，雖無負指數或零指數的名，而有其實。例如

$$x+160=0$$

記作

（圖）

$$x^2+680x+96000=0$$

記作

（圖）

$$x^3+16x^2=0$$

記作

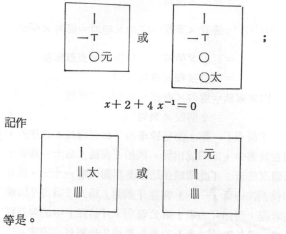

$$x+2+4\,x^{-1}=0$$

記作

等是。

天元式的正數項，皆不需要附加任何符號；負數項則斜置一等於其算籌數字上，以示區別。如其數在二位以上，則此斜籌可置於該數末尾一個數字上。例如

$$x^2-3x+2=0$$

$$-x^2+8460-65232\,x^{-1}+4665600\,x^{-2}=0$$

二式可分別記作

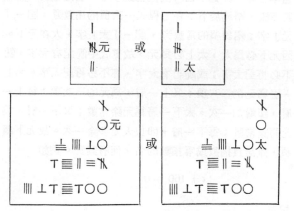

天元術沒有分數式的表示方法，凡天元式以天元除時，只需將其旁記的元字或太字，移上一列；以天元平方除時，將所記的元字或太字，移上兩列，就行；餘類推。若以一天元式除他一天元式而不能獲得整數的商，則案其除式於旁，仍以被除式推演，得某函數。乃以所寄的除式，乘同函數的又式或常數值，如積相消，得最後開方式，為整式方程式。天元術亦無根式符號，凡遇無理式，皆以其冪來表示。最後和同函數又式的相當冪相消，得開方式，亦為整式方程式。

「測圓海鏡」雖置太在元下，但亦有置元在太下的。如李冶「敬齋古今黈」稱：「獨太原彭澤彥材法，立天元在下。凡今之印本『復軌』等，俱下置天元者，悉

鍾彥材法耳。」即係一例。按元元開方的「太」項，和王孝通「緝古算經」、秦九韶「數書九章」等書中開方式的「實」相當；「元」項與舊開方式的「方」相當；元的最高次項，和舊開方式的「隅」相當，「海鏡」所立天元式太在元下，與舊制實在上方的次序，適當顛倒。李冶後撰「益古演段」，其對於天元式的立法，已改從舊制。元郭守敬「授時曆草」、朱世傑「算學啓蒙」、「四元玉鑑」、沙克什「河防通議」等書，俱將元字書於太字之下，和舊制相符。

「海鏡」第七卷有明股更勾求圓徑題云：「假令有圓城一所，不知周徑。四面開門，門外縱橫各有十字大道。或問丙出南門，直行一百三十五步而立；甲出東門，直行一十六步，見之。問徑幾何？」答曰：「城徑二百四十步」又法曰：「二行相乘，得數。又自之，為三乘方實。併二行步，以乘二行相乘數。又信之，為從。二行相併數，以自乘，於上。又二行相減數，自乘減上位，為第一廉。第二廉定。一益隅，益積開之，得半徑。」自註云：「其第一廉，只是四段二行相乘數。」草曰：「立天元一為半城徑，副置之。上加南行步，得

為股。下位加東行步，得

為勾。勾股相乘，得

為直積一段。以天元除之，得

為弦。以自之，得

為弦冪。寄左。乃以勾自之，得

又以股自之，得

二位相併，得

為同數。與左相消，得

盆積開三乘方，得一百二十步，即半城徑也。」

上面演段的步驟，如改用現今代數式來表示，則其過程如下：

設 x 為城的半徑，則 $x+16$ 與 $x+135$，各為皇極率勾、股。按勾股上容圓公式（半徑×弦＝直積），

$$c=(x+16)(x+135)\div x=x+151+2160\,x^{-1}$$

$$c^2=x^2+302\,x+27121+652320\,x^{-1}+4665600\,x^{-2}$$

但

$$c^2=a^2+b^2=(x+16)^2+(x+135)^2$$
$$=2x^2+302\,x+18481\;,$$

因上列二式相等，故得

$$-x^2+8640+652320\,x^{-1}+4665600\,x^{-2}=0$$

解四次方程式

$$-x^4+8640\,x^2+652320\,x+4665600=0\;,$$

得半徑步數

$$x=120\qquad\text{。}$$

若以 A 表東行步數，B 表南行步數，則最後所得四次方程式，為

$$-x^2+4\,AB\,x^2+2AB(A+B)\,x+(AB)^2=0\quad\text{。}$$

天元術俱用分離係數法，故解出數字方程式時，演草較簡。但不用文字代已知數，而開方式術文，又復甚為繁複。

李冶演算此類問題，共立五法：

㈠立天元——為明大差，從明率及更率勾股形直積，各求得圓徑的天元式。如積相消，得四次方程式。開方，得明大差。

㈡立天元——為城半徑，術、草如上述。

㈢立天元——為城半徑，求得明勾，底勾後，相乘得半徑冪。如積相消，得四次方程式，與㈡同。

㈣立天元——為黃極弦，用勾股上容圓公式，求得城徑的天元式。因得勾、股的天元式，及弦冪的天元式，與天元冪同數相消，得四次方程式。解之，得弦數。

㈤立天元——為更弦，求得虛弦冪二天元式。相消，得六次方程式。開方，得更弦。再由更率勾股形，求城徑。

天元術略史

我國古代數學，計算時皆係使用算籌，并無符號；所有算書中問題的問數，都為自然數，沒有把不定常數作為問數的。雖然在每題問答之後，所立解題法術，用文字說明計算方法時，往往不以問題中的自然數為限，其效用和符號代數的公式相同，但終究脫出不了算術的範疇。這個時期，發明了天元術後，以天元代表未知數，不但使加減乘除有所憑依，而且由算術的範疇，進入到了代數學的領域，實開我國數學史上一個新紀元。天元術的陳述，雖以「測圓海鏡」為最詳，但並非李冶所首創。據祖頤「四元王鑑」後序稱：「平陽蔣周撰『益古』，博陸李文一撰『照膽』，鹿泉石信道撰『鈐經』，平水劉汝鍇撰『如積釋鎖』，絳人元裕細草之，後人始知有天元也。」由此可知其一斑。此外，李冶「敬齋古今鈺」中除述及過太原彭澤彥材法立天元在下外，更有一段稱：「余至東平，得一算經，大概多明如積之術。以十九字識其上下層數曰：仙、明、霄、漢、壘、層、高、上、天、人、地、下、低、減、落、逝、泉、暗、鬼。」這明明揭出了用人字表示絕對項，人上各字表示未知數的正指數方，人下各字表示未知數的負指數

方。即天字表 x ，地字表 x^{-1} ：上字表 x^2 ，下字表 x^{-2} ；……。李冶也許是得到了這種啓示，方在他的天元術中，將表 x^0 的人字改作太；或將表 x 的天字改爲元，而把其他各文字概行略去，藉以簡化。

　　算書中問題凡有須用二次或二次以上方程式解答的，其題後「術」文，即在說明該方程式各項係數及絕對項的算法，而「術」後「草」文，則更在建立本題的數字方程式。因題造術，叫做「演段」；解出數字方程式而求其根，叫做「開方」。這種演段造術的步驟，實和今日以 x 代表未知數，依題意建立起方程式的情形，並無二致。天元術未發明以前，演段比較困難，自爲意中事。所以當時明算者未必兼能造術，此爲唐、宋疇人所以有「算造」一稱謂的眞因。至於開方求根，則爲明算者所必修，運算匪艱。

　　宋、元人對於「開方」一辭，或稱「釋鎖」。劉汝鍇所撰「如積釋鎖」，買憲「九章算術細草」中的「立成釋鎖」，和朱世傑「算學啓蒙」中的「天元釋鎖」等，所述者皆爲開方方法。

秦九韶的開多乘方法

　　李冶所著「測圓海鏡」，對於天元術演段方法，雖甚爲完備，但不詳開方細草，此爲其與秦九韶「數書九章」的不同處。「數書九章」雖不詳演段方法，但「術」後有「草」，可將題間數代入，藉以造成開方式。且備載算圖，詳開多乘方方法步驟，實爲後世習天元術開多乘方者所祖，天元開方式的「太」項，和「數書九章」等書中，開方式的「實」相當；「元」項與舊開方式的「方」相當；「元」的最高次項與舊開方式的「隅」相當。例如

$$-x^4 + 7632x^2 - 4064256 = 0$$

的根數，可依次開求如下：

　　(1)列籌式如第一圖。

第一圖

　　(2)以上廉超二位，隅超四位，商數進一位，如第二圖。

第二圖

　　(3)試以80爲初商。

　　(4)以商生隅入益下廉，以商生下廉消從上廉，以商

第三圖（一變）

生上廉入方，以商生方得正積，與實相消其積乃有餘爲正實，謂之換骨，如第三圖。生，猶乘也；入，併入也；消，異號相併也。

　　(5)以商生隅入下廉，以商生下廉入上廉內相消，爲負上廉。以商生上廉入方內相消，得負方，如第四圖。

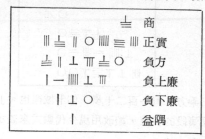

第四圖（二變）

　　(6)以商生隅入下廉，以商生下廉入上廉，如第五圖。

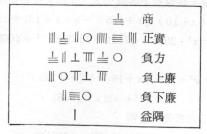

第五圖（三變）

　　(7)以商生隅入下廉，如第六圖。

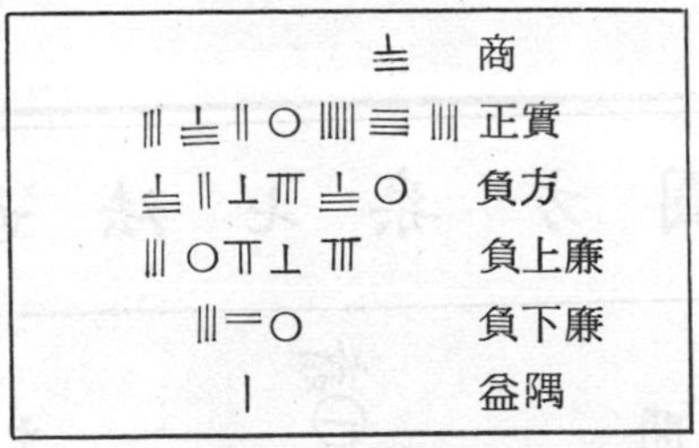
商
正實
負方
負上廉
負下廉
益隅

第六圖（四變）

(8)方一退，上廉二退，下廉三退，隅四退，如第七圖。

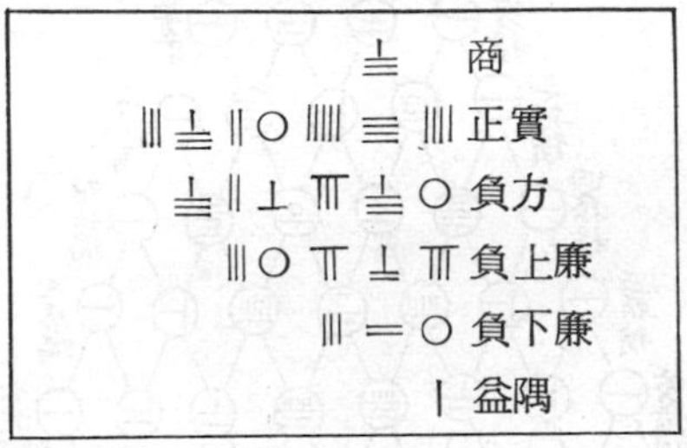
商
正實
負方
負上廉
負下廉
益隅

第七圖

(9)以方約實，續商置四。

(10)以商生隅入下廉，以商生下廉入上廉，以商生上廉入方。以商命方法除實，適盡。即得八十四爲根數。

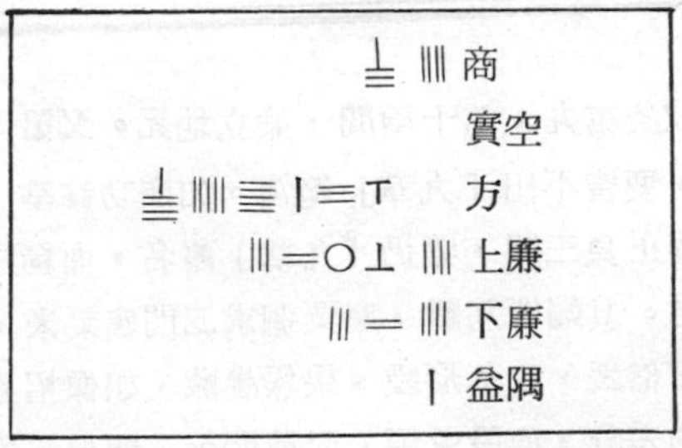
商
實空
方
上廉
下廉
益隅

第八圖

秦九韶這種開多乘方的步驟，和現今方程式論中，賀納（Horner）氏求數字方程式實根的方法，完全相同。但秦九韶早於賀納，幾達八百年，這在我國數學史上，是深可引以爲榮的。玆將這題賀納氏的求法算草，詳列於下，藉資比較。

−1＋　0＋　7632＋　0 −4064256　(8)
　− 80−　6400＋　98560＋7884800

−1−　80＋　1232＋　98560＋3820544
　− 80−12800−925440

−1−160 −11568−826880
　− 80−19200

−1−240−30768
　− 80

−1−320

−1−320−30768−826880＋3820544　(4
　− 4− 1296−128256−3820544

−1−324−32064−955136＋0

綜觀上面兩種方法，我國逐步變化，俱係布籌運算，自下而上，隨乘隨併，甚爲簡捷；而筆算則殊爲繁瑣。中國數學對於方程式論的理論，甚不完備，而這個求實根方法的發明，却反獨着先鞭的原因，蓋基因於「九章算術」少廣章中，已早具開方矩矱，是以進步較易的緣故。

郭守敬與球面三角法

郭守敬字若思，順德邢台人。大父榮，精通算術、水利。時與劉秉忠、張文謙、張易、王恂等同學於州西紫金山。劉秉忠精天文、地理、算數、推步之學，榮使守敬從之學。元中統三年，文謙薦守敬習水利，思考過人。十三年平宋，遂詔前中書左丞許衡、太子贊善王恂、都水少監郭守敬改治新曆。至元十七年六月。曆成，賜名授時，翌年正月一日頒行。郭氏製曆，精作儀器以從事觀測，創垜疊、招差、勾股弧矢之法，加以密算。上考下求，若應準繩。所謂招差，即現今的差分法；所謂勾股弧矢，就是球面三角法的濫觴。郭氏著作，現雖蕩然無存，但在「元史」與「明史」冗長的曆法志中，仍不難研究出它的輪廓。

朱世傑及其著述

朱世傑字漢卿，號松庭，寓居燕山。不知何許人，亦不詳其生卒年月。元初以算學名世，周遊湖海二十餘年。大德間至揚州，踵門求學者雲集。著有「算學啓蒙」三卷，「四元玉鑑」三卷，皆爲揚人趙城爲之梓傳。二書付梓之期，亦僅相去四年。

「算學啓蒙」

「算學啓蒙」爲朱世傑教導初學，欲其熟習乘、除、加、減的作品。自乘除加減求一穿韜，反覆還元，以至天元如積。全書三卷，總二十門，凡二百五十九問。

卷首總括一卷，首釋九數，如一一如一，一二如二，二二如四之類。次載歸除歌括，如一一歸如一進，見一進成十，二一添作五之類。其次為斤下留法、明縱橫訣、求諸率類、明正負術等歌訣，及大數、小數、度量衡制、圓周率、正負乘除開方等法。三卷中最初八十問悉為乘除題，使初學算術者演習身外加減等捷法。繼以互換、差分、面積、體積、垛積、勾股、命分、開方、盈朒、方程等題。最終為「開方釋鎖」門，則在闡明天元術的運用，以作高深研究的準備。

「四元玉鑑」

「四元玉鑑」三卷，總二十四門，凡二百八十八問。卷首揭載開方演段四圖：一曰今古開方會要之圖，取古梯法七乘方，以正者為從，負者為益，明廉隅進退之旨，即西洋所謂巴斯加三角形（Pascal's triangle）是也。按「玉鑑」刊行當時，已較巴斯加早約四個世紀，而此圖「玉鑑」稱之為古法，我國對於二項定理係數發現之早，於此可徵。二曰四元自乘演段之圖，謂凡習四元者，以明理為務，必達乘除升降進退之理，乃盡性窮理之學。因立勾三、股四、弦五、黃方二為問，併之得一十四步。自乘為冪，計一十六段，共一百九十六步。考圖認之，其理自明。三曰五和自乘演段之圖，謂凡勾股之術，出於圓方。圓徑一而周三，方徑一而匝四。伸圓為勾，展方為股，共結一角，斜弦適五，勾股之所生也。今言五和者，勾股和、勾弦和、股弦和、弦和和、弦較和。併之得四十二步，自乘得一千七百六十四步，共為二十五段。四曰五較自乘演段之圖，謂算中玄妙，無過演段，學者鮮能造其微。前明五和，次冪五較，自知優劣。五較者，勾股較、勾弦較、股弦較、弦較較、弦和較。併之得一十步，自乘得一百步，亦共為二十五段。次則假令四問，其立天元曰一氣混元，天地二元曰兩儀化元，天地人三元曰三才運元，天地人物四元曰四象會元。校正者為臨川鍾煜，前有大德癸卯上元日臨川前進士莫若序，末有大德登科二月甲子溽納心齋祖頤季賢父序各一篇。上卷六門：曰直段求源，曰混積問元，曰端匹互隱，曰廩粟迴求，曰商功修築，曰和分索隱。中卷十門：曰如意混和，曰方圓交錯，曰三率究圓，曰明積演段，曰勾股測望，曰或問歌象，曰茭草形段，曰箭積交參，曰撥換截田，曰如像招數。下卷八門：曰果垛疊藏，曰鎖套吞容，曰方程正負，曰雜範類會，曰兩儀合轍，曰左右逢元，曰三才變通，曰四象朝元。計自直段求源，以迄雜範類會，凡二十門，悉以天元為術。

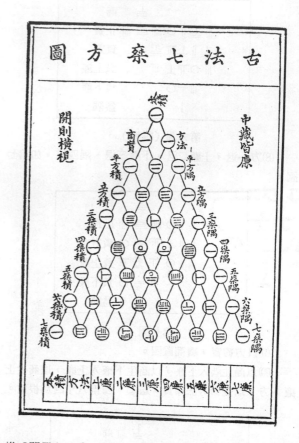

惟或問歌象第九、第十兩問，兼立地元。又第十二問兼立三元，要皆不出「九章」範圍。如商功修築，勾股測望，方程正負三門，雖仍「九章」舊名，而精深秘奧，則又過之。其端匹互隱，廩粟迴求二門廣粟米，如意混和一門廣借衰，茭草形段、果垛疊藏、如像招數三門廣商功中的差分，直段求源、混積問元、明積演段、撥換截田、鎖套吞容五門廣方田、少廣諸法。又和分索隱一門，為約分、命分；方圓交錯、三率究圓、箭積交參三門，則定率而兼交互。至於或問歌象、雜範類會二門各自為法，一則寄算歌詞，一則編為術語，均有似乎補遺大旨，有淺有深。以加、減、乘、除、開方、帶分六例為例，而每門必備此六例。凡法之簡易者略之，繁難者詳之。更有一門而專明一義者，如和分索隱之分開方，三率究圓、明積演段的反復互求就是。末後四門：言地元者，為兩儀合轍、左右逢元二門；言人元、物元者，則三才變通、四象朝元各一門。惟通體但有開方、實方、廉、隅諸數，不詳乘、除、升、降、正、負相消之法。僅於假令四問，各具細草，撮其大綱，列今式、云式、三元式、物元式、前得、後得、左得、右得，以及

內二行、外二行諸式，并和會配合，互隱通分，剔消易位以見例。

四元術

「四元玉鑑」中的天、地、人、物四元，各代表一個未知數，實等於現今代數學中使用的 x、y、z、w，其在算盤上布籌的方法如下：

絕對項稱爲「太」，將太字書寫於算籌數字的右旁，來加以表示。天元和天元諸乘冪順次列於太數下方，地元和地元諸乘冪順次列於太數左方，人元與人元諸乘冪順次列於太數右方，物元與物元諸乘冪順次列於太數上方。例如

$$x-2y+3z-4w+5=0$$

一方程式的排列方法爲

$$x^2-3y^2+4z^2-5w^2-2x+5y-7z+8w-4=0$$

一方程式的排列方法，爲

等是。式中如有 $x^m y^n$ 相乘積時，它的係數可置於算盤的左下角，太數左方第 n 行，太數下方第 m 列的交叉點上。同理，$x^m z^n$，$y^m w^n$，$z^m w^n$ 的係數，分別置於算盤右下角太數左方第 n 行，太數下方第 m 列；算盤左上角太數左方第 m 行，太數上方第 n 列；算盤右上角太數右方第 m 行，太數上方第 n 列的交叉點上。惟有 $x^m w^n$、$y^m z^n$ 的乘積係數，無適當位置堆資容納，不得已只好將它放在太數右上方和左下方，相當行列的夾縫間。例如

$$x^2+4y^2+9z^2-16w^2-4xy+6xz+16yw$$
$$-24zw-12yz-8xw=0$$

一方程式，可排列成

在天元術中，因爲所研究問題祇含有一個未知數，故所排列的算式，亦僅需要一個。四元術則不然，每多立一元，必須多立一式來和它聯立，故式數恒和元數相等。解題時運用消法，使四元四式的，消爲三元三式；由三元三式，再消爲二元二式；最後由二元二式，更消爲一元一式，這式即爲開方式。此處所謂消法，即現今代數學中的消去法（elimination），和「如積相消」的「相消」，字義略同，而效用則異。朱氏「假令四草」，文字簡括，消去步驟僅擇要開示，學算者不易得其門徑。清羅士琳始撰「四元玉鑑細草」，補註逐步消去方法於原草之後，四元術乃復再明於世。其後李善蘭、戴煦復各以己意，步爲詳草，其消去步驟，大致與羅草相近，然皆未能闡發朱氏原術。光緒己亥，滋浦陳棠撰「四元消法易簡草」四卷，並附「假令四草補正草」於卷尾，始駁正羅、李、戴三氏的過失。茲用現今代數學的記號，加以重述如下：

設有

$$A_1y^2+B_1y+C_1=0 \quad\cdots\cdots\cdots\cdots\cdots（1）$$
$$A_2y^2+B_2y+C_2=0 \quad\cdots\cdots\cdots\cdots\cdots（2）$$

二方程式，其係數和絕對項 $A_1, B_1, C_1, A_2, B_2, C_2$ 等，俱爲 x 的整式，今欲消去 y 而求 x 的開方式。先以 C_2 乘(1)，C_1 乘(2)式；相消，得

$$(A_1C_2-A_2C_1)\,y^2+(B_1C_2-B_2C_1)\,y=0.$$

置 $E_1=A_1C_2-A_2C_1$，$F_1=B_1C_2-B_2C_1$，將上式書作。

$$E_1y^2+F_1y=0.$$

因 $y\neq0$，故得

$$E_1y+F_1=0 \quad\cdots\cdots\cdots\cdots\cdots（3）$$

再以 F_1 乘（1）式，C_1 乘（3）式；相消，得

$$A_1F_1y^2+(B_1F_1-E_1C_1)\,y=0.$$

置 $E_2=A_1F_1$，$F_2=B_1F_1-E_1C_1$，因 $y\neq0$，上式可簡寫作

$$E_2y+F_2=0 \quad\cdots\cdots\cdots\cdots\cdots（4）$$

由（1），（2）兩式相消，推得（3），（4）兩式，朱氏稱之爲互隱通分相消」。既消得（3），（4）兩式，以之左右對列，乃以內二行相乘，得 E_2F_1；外二行相乘，得 E_1F_2。相消，即得 x 的開方式

$$E_2F_1-E_1F_2=0.$$

凡二元式的太字，都可以上下左右移動它的位置。因爲全式如用天元或地元來乘除時，它們各項指數的正負，仍能保持相當關係的緣故。例如（1），（2）兩式相消後，原爲 y 的二次方程式，若將其所記太字移右

一行，即便得到（3）式是。若三元式右旁有人元，則太字不能左右移動。至四元式上方更有物元，其太字連上下亦不能移動。所以如欲消去三、四元方程式中任何一元時，這種互隱通分方法，是行不通的。因爲它們都係行列不齊的算式。朱氏對此，乃又別創「剔而消之」的一種方法，以濟其窮。這種方法，和初等代數學中解出聯立一次方程式時，所用的代入法（method of substitution），用意相仿。設有

$$A_1 w^2 + B_1 w + C_1 = 0 \qquad (5)$$
$$B_2 w + C_2 = 0 \qquad (6)$$

二方程式，其中 A_1、B_1、C_1、B_2、C_2 皆爲 x、y、z 的整式，今欲消去 w。將（6）式剔分爲 $B_2 w = -C_2$ 二部分，各自乘得 $B_2^2 w^2 = C_2^2$。以 B_2^2 乘（5）式，得

$$B_2^2 A_1 w^2 + B_2^2 B_1 w + B_2^2 C_1 = 0 .$$

以 $B_2 w$ 及 $B_2^2 w^2$ 的相等數 $-C_2$，C_2^2 分別代入之，得

$$A_1 C_2^2 - B_1 B_2 C_2 + B_2^2 C_1 = 0 ,$$

式中便祇剩下 x、y、z 三個元了。從三元式消去其中一元，使成爲二元式，其步驟與上同。

統觀朱氏四元術的布籌立式，實可稱得上是古今中外，表示代數整式最簡便而又良好的方法。尤其是他的逐步相消，有條不紊，更和息爾物司悅（Sylvester）的析配消元法（dialytie method of elimination），用意相仿。所惜者是，朱氏四元術因爲沒有行列式的應用，不能有如析記消元法的簡捷便利罷了。更有一層，在算盤上布籌，只有上、下、左、右四個方向可資應用，以致所立的元，最多不能超過四個，沒有擴充餘地，也是憾事。

　　垜積招差　「四元玉鑑」中茭草形段、如像招數、果垜疊藏三門，共計三十二問，俱係由垜積總數，來返求層數的。其法須立天元一爲層數，作出各種垜積的天元式後，如積相消，得開方式。解之，即得層數。其各種垜積公式，「玉鑑」中雖未使用解析方法來加以證明，惟朱氏運用變化方法，多有近世算書討論連級數時所未及者，若能整理擴充，未始不可一新耳目。玆用現代數學記號，來表示出諸垜積及其通變關係如下：

　　設 n 爲層數，r 爲層次，$r^{|p|}$ 代表 $r(r+1)(r+2)\cdots(r+p-1)$ 的連乘積，$1^{|p|}$ 代表 p 的階乘數，$\sum\limits_{r=1}^{n}$ 爲由首層至 n 層的共積；「玉鑑」推廣楊輝的積術，得下列公式：

$$\sum_{r=1}^{n} \frac{r^{|p|}}{1^{|p|}} = \frac{n^{|p+1|}}{1^{|p+1|}}$$

各層與共積的總數，皆爲擬形數（fiqurate numbers）。在這些擬形數中，「玉鑑」稱 $p=1$ 的爲茭草積；$p=2$ 的爲三角積，或落一形；$p=3$ 的爲撒星形；$p=4$ 的爲撒星更落一形；$p=5$ 的爲三角撒星更落一形。

　　擬形數垜積公式，又可以二種擬形數層，逆列對乘得各層總數後，併爲共積來表示。這個擬形數層的級數，爲二種擬形數層級數的和

$$\sum_{r=1}^{n} \frac{r^{|p|}}{1^{|p|}} \cdot \frac{(n+1-r)^{|q|}}{1^{|q|}} = \sum_{r=1}^{n} \frac{r^{|p+q|}}{1^{|p+q|}}$$

「玉鑑」中對於上面這個公式的實例，計有下列四式：

$$\sum_{r=1}^{n} r(n+1-r) = \sum_{r=1}^{n} \frac{r(r+1)}{1 \cdot 2} ,$$

$$\sum_{r=1}^{n} \frac{r(r+1)}{1 \cdot 2} \cdot (n+1-r) = \sum_{r=1}^{n} \frac{r(r+1)(r+2)}{1 \cdot 2 \cdot 3}$$

$$\sum_{r=1}^{n} \frac{r(r+1)}{1 \cdot 2} \cdot \frac{(n+1-r)(n+2-r)}{1 \cdot 2}$$
$$= \sum_{r=1}^{n} \frac{r(r+1)(r+2)(r+3)}{1 \cdot 2 \cdot 3 \cdot 4} ,$$

$$\sum_{r=1}^{n} \frac{r(r+1)(r+2)}{1 \cdot 2 \cdot 3} \cdot \frac{(n+1-r)(n+2-r)}{1 \cdot 2}$$
$$= \sum_{r=1}^{n} \frac{r(r+1)(r+2)(r+3)(r+4)}{1 \cdot 2 \cdot 3 \cdot 4 \cdot 5}$$

　　垜積每層總數，各以其層數乘之，所得共積，稱爲嵐峰形。自首項 r 至末項 n，$(n+1-r)$ 個連續數的總稱，叫做梯田積。擬形數嵐峰形積又可以級數少一的擬形數層，及各層梯田積依次對乘，爲各層的數併得的

$$\sum_{r=1}^{n} \frac{r^{|p|}}{1^{|p|}} \cdot r = \sum_{r=1}^{n} \frac{r^{|p-1|}}{1^{|p-1|}} \cdot \frac{(n+1-r)(n+r)}{2}$$
$$= \frac{n^{|p+1|}\{(p+1)(n+1)\}}{1^{|p-1|}}$$

來表示。其實例有下列三式：

　　四角形　$\displaystyle\sum_{r=1}^{n} r^2 = \sum_{r=1}^{n} \frac{(n+1-r)(n+r)}{2}$

$$= \frac{n(n+1)(2n+1)}{1 \cdot 2 \cdot 3} \quad ,$$

嵐峰形　$\sum_{r=1}^{n} \frac{r^{|2|}}{1^{|2|}} \cdot r = \sum_{r=1}^{n} r \cdot \frac{(n+1-r)(n+r)}{2}$

$$= \frac{n^{|3|}(3n+1)}{1^{|4|}}$$

三角嵐峰形或嵐峰更落一形

$$\sum_{r=1}^{n} \frac{r^{|3|}}{1^{|3|}} \cdot r = \sum_{r=1}^{n} \frac{r^{|2|}}{1^{|2|}} \cdot \frac{(n+1-r)(n+r)}{2}$$

$$= \frac{n^{|4|}(4n+1)}{1^{|5|}} \quad 。$$

又有四角落一形積

$$\sum_{r=1}^{n} \frac{r(r+1)(2r+1)}{1 \cdot 2 \cdot 3} = \frac{n(n+1)(n+2)(2n+2)}{1 \cdot 2 \cdot 3 \cdot 4}$$

四角嵐峰形積

$$\sum_{r=1}^{n} \frac{r^{|2|}(2r+1)}{1^{|3|}} \cdot r = \frac{n^3(8n^2+11n+1)}{1^{|5|}} 。$$

如像招數門最後一問云：「今有官司依立方招兵，初招方面三尺，次招方面轉多一尺，每人日支錢二百五十文。已招二萬三千四百人，支錢二萬三千四百六十二貫。問招來幾日？」此題依共人數或共錢數，皆可返求日數，故術文開方式有二。人求日術曰：「立天元一爲三角落一底子，如積求之；」錢求日術曰：「立天元一爲三角撒星底子，如積求之；各得開方式。術文後有自註演段步驟，知此二術與授時歷三差術相同。設 S_r 爲首 r 層立方數的總，列諸總積於左行，諸立方數於第二行，諸立方數即爲諸總積的差數。再以諸立方數求差，列第三行。求第三行諸數之差，列第四行。求第四行諸數之差，列第五行。則第五行所列，俱爲同一數如下表所示：

總 積	上 差	二 差	三 差	下 差
S_1	27	37	24	6
S_2	64	61	30	6
S_3	125	91	36	⋮
S_4	216	127	⋮	⋮
S_5	343	⋮	⋮	⋮
⋮	⋮	⋮	⋮	⋮
⋮	⋮	⋮	⋮	⋮

依招差數，得

$$S_n = 27n + 37 \cdot \frac{(n-1)^{|2|}}{1^{|2|}} + 24 \cdot \frac{(n-2)^{|3|}}{1^{|3|}}$$
$$+ 6 \cdot \frac{(n-3)^{|4|}}{1^{|4|}} \quad 。$$

「玉鑑」人求日術，設 $n = x+3$ 爲日數，則共人數 S_n 爲

$$27(x+3) + 37 \cdot \frac{(x+2)^{|2|}}{2} + 24 \cdot \frac{(x+1)^{|3|}}{6}$$
$$+ 6 \cdot \frac{(x)^{|4|}}{24} = 23400 ，$$

或

$$x^4 + 22x^3 + |8|x^2 + 660x - 93600 = 0 。$$

開之，得

$$x = 12 ， \quad n = 15 。$$

又因

$$\sum_{r=1}^{n} S_n = 27 \sum_{r=1}^{n} r + 37 \sum_{r=2}^{n} \frac{(r-1)^{|2|}}{1^{|2|}} + 24 \sum_{r=3}^{n} \frac{(r-2)^{|3|}}{1^{|3|}}$$
$$+ 6 \sum_{r=4}^{n} \frac{(r-3)^{|4|}}{1^{|4|}}$$
$$= 27 \cdot \frac{n^{|2|}}{1^{|2|}} + 37 \cdot \frac{(n-1)^{|3|}}{1^{|3|}} + 24 \cdot \frac{(n-2)^{|4|}}{1^{|4|}}$$
$$+ 6 \cdot \frac{(n-3)^{|5|}}{1^{|5|}} ，$$

錢求日術共錢數爲 $250 \sum_{r=1}^{n} S_n$ ，得

$$250 \left[27 \cdot \frac{(x+3)^{|2|}}{1^{|2|}} + 37 \cdot \frac{(x+2)^{|3|}}{1^{|3|}} \right.$$
$$\left. + 24 \cdot \frac{(x+1)^{|4|}}{1^{|4|}} + 6 \cdot \frac{x^{|5|}}{1^{|5|}} \right] = 23462000 。$$

化簡之，得

$$3x^5 + 90x^4 + 1075x^3 + 6390x^2 + 18364x - 5610840 = 0$$

開之亦得

$$x = 12 ， \quad n = 15 。$$

如像招數門其他各問，亦與上題類似，皆須應用招差求總術，以得開方式。術後雖無自註，然觀其所立天元一，其算法亦可推尋。第四問云：「今有官司依平方招兵，初段方面五尺，次段方面轉多一尺。每人日給米三升，次日轉多三升。已招二千四百四十人，支米四千四百七十七碩三斗二升。問招來幾日？」此題以諸平方數 25，36，49，64 等爲上差，11，13，15 等差

數為二差，同數 2 為下差。人求日術：立天元一為三角底子，天元加二為日數，依術得

$$S_{(x+2)} = 25(x+2) + 11 \cdot \frac{(x+1)(x+2)}{1 \cdot 2}$$

$$+ 2 \cdot \frac{x(x+1)(x+2)}{1 \cdot 2 \cdot 3},$$

或

$$2x^3 + 39x^2 + 253x - 14274 = 0$$

開之，得

$$x = 13, \qquad x+2 = 15。$$

設 μ_r 為第 r 個平方數，依招差術，得

$$\mu_r = 25 + 11(r-1) + 2 \cdot \frac{(r-2)(r-1)}{2}$$

初日所招 25 人，每人 n 日共給米 $3 \cdot \dfrac{n(n+1)}{2}$ 升。

次日所招 36 人，每人 $(n-1)$ 日共給米 $3 \cdot \dfrac{(n-1)(n+2)}{2}$ 升。依次遞推，俱為梯田積。第 r 日所招 U_r 人，每人 $(n+1-r)$ 日共給米 $3 \cdot \dfrac{(n+1-r)(n+r)}{2}$ 升。

因

$$\sum_{r=1}^{n} U_r \frac{(n+1-r)(n+r)}{2}$$

$$= 25 \sum_{r=1}^{n} \frac{(n+1-r)(n+r)}{2}$$

$$+ 11 \sum_{r=2}^{n} (r-1) \frac{(n+1-r)(n+r)}{2}$$

$$+ 2 \sum_{r=3}^{n} \frac{(r-2)^{|2|}}{1^{|2|}} \frac{(n+1-r)(n+r)}{2}$$

$$= 25 \sum_{r=1}^{n} \frac{(n+1-r)(n+r)}{2}$$

$$+ 11 \sum_{r=2}^{n-1} r \cdot \frac{(n-r)(n+1-r)}{2}$$

$$+ 2 \sum_{r=1}^{n-2} \frac{r^{|2|}}{1^{|2|}} \frac{(n-1-r)(n+2+r)}{2}$$

$$= 25 \sum_{r=1}^{n} r \cdot r + 11 \sum_{r=1}^{n-1} \frac{r^{|2|}}{1^{|2|}} \cdot r$$

$$+ 2 \sum_{r=1}^{n-2} \frac{r^{|3|}}{1^{|3|}} \cdot r$$

$$= 25 \cdot \frac{n^{|2|}(2n+1)}{1^{|3|}} + 11 \cdot \frac{(n-1)^{|3|}(3n+2)}{1^{|4|}}$$

$$+ 2 \cdot \frac{(n-2)^{|4|}(4n+3)}{1^{|5|}},$$

故「玉鑑」米求日術立天元一為三角嵐峰底子，$x = n-2$，得共米數為

$$3 \left[25 \cdot \frac{(x+2)^{|2|}(2x+5)}{6} \right.$$

$$+ 11 \cdot \frac{(x+1)^{|3|}(3x+8)}{24}$$

$$\left. + 2 \cdot \frac{x^{|4|}(4x+11)}{120} \right]。$$

與題示的共米數相消，化簡得

$$8x^5 + 235x^4 + 265x^3 + 12215x^2 + 24462x$$

$$- 27891840 = 0。$$

開方，得

$$x = 13, \qquad n = 15 \text{（日數）}。$$

羅士琳「四元玉鑑細草」解此題時，未用嵐峰形術，另造四差數表，以撤星更落一形解出。其結果雖亦得 $n = 15$，但非朱氏原術。

數碼的出現

我國古時計算，皆係使用籌、策而不用筆；兼之通用數字如一、二、三、四、……、十、百、千等，構造又甚簡單，故沒有添置數碼的必要。唐朝以前，各算書的術、草，俱無算式錄存。迨後算學技術日漸進步，用籌頻繁，不得不摹寫布籌運算圖式於算稿上，以備遺忘，兼示讀者以布算途徑。故運算雖仍用籌策，而詳草則錄有算圖。尤以宋、元兩朝發明天元、四元諸術後，其演段、開方，用籌較繁，更非圖莫明。算式圖錄後，如遇簡易乘、除，并可從紙上直接獲得它運算的逐步算草。這個紙上算草，就是今日所使用數碼的濫觴。

李冶和秦九韶二人，雖屬同一時代學者，但李處河北，秦處浙西，當時宋、金兩朝正處於交戰狀態，實無一面之緣。隨之二氏著書，無從因襲，但其算圖皆採用〇號以代替定位，可知〇號的加入中國數碼，當在秦、

李著作以前。按北宋初年我國和印度交通頗盛，○號於北宋稍後，即已傳入中國，亦未可知。李冶所用數碼，悉仿布籌圖式，僅遇空位以○號代替，元、明兩朝算家習天元、四元術者，多沿用之。其制度當係導源於金，故一般皆稱李冶、朱世傑輩所用數碼，爲金元體。秦九韶「數書九章」、及楊輝所撰算書，他們使用的數碼，除了仿照布籌圖式摹寫外，Ⅲ、〓或作╳，ⅢⅢ、ⅢⅢ或作○、 ら、Ⅲ、〓或作〤、〥，皆和籌式不同，但求便於書寫，不必完全象形了。╳號在中國古文及高麗（朝鮮）數字中，司馬光「潛虛」、蔡沈「洪範皇極篇」，均爲五的符號。惟印度西北部，古代數碼才有把它作四解的。秦九韶所用的╳號，爲國人所自創？抑係傳自西印度？則無法判斷了。五、九兩碼，意義自明。按南宋數碼，確較金元體爲便，而不能見用於元，明兩朝學者，亦有幸有不幸也。茲將這兩種數碼，列表對照如下：

金元數碼	縱式											
	橫式											
南宋數碼	縱式											
	橫式											

　　明朝時計算改用珠算算盤，天元、四元等術漸衰，數碼效用更小，記數間位縱橫之制盡廢。商人所用暗碼，即現今所用蘇州碼子，當係由南宋數碼蛻變而來。其書法漸有筆勢，且ら變了�，╳變成了〤，皆由筆勢變化而成。粗案之下，幾不知其所本。「算法統宗」所用暗碼，據「圖書集成」本，五尚作ら，餘與通行者無異。

清朝通行的暗碼

宋儒的「易經」象數研究

　　宋儒大都喜歡研究「易經」象數，雖不免穿鑿附會，對於「易經」本義，反有晦而不明之嫌，然以象數闡

明哲理，成績斐然，亦足自成一家之說。此說倡自五代中的陳摶，而北宋初種放、穆修、李之才等和之，至於十一世紀中葉，方始盛行。仁宗時邵雍傳先天卦圖，劉牧傳河圖、洛書。不特治易者奉爲金科玉律，即當代算學家，亦因重視象數，多爲所蔽。其影響及於宋、金數學，誠非淺鮮。李冶天元術的釋「太極」，秦九韶求一術的稱「大衍」，爲其中之尤者。

　　「易」繫辭傳曰：「易有太極，是生兩儀。兩儀生四象，四象生八卦。」兩儀，謂陰、陽；四象，謂老陽、老陰、少陽、少陰；八卦，謂乾、坤、震、巽、坎、離、艮、兌。乾☰爲老陽之象，坤☷爲老陰之象，震☳、坎☵、艮☶爲少陽之象，巽☴、離☲、兌☱爲少陰之象。粗分之，則別爲陰陽；細分之，則列爲八卦。北宋初，有所謂「先天卦圖」者，諸家皆認爲係伏羲氏畫八卦時所本，其相生的順序，如下圖：

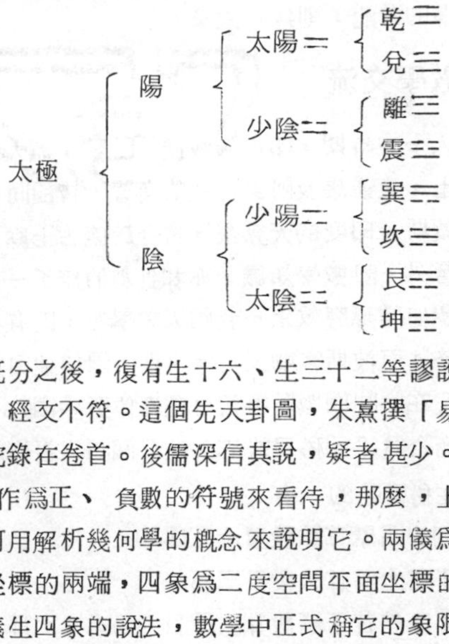

太極	陽	太陽 ⚊	乾 ☰
			兌 ☱
		少陰 ⚋	離 ☲
			震 ☳
	陰	少陽 ⚊	巽 ☴
			坎 ☵
		太陰 ⚋	艮 ☶
			坤 ☷

八卦既分之後，復有生十六、生三十二等謬說，顯與「周易」經文不符。這個先天卦圖，朱熹撰「易本義」時，把它錄在卷首。後儒深信其說，疑者甚少。如果將—、-- 作爲正、 負數的符號來看待，那麼，上圖表示的，就可用解析幾何學的概念來說明它。兩儀爲一度空間直線坐標的兩端，四象爲二度空間平面坐標的四角（根據兩儀生四象的說法，數學中正式稱它的象限）。八卦爲三度空間立體坐標的八方（根據四象生八卦的說法，數學中正式稱爲卦限）。由此看來，足見宋人所發明的先天卦位圖，並非毫無道理，故世儒皆爲所欺。

　　漢儒皆以八卦爲河圖，洪範爲洛書，凡唐朝以前學者，皆祖其說。其一、六居下之圖，諸家皆以爲天地之數，初未嘗以爲河圖；戴九履一之圖，諸家皆以爲九宮之數，初未嘗以爲洛書。延至宋朝，經方士牽强扭合，儒者又從而緣飾，以爲授受之秘。劉牧猶以九宮數爲河圖，天地生成數爲洛書，李覯、張行成、朱震等皆因之。南宋朱熹則認爲反置了，其所著「易本義」中，始以天地生成數爲河圖，九宮數爲洛書。當時治「易」儒士，竟以河圖、洛書爲伏羲畫卦稿本。明、清兩朝算家，

從而附會其說，以河圖、洛書爲數學本原，於所撰算書，輒載「圖」、「書」於卷首，以示算數之所自，致令初學算數者，莫不視加、減、乘、除諸術，皆有神秘性存乎其間，望而生畏，則未始非「圖」、「書」之罪也。

北宋司馬光規摹「太玄」而擬「周易」，撰書名曰「潛虛」，爲一部半占卜、半哲理的書籍。繼「潛虛」而起者，復有南宋慶元間朱熹弟子蔡沈所著的「洪範皇極內外篇」。「潛虛」用

  丨　丨丨　丨丨丨　丨丨丨丨　Ｘ　Ｔ　ㄇ　ㄇ　十

十式爲數字符號，「洪範」因之，亦以

  丨　丨丨　丨丨丨　丨丨丨丨　Ｔ　ㄇ　ㄇ　ㄇ

九式爲數字符號。二者俱係仿照籌算布籌的方式。惟「潛虛」的Ｘ、十兩號，則係竊取篆文。雖記錄多位數的制度尚付闕如，但「潛虛」所用記數符號，確屬後世天元術的數碼的濫觴，則無可置疑。

中波的數學交流

當元人全盛時期，印度佛教徒，巴黎、意大利、和中國的藝士，東羅馬及阿美尼亞的商賈，皆隨同亞剌伯的官吏、波斯、印度的天算家，會合於蒙古王庭。除了輸入囬囬曆外，即數學知識，亦和亞剌伯作了一次交流，收到許多切磋琢磨效果。我國天文學者，固有多人前往西域服務；而波斯客卿天算家，來中國作他山之助的，亦大有人在。囬囬數學書籍曾經流傳至中國的，據元王士點、商企翁「元秘書監志」卷七囬囬書籍條所載，至元十年在秘書監的，有：

  兀忽列的四擘算法段數十五部
  罕里連窟允解算法段目三部
  撒唯那罕答昔牙諸般算法段目并儀式十七部
  呵些必牙諸般算法八部

先是南宋理宗淳祐十一年，蒙古決議兩路出征，一路南征金國，以忽必烈主之；一路西征波斯，以旭烈兀主之。南宋理宗寶祐四年，旭烈兀先後掠取亦思馬因諸堡，其王魯克賴丁・忽兒沙（Puku-ud-din Khours-chah）於十一月十九日，率領著名的天文學家徒思人納速剌丁（Nassi-udr-din）諸人出降，因爲諸人皆常勸他納款的緣故。納速剌丁甚得旭烈兀的信任，南宋理宗寶祐六年，求擇地建立一天文台，旭烈兀許之。翌年在馬拉加（Maragha）城北高崗上，開始建築，中備渾天儀及觀星器。納速剌丁在阿八哈（Abaca）時代，曾以其觀測成績，撰成天文表，題名爲伊兒汗曆（Zidj Ilkani）。這座天文台的藏書，藏有取自報達（Bagdad）的書籍甚多。旭烈兀亦曾自中國携帶了中國天文學家數人至波斯，其中最著名的爲傅穆齋（譯音，後二字疑爲彎子的對音，通稱先生）。納速剌丁得知中國紀年及其計算方法，就是從他學來的。納速剌丁在其亞剌伯文的歐幾里得「幾何原本」中，所設平行公準，和近代平行線論，頗有關連。又關於畢打哥拉司（Pythagoras）定理，亦設有新證。納速剌丁又疏多祿某（Ptolemy）「大轉」（Almagest），及柏拉圖（Plato）、亞理斯多得（Aristotle）的「論理學」（logic）。歷仕旭烈兀、阿八哈兩朝，卒於報達，或曰馬拉加。

又跛帖木兒（Timur the Lame或Timurlame）者，系出成吉斯汗後裔的女支，建國於撒馬爾干（Samaricand）。是時中國已完全脫離蒙古而獨立，明兵追逐敵人於塞外，并侵入蒙古若干地帶，帖木兒亦祇得稱臣納貢。帖木兒朝諸王，名見於「明史」者，有哈里勒（Khalil）、沙哈魯（Châhroukh）、兀魯伯（Ulug Beg）、卜撒因、阿黑麻五王朝事跡。就中兀魯伯擅長天文曆法，當其未即位時，嘗助人觀測天文，因成兀魯伯表四卷，其第一卷亦論及中國曆法紀閏之義。此表名垂歐洲及東方，而波斯師傅阿羅彌（Al-Kashi?），實爲之助。阿羅彌又自著書討論算術及幾何，其所舉圓周率的值，正確至小數點後十六位。

陸、衰退時期

這個時期，起自元末，經有明一代，以迄清初，前後約計四百年。元初諸大家在數學史上的成就，固曾盛極一時，但盛極必衰，爲自然循環之理。不幸這個時期，就屬於中國數學史上，黑暗的低潮時期。自朱世傑「四元玉鑑」出版後，「算經十書」以及宋、元時代各數學名著，不但問津者少，而且漸趨湮沒。在此期間，所出算書大都以實用爲主，非官曹民事所必需者，雖「九章」古法，亦所摒棄。撰述者競以編製歌括爲學算捷徑，其算術合理與否，概不討論。當時所謂儒士，清高者則談性天，撰語錄；卑劣者則疲精弊神於舉業間。一切實學，均鮮研究。治曆算者，尤所罕聞。

話又說回來，這個時期，一般人雖爲時尚所趨，競向適應現實的方向努力，置長遠發展計劃於不顧，坐令數學研究狀況，陷入了低潮，但仍有一事值得大書特書的，就是發明了珠算，使計算的技術，起了一個大革命

。明朝所出算書，大都採用珠算，顯見籌算已被打倒。同時作成歌訣，便於記誦，俾能迅速普及到一般民眾，也值得稱道。珠算能夠這樣迅速普及，它的撥動動作，較算籌的搬運來得便捷，固為原因之一，但主要原因，還在它作成了歌訣，通俗易曉，使人人均能朗朗成誦，便於記憶。

在此時期，西洋曆算亦漸次輸入，和古代算法並行不悖，以致誘發了許多創意的研究，也值得一併敘述。

「永樂大典」中收錄的算書

明永樂元年編纂的「永樂大典」，初名「文獻大成」，由解縉奉敕纂修，二年成書。繼由姚廣孝等重修，五年成書，更名「永樂大典」。其事韻卷一六三二九至一六三六四，言及算法，所採算書，計有下列二十種：

「周髀算經」二卷，「音義」一卷

「九章算術」九卷

「孫子算經」二卷

「海島算經」一卷

「五曹算經」五卷

「夏侯陽算經」三卷

「五經算術」二卷

「數學九章」十八卷

「益古演段」三卷

楊輝「摘奇算法」二卷

楊輝「詳解（九章）算法」十二卷

楊輝「日用算法」二卷

楊輝「纂類」後附「詳解」

楊輝「通變算法」三卷

「透簾細草」

「丁巨算法」八卷

「錦囊啓蒙」

賈通（卽享）「全能集」二卷

「詳明算法」二卷

嚴恭「通原算法」一卷

上開各書，除了嚴恭「通原算法」一卷，為明洪武壬子年姑蘇嚴恭所撰外，餘均為前代著作。

「算法統宗」中著錄的算書

明程大於萬曆壬辰年，撰成「算法統宗」十七卷，其卷十七末尾「算經源流」所著錄的明朝算書，計有：

「九章通明算法」〇卷，永樂二十二年劉任隆撰。劉，臨江人。

「指明算法」二卷，正統四年夏源澤撰。夏，江寧人。

「九章算法比類大全」十卷，景泰元年吳敬撰。吳，錢塘人。

「算學通衍」〇卷，成化八年劉洪撰。劉，京兆人。

「九章詳註算法」九卷，成化十四年許榮撰。許，金陵人。

「九章詳通算法」〇卷，成化十九年余進撰。余，鄱陽人。

「啓蒙發明算法」〇卷，嘉靖五年鄭高昇撰，鄭，福山人。

「馬傑改正算法」〇卷，嘉靖十七年馬傑撰，馬，河間人。

「正明算法」〇卷，嘉靖十八年張爵撰。張，金台人。

「算理明解」〇卷，嘉靖十九年陳必智撰。陳，寧都人。

「重明算法」〇卷

「訂正算法」〇卷，嘉靖十九年林高撰。林，會稽人。

「算林拔萃」〇卷，隆慶六年楊溥撰。楊，宛陵人。

「一鴻算法」〇卷，萬曆十二年余楷撰。余，銀邑人。

「庸章算法」〇卷，萬曆十六年朱元濬撰。朱，新安人。

上面這些「算法統宗」中著錄的算書，內中有許多卷數不明的。程大位雖則未曾一一目視過，彼時想均流傳着。但現在除了吳敬的「九章算法比類大全」一書外，餘均無傳。

散見於其他著作或現存的算書

王氏「數學舉要」〇卷，序文見「皇明文衡」卷三十八。

「算集」〇卷，陳邦俌撰。廣西全州人，正德甲戌進士。見「粵西文載」。

「綴算舉例」一卷，楊廉撰。楊，豐城人。成化末年進士。見清四明「范氏天一閣藏書目錄」。

「數學圖訣發明」一卷，楊廉撰。見清黃虞稷「千頃堂書目」。

「勾股算術」二卷，嘉靖十二年顧應祥撰。現存。

「測圓海鏡分類釋術」十卷，嘉靖二十九年顧應祥撰。現存。

「弧矢算術」無卷數，嘉靖三十一年顧應祥撰。現存。

「測圓算術」四卷，嘉靖三十二年顧應祥撰。現存。

「神道大編曆宗算會」十五卷，嘉靖三十七年周述學撰。現存。

「算法解」〇卷，靑陽盧氏撰。見「數學通軌」序。

「數學通軌」一卷，萬曆六年柯尙遷撰。現存。

其未記時代或撰述人姓名，而散見於諸家記錄的，計有：

　　「算學源流」一部一冊
　　「算法補缺」一部一冊
　　「鈔錄算法」一部一冊
　　「算法百顆珠」一部一冊

見明「文淵閣書目」；

　　「算法大全」〇卷，都察院刻
　　「算法」〇卷，南京國子監刻
　　「九章算法」〇卷，南京國子監刻

見嘉靖三十八年進士黃弘祖「古今書刻」；

　　「範圍分類」
　　「六門算法」
　　「範圍歌訣」
　　「律呂算法」
　　「萬物算數」

見嘉靖進士晁瑮「晁氏寶文堂書目」；

　　「金蟬脫殼縱橫算法」一卷

見明高儒「百川書志」；

　　「算法通纂」一本
　　「百家纂證」一本
　　「九章詳註比類均輸算法大全」六本

見明趙琦美「脈望館書目」；

　　「勾股算法」一冊

見明朱睦㮮「萬卷堂書目」；

　　「算經品」一卷一冊
　　「方圓勾股圖解」一卷一冊
　　「九九古經歌」一卷一冊
　　「雙珠算法」二卷一冊

見明萬曆進士祁承㸁「淡生堂藏書目」；

　　「九歸方田法」一卷

見明徐𤊹「徐氏家藏書目」；

　　「開平方訣」一本

見「四明天一閣藏書目錄」；

　　「古今捷法」〇卷
　　「乘除秘訣」〇卷
　　「日用便覽」〇卷

見譚文「數學尋源」卷一。

算經十書的流傳

「算經十書」經南宋重版後，到了明朝，流傳甚少。「永樂大典」收有「周髀算經」二卷，「周髀算經音義」一卷，「九章算術」九卷，「孫子算經」二卷，「海島算經」一卷，「五曹算經」五卷，「夏侯陽算經」三卷，「五經算術」二卷，未詳版本。所可知者，「周髀算經」尙有明刻本，「九章算術」雖經國子監監刻行世，而吳敬「九章算法比類大全」序尙稱：「歷訪『九章』全書，久之未見。」足徵尙有其他版本。至其他各經，作家引用甚少。幸宋版「算經十書」疊經藏書家收藏，得獲保存。據程大位「算法統宗」所載，宋版「算經十書」爲：㈠「孫子算經」二卷，㈡「張丘建算經」三卷，㈢「九章算經」九卷，㈣「五曹算經」五卷，㈤「夏侯陽算經」三卷，㈥「周髀算經」二卷，㈦「緝古算經」一卷，㈧「數術記遺」一卷，㈨「五經算術」二卷，㈩「海島算經」一卷等十種。這十種算經，在有明一代，分藏於內府或各藏書家書庫中，七零八落，沒有一處得窺全豹的。清乾隆巳年開四庫全書館，「算經十書」中㈠、㈢、㈣、㈤、㈦、㈨、㈩七種據「永樂大典」輯錄，㈡、㈥二種則據王杰家藏毛氏景宋抄本，㈧種據兩江總督採進本，共成十種。「永樂大典」本七種，曾於乾隆三十九年迄四十一年間，以聚珍版刊刻行世。此爲「算經十書」自明以迄清初，流傳的大概情形。

吳敬及其著述

吳敬字信民，號主一翁，杭州府元和縣人。因善算，並從寫本「九章」採集舊聞，於景泰元年，撰成「九章算法比類大全」十卷。一卷方田，二卷粟米，三卷衰分，四卷少廣，五卷商功，六卷均輸，七卷盈朒，八卷方程，九卷勾股，十卷開方。總計千百四餘問，都數十萬言，積功十年而成。時巳年老目昏，由何均、自警書錄成帙，金台王均、士傑爲之傳刻行世。吳敬全書以籌算舉例，但於原書起例，河圖書數註稱：

　　「不用算盤，並無差誤。」

又其河圖書數歌訣稱：

「冤用算盤並算子，棄除加減不爲難。」

明程大位「新編直指算法統宗」卷十二河圖縱橫圖內，亦引此文。程氏又於同卷寫算、及一筆錦條內並稱：

「不用算盤數可知」

似吳敬和程大位所稱的算盤，同爲一物，即珠算算盤。清梅文鼎以爲：「是書（『九章算法比類大全』）爲錢塘吳（敬）信民作，其年月可考而知。則珠盤之來，固自不遠。」良有見地。

唐順之及其著述

唐順之字應得，號荊川，武進人。嘉靖八年會試第一，官至右都御史。通曉回回術法，精於弧矢割圓之術。嘗述方田、衰分、勾股、重差等術，各以短論發之。作有「勾股測望論」、「勾股容方圓論」、「弧矢論」、「分法論」、「六分論」等論文五篇。

顧應祥及其著述

顧應祥號箬溪道人，湖州長興人。嘉靖間，巡撫雲南，遷刑部尚書。著有「勾股算術」二卷，「測圓海鏡分類釋術」十卷，「弧矢算術」無卷數，及「測圓算術」四卷。其論「測圓海鏡」云：「設爲天、地、日、月、山、川、東、西、南、北、乾、坤、艮、巽名號，而以通勾股、邊勾股、底勾股等錯綜而求之，極爲明備。但每條細草，止以天元一一算，而漫無下手之處，應祥已爲之類釋。」是徵宋、金、元時代的天元術，至此已遺忘殆盡。無怪清阮元在其所著「疇人傳」中，評論顧應祥曰：「應祥不解立天元術，故於正負開方論說，都不明曉。明代算學陵替，習之者鮮，雖好學深思如應祥，其所述終未能深入奧窔。刪去『海鏡』細草一節，遂貽千古不知而作之譏。惜哉！」似此，顧氏在我國數學史上，堪稱遺臭萬年，標準的盜名欺世學者。後之學者，可不引爲龜鑑！

周述學及其著述

周述學字繼志，號雲淵子，山陰人。聞郭太史有弧矢法，以圓求圓，循弦宛轉，極與天肖，名曰「弧矢經」；不勝欣羨。時武進唐順之博研古算，長興顧應祥精演例法，欲求弧矢不可得。述學乃竭其心思，撰「弧矢經補」，編入所著「神道大編曆宗算會」卷七、卷八中。「神道大編」共分二大部分，一爲「曆宗算會」，一爲「曆宗通議」。「曆宗算會」計十五卷：卷一入算，

卷二子母分法，卷三勾股，卷四開方，卷五立方，卷六平圓，卷七弧矢經補上，卷八弧矢經補下，卷九分法互分，卷十總分，卷十一各分，卷十二積分，卷十三立積，卷十四隙積，卷十五歌訣。其中附圖，間有獨出心裁的。

柯尚遷及其著述

柯尚遷爲柯時偕弟，福建長樂下嶼人。嘉靖二十八年貢生，邢台縣丞。日本三重縣宇治山田市的神宮文庫，藏有萬曆六年長樂柯尚遷「曲禮外集」補學禮六藝附錄「數學通軌」集之十五，一冊。柯書在日本流傳甚廣，高橋織之助「算話拾簺集」，亦引有「數學通軌」序。柯氏書中引有「九歸總歌法語」、「撞歸法語」、「還原法語」，與吳敬的「九歸歌法」、「撞歸法」，及程大位的「九歸歌」、「撞歸法」，幾完全一致。其初定算盤（珠算算盤）圖式，爲十三位算盤。

程大位及其著述

程大位字汝思，號賓渠，新安人。善算學，少遊吳楚，遇及算數諸書，輒購而玩藏。萬曆壬辰，年躋六秩，乃擧平生師友所講求，咨詢所獨得者，撰成「新編直指算法統宗」十七卷，程涓、程時用、吳繼授等曾爲之序。程書甚爲通俗，詳略得中，故其珠算雖溯源於宋、元間撞歸法，而明記算盤如柯尚遷的「數學通軌」，雖有在程氏之前的，但以程書流傳較廣。清康熙丙申，程氏曾孫光紳重刻「算法統宗」序稱：「是書風行海內，坊間刻本，無慮數十。」足見受社會歡迎之一斑。

「算法統宗」

「算法統宗」十七卷，共分十大部分除第一部分算義總，係詳述數學上採用的各個名詞定義，以及各種算法規則外，餘均按照「九章算術」成規，分爲方田章第一、粟布章第二、衰分章第三、少廣章第四、商功章第五、均輸章第六、盈朒章第七、方程章第八、勾股章第九等九章，各章均附有其所謂難題若干題。本書第一特色，爲排除籌算，改用珠算。故在算義總中，對於珠算算法，敍述得特別詳細；各種歌訣，亦應有盡有。但亦有不能忘情於籌算，和欣羨輸入的筆算處。例如卷十三附錄「雜法」的「舖地錦」，即爲由西洋傳來的筆算「格子乘法」，而同卷的「一筆錦」，則顯示出其對於籌算的留戀。所謂「一筆錦」，係指其加、減、乘、除諸法，皆可用筆來演算。其法曰：「照算盤定位，布列行數，用暗碼直下。但丨、刂、丄、丄可加一畫者加之，

ㄨ、ㅎ、ㅗ、ㄆ不能加者須另碼。若本行退盡無存者，用一小圈隔之，以別溷數。如俱完畢，只看本行末後之數，自左至右，猶似走之是也。」考此術意，直是古籌算法，不過用暗碼代替了眞籌而已。當時 古籌算法及金朝數碼，已消失殆盡，遂致以爲出自珠算，而詫爲新奇。至於筆算的「舖地錦」，容後在西洋輸入算法擧要條中，格子乘法項下，再行陳述。又此書中亦載有縱橫圖十四個。

「算法統宗」的另一特色，爲其各種術法及所謂難題，都係使用詩、詞來歌詠出，雋永優雅，讀之令人倍增興趣。玆略擧數則於下，以示其一斑。

「孫子算經」中有物不知數題：「今有物，不知其數。三三數之，剩二；五五數之，剩三；七七數之，剩二。問物幾何？」「算法統宗」的解法是：「三人同行七十稀，五樹梅花廿一枝。七子團圓正月半，除百零五便得知。」

「孫子算經」中蕩杯題：「今有婦人河上蕩杯，津吏問曰：『杯何以多？』婦人曰：『家有客。』津吏曰：『客幾何？』婦人曰：『二人共飯，三人共羹，四人共肉，凡用杯六十五，不知客幾何。』」「算法統宗」把它改成河邊洗碗歌，歌曰：「婦人洗碗在河濱，試問家中客幾人？答曰不知人數目，六十五碗自分明。二人共餐一碗飯，三人共吃一碗羹。四人共肉無餘數，請問布算莫差爭。」

此外諸如：

僧分饅頭歌：「一百饅頭一百僧，大和三個更無爭。小和三人分一個，大小和尚得幾丁？」

西江月：「張家三女孝順，歸家頻望勤勞。東村大女隔三朝，五日西村女到。小女南鄉路遠，依然七日一遭。何朝齊玉飲香醪？請問英賢回報。」

浮屠增級歌：「遠望巍巍塔七層，紅光點點倍加增。共燈三百八十一，請問尖頭幾盞燈？」

三等賠償鷓鴣天：「八馬九牛十四羊，趕在村南牧草場。吃了人家一段穀，議定賠他六石糧。牛一隻，比二羊；四牛二馬可賠償。若還算得無差錯，姓字超群到處揚。」

九兒問甲歌：「一個公公九個兒，若問生年總不知。自長排來爭三歲，共年二百七歲朝。借問長兒多少歲？各兒歲數要詳推！」

鷓鴣天：「三足團魚六眼龜，共同山下一深池。九十三足亂浮水，一百二眼將人窺。或出沒，往東西，倚欄觀看不能知。有人算得無差錯，將酒重斟贈數杯。」

歌：「當年蘇武去北邊，不知去了幾周年？分明記得天邊月，二百三十五番圓。」

等等，不勝枚擧。具見程大位這位古代學者，他不但對於數學方面的知識淵博，就是在文學的修養上，亦復深邃。多才多藝，令人佩服不置。

柒、珠算

籌、策縱橫布列，搬運費事，以珠易籌，用竹籤聯串起來，只需上下撥動，便利自多。由籌算改爲珠算，在技算技術上言，自屬一種進步。要知這前進的一步，實在非同小可，值得大書特書。我國今日社會，泛濫着一片崇洋心理，以爲外國東西總是好的，就連月亮也要圓些。誰知我們祖先遺傳下來，數百年間並無多大改良，構造既極簡單，面貌更加不揚的計算機械——珠算算盤，它和現代最新科學計算利器，複雜到了極點，俗稱電腦的電子計算機比賽，居然還能奪得優勝錦標呢！這話並非虛構，是有事實根據的。民國三十五年，日本東京擧行了一次算盤和電子計算機比賽。使用算盤的，是一個日本店員；操縱電子計算機的，是美國大兵班長。比賽結果，除了乘法外，其餘各種計算，不論在速度的快慢方面也好，或錯誤的多少方面也好，都是算盤獲得了勝利。算盤計算敏捷，效率偉大，電子計算機尚且望塵莫及，若用筆算來和它比賽，那簡直就如同蝸牛和飛機賽跑了。話又說回來，算盤較之筆算，也自有它的缺點。這種缺點，它和籌算共有。就是在一個計算中，算罷了只是獲得最後結果，對於其間經過的一連串過程，不能遺留絲毫痕跡，無法覆核。

算盤的構造和它的先驅　珠算算盤（此後簡稱算盤）無不家喻戶曉，但它的構造，究竟要如何說明才好呢？玆引用黃龍吟「算法指南」卷上所擧的一段於下：

「夫算盤每行七珠，中隔一梁。上梁二珠，每珠當下梁五珠。下梁五珠，一珠只是一數。算盤放於人之位次，分其左右上下。右位爲前，左位爲後；前位爲上，後位爲下。凡前位一珠，當後位十珠。故云逢幾還十，退十還幾之說。上法、退法、九歸、歸除，皆從右起；因法、乘法，俱從左起。」

算盤有十一位、十三位、十五位的諸種，梁上亦有一珠、二珠或三珠者。梁上二珠者（即我國現今使用的）最爲普遍，梁上一珠者（日本現今通用的）始見於黃龍吟「算法指南」，梁上三珠者則清代始有，見於潘逢禧「算學發蒙」五種之內。

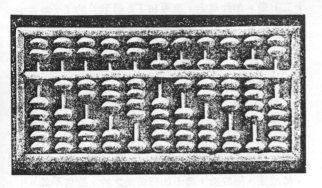

算盤雖自明朝起盛行，但其構造，決非一朝一夕告成，亦必經過了若干蛻變。其起原何時？雖無從查考，但有若干文獻，足以證明其在明朝以前，早已有了先驅。「數術記遺」中所載的，有：

太一算：「太一之行，去來九道。」甄鸞註：「刻板橫爲九道，豎以爲柱。柱上一珠，數從下始。故曰去來九道也。」

兩儀算：「天氣下通，地裏四時。」甄鸞註：「刻板橫爲五道，豎爲算位。一位兩珠，色青下珠，色黃上珠。其青珠自上而下，第一刻主五，第二刻主六，第三刻主七，第四刻主八，第五刻主九。其黃珠自下而上，第一刻主一，第二刻主二，第三刻主三，第四刻主四而已。故曰天氣下通，地裏四時也。」

三才算：「天地和同，隨物變通。」甄鸞註：「刻板橫爲三道，上刻爲天，中刻爲地，下刻爲人。豎爲算位，有三珠。青珠屬天，黃珠屬地，白珠屬人。又其三珠通行三道，若天珠在天爲九，在地主六，在人主三。其地珠在天爲八，在地主五，在人主二。人珠在天主七，在地主四，在人主一。故曰天地和同，隨物變通。」等，皆涉有珠的移動，及其表數的情形。至於標明「珠算」的

珠算：「控帶四時，經緯三才。」甄鸞註：「刻板爲三分，其上下二分以停遊珠，中間一分以定算位。位各五珠，上一珠與下一珠色別。其上別色之珠，當其下四珠。珠各當一，至下四珠所領，故云控帶四時。其珠遊於三方之中，故云經緯三才也。」
則尤和算盤的制度近似。此外，諸如：

元末天台陶宗儀「南村輟耕錄」：「婢僕初來，如搖盤珠，繼如算盤珠，繼如佛頂珠。」之喻；

程大位「算法統宗」算源源流載有元豐、紹興間「盤珠集」、「走盤集」二書；以及「謝察微算經」中，說明「上」、「中」、「下」、「脊」等字的意義爲：

「中：算盤之中　　　　上：脊梁之上，又位之左
　下：脊梁之下，又　　脊：盤中橫梁隔木」
　　位之右

等，皆是證明在明朝以前，已經有了算盤的雛型存在。

珠算加減法　　珠算加法，應用歌訣。此種歌訣爲珠算專用，程大位「算法統宗」稱爲九九八十一，茲抄錄於下：

(一)　一上一　　　　一下五除四　　　一退九還一十
$\begin{pmatrix} 0,1,2,3; \\ 5,6,7,8 \text{ 等用} \end{pmatrix}$　　4 用　　　　（ 9 用）

(二)　二上二　　　　二下五除三　　　二退八還一十
$\begin{pmatrix} 0,1,2; \\ 5,6,7 \text{ 等用} \end{pmatrix}$　（3,4 等用）　　（8,9 等用）

(三)　三上三　　　　三下五除二　　　三退七還一十
$\begin{pmatrix} 0,1; \\ 5,6 \text{ 等用} \end{pmatrix}$　（2,3,4 等用）　（7,8,9 等用）

(四)　四上四　　　　四下五除一　　　四退六還一十
$\begin{pmatrix} 0; \\ 5 \text{ 等用} \end{pmatrix}$　（1,2,3,4 等用）（6,7,8,9 等用）

(五)　五上五　　　　五下五　　　　　五起五還一十
（0,1,2,3,4 等用）（0,1,2,3,4 等用）（5,6,7,8,9等用）

(六)　六上六　　　　六上一起五還一十　六退四還一十
（0,1,2,3等用）（5,6,7,8 等用）　$\begin{pmatrix} 4; \\ 9 \text{ 等用} \end{pmatrix}$

(七)　七上七　　　　七上二起五還一十　七退三還一十
（0,1,2 等用）（5,6,7 等用）　$\begin{pmatrix} 3,4; \\ 8,9 \text{ 等用} \end{pmatrix}$

(八)　八上八　　　　八上三起五還一十　八退二還一十
（0,1 等用）　（5,6 等用）　$\begin{pmatrix} 2,3,4; \\ 7,8,9 \text{ 等用} \end{pmatrix}$

(九)　九上九　　　　九上四起五還一十　九退一還一十
（ 0 用）　　（ 5 用）　$\begin{pmatrix} 1,2,3,4; \\ 6,7,8,9 \text{ 等用} \end{pmatrix}$

今以加八（八）爲例：「零加八」、「一加八」應各呼「八上八」；如下圖：

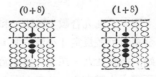

又「五加八」、「六加八」應各呼「八上三起五還一十」；如下圖：

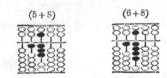

以及「二加八」、「三加八」、「四加八」，與「七加八」、「八加八」、「九加八」應各呼「八退二還一十」。如下圖：

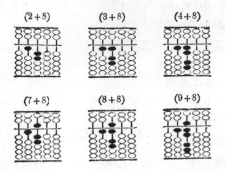

減法「算法統宗」雖未明著歌訣，可由「九九八十一」同例求得；但在其他算書中，還是載得有，茲照錄於下：

　一去一，一上四去五，一退一還九；
　一去二，二上三去五，二退一還八；
　三去三，三上二去五，三退一還七；
　四去四，四上一去五，四退一還六；
　五去五，　　　　　五退一還五；
　六去六，　　　　　六退一還五去一，六退一還四；
　七去七，　　　　　七退一還五去二，七退一還三；
　八去八，　　　　　八退一還五去三，八退一還二；
　九去九，　　　　　九退一還五去四，九退一還一。

珠算乘法

　珠算乘法，應用「九九合數」歌訣，和上古時代的「九九」，完全相同。並規定「小數在上，大數在下」，但以一一為始，迄於九九，在宋、金、元諸朝代間，早已如此矣。所謂「小數在上，大數在下」，係九九表中大小二數相乘時，其小數皆須置於大數前方。例如六、七兩數相乘時，只作「六七四十二」，不作「七六四

十二」是。如此規定，庶可和「九歸歌」的「大數在上，小數在下」，有所區別。其歌訣如下：

　………………………………………………………
　………………………………………………………
　一六如六，…………，五六得三十，六六三十六；
　…………………，六七四十二，七七四十九；
　…………………，七八五十六，八八六十四；
　…………………，八九七十二，九九八十一。

珠算乘法據程大位「算法統宗」卷二稱：「原有破頭乘、掉尾乘、隔位乘，總不如留頭乘之妙，故皆不錄。」所以他書上專用了留頭乘，今舉例說明如下：

　例　求 2345×187 的積。

　因為算盤不但畫起來麻煩，而且占去篇幅太多，所以這裏概用亞剌伯數字，來代表算盤上各行算珠所表示的數目。置「實」2345 於左方，「法」187 於右方，如下：

　　　2345　　　　　　　187

就中實 2345 最前方的 2，稱為「實首」；最後方的 5，稱為「實尾」。又法 187 最前方的 1，亦稱為「法首」，最後方的 7，稱為「法尾」。因為法有三位，故於實尾後方，留下三個空位如下：

　　　2345×××　　　　187

先將實尾的 5，遍乘法首後方的 8、7，最後繞乘及法首的 1，所以叫做「留頭乘」。套句循環定義的濫調，就是留頭乘者，留下法數頭位來最後相乘也。此時乘過的實位數，可以移去。因為實中每一位數均須遍乘法中每一位數，實數有四位，法數有三位，三四一十二，故這題相乘的次序，可以分作 (1)，(2)，(3)，(4)，(5)，(6)；(7)，(8)，(9)；(10)，(11)，(12) 等十二個階段，來加以說明如下：

　　　　2345×××　　　　187
　　8×5 ＝　　　　40 ……(1)
　　7×5 ＝　　　　3 5 ……(2)
　　1×5 ＝＿＿＿＿＿5 ……(3)

因實尾的 5 已遍乘 187，移去之。相加，得

　　　2340935　　　　187

次將實尾前位的 4，遍乘 187 中的 8、7，次及於 1，如下：

　　　2340935　　　　187
　　8×4 ＝　　　3 2 ………(4)
　　7×4 ＝　　　2 8 ………(5)
　　1×4 ＝＿＿＿4　　………(6)

因實尾前位的４已遍乘１８７，移去之。相加，得
　　　　２３０８４１５　　　　　　１８７
同理，得：
　　　　２３０８４１５　　　　　　１８７
　８×３＝　　２４ …………(7)
　７×３＝　　２１ …………(8)
　１×３＝　　　３ …………(9)
　　　２０６４５１５　　　　　１８７
　８×２＝１６ …………(10)
　７×２＝１４ …………(11)
　１×２＝　２ …………(12)
　　　４３８５１５　　　　　　１８７
即
　　　　２３４５×１８７＝４３８５１５

珠算除法

珠算除法，據程大位「算法統宗」卷一稱：「九歸歸除法者，單位者曰『歸』，位數多者曰『歸除』。歸法用『九歸歌』，歸除法則參用『撞歸法』歌訣。」茲抄錄如下：

九歸歌（呼大數在上，小數在下。）

一歸　一歸不須歸　其法故不立
二歸　二一添作五　逢二進一十　逢四進二十
　　　逢六進三十　逢八進四十
三歸　三一三十一　三二六十二　逢三進一十
　　　逢六進二十　逢九進三十
四歸　四一二十二　四二添作五　四三七十二
　　　逢四進一十　逢八進二十
五歸　五一倍作二　五二倍作四　五三倍作六
　　　五四倍作八　逢五進一十
六歸　六一下加四　六二三十二　六三添作五
　　　六四六十四　六五八十二　逢六進一十
七歸　七一下加三　七二下加六　七三四十二
　　　七四五十五　七五七十一　七六八十四
　　　逢七進一十
八歸　八一下加二　八二下加四　八三下加六
　　　八四添作五　八五六十二　八六七十四
　　　八七八十六　逢八進一十
九歸　九歸隨身下　逢九進一十
撞歸法
一歸　見一無除作九一

二歸　見二無除作九二
三歸　見三無除作九三
四歸　見四無除作九四
……　…………………
九歸　見九無除作九九

又「已有歸而無除，用起一還原法（即是起一還將原數施）。」為：

一歸　起一下還一［本位起一，下位還一］
二歸　起一下還二［本位起一，下位還二］
……　…………………
……　…………………
九歸　起一下還九［本位起一，下位還九］

茲將歸法和歸除法的計算方法，各舉一例，說明如下：

　例甲　求１０７６５４３２÷８的商。

　於算盤的左方置實１０７６５４３２，右方置法８，如：
　　　　　１０７６５４３２　　　　　　８
因為實的首位數為１，先呼「九歸歌」的「八一下加二」，意即１０÷８＝１餘２，故實的首位１不動，於次位加２，如：
　　　　　１２７６５４３２　　　　　　８
此時實的第一位數１為商數，２７６５４３２為餘數。次呼「八二下加四」，即２０÷８＝２餘４，應加４於次位，如：
　　　　　１２７６５４３２　　　　　　８
　　　　　　　　４
因７＋４＝（５＋２）＋４＝（５）＋（４＋１）＋１＝１０＋１，按「九九八十一」歌訣呼「四下五除一」，上式化為
　　　　（１０）
　　　　　１２１６５４３２　　　　　　８
因（１０）中有８，繼呼「逢八進十一」，即１０÷８＝１餘２，餘數２加於１中，如：
　　　　　１３３６５４３２　　　　　　８
此時實數的第一、二兩位數１３為商數，其後３６５４３２為餘數。再呼「八三下加六」，即３０÷８＝３餘６，如：
　　　　　１３３６５４３２　　　　　　８
　　　　　　　　　６
如前法，得
　　　　　１３３２５４３２　　　　　　８
　　　　（１０）

又呼「逢八進一十」，即１０÷８＝１餘２，２加２爲４，如：

$$\underline{1\ 3\ 4\ 4\ 5\ 4\ 3\ 2}\qquad\qquad 8$$

再呼「八四添作五」，即４０÷８＝５，無餘數。如：

$$\underline{1\ 3\ 4\ 5\ 5\ 4\ 3\ 2}\qquad\qquad 8$$

又呼「八五六十二」，即５０÷８＝６餘２，如：

$$\underline{1\ 3\ 4\ 5\ 6\ 6\ 3\ 2}\qquad\qquad 8$$

再呼「八六七十四」，即６０÷８＝７餘４，如：

$$\underline{1\ 3\ 4\ 5\ 6\ 7\ 7\ 2}\qquad\qquad 8$$

又呼「八七八十六」，即７０÷８＝８餘６，如：

$$\underline{1\ 3\ 4\ 5\ 6\ 7\ 8\ 8}\qquad\qquad 8$$

末呼「逢八進一十」，即８÷８＝１，得

$$\underline{1\ 3\ 4\ 5\ 6\ 7\ 9}$$

即

$$10765432\div8=1345679$$

例乙　求１２９９６÷１９的商。

實的首位數爲１，按撞歸歌呼「見一無除作九一」意即

１０÷１＝９餘１，此時假定的商數爲９，原式

$$1\ 2\ 9\ 9\ 6\qquad\qquad 19$$

應書作

$$9\ 2\ 9\ 9\ 6\qquad\qquad 19$$

加　　　　　１

減９×９　　（８１）

但（２９＋１０）＜９×９（＝８１），不可減。可知商數９太大，擬改商數９爲６。因９－６＝３，故呼「無除起三下還三」。即

$$9\ 2\ 9\ 9\ 6\qquad\qquad 19$$

加　　　　　Ｊ

減（無除起三）　３

加（下還三）　　３

得　　$\underline{6\ 6\ 9\ 9\ 6}\qquad\qquad 19$

呼「六九除五十四」，於實的首位右方「本位去五，右位去四」，如：

$$6\ 6\ 9\ 9\ 6\qquad\qquad 19$$

減６×９　　５４

$$\underline{6\ 1\ 5\ 9\ 6}\qquad\qquad 19$$

此時實的首位數６爲第一商數，１５９６爲餘數。次呼「見一無除作九一」，如：

$$6\ 9\ 6\ 9\ 6\qquad\qquad 19$$

因６９＜９×９（＝８１），可知假定的商數９太大，減少一，改商數爲８。繼呼「無除起一下還一」，成爲

$$\underline{6\ 9\ 6\ 9\ 6}\qquad\qquad 19$$

減（無除起一）　１

加（下還一）　　　　１

$$\underline{6\ 8\ 7\ 9\ 6}\qquad\qquad 19$$

再呼「八九除七十二」，因７９＞８×９（＝７２），可減。

於實的首二位右方「本位去七，右位去二」，如：

$$6\ 8\ 7\ 9\ 6\qquad\qquad 19$$

減８×９　　　　７２

$$\underline{6\ 8\ 0\ 7\ 6}\qquad\qquad 19$$

此時實的第一、二兩位數６８爲商數的第一、二位，０７６爲餘數。又呼「逢四進一十」，即於７內減４，此時假定的商數第三位爲４，如：

$$6\ 8\ 4\ 3\ 6\qquad\qquad 19$$

末呼「四九除三十六」，恰盡。

$$\underline{6\ 8\ 4\ 3\ 6}\qquad\qquad 19$$

即

$$12996\div19=684$$

珠算商除法，亦見之於程大位「算法統宗」卷一、卷二中，謂：「商除法者，商量法、實多寡而除之。古法未有歸除，故用之；不如歸除最是捷徑之法也。然開方法用之。」其法實數置於盤中，法數置於盤右，商數置於盤左。例如

$$3015\div67=45$$

列式如：

（商）４５	（實）３０１５	（法）６７
減　６×４＝	２４	
	６１	
再減　７×４＝	２８	
	３３５	
減　６×５＝	３０	
	３５	
再減　７×５＝	３５	
	０	

珠算歌訣和籌算歌訣的對照

珠算不但它的算珠撥動便利，即其歌訣亦簡妙易誦，有如爲虎添翼。故它不僅將籌算打倒，獨步算壇；而且迅即普及於大衆，至今仍能屹立不移。然考其歌訣來源，並非平地一聲雷，突然間創作出來的，實係將籌算歌訣，略事修改而成。因爲珠盤上算珠表示數目的方法，和算籌數字的組織相同，故其歌訣，珠算亦能加以利

用。茲將朱世傑「算學啓蒙」中籌算的「九歸除法」歌訣，和程大位「算法統宗」中「九歸歌」，並列於下，藉資比較。

朱　世　傑 九歸除法	程　大　位 九歸歌　呼大數在上，小數在下。
一歸　一歸如一進，見一進成十。	一歸　一歸不須歸，其法故不立。
二歸　二一添作五，逢二進成十。	二歸　二一添作五，逢二進一十。
三歸　三一三十一，三二六十二，逢三進成十。	三歸　三一三十一，三二六十二，逢三進一十。
四歸　四一二十二，四二添作五，四三七十二，逢四進成十。	四歸　四一二十二，四二添作五，四三七十二，逢四進一十。
…… ……	…… ……
九歸　九歸隨身下，逢九進成十。	九歸　九歸隨身下，逢九進一十。

捌、西算的輸入

明末清初，泰西各國的耶穌教人士，都相繼來東傳教。在這一大批傳教士中，有不少是精通曆算的。隨之不但輸入了大量數學知識，而且也帶來了不少書籍，翻譯行世。使得退步已久的中國數學狀態，獲得了新血輪，擴充了思考領域，又復欣欣向榮起來。就中功績最偉大的，允推利瑪竇（Matteo Ricci）氏。

利瑪竇的西來及其著述

利瑪竇字西泰，歐洲意大利國人。西曆一五五二年（嘉靖三十一年）十月六日，出生於安柯那（La marche d'Ancône）邊界瑪塞拉塔（Macerata）城。十餘歲時，其父送之至羅馬（Rome）。入學二年，乃入顯修會，於神學校（Collegio Romano）研習科學，從名師丁先生（Clavius）治數學。西曆一五七七年（明萬曆五年），請願來東傳教。航行五年，於西曆一五八二年（明萬曆十年），抵廣東香山墺。先學中國語言文字，次年與羅明堅（Michel Ruggieri）同入廣東省城瑞州（肇慶府）。萬曆十一年福建莆田人郭應聘，以右都御史兼兵部侍郎，任廣東制台；及肇慶府王泮，甚喜利

氏，築室居之。萬曆十六年，靈璧人劉繼文，以兵部侍郎兼僉都御史，任瑞州府，逐耶穌會士。翌年，利氏由肇慶往韶州府，居於南華寺。萬曆二十二年，由韶州而南雄，而南京。利氏在肇慶、韶州，識瞿汝夔；在南雄，識王應麟。萬曆二十三年，北行到南京，折返南昌。利氏於南京，識徐光啓。萬曆二十六年，隨新補禮部尚書、廣東南海人王忠銘，至北京。翌年被遣回。居南京。利氏既廣交當時名流，乃於萬曆二十八年，謀再入北京。在北京，日與徐光啓合譯「幾何原本」，與李之藻共譯「同文算指」等書。這就是西洋數學，輸入中國的開始。利氏於萬曆三十八年閏三月十八日，卒於北京，奉旨葬於北京阜城門外二里溝。

利瑪竇除與徐光啓共譯「幾何原本」，與李之藻合譯「同文算指」外，其他著作亦夥，茲列記於下：

「天主實義」二卷
「辯學遺牘」附於「天主實義」後
「交友論」
「西國記法」
「萬國輿圖」
「二十五言」一卷
「西字奇蹟」一卷
「乾坤體義」三卷
「測量法義」一卷
「勾股義」一卷
「渾蓋通憲圖說」二卷
「畸人十篇」
「圓容較義」一卷

徐光啓及其著述

徐光啓字子先，上海人。萬曆二十五年舉人，又七年成進士，由庶吉士歷贊善。嘗從利瑪竇學天文推步，共譯歐幾里得所著「幾何原本」六卷，於萬曆三十五年告成。又與利瑪竇同譯「測量法義」一卷，附「測量異同」、「勾股義」一卷，未題年月。天啓三年，擢禮部右侍郎。崇禎二年，因光啓奏請開局修曆，應用西法，是年九月，勅諭徐光啓修曆法。至崇禎五年，凡進呈「曆書」三次，將及百卷。卒於崇禎六年。

「幾何原本」一書，係譯自利瑪竇業師丁先生（P. Christophus Clavius）的「Euelidis elementorum libri XV」，全書共計十五卷。蓋丁先生對於歐幾里得原本十三卷，覃精已久，既為之集解，又復推求，

續補了二卷的緣故。「幾何」二字則由其研究對象「量」的意義譯出，觀利瑪竇自序中：「幾何家者，專察物之分限者也。其分者若截以爲數，則顯物幾何衆也。若完以爲度，則指物幾何大也。」等詞句，自明。「原本」二字的取義，在利氏自序中，亦說得很清楚：「曰原本者，明幾何之所以然，凡爲其說者，無不由此出也。」我國現代學者不察，對於「幾何」二字的由來，似乎流傳得有一種由英文geometry 一字的接頭語，geo 的音譯謬說。此說實出於日本林鶴一的無知揣測，亟須加以糾正。「幾何原本」中的名詞，多和現今通行的迥異，例如「定義」爲「界說」，「公理」爲「公論」，不一而足。其所以然者，亦由於清末民國初年，我國大量翻譯日本數學書籍，翻譯者的知識，和古時數學脫了節，數典忘祖，盲目的一一照日文抄錄了過來的緣故。

李之藻及其著述

李之藻字振之，號冷庵，仁和人。神宗戊戌進士，官南京工部員外郎。從利瑪竇遊，盡得其學。著有「渾蓋通憲」二卷，又與利瑪竇共譯「圓容較義」一卷，萬曆三十六年十一月完成。此外和利瑪竇合作，同譯的算書，尚有「同文算指前編」二卷，「同文算指通編」八卷，「同文算指別編」一卷。前書係譯自丁先生的「Trattato della fiqura isoperimetre）後書亦係譯自丁先生的「Epitome arithmeticase practicae）。「同文算指」有萬曆四十一年李之藻序，萬曆四十二年徐光啓序。徐光啓以李之藻通曉曆法，曾薦之於朝。萬曆四十一年，李之藻以南京太僕少卿，奏上西洋天文學說十四事，又請亟開館局。崇禎二年，詔與徐光啓同修新法。崇禎四年，卒於官。

「幾何原本」在介紹西洋的證明幾何學，「同文算指」則輸入了西洋的筆算。原著者丁先生在當時既有「十六世紀的歐幾里得」之目，加之利瑪竇、徐光啓、李之藻輩的譯文又復明顯暢達，故這些書籍對於當時的影響，是非常鉅大的。「同文算指前編」李之藻序稱：「奮輯所聞，釐爲三種：『前編』舉要，則思已過半。『通編』稍演其例，以通俚俗；間取『九章』補綴，而卒不出原書之範圍。『別編』則測圓諸術，存之以俟同志。」即已充分說明了它的編譯旨趣。

清康熙帝親研西算

清初，西教士德國人湯若望（Jean Adam Schall von Bell），比國人南懷仁（Ferdinard Veroiest）

、西西里（Sicile）人利類思（Louis Buglio）、哥印布路（Coimbre）、人安文思（Gabriel de Magalhaens）等，主持曆法，甚得朝廷信任，優禮有加。舊派群起反對，互相攻訐，擾攘不休。康熙八年二月，帝命大臣二十員，前往觀象台測驗。發現南懷仁所言，逐款皆符；監副吳明烜所言，逐款皆錯。得旨，舊派楊光先等革職，時憲書法，悉由西洋人治理。事後康熙帝即親自研習西洋算法，初由南懷仁將「幾何原本」譯成滿文。康熙二十四年，法皇路易十四對中國採取積極傳道方針，用以對抗葡萄牙而擴張法國勢力，特派遣塔沙爾（Guy Tachard）、洪若翰（Jean de Fontaney）、白晉（Joachim Bouvet）、李明（Louis Le comte）、張誠（Jean Francois Gerbtllon）、劉應（Claude de isdelou）等六人來華。其中除塔沙爾一人留在暹羅外，餘均於康熙二十六年，取道抵華。洪若翰等五人，幷通算學，以南懷仁的斡旋，得准入京。次年到達北京，南懷仁已死，乃由徐日昇帶領引見。白晉、張誠以善算，供奉內廷。「正教奉褒」康熙二十八年條稱：「康熙二十八年十二月二十五日，上召徐日昇、張誠、白進（即白晉）、安多等至內廷，諭以自後每日輪班至養心殿，以清語授量法等西學。上萬幾之暇，專心學問，如量法、測算、天文、形性、格致諸學。自是即或臨幸暢春園，及巡行省方，必諭張誠等隨行。或每日，或間日，講授西學。幷諭日進內廷，將講授之學，翻譯清文成帙。上派精通清文二員，襄助繕稿，幷派善書二員謄寫。張誠等每住宿暢春園，……張誠等講授歐年，上每勞之。」張誠報告亦稱：「每朝四時至內廷侍上，直至日沒時還，不准歸寓。每日午前二時間，及午後二時間，在帝側講幾幾里得幾何學，或理學，及天文學等，幷曆法、砲術之實地演習的說明。歸寓後，再準備明日之工作，直至深更入寢，時以爲常。」

康熙三十二年，帝使白晉回歐，幷贈法皇路易十四圖書四十九册。歸途與巴多明（Dominique Parrenin）同來，同時善算教士來華者，尚有杜德美（Pierre Jartoux）一人。

巴多明亦善長科學，康熙四十七年後，杜德美與張誠等，共同從事測地工作，而割圓術中的杜術，即係出自杜氏之手。是時，法國教士善算而在康熙帝左右及北京的，計有白晉、張誠、徐日昇、安多、巴多明、杜德美諸人。其西方算學書籍，經譯成中文講義，後由清廷加以潤色的，計有：

㈠滿文「幾何原本」七卷（和「數理精蘊」的十二

卷，體例相符，其卷七附圖，即係「數理精蘊」本「幾何原本」中，卷十二第十八的畫地理圖。但二書分卷及條款，互有出入。

㈡「幾何原本」七卷，附「算法（原本）」一卷。書前有序稱：「『幾何原本』，數原之謂，利瑪竇所譯。因文法不明，後先難解，故另譯。」據李光地年譜稱：「癸未二月，公蒙賜『幾何原本』、『算法原本』二書。」助此二書之成，當在康癸未年以前。又有

㈢「幾何原本」七卷一種，無序。其次再有

㈣「幾何原本」七卷一種，爲孔繼涵舊藏本。

以上三種七卷的「幾何原本」，文句互有異同。卽以滿、漢文「幾何原本」七卷，與「數理精蘊」本「幾何原本」十二卷本相較，亦有互異之處。其同爲孔繼涵藏本者，尙有。

㈤「測量高遠儀器用法」一册

㈥「比例規解」一册

㈦「八線表根」一册

㈧「勾股相表之法」一册

㈨「借根方算法節要」二卷二册

㈩「算法纂要總綱」十五卷

(十一)「借根方算法」

又故宮博物院圖書館中，藏有

(十二)「算法纂要總綱」二卷，「數表」及「數表用法」各一卷，不著撰述人姓名。

白晉用以教授康熙帝的滿、漢文「幾何原本」，係從 Elementa Geometriae 一書譯出；張誠亦將

(1) Elements de Géométrie tirés d'Euclide et d'Archiméde.

(2) Géometrie practique et théorique, tirée en partie du p. pardies.

二書，譯成漢、滿文。張譯前書，於康熙二十八年，由帝改編；後書則於翌年，在北京出版。康熙五十年，帝與直隸巡撫趙宏燮論算數，言及阿爾朱巴爾。此卽今稱代數學當時輸入中國的借根方，「數理精蘊」作阿爾熱巴拉，梅穀成「赤水遺珍」作阿爾熱八達。康熙五十二年，帝始着手編輯律呂算法等書，次年擬以律呂、曆法、算法三書共爲一部，名曰「律曆淵源」。「數理精蘊」等書編輯之始，蓋就西洋教士所授講義，加以修正而成。是時參與編纂「律曆淵源」者，有何國宗、梅穀成，而明安圖、顧陳垿，亦在考訂之列。康熙帝於其卽位第六十一年死去，是年六月，「數理精蘊」、「曆象考成」二書告成。翌年卽雍正元年冬十月，「律曆淵源」一百卷刻成，共分三部：一曰「曆象考成」；一曰「律呂正義」；一曰「數理精蘊」。至此時期，西洋算術、代數、以及割圓術中的解析法等，均已一幷連帶輸入。明、清以來，西算輸入，至此乃告一段落。

輸入西算舉要

西洋輸入的數學，在明末淸初，計有筆算（亦稱寫算）、策算、幾何學、三角法、三角函數表、對數、代數學、割圓術等。

㈠筆算

輸入的西算，除了數學知識外，在方法方面，更有超越籌算、珠算，一直流傳下來，成爲我們現今各級學校中，通用的筆算。「同文算指」前編卷上稱：「茲以書代珠，始於一，究於九，隨其所得，而書識之。」是爲西洋筆算輸入我國的開始。但由筆算演算出來的算式，各書却不盡同。例如出現在「數理精蘊」中的，固然就是我們現今通用的算式，而出現在「同文指算」中的，却有許多奇特的東西，是今日見所未見的。就中尤以帆船式除法、開平方法和格子乘法爲最。

(a)帆船式除法和開平方法

所謂帆船式算法（galley method），係因演算完畢後，在紙上遺留下來的算式，恰好像似一艘張帆急駛的帆船，故爾得名。例如「同文算指」前編卷上，除法第五

$$1832487 \div 469 = 3907\ \frac{104}{469}$$

一題的演算算式，成

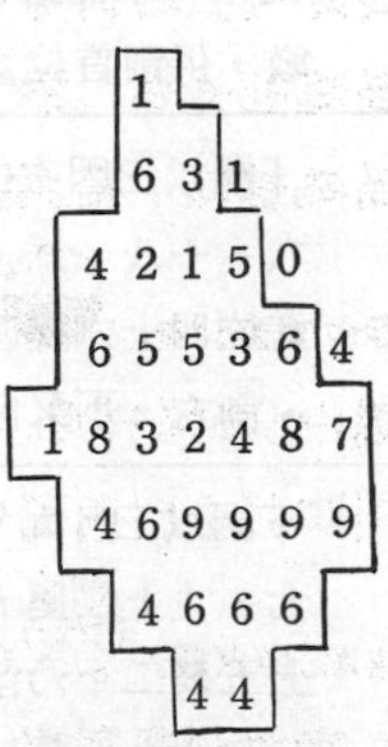

$\left(3907\ \frac{104}{469}\right.$

形；又同書通編卷六，開平方法第十二，

$$\sqrt{456789012} = 21372 \text{ 餘 } 26628$$

一題的演算算式，成

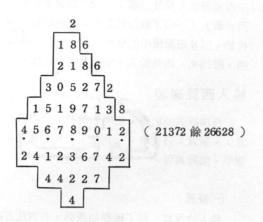

（ 21372 餘 26628 ）

形等是。茲將其演算過程及說明，一一轉載於下，藉以明瞭其究竟。

　　例題一　求 1832487 ÷ 469 的商。

演　算	說　明
1832487 469	「將原數（被除數）1832487 列於上，除數 469 列於下，於被除數尾右，界格如半規。」
6 1832487（3 469	「先以首四除一十八，儘乘得四四一十六，用四而餘二。然次位是六，以六乘，二十三不足矣，不得不減數從三。只用三除一十八，除得三四一十二，尚餘六。四上八變六，進位削一；而格右紀三爲用數，併削首位之四。
4 65 1832487（3 469	「嗣以三因次位之六，三六一十八，六上三變五，進位四上六變四。乃削三、削六，下又削次位六。」
42 655 1832487（3 469	「嗣以三因九，三九二十七，九上二變五，進位六上五變二。乃削二、削五，亦削九。是以三除之，餘四十二萬五千四百八十七數，故當用三。餘數再除如下圖：」

42
655
1832487（3
469

42 655 1832487（3 4699 46	「另退一位，挨下四六九。」
6 42 655 1832487（39 4699 46 1 6 421 655 1832487（39 4699 46	「先以四除四十二，看得幾個四？凡數極於九，用九乘四，四九三十六，尚餘六。四上二變六，進位四削盡。亦削下首位之四，格右紀九。」 「嗣以次位六因九，六九五十四，餘一十一。六上五變一，進位六變一。亦削下位六。」
1 63 421 6553 1832487（39 4699 46	「嗣以次位九因九，九九八十一，尚餘三十三。九上四變三，進位一變三係借除，進位一削盡。亦削九，其不盡三千三百八十七數，再除如下圖：」

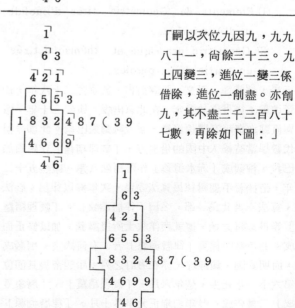

「復列四六九，而四不能
除，姑存其位，作0於格
右。其下層四、六、九，
皆削去。」

「又列四六九，以四除三
十三，看除得幾轉？四八
三十二，餘一矣。餘六乘
，一十八則不足，故減而
用七。除得四七二十八，
四上三變五，進位削三。
嗣以六因七，六七四十二
，六上八變六，進位五變
一，亦削下位六。嗣以九
因七，七九六十三，九上
七變四，進號削六。緣尚
有進位之數，仍作○，以

紀其位而削九。存一百零四，爲不盡之數，不復可分。
以法命之曰，四百六十九之一百零四也。」完成後的算
式，一如最初所揭示的。
　　例題二　求 $\sqrt{456789012}$ 的根。
　　演算與說明如下：

$$4\ 5\ 6\ 7\ 8\ 9\ 0\ 1\ 2$$

「列實456789012，共九位。從末位點起，每隔一
位用一點，共五點，知平方根的數有五位。」

$$4\ 5\ 6\ 7\ 8\ 9\ 0\ 1\ 2\ (\ 2$$
$$2$$

「首點在第一位下，只以本一位開之。首位是四，當用
二，蓋二之自乘四也。系二於四下，右紀二爲初商，相
呼二二除四，完初段。」

$$\boxed{\begin{matrix}4\\2\end{matrix}}\ 5\ 6\ 7\ 8\ 9\ 0\ 1\ 2\ (\ 2$$

「除實四億，餘實五千六百七十八萬九千零十二，俟再
商。」

「次除五六，且作五十六以從簡便。倍初商二作爲四，
爲廉法。讓點下一位，系四於五下，乃商。以四除五，
得幾轉？四除五只一轉，右紀一，亦註一於點下。先呼
一四如四，五除四剩一，四上五變一。次呼一一如一，
六除一剩五也，一上六變五。完二段。」

「除實四億四千一百萬，餘實一千五百八十八萬有奇，
另商。」

「次除一五七八之一段，且作一千五百八十八而商。因
前商二一是爲二十一，今倍作四十二爲廉法，空有點之
八以待隅法，而系二於七下，系四於五下，要商。四除
一十五，凡幾轉？計得三轉。即用三數爲再商，紀格右
，亦系三於有點八字之下。先呼三四一十二，於十五內
除十二，則抹五改三，進抹一。又呼三二是六，於七內
除六，尚剩一，則抹七改一。又呼三三是九。於八內除
九，依借法抹八改九，進位一變○，完三段。餘實三百
九萬九千有奇。」

「次除三○九九○之一段，因前用二一三，是爲二百一
十三，今又倍其數作四二六爲廉法，空有點之○而於九
下系六，於進位九下系二，於○下系四。先以四商上三

○，看四除三十，凡幾轉？該七轉則用七，紀七於格右，亦系於有點○以下以相呼。先呼四七二十八，於三十內除二十八，尚餘二。數四上○變二，進抹三。次呼二七一十四，於二十九內除十四，二上九變五，進位二變一。次呼六七四十二，六上九變七，進位五變一。次呼七七四十九，依借法七上○變一，進位七除二，完四段。餘實一十一萬二千一百一十二，另開。」

$$2$$
$$\overline{1}\ 3\ 6$$

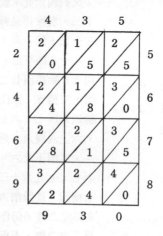

「次除一一二一一二，總作一段。前已用二一三七，是爲二千一百三十七，今倍之，當作四二七四爲廉法，定有點之二而於進位一下系四，於又進之一下系七，於進二下系二，於進一下系四，先以四商上一十一，看除該二轉則用二紀格右。亦系二於末位點下，而先呼二四爲八，以除一十一，餘數三，乃抹一改三，進抹一。次呼二二爲四，依借法二上二變八，進位三變二。又呼二七一十四，依借法七上一變七，進位八變六，再呼二四爲八，依借法四上一變三，進位七變六。又呼二二爲四，依借法二上二變八，進位三變二，完第五段。除實四億五千六百七十六萬二千三百八十四，餘二萬六千六百二十八，爲不盡數。」完成後的算式，一如最初所揭示的。

(b)格子乘法

格子乘法（gelosia method）亦爲今日通行的乘法算式中，見所未見的一種。它的方法是依被乘數的位數 m，和乘數的位數 n，作成一個分爲 mn 格的方格子；再於每一格子中，由左下方向右上方，各引一條對角線，平分其格子成兩個三角形，格子畫好後，將 m 位被乘數由左而右，順次各置其一位數於每行的上端；再將 n 位乘數由上而下，順次各置其一位數於每列的右方。被乘數和乘數排好後，然後將乘數中的每一位數，逐次和被乘數中每一位數相乘，將其乘積書寫於與被乘數、乘數行、列相當的方格中。乘積如爲一位數，書寫於其

格下方的三角形中；如爲二位數，則將其十位數書寫於上方三角形中，單位數仍書寫於下方三角形中。如此一來，則每一格中的十位數，皆和其進位格子的單位數相當。乘畢，沿對角線分成的斜行，分別將各三角形中的數目，相加起來，而將其和書寫於方格的下方或左旁，如加得的和超過了十，便向前位進一，是所不待言的。加畢，其由方格左旁自上而下，再沿方格下方，自左而右，所列出的數字，即爲求得的積。例如：

$$435 \times 5678 = 2469930$$

一乘法的算式，爲：

其演算程序如下：
第一行　$4 \times 5 = 20$，$3 \times 5 = 15$，$5 \times 5 = 25$；
第二列　$4 \times 6 = 24$，$3 \times 6 = 18$，$5 \times 6 = 30$；
第三列　$4 \times 7 = 28$，$3 \times 7 = 21$，$5 \times 7 = 35$；
第四列　$4 \times 8 = 32$，$3 \times 8 = 24$，$5 \times 8 = 40$。
第一斜行　0
第二斜行　$5 + 4 + 4 = 13$，
第三斜行　$0 + 3 + 1 + 2 + 2 + 1 = 9$，
第四斜行　$5 + 3 + 8 + 2 + 8 + 3 = 29$，
第五斜行　$2 + 5 + 1 + 4 + 2 + 2 = 16$，
第六斜行　$1 + 0 + 2 + 1 = 4$，
第七斜行　2。
結果爲 2469930。

格子乘法「算法統宗」稱之爲「舖地錦」，或「因乘圖」，其卷十三歌云：「寫算舖地錦爲奇，不用算盤數可知。法實相呼小九數，格行寫數莫差池。記零十進於前位，逐位對數亦如之。照式圖畫代乘法，釐毫絲忽不須疑。」即係指的此種筆算的格子乘法。事實上，這種乘法所用的格子，原係威尼斯（Venice）地方，爲了避免家中婦女容易被路人窺見，所採用用一種窗型。

gelosia 這個字的本意，就是嫉妬。

演算和運算的區別

我國算術的計算，既有籌算、珠算、和筆算等三種不同的方法，那麼，根據它計算的情形，就非要分別加以稱呼不可。籌算與珠算，因計算時必須搬運算籌或撥動算珠，古時形容計算敏捷的人，竟有稱他運籌如飛的，自應稱爲運算。筆算則不然，它不但能將計算中各次過程的來蹤來跡，一一顯露出來，而且得到的算式，居然還有成帆船、格子等特殊形式的，故應稱爲演算，二者不可交換使用。不幸的是，我國在民國初年，盲目的翻譯日本數學書籍，中了日本人的毒，竟在筆算數學中，反轉來誤用了運算這一名詞，一直流傳到今日。現在日本人已經覺悟了，他們各種數學書籍中，統通將運算改正成了演算。反觀我國，一般使用筆算的數學書籍中，還在運算復運算的高呼，眞可說得上是一絕大諷刺。

(二)策算

策算爲格子乘法的應用，其法將九九表依格子乘法的格式，預先書寫於竹製或木製的籌上，計算時視需要取用，免得臨時書寫的一種計算器械。這種算籌，西洋稱之爲 Napier's Bond，本應作訥白爾籌，惟清戴震爲了避免和古代的籌算混淆，特地改稱爲策算。戴震在其所著「策算」一書的序言中稱：「以九九書於策，則盡乘除之用，是爲策算。策取可書，不曰籌而曰策，以別於古籌算，不使名稱相亂也。策列九位，位有上下。凡策或木或竹，皆兩面，一與九，二與八，三與七，四與

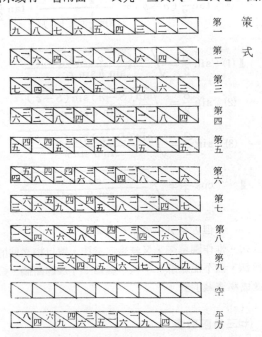

六；其策五之一面，空之爲空策。合五策而九九備，如是者十，各得十策。別用策一，列始一至九各自乘，得方冪之數，爲開平方。策算法雖多，乘除盡之矣。開方亦除也，平方用廣，立方罕用，故策算專爲乘、除、開平方。」策算的功用，觀此可見一斑。兹將其策式，照樣錄載於上，藉供參考。

(三)代數學

代數學（algebra）於清初輸入，意譯作「借根方」，音譯作「阿爾熱巴拉」、或「阿爾朱巴爾」、「阿爾熱八達」。延至咸豐年間，始由李善蘭、華蘅芳等，改稱代數，實即我國宋、元時代的天元術。此學並非歐洲人所創，而係透過亞剌伯，由我國傳去的。西曆八百二十五年前後，亞剌伯數學家亞魯‧科瓦利米（Al-Khowarizmi）著有「Aljabr W'al-Muqabalah」一書。該書其後流傳至歐洲，algebra 一名詞，即係由 Aljabr 一字轉來，故又有「東來法」之稱。「數理精蘊」卷三十一論借根方比例，謂：「借根方者，假借根數、方數，以求實數之法。」例如

$$x^3 + x^2 - 20x = 33152$$

一方程式，書作

$$一\frac{立}{方} + 一\frac{平}{方} - 二〇根 = 三三一五二$$

其論帶縱立方，計分：

$$x^3 \pm bx = k, \qquad x^3 \pm ax^2 = k,$$
$$x^3 \pm ax^2 + bx = k, \qquad -x^3 + ax^2 = k,$$
$$\cdots\cdots\cdots\cdots\cdots\cdots\cdots\cdots\cdots\cdots\cdots\cdots$$

等九類；至於解法，則採用奈端（Newton）方法。

(四)對數

第一個將對數輸入中國的，是波蘭人穆尼閣（Jean Nicolas Smgolenski）。穆氏於順治三年來華，先到江南，於順治四年至八年間，轉入福建，而於順治十三年，卒於肇慶。穆氏在江南，以曆算教授方中通、薛鳳祚等，其遺著「天學會通」，即係由薛鳳祚輯錄而成。「天學會通」爲「四庫全書」所收者，內有一卷名曰「天步眞原」，其正集內有「比例對數表」十二卷，專論對數。「比例對數表」序稱：「穆（尼閣）先生出，而改爲對數。今有對數表以省乘、除，而況開方、立方、三、四方等法，皆比原法工力，十省六七，且無舛錯之患，此實爲穆先生改曆立法第一功。」而穆尼閣解釋對數之大意，則謂：「愚今授以新法，變乘、除爲加、減，……，解此別有專書，今特略明其理。如下

二表，二同餘算，不論從 1，2，3，4 起，或從 5，7，9，11 起，但同餘之內，中三相連數，可取第四。」

比 例 算	1	2	4	8	16	32	64	128	256	512	1024	2048
同餘算(a)	1	2	3	4	5	6	7	8	9	10	11	12
同餘算(b)	5	7	9	11	13	15	17	19	21	23	25	27

例如「同餘算」(a)內的 6，7，8，9 四數間有

$$9 = (7 + 8) - 6$$

關係，則「比例算」內的 16，32，64，128 四數間有

$$128 = (32 \times 64) \div 16$$

關係，又「同餘算」(b)內的 5，7，9，11 四數間有

$$11 = (7 + 9) - 5$$

關係，則「比例算」內的 1，2，4，8 四數間，亦有

$$8 = (2 \times 4) \div 1$$

關係。

其次介紹對數的，爲「數理精蘊」。「數理精蘊」對數比例中稱：「對數比例，乃西士若往・訥白爾（John Napier）所作，以借數與眞數對列成表，故名對數表。又有恩利格・巴理知斯（Henry Briggs）復加增修，行之數十年，始至中國。」

(五)幾何學

明末萬曆年間，徐光啓和利瑪竇合作，將歐幾里得「幾何學本」前六卷，譯成了中文行世。

(六)三角法

徐光啓和利瑪竇合作，除譯出了「幾何原本」前六卷外，更譯有「測量全義」十卷。此書於平面三角法中，引有

I $\quad \dfrac{a}{\sin A} = \dfrac{b}{\sin B} = \dfrac{c}{\sin C}$

II $\quad c^2 = a^2 + b^2 - 2\,ab\cos C$

III $\quad \dfrac{a+b}{a-b} = \dfrac{\tan\frac{1}{2}(A + B)}{\tan\frac{1}{2}(A - B)}$

$$\sin \frac{A}{2} = \sqrt{\frac{(S - b)(S - c)}{bc}}$$

$$\cos \frac{A}{2} = \sqrt{\frac{S(S - a)}{bc}}$$

$$\tan \frac{A}{2} = \sqrt{\frac{(S - b)(S - c)}{S(S - a)}}$$

諸公式；於球面三角法中，引有

I $\quad \cos c = \cos a \cos b$

等交互相求三十式，及

II $\quad \dfrac{\sin a}{\sin A} = \dfrac{\sin b}{\sin B} = \dfrac{\sin c}{\sin C}$

III $\quad \cos a = \cos b \cos c + \sin b \sin c \cos A$

等公式。入清，薛鳳祚與穆尼閣共譯「天學會通」，其中關於三角法部分，除開上列諸公式外，更引有

I (1) $\quad \tan\frac{1}{2}(A + B) = \dfrac{\cos\frac{1}{2}(a - b)}{\cos\frac{1}{2}(a + b)} \cdot \cot\frac{1}{2}C$

(2) $\quad \tan\frac{1}{2}(A - B) = \dfrac{\sin\frac{1}{2}(a - b)}{\sin\frac{1}{2}(a + b)} \cdot \cot\frac{1}{2}C$

(3) $\quad \tan\frac{1}{2}(a + b) = \dfrac{\cos\frac{1}{2}(A - B)}{\cos\frac{1}{2}(A + B)} \cdot \tan\frac{1}{2}C$

(4) $\quad \tan\frac{1}{2}(a - b) = \dfrac{\sin\frac{1}{2}(A - B)}{\sin\frac{1}{2}(A + B)} \cdot \tan\frac{1}{2}C$

II (1) $\quad \sin\frac{A}{2} = \sqrt{\dfrac{\sin(S - b)\sin(S - c)}{\sin b \sin c}}$

(2) $\quad \sin\frac{B}{2} = \sqrt{\dfrac{\sin(S - a)\sin(S - c)}{\sin a \sin c}}$

(3) $\quad \sin\frac{C}{2} = \sqrt{\dfrac{\sin(S - a)\sin(S - b)}{\sin a \sin b}}$

III $\quad \cos\frac{a}{2} = \sqrt{\dfrac{\sin(B - E)\sin(C - E)}{\sin B \sin C}}$

但 $E = A + B + C - \pi$

等公式。惟作圖草率，又無幾何證法，雖以梅文鼎的善解西法，猶不能瞭解，不得不嘆爲：「殘碑斷碣，弧三角遂成秘密藏」云。

(七)三角函數表

三角函數表亦於明季輸入，「測量全義」卷三內，有測圓八線小表，爲正弦線、正切線、正割線，及其餘五線的函數表。截至小數四位，每十五分有數。又「崇禎曆書」中，崇禎四年呈進的「割圓八線表」六卷，則載有小數五位，每分有數，分以下以比例得之。其次序：先正弦線，次正切線，次正割線，次餘弦線，次餘切線，次餘割線。入清，薛鳳祚與穆尼閣共譯的「比例四線新表」，小數六位，度以下析爲百分。四線者，正弦、餘弦、正切、餘切也。

(八)割圓術

明末由西方傳教士輸入的數學，亦有割圓術在內。「測量全義」卷五「圓面求積」，引有阿基米德（Archimedes）「圓積的測定」（measurement of the circle）中三題，幷附圖說明：

第一題　「圓形之半徑，偕其周作勾股形，其容與圓形之積等。」

解曰：如圖 $CDEF$ 圓形，其心 B，其半徑 BC，即以爲勾，（圓）形之周爲股，成 QST 勾股形，題言兩形之容等。

第二題「凡圓周，三倍圓徑有奇。」二支

此題共有二支：其一證明 $3\frac{10}{70} > \pi$，以外容六邊形起算，如上圖；其二證明 $\pi > 3\frac{10}{71}$，以內容六邊形起算，如下圖。

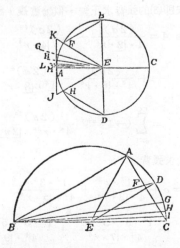

第三題「圓容積與徑上方形之比例」

解曰：一爲 11 與 14 而朒，一爲 223 與 284 而盈，如下圖。

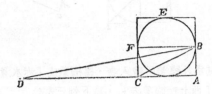

「測量全義」又稱今士之法：

徑　　　　100,000,000,000,000,000,000,

大周　　　314,159,265,358,979,323,847,

小周　　　314,159,265,358,979,323,846,

但無證法。「數理精蘊」下編卷十五，則分別以圓內容六邊、四邊，圓外切六邊、四邊起算，用屬求勾股法，求得「測量全義」所稱今士之法，即

$$\pi = 3.14159265358979323846。$$

設圖如下：

(a)圓內容六邊起算圖

(b)圓內容四邊起算圖

(c)圓外切六邊起算圖

(d)圓外切四邊起算圖

其爲杜德美所輸入者，據梅縠成「赤水遺珍」所稱，譯「西士杜德美法」，爲下列三式：

$$\pi d = d\left\{3 + \frac{3 \cdot 1^2}{4 \cdot \underline{|3}} + \frac{3 \cdot 1^2 \cdot 3^2}{4^2 \cdot \underline{|5}} + \frac{3 \cdot 1^2 \cdot 3^2 \cdot 5^2}{4^3 \cdot \underline{|7}} + \cdots\cdots\cdots\cdots \right\}$$

或

$$\pi = 3\left\{1 + \frac{1}{4} \cdot \frac{1^2}{\underline{|3}} + \frac{1}{4^2} \cdot \frac{1^2 \cdot 3^2}{\underline{|5}} + \frac{1}{4^3} \cdot \frac{1^2 \cdot 3^2 \cdot 5^2}{\underline{|7}} + \cdots\cdots\cdots \right\}$$

$$= 3.1415926495 \cdots\cdots\cdots\cdots \qquad (\text{I})$$

$$\sin A = \frac{a}{r} - \frac{a^3}{\underline{|3} \cdot r^3} + \frac{a^5}{\underline{|5} \cdot r^5} - \frac{a^7}{\underline{|7} \cdot r^7}$$
$$+ \frac{a^9}{\underline{|9} \cdot r^9} - \cdots\cdots\cdots\cdots \qquad (\text{II})$$

$$\text{vers } A = \frac{a^2}{\underline{|2} \cdot r^2} - \frac{a^4}{\underline{|4} \cdot r^4} + \frac{a^6}{\underline{|6} \cdot r^6} - \frac{a^8}{\underline{|8} \cdot r^8}$$
$$+ \frac{r^{10}}{\underline{|10} \cdot r^{10}} - \cdots\cdots\cdots \qquad (\text{III})$$

式中 A 爲弧度，a 爲 A 角所對的弧，不同。

杜德美以其術授滿人明安圖，明安圖於乾隆初年，始著手編著「割圓密率捷法」一書，未脫稿而卒。其遺著「割圓密率捷法」卷一，有圓徑求周等九術。陳際新稱：「此九術內圓徑求周（I）、弦背求弦（II）、弧背求矢（III）三法，本泰西杜德美氏所著」，蓋以其餘六術爲明安圖所創立。但朱鴻、張豸冠、項名達、董祐誠、徐有壬、戴煦、丁取忠、夏鸞翔等，則皆通稱杜氏九術。九術者：

(1)圓徑求周

$$\pi d = d\left\{3 + \frac{3 \cdot 1^2}{4 \cdot \underline{|3}} + \frac{3 \cdot 1^2 \cdot 3^2}{4^2 \cdot \underline{|5}} + \frac{3 \cdot 1^2 \cdot 3^2 \cdot 5^2}{4^3 \cdot \underline{|7}} + \cdots\cdots\cdots \right\}$$

$$= 3d \sum_{n=1}^{\infty} \frac{1^2 \cdot 1^2 \cdot 3^2 \cdot 5^2 \cdots\cdots\cdots \cdot (2n-5)^2(2n-3)^2}{4^{n-1} \cdot \underline{|2n-1}}$$

或

$$\frac{\pi}{3} = 1 + \frac{1}{4} \cdot \frac{1^2}{\underline{|3}} + \frac{1}{4^2} \cdot \frac{1^2 \cdot 3^2}{\underline{|5}}$$
$$+ \frac{1}{4^3} \cdot \frac{1^2 \cdot 3^2 \cdot 5^2}{\underline{|7}} + \cdots\cdots\cdots \qquad (\text{I})$$

(2)弧背求正弦

$$\sin A = \frac{a}{r} - \frac{a^3}{\underline{|3} \cdot r^3} + \frac{a^5}{\underline{|5} \cdot r^5} - \frac{a^7}{\underline{|7} \cdot r^7}$$
$$- \frac{a^9}{\underline{|9} \cdot r^9} - \cdots\cdots\cdots$$
$$= \sum_{n=1}^{\infty} (-1)^{n-1} \frac{a^{2n-1}}{r^{2n-1} \cdot \underline{|2n-1}} \qquad (\text{II})$$

(3)弧背求正矢

$$\text{vers } A = \frac{a^2}{\underline{|2} \cdot r^2} - \frac{a^4}{\underline{|4} \cdot r^4} + \frac{a^6}{\underline{|6} \cdot r^6} - \frac{a^8}{\underline{|8} \cdot r^8}$$
$$+ \frac{a^{10}}{\underline{|10} \cdot r^{10}} - \cdots\cdots\cdots$$
$$= \sum_{n=1}^{\infty} (-1)^{n+1} \frac{a^{2n}}{r^{2n} \cdot \underline{|2n}} \qquad (\text{III})$$

(4)弧背求通弦

$$c = \frac{2a}{r} - \frac{(2a)^3}{4 \cdot \underline{|3} \cdot r^3} + \frac{(2a)^5}{4^2 \cdot \underline{|5} \cdot r^5}$$
$$- \frac{(2a)^7}{4^3 \cdot \underline{|7} \cdot r^7} + \frac{(2a)^9}{4^4 \cdot \underline{|9} \cdot r^9} - \cdots\cdots\cdots$$
$$= \sum_{n=1}^{\infty} (-1)^{n+1} \frac{(2a)^{2n-1}}{4^{n-1} \cdot r^{2n-1} \cdot \underline{|2n-1}} \qquad (\text{IV})$$

(5)弧背求矢

按弧背求矢即(3)的弧背求正矢，似嫌重複，姑照錄於下

$$\text{vers } A = \frac{(2a)^2}{4 \cdot \underline{|2} \cdot r^2} - \frac{(2a)^4}{4^2 \cdot \underline{|4} \cdot r^4}$$
$$+ \frac{(2a)^6}{4^3 \cdot \underline{|6} \cdot r^6} - \frac{(2a)^8}{4^4 \cdot \underline{|8} \cdot r^8} + \cdots\cdots\cdots$$
$$= \sum_{n=1}^{\infty} (-1)^{n+1} \frac{(2a)^{2n}}{4^n \cdot r^{2n} \cdot \underline{|2n}} \qquad (\text{V})$$

(6)通弦求弧背

$$2a = c + \frac{1^2 \cdot c^3}{4 \cdot \underline{|3} \cdot r^2} + \frac{1^2 \cdot 3^2 \cdot c^5}{4^2 \cdot \underline{|5} \cdot r^4}$$
$$+ \frac{1^2 \cdot 3^2 \cdot 5^2 \cdot c^7}{4^3 \cdot \underline{|7} \cdot r^6} + \frac{1^2 \cdot 3^2 \cdot 5^2 \cdot 7^2 \cdot c^9}{4^4 \cdot \underline{|9} \cdot r^8}$$

$$+\cdots\cdots$$

$$=\sum_{n=1}^{\infty}\frac{1^2\cdot3^2\cdot5^2\cdots(2n-5)^2(2n-3)}{4^{n-1}\cdot r^{2(n-1)}\cdot\underline{|2n-1}}$$

$$\cdot\,c^{2n-1}\qquad\qquad(\text{VI})$$

(7)正弦求弧背

$$a=\sin A+\frac{1^2\cdot\sin^3 A}{\underline{|3}\cdot r^2}+\frac{1^2\cdot3^2\cdot\sin^5 A}{\underline{|5}\cdot r^4}$$

$$+\frac{1^2\cdot3^3\cdot5^2\cdot\sin^7 A}{\underline{|7}\cdot r^6}+\cdots\cdots$$

$$=\sum_{n=1}^{\infty}\frac{1^2\cdot3^2\cdot5^2\cdot7^2\cdots\cdots(2n-5)^2(2n-3)^2}{r^{2(n-1)}\cdot\underline{|2n-1}}$$

$$\cdot\sin^{2n-1} A\qquad\qquad(\text{VII})$$

（VII）式爲於（VI）式中，置 $c=2\sin A$ 而得的。

(8)正矢求弧背

$$a^2=r\Big\{\Big(2\,\text{vers}\,A+\frac{1^2\cdot(2\,\text{ver}\,A)^2}{3\cdot4\cdot r}$$

$$+\frac{1^2\cdot2^2\cdot(2\,\text{vers}\,A)^3}{3\cdot4\cdot5\cdot6\cdot r^2}$$

$$+\frac{1^2\cdot2^2\cdot3^2\cdot(2\text{vers}\,A)^4}{3\cdot4\cdot5\cdot6\cdot7\cdot8\cdot r^3}+\cdots\cdots\Big\}$$

$$=2r\sum_{n=1}^{\infty}\frac{1^2\cdot2^2\cdot3^2\cdots(n-2)^2\cdot(n-1)^2}{r^{n-1}\cdot\underline{|2n}}$$

$$(2\text{vers}\,A)^n\qquad\qquad(\text{VIII})$$

(9)矢求弧背

$$(2a)^2=r\Big\{(8\,\text{vers}\,A)+\frac{1^2\cdot(8\,\text{vers}\,A)^2}{4\cdot3\cdot4\cdot r}$$

$$+\frac{1^2\cdot2^2\cdot(8\text{vers}\,A)^3}{4^2\cdot3\cdot4\cdot5\cdot6\cdot r^2}$$

$$+\frac{1^2\cdot2^2\cdot3^3\cdot(8\text{vers}\,A)^4}{4^3\cdot3\cdot4\cdot5\cdot6\cdot7\cdot8\cdot r^3}+\cdots\cdots\Big\}$$

$$=2r\sum_{n=1}^{\infty}\cdot\frac{1^2\cdot2^2\cdot3^2\cdots\cdots(n-2)^2(n-1)^2}{4^{n-1}\cdot r^{n-1}\cdot\underline{|2n}}$$

$$\cdot(8\text{vers}\,A)^n\qquad\qquad(\text{IX})$$

清朝的算學制度

清康熙帝於親自研習西算之餘，并注重數學教育。清「文獻通考」稱：「康熙九年諭：『天文關係重大，必選擇得人，令其專心學習，方能通曉精微。可選取官學生，與漢天文生，一同學習。有精通者，俟欽天監缺，考取補用。』尋禮部議，於官學生內，每旗選取十名，交欽天監分科學習。有精通者，俟滿、漢博士缺，補用。從之。」至康熙五十二年，始正式設立算學館。「會典事例」卷八百二十九，「國子監算學」條稱：「雍正三年，奏准康熙五十二年，設算學館於暢春園之蒙養堂，簡大臣官員精於數學者司其事，特命皇子親王董之，選八旗世家子弟，學習算法。又簡滿、漢大臣、翰林官，纂修『數理精蘊』、『曆象考成』、及『律呂正義』諸書，至雍正元年告成。御製序文，鐫版頒行。自明季司天失職，過差罕稽，至此而推步測驗，罔不協應。際此數理大備之時，正當淵源傳授，垂諸億萬斯年。應於八旗官學增設算學，教習十六人，教授官學生算法。每旗官學資質明敏者三十餘人，定以未時起，申時止，學習算法。」其制度則嘉慶二十三年續修「大清會典」卷六十一稱：「算學：管理大臣，滿州一人；教習，漢二人，掌教算法。（額設算學生，滿洲十二人，蒙古六人，月給銀一兩六錢；漢軍六人，月給銀一兩；漢六人，月給銀一兩五錢。凡線、面、體三部，各限一年通曉，七政共限二年通曉。每季小試，歲終大試，會同欽天監考試。五年期滿，管算學大臣會同欽天監考取。凡滿洲、蒙古、漢軍充補各旗天文生，漢人若舉人引見，以博士用；貢、監生、童，亦以天文生補用。其通經史者，照官學生例，俟考取監生時，咨送國子監，一例考驗。文理明通者，即爲監生。）」至乾隆三年，停止教授八旗官學算法，專設算學。清初算學制度，在當日雖無多大貢獻，但迄清朝中葉，尚未全廢，着實奠下了其後中算復興的良好基礎。

清初學者研究西算的成就

清初由於康熙帝親自研習西算，對於算學教育，鼓勵不遺餘力，風氣所趨，致國內學者，亦多精治西算，成就輝煌。此處特將其中最著名者的略歷及著作，分別介紹於下：

王錫闡

王錫闡字寅旭，號曉菴，又號餘不，再號天同一生

，吳江人。兼通中西科學，自立新法，用以測算日月食，不爽秒忽。每遇天色晴霽，輒登屋臥鴟吻間，仰察星象，竟夕不寐。著有「曉菴新法」六卷，「大統曆法啓蒙」五卷，「曆表」三卷，「雜著」一卷，共爲「曉菴遺書」四種十六卷，收入「木犀軒叢書」中。王氏考古法之誤而存其是，擇西說之長而去其短，依據圭表，改立法數，識者莫不稱善。

杜知耕

杜知耕字端甫，號伯瞿，柘城舉人。杜氏將利瑪竇與徐光啓共譯的「幾何原本」，加以刪削，作成「幾何論約」七卷。後附十條，卽其所作。計其法似爲本書所無，究其理實函各題之內，非能於本書之外，別生新義。又雜取諸家算法，參以西人學說，依古「九章」爲目，作成「數學鑰」六卷，言數非圖不明，圖非手指不明，圖中使用甲乙等文字來作標誌，功用就在代替手指，故其書對於圖解特詳。

李子金

李子金字子金，號隱山，柘城人。諸生。嘗與儕輩聚飲，鄰有高樓，子金以小尺就地上縱橫量之，使一人縋上，垂繘於地，試之不爽銖黍。又嘗渡河，睨視水面，卽能知水深淺。著有「算法通義」五卷，「幾何易簡集」四卷，及「天弧象限表」二卷。

黃宗羲

黃宗羲字太冲，號梨洲，餘姚人。博覽群書，兼通步算。著有「大統曆法辨」四卷，「時憲書法解新推交食法」、「圓解」、「割圓八線解」、「授時曆法假如」、「西洋曆法假如」、「回回曆法假如」各一卷。

梅文鼎

梅文鼎字定九，號勿菴，宣城人。兒時侍父士昌及塾師羅王賓，仰觀星象，知其大略。年二十七，師事竹冠道士倪觀湖，受麻孟璇所藏「台官交食法」，與弟文鼐、文鼏共習之，稍稍發明其所以立法之故。補其遺缺，著成「曆學駢枝」二卷，後增爲四卷，倪爲首肯。自此遂有學曆之志，値書之難讀者，必欲求得其說，往往至廢寢忘食。殘編散帖，手自抄集；一字異同，不敢忽過。疇人子弟及西域官生，皆折節造訪。人有問者，亦詳告之無隱，期與斯世共明之。所著曆算等書，凡八十餘種。今所傳者，以承學堂所刻「梅氏叢書輯要」三十九種爲最完備。其關於算數者，皆整理西算之作，計有：「籌算」三卷，「平三角舉要」五卷，「弧三角舉要」五卷，「方程論」六卷，「勾股舉隅」一卷，「幾何通解」一卷，「幾何補編」四卷，「少廣拾遺」一卷，「筆算」五卷，「環中黍尺」五卷，「塹堵測量」二卷，「方圓冪積」一卷。弟文鼐、文鼏，子以燕，孫瑴成、玕成，曾孫鈖、鈺、鉁、鈁、鏐、鉽等，幷通數學，而以瑴成爲尤著。

梅瑴成

梅瑴成字玉汝，號循齋，又號柳下居士，文鼎之孫。康熙乙未進士，累官至左都御史。讀書內廷，多見秘籍。益以家學淵源，故對於數學，造詣甚深。御製「數理精蘊」、「曆象考成」諸書，皆參與分纂。所著有「增刪算法統宗」十一卷、「赤水遺珍」一卷、「操縵卮言」一卷。明朝算家不解立天元術，瑴成始指出天元一，卽西法的借根方。其說曰：「嘗讀『授時曆草』求弦矢之法，先立天元一爲矢；而元學士李冶所著『測圓海鏡』，亦用天元一立算，傳寫魯魚，算式訛舛，殊不易讀。前明唐荊川（順之）、顧箬溪（應祥）兩公，互相推重，自謂得此中三昧。荊川之說曰：『藝士著書，往往以秘其機爲奇，所謂立天元一云爾，如積求之云爾，漫不省其爲何語。』而箬溪則言：『細考「測圓海鏡」，如求城徑，卽以二百四十爲天元，半徑卽以一百二十爲天元，旣知其數，何用算爲？似不必立可也。』二公之言如此，余於顧說頗不謂然，而無以解也。後供奉內廷，蒙聖祖仁皇帝授以借根方法，且諭曰：『西洋人名此書爲阿爾熱八達，譯言東來法也。』敬受而讀之，其法神妙，誠算法之指南。而竊疑天元一之術，頗與相似，復取『授時曆草』觀之，乃渙如冰釋。殆名異而實同，非徒曰似之已也。夫元時學士著書，台官治曆，莫非此物，不知何故，遂失其傳。猶幸遠人慕化，復得故物，東來之名，彼尙不能忘所自，而明人視爲贅疣，而欲棄之。噫！爲學深思如唐、顧二公，猶不能知其意，而淺見寡聞者，又何足道哉！何足道哉」其對前朝冒牌學人，淺見寡識，不解祖先豐功偉績，將其發明的學術重寶，竟爾忘加毀棄，感慨之深，於此可見。

年希堯

年希堯字允恭，廣寧人。以西人測算之切要者，摘錄刊布，成「測算刀圭」三卷。一曰「三角法摘要」，一曰「八線眞數表」，一曰「八線假數表」。又有「面

體比例便覽」一卷、「對數表」一卷、「對數廣運」一卷。

陳厚耀

陳厚耀字泗源，號曙峯，泰州人。康熙丙戌進士，承康熙帝青睞，親自教授西算，學問大進。所著天文曆算書籍甚夥，關於數學的，有「續增新法比例」四十卷。

陳訏

陳訏字言揚，海寧人。由貢生官淳安縣學教諭，著有「勾股引蒙」五卷，「勾股述」二卷。

莊享陽

莊享陽字元仲，南靖人，康熙戊戌進士，官至淮徐海道。享陽自部曹出董河防，於高深測量之宜，隨事推究，因筆之於書。其後人取遺稿裒輯，爲書八卷，名曰「莊氏算學」。

屠文漪

屠文漪字藕洲，松江人，著有「九章錄要」十二卷。

王元啓

王元啓字宋賢，嘉興人，乾隆辛未進士，知將樂縣，熱心於律曆勾股之學。著書已刻者爲「惺齋雜著」，未刻者有「曆法記疑」、「勾股術」、「角度術」、「九章雜論」等各種。而「勾股術」一書，因繁求簡，最爲清晰。書分甲乙丙三集，甲集術原三卷，乙集綱要二卷，丙集析義四卷。

江永

江永字愼修，婺源人。讀梅文鼎書，有所發明。其所著「數學」八字；一曰數學補論，一曰歲實消長辨，三曰恒氣註術辨，四曰多至權度，五曰七政衍，六曰金水發微，七曰中西合法擬草，八曰算賸。又「續數學」一卷，曰正孤三角疏義，分支列目，以補算賸所未盡。是書初名翼梅，同郡戴震傳永之學，復爲訂定，改今名。所著又有「推步法解」五卷，後震携永書入都，無錫秦尚書蕙田見而奇之，撰「五禮通考」，摭拾其說入觀象授時一類，而對「推步法解」，并轉載其全書。

何夢瑤

何夢瑤字報之，號西池，南海人。雍正八年進士，改知縣分發廣西，後遷奉天遼陽州知州，引疾歸。富於

著述，旁通百家。合錄「精蘊」、「考成」、及「統宗」、與梅氏書諸成編要法，成「算廸」十二卷、「三角輯要」一卷。同縣人伍紫垣氏，刻入嶺南遺書中。

李長茂

著有「算法說詳」九卷，梅文鼎謂爲亦有發明，而不能具「九章」。

毛宗旦
著有「九章蠡測」十卷，「勾股蠡測」一卷。

陳鶴齡
著有「算法正宗」四卷。

程錄
著有「西洋算法大全」四卷。

譚文
著有「數學尋源」十卷。

陳世仁尖錐法

陳世仁字元之，號煥吾，海寧人。好學，工於爲文，精曉算學。康熙乙未，以進士入翰林，辭官養母。著有「少廣補遺」一卷，專明堆積之法。原書共分七節，其第一節論「三角及諸尖十二法」，如：

(1)平尖　$1+2+3+\cdots\cdots+n=\dfrac{n(n+1)}{2}$

(2)立尖　$1+3+6+\cdots\cdots+(1+2+\cdots\cdots+\overline{m-1})$
$$=\dfrac{m^3-m}{6},\quad m=n+1$$

(3)倍尖　$1+2+4+\cdots\cdots+2^{n-1}=2^n-1$

(4)方尖　$1^2+2^2+3^2+\cdots\cdots+n^2$
$$=\dfrac{n(n+1)(2n+1)}{6}$$

(5)再乘尖　$1^3+2^3+3^3+\cdots\cdots+n^3$
$$=\{\dfrac{n(n-1)}{2}\}^2$$

(6)抽奇平尖　$2+4+6+\cdots\cdots+2n=n(n+1)$

(7)抽偶平尖　$1+3+5+\cdots\cdots+\overline{2n-1}=n^2$

(8)抽奇立尖　$2(1)+2(1+2)+2(1+2+3)$
$$+\cdots\cdots+2(1+2+3+\cdots\cdots+$$
$$\overline{m-1})=\dfrac{m^3-m}{3}$$

(9)抽偶立尖　$(1)+(1+3)+(1+3+5)\cdots+$
$$(1+3+5+\cdots\cdots+\overline{2n-1})$$
$$=\dfrac{n}{3}(n^2+\dfrac{3}{2}n+\dfrac{1}{2})$$

(10)抽偶方尖　$1^2+3^2+5^2+\cdots\cdots+\overline{2n-1}^2$

$$=\frac{n}{3}(4n^2-1)$$

(11)抽偶再乘尖　$1^3+3^3+5^3+\cdots\cdots+\overline{2n-1}^3$

$$=n^2(2n^2-1)$$

(12)抽奇再乘尖　$2^3+4^3+6^3+\cdots\cdots+\overline{2n}^3$

$$=2n^2(n+1)^2$$

其第五節論「開抽偶立尖半積」，謂：

(1)　$(1+3+5)_1+(1+3+5)_2+(1+3+5$
$+7)_3+(1+3+5+7)_4+$
$(1+3+5+7+9)_5+(1+3+5+7$
$+9)_6+\cdots\cdots+(1+3+5+\cdots\cdots$
$+m)_{n-1}+(1+3+5+\cdots\cdots+m)_n$

$$=\frac{m^2n}{4}-\frac{mn}{2}(\frac{n-4}{2})$$

$$+\frac{n^3-6n^2+11n}{12}\qquad n\text{ 為偶數}$$

(2)　$(1+3+5)_1+(1+3+5+7)_2$
$+(1+3+5+7)_3+(1+3+5+7$
$+9)_4+(1+3+5+7+9)_5$
$+(1+3+5+7+9+11)_6+\cdots\cdots$
$+(1+3+5+\cdots\cdots+\overline{m-2})_{n-1}$
$+(1+3+5+\cdots\cdots+m)_n$

$$=\frac{m^2n}{4}-\frac{mn}{2}(\frac{n-2}{2})$$

$$+\frac{n^3-3n^2+5n}{12}\qquad n\text{ 為偶數}$$

(3)　$(1+3+5)_1+(1+3+5+7)_2$
$+(1+3+5+7)_3+(1+3+5+7$
$+9)_4+(1+3+5+7+9)_5$
$+(1+3+5+7+9+11)_6+\cdots\cdots$
$+(1+3+5+\cdots\cdots+m)_{n-1}$
$+(1+3+5+\cdots\cdots+m)_n$

$$=\frac{m^2n}{4}-\frac{m(n^2-4n+1)}{4}$$

$$+\frac{n^3-6n^2+14n-6}{12}\qquad n\text{ 為奇數}$$

(4)　$(1+3+5)_1+(1+3+5)_2$
$+(1+3+5+7)_3+(1+3+5+7)_4$
$+(1+3+5+7+9)_5+(1+3+5$
$+7+9)_6+\cdots\cdots+(1+3+5+\cdots\cdots$

$+\overline{m-2})_{n-1}+(1+3+5+\cdots\cdots m)_n$

$$=\frac{m^2n}{4}-\frac{m(n^2-2n-1)}{4}$$

$$+\frac{n^3-3n^2+2n+3}{12}\qquad n\text{ 為奇數}$$

第六節論「開抽奇立尖半積」，則謂：

(1)　$(2+4+6)_1+(2+4+6)_2$
$+(2+4+6+8)_3+(2+4+6+8)_4$
$+(2+4+6+8+10)_5+(2+4+6$
$+8+10)_6+\cdots\cdots+(2+4+6+\cdots\cdots$
$+m)_{n-1}+(2+4+6+\cdots\cdots+m)_n$

$$=\frac{m^2n}{4}-\frac{mn}{2}(\frac{n-4}{2})$$

$$+\frac{n^3-6n^2+8n}{12}\qquad n\text{ 為偶數}$$

(2)　$(2+4+6)_1+(2+4+6+8)_2$
$+(2+4+6+8)_3+(2+4+6+8+$
$+10)_4+(2+4+6+8+10)_5$
$+(2+4+6+8+10+12)_6+\cdots\cdots$
$+(2+4+6+\cdots\cdots+\overline{m-2})_{n-1}$
$+(2+4+6+\cdots\cdots+m)_n$

$$=\frac{m^2n}{4}-\frac{mn}{2}(\frac{n-2}{2})$$

$$+\frac{n^3-3n^2+2n}{12}\qquad n\text{ 為偶數}$$

(3)　$(2+4+6)_1+(2+4+6+8)_2$
$+(2+4+6+8)_3+(2+4+6+8$
$+10)_4+(2+4+6+8+10)_5$
$+(2+4+6+8+10+12)_6+\cdots\cdots$
$+(2+4+6+\cdots\cdots+\overline{m-2})_{n-1}$
$+(2+4+6+\cdots\cdots+m)_n$

$$=\frac{m^2n}{4}-\frac{m(n^2-4n+1)}{4}$$

$$+\frac{n^3-6n^2+11n-6}{12}\qquad n\text{ 為奇數}$$

(4)　$(2+4+6)_1+(2+4+6)_2$
$+(2+4+6+8)_3+(2+4+6+8)_4$
$+(2+4+6+8+10)_5+(2+4+6$
$+8+10)_6+\cdots\cdots$
$+(2+4+6+\cdots\cdots+\overline{m-2})_{n-1}$

$$+(2+4+6+\cdots\cdots+m)_n$$

$$=\frac{m^2 n}{4}-\frac{m(n^2-2n-1)}{4}+\frac{n^3-3n^2-n+3}{12} \qquad n\text{爲奇數}$$

其第七節「立尖準諸尖」內，又舉「抽偶方尖準立尖」一式，如

$$1+(1+9)+(1+9+25)+\cdots\cdots+(1+9+25+\cdots\cdots+\overline{2n-1}^{\,2})$$

$$=\frac{1}{3}\{n^2(n+1)^2-\frac{1}{2}n(n+1)\}\;,$$

并爲前人所未述。

張潮縱橫圖

張潮字山來，一字心喬，歙縣人。以歲貢官翰林院孔目。所著「心齋雜俎」卷下，「算法圖補」謂：

「『算法統宗』所載十有四圖，縱橫斜正，無不妙合自然，有非人力所能爲者，大抵皆從洛書悟而得之。內惟百子圖於隅徑不能合，因重加改定。復以意增布雜圖，亦皆有自然之妙。乃知人心與數理相爲表裏，引而伸之，當猶有不盡於此者，姑即其已然者列於後。」茲摘錄他的數圖如下：

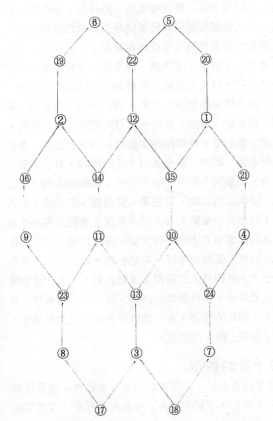

龜文聚六圖

二十四子作四十二子用，各七十五數。

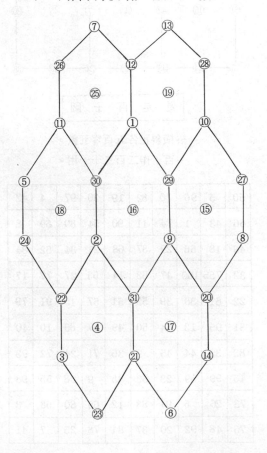

七襄圖

三十一子作四十九子用，各百十二數

九　宮　圖

四十九子作八十一子用，各二百二十五數。

11	32	6	29	8	20	40
27	13	35	18	10	26	33
44	9	48	25	46	37	5
28	41	1	4	47	21	17
39	12	3	49	2	14	36
31	15	42	23	7	45	30
16	24	43	22	34	19	38

更 定 百 子 圖

縱橫斜正各五百零五數，
一百子作二百二十子用。

60	5	96	70	82	19	30	97	4	42
66	43	1	74	11	90	54	89	69	8
46	18	56	29	87	68	21	34	62	84
32	75	5	100	47	63	14	53	27	77	17
22	61	38	39	52	51	57	15	91	79
31	95	13	64	50	49	67	86	10	40
83	35	44	45	2	36	71	24	72	93
16	99	59	23	33	85	9	28	55	98
73	26	6	94	88	12	65	80	58	3
76	48	92	20	37	81	78	25	7	41

玖、復興時期

這個時期，起自乾隆三十七年下詔求書，翌年開辦四庫全書館，迄同治十三年白芙堂算學叢書二十三種刻成止，爲期約計一百餘年。蓋因西算輸入，延至乾隆初年，業已告一段落，此後清室朝野上下，即行銳意復古。「算經十書」以及宋、元期間各種著名算書，既經傳刻於前，復加註釋於後，行銷海內，一時洛陽紙貴經乾隆六年，經筵講官、南書房行走、戶部左侍郎、兼管國子監算學阮元并著手撰寫「疇人傳」，將我國歷代數學家業績，一一表揚出來。除了他的學生李銳、周治平相助校錄外，一時善算如錢大昕、凌廷堪、談泰、焦循等，也莫不代爲印正。該書於嘉慶四年完成，共計四十六卷。其經復經羅士琳一續，諸可寶再續，黃鍾駿三續，蒐羅宏富，內容完備，蔚然成爲我國第一部數學史的偉大鉅著。宋、元舊算經加此提倡鼓勵後，研習者日衆，著作風起雲湧，對於先哲遺業，盡力發揚光大，使中算在各種科學中，又復呈現一枝獨秀之勢。同時亦因明末清初所輸入西算，往往不說明理由，至此對之抱不滿態度蓄意加以補充的，更大有人在。論幾何，則李潢、安清翹、項名達輩的証明勾股弦定理（即西洋的畢氏定理）；其他如項名達的「平三角和較術」，孔廣森、董祐誠、戴煦、丁取忠、李善蘭、徐有壬、夏鸞翔等的圓率解析法証明，以及安清翹、左潛輩三角法公式的証明，亦莫不需要幾何的幫助。此外，論曲線的，有朱鴻、董祐誠、項名達、戴煦、徐有壬、夏鸞翔等；論方程的，有汪萊、鄒伯奇、夏鸞翔等；論級數的，有汪萊、董祐誠、項名達、戴煦、羅士琳等；論對數的，有李善蘭、鄒伯奇、顧觀光、戴煦、徐有壬等；論縱橫圖的，有保其壽；論弧三角法的，有汪萊、安清翹、董祐誠、項名達等；皆爲其中犖犖大者。又李善蘭、華衡芳的譯述西算，亦爲清季中算中的一件大事。譯述之物，并曾遠道流傳至日本。是時清室國祚時感動搖，說者雖群言興學，而士大夫祇視爲入官捷徑，成效甚微，不久，清室屋後，民國肇興，以世界潮流所趨，我中華固有算學，遂即步入一個新的時代，和各國數學合流，完全世界化，達到了學術上的大同境域。

算經十書的傳刻

爲了復古起見，這個時期的第一步動作，就是傳刻「算經十書」。「算經十書」在明末，僅有「周牌算經」、「數術記遺」刻入了「秘冊彙函」和「唐宋叢書」中。入清則「圖書集成」也僅採及程大位的「算法統宗

」，而置「算經十書」於不顧。此外，常熟毛晉收得有「孫子」、「五曹」、「張丘建」、「夏侯陽」、「周髀」、「緝古」、「九章」等七經，皆元豐秘書省刊本，於康熙甲子年曾作算經跋紀錄其事，并影摹了一份入官。乾隆三十七年下詔求書，各省并有進獻。翌年開四庫全書館，「四書全庫」天文算法類，收有「算經十書」及「數學九章」、「測圓海鏡」等古代算書多種。此項古代算書，多由戴震於「永樂大典」中輯出。乾隆三十九年十月三十日，戴震與段玉裁書稱：「數月來纂次『永樂大典』散篇，於算書得『九章』、『海島』、『孫子』、『五曹』、『夏侯陽』五種，因絡續校上。」其「周髀算經」二卷，「晉義」一卷，「五經算術」二卷，亦係輯自「永樂大典」。乾隆三十九年以後，全簡絡續仿宋人活字版式，選刻「四庫全書」前後凡一百三十八種，并刻「周髀」、「九章」、「孫子」、「海島」、「五曹」、「夏侯陽」、「五經算術」等七種算經。江蘇、浙江、江西、建州、廣州各處，曾加翻刻。一時名士如朱彝尊、臧琳、盧文弨、王鳴盛、戴震、程瑤田、馮經、李潢、孔繼涵、吳烺、顧觀光、鄒伯奇、孫詒讓等，并競爲圖註題跋傳世。「四庫全書」當時分貯七閣，今將各本校上年月，開列於下：

文津本：

乾隆四十九年十一月校上「周髀算經」。

乾隆四十年四月校上「九章算經」。

乾隆四十八年八月校上「夏侯陽算經」

乾隆四十八年八月校上「張丘建算經」

乾隆四十九年閏三月校上「五曹算經」

乾隆四十九年十月校上「五經算術」

乾隆四十九年七月校上「數術記遺」

乾隆四十九年八月校上「緝古算經」

乾隆四十年十月校上「孫子算經」

文瀾本：

乾隆五十二年二月校上「周髀算經」

乾隆五十年五月校上「夏侯陽算經」

乾隆五十二年三月校上「張丘建算經」

乾隆五十一年六月校上「五曹算經」

聚珍本：

乾隆四十一年二月校上「夏侯陽算經」

乾隆四十一年六月校上「五曹算經」

乾隆三十九年十月校上「五經算術」

乾隆四十一年二月校上「孫子算經」

乾隆四十年四月校上「海島算經」

餘尚待考。曲阜孔繼涵則於乾隆三十八年，據毛氏影摹宋刻「孫子」、「五曹」、「張丘建」、「夏侯陽」、「周髀」、「緝古」等算經，及「永樂大典」本「海島」、「五經」、「九章」諸算經經過戴震校訂者，附加戴震所著「策算」、「勾股割圖記」三卷，刻入「微波榭叢書」中，稱爲「算經十書」。同時常熟屈曾發於乾隆四十一年，刻「九章算術」及「海島算經」，戴震曾爲之作序，但未有附圖。歙人鮑廷博亦於乾隆四十一年以後，刻「知不足齋叢書」，所收算經計有「五曹」、「孫子」、「張丘建」、「緝古」等四種，并以宋刻本爲藍本。

宋元算學的研討

清初宋元算書，著錄於「四庫全書」者，有「數學九章」、「測圓海鏡」、「益古演段」三種。至於「四元玉鑑」一書，梅瑴成尚及見之，但尚無刻本行世。乾隆四十一年以後，歙人鮑廷博刻「知不足齋叢書」，於傳刻「五曹」、「孫子」、「張丘建」、「緝古」四經外，并於嘉慶二年，校刻李冶的「益古演段」，嘉慶三年校刻李冶的「測圓海鏡」，而楊輝的「續古摘奇算法」、丁巨的「丁巨算法」、無名氏的「透簾細草」等殘本，亦於此時傳刻。各書除李冶二種出於「四庫全書」外，餘則錄自「永樂大典」。是時孔廣森因王氏「緝古」、秦氏「數學」、李氏「演段」、「海鏡」諸書，著爲「少廣正負術內外篇」凡六篇。又擬註「測圓海鏡」，未竟而卒。李銳亦治宋元算法，曾校「測圓海鏡」，推算立天元一細草。又校「益古演段」三卷，自著「方程新術草」一卷，「勾股算術細草」一卷，「弧矢算術細草」一卷，校「楊輝算法」若干卷，及四庫館本「數學九章」。銳復因秦九韶方法，作「開方說」三卷，甫及上中二卷而卒。先是阮元視學浙江，從文瀾閣「四庫全書」內，抄得「測圓海鏡」一本，又得丁杰藏本，囑李銳校一過。嘉慶二年校成，翌年刻入「知不足齋叢書」第二十集中。傳是樓藏有「四元玉鑑」，其書晚出。李銳雖亦見及，時已疾作，校讎數段，僅及天元。阮元繼續發見朱世傑所著「算學啓蒙」、及「四元玉鑑」。其「四元玉鑑」一書，先收入清宮，有提要一篇，刻於「研經堂外集」中。一時戴煦、沈欽裴、羅士琳等輩，并對此書加以註釋。戴煦著「四元玉鑑細草」若干卷，圖解明暢。淑浦陳棠受業於新化鄒伯宗，曾於其處見到戴氏「玉鑑細草」抄本。沈欽裴亦著有「四元玉鑑細草」，至癸未夏中止，僅及中卷而欽裴已補荊溪教官，此

事遂寢。計共成四冊,張文虎尚及見之。羅士琳於道光壬午試京兆,始於漢陽葉繼雯處,見到「四元玉鑑」原書。癸末假得黎應南所藏抄本,同時襲自珍又以何元錫刻見贈,乃著手為之補草。研究一紀,計自道光三年起,迄十五年止,全草補成,合成「四元玉鑑細草」二十四卷,前有道光十五年校勘記一篇。羅草於道光十五年畢事,再過三年增訂,由同邑易之瀚校算。一時知算如徐有壬、黎應南等,并參與商榷。羅有增補開方、天元、四元、釋例共一卷,易有開方、天元、四元、釋例三則共一卷,附於「細草」之後。羅除細草「四元」外,又校正朝鮮重刊本「算學啓蒙」三卷。此書連同羅自著其他各書,一併彙刻入「觀我生室彙稿」中。又「勾股截積和較算例」二卷,刊入「連筠簃叢書」內。道光二十年以後,上海郁松年於「宜稼堂叢書」中,傳刻了宋秦九韶「數書九章」十八卷,及「楊輝算法」五種六卷。宋景昌有「楊輝算法札記」一卷,「數學九章札記」四卷,「詳解九章算法札記」一卷。就中「楊輝算法」雖非全帙,而在此五十餘年間,宋、元算書的傳刻與研討,可謂達到了最高峯。

中算復興功臣點將錄

(一)戴震

戴震字東原,休寧人。乾隆壬午舉人,壬辰歲詔開四庫館,震以薦入館,充任校理。命與會試中式者同赴廷對,欽賜翰林院庶吉士,未及散館而卒,年五十有五。西法三角八線,即古代勾股弧矢,自西學盛行,古法轉昧,震取梅文鼎所著「三角法要」,舉「塹堵」、「測量」、「環中黍尺」三書之法,易以新名,飾以古義,作成「勾股割圓記」三篇。又著「續天文略」三卷,或補通志所闕遺,或賡續其所未及,凡占變推步,則不與焉。震在四庫館,分校天文、算法書甚夥,其「海島算經」、「五經算術」二種,則由震在「永樂大典」中,掇拾殘賸,集合而成。曲阜孔繼涵以震所校「周髀算經」、「周髀音義」、「九章算術」、「九章音義」、「海島算經」、「孫子算經」、「五曹算經」、「夏侯陽算經」、「張丘建算經」、「五經算術」、「緝古算經」、「數術記遺」,兼震所撰的「九章算術補圖」、「算策」、「勾股割圓記」等,合而刻之,即現今所傳的算經十書」。

(二)孔廣森

孔廣森字眾仲,號撝約,又號顨軒,曲阜人。孔子後裔,生而穎異,年十七,舉於鄉。乾隆三十六年成進士,官檢討,丁內艱,陳情歸養。築儀鄭堂,讀書其間,因心儀鄭氏之學也。旋遭家難,以父所著為族人所訟,將西戍塞外。廣森扶病走江淮河洛間,稱貸四方,納贖鍰,父始獲宥。未幾居大母與父憂,竟以毀卒,年僅三十有五。少嘗師事休寧戴震,得盡傳其學。及官翰林,與窺中秘,得見王孝通「緝古算法」、秦九韶「數書九章」,李冶「益古演段」、「測圓海鏡」諸書。由是精研九數,學益大進,著有「少廣正負術」內外篇六卷。內篇討論平、立三乘方諸開法,分上中下三卷。外篇卷上曰割圓弧矢,曰新設三角法,曰方田雜法,曰推秦氏方針求圓算草,曰堆垛;卷中為勾股和較難題:曰勾股冪難題,曰勾股邊冪相求難題,曰勾股容方難題,曰勾股中長難題,曰勾股不同式難題;卷下曰斜方補問,末附訂正「算法統宗」求築隄法一則,要皆發前人所未發。其餘著作尚多,茲不備述。

(三)阮元

阮元字伯元,號雲台,亦號芸台,晚自號頤性老人,儀徵人。既冠,舉於鄉,乾隆五十四年成進士,改翰林院庶吉人,散館第一,授編修。五十六年大考翰詹,卷呈御覽,改擢第一,超授少詹事南書房行走。夏至前二日,於乾清宮西暖閣召見,問及書畫天文算學等事,旋升簷事。五十八年提督山東學政,六十年調任浙江,遷內閣學士。嘉慶二年在浙,始與元和李茂才銳商纂「疇人傳」,至庚午歲乃寫定。三年補侍郎,任滿還朝,歷兵、禮、戶三部,命管理國子監算學。五年授浙江巡撫,最後累官至體仁閣大學士,管理兵部。道光十八年,老病乞休,予告致仕,晉加太子太保銜,在籍食大學士半俸。二十九年十月,無疾而終,年八十有六,諡文達。迹阮氏生平,於學無所不窺,亦無所不善,博聞好問,耄而彌篤。其創立「疇人傳」也,甄錄自黃帝以來,得二百八十人。匯萃群籍,篇帙浩繁。自起凡例,擇友人子弟分任之,而親加朱墨,改訂甚多。溯古今沿革之原,究中西異同之故,綜算氏大名,紀步天正軌,至今游藝之士,莫不奉為南針。

(四)李潢

李潢字雲門,鍾祥人。乾隆三十六年進士,由翰林官至工部左侍郎。博綜群書,尤精算學。推步律呂,俱臻微妙。著有「九章算術細草圖說」九卷,附「海島算經」一卷,共十卷。潢又嘗因古「算經十書」中,「九

章」外最著者，莫如王孝通的「緝古」，唐制開科取士，獨「緝古」四條，限以三年，誠以是書隱奧難通；世所傳長塘鮑氏、曲阜孔氏、羅江李氏各刻本，又悉依汲古閣毛影宋本，祇有原術文，而未詳其法，且復傳寫脫誤，雖經陽城張氏以天元一術推演細草，但天元一術創自宋元時人，充在王氏之後，似非此書本旨，受本「九章」古義，爲之校正。凡其誤者糾之，闕者補之，著「緝古經算考注」二卷，以明斜袤廣狹，割截附帶，分并虛實之原，務求其術乃止。稿未成而歿。

(五)李銳

李銳字尙之，號四香，元和縣學生員。幼聰敏，有過人之資。從書塾中檢得「算法統宗」，心通其義，遂爲「九章」、八線之學。因受經於少詹事錢大昕，得中西異同之奧，於古曆尤深。彼時大昕爲當代通儒第一，生平未嘗輕易許人，獨於銳則以爲勝己，故其時有南李、北李之稱。北李謂李潢，以潢爲楚北人，南李則指銳。大昕晚年，主講紫陽書院，日以翻閱群書校讎爲事，遇有疑義，輒與銳商榷。由是四方學者莫不爭相接納，凡有詰者，銳亦詳告無隱。梅文鼎未見古「九章」，其所著「方程論」，率皆以臆剏補，然又囿於西學，致悖直除之旨。銳尋究古義，探索本原，變通簡捷，以舊術列於前，別立新術附於後，著「方程新術草」，以期古法共明於世。古無天元一術，其始見於李冶「測圓海鏡」、「益古演段」二書。元郭守敬用之以造授時曆草，而明學士顧應祥不解其旨，妄刪細草，遂致是法失傳。自梅瑴成悟其即爲西法借根方，於是李書乃得重視於世。長塘鮑廷博因欲將梅著刻入「知不足齋叢書」，囑銳校註。銳詳細釐定，凡傳寫舛誤，及祕奧難知者，計加案百餘條。其有原術不通者，則別設新術。更於梅說外，辦得天元之相消，有減無加，與借根方的兩邊加減法，略有不同。且不滿顧氏所著「勾股」、「弧矢」兩算術，謂弧矢肇於「九章」方田，北宋沈括以兩矢冪求弧背，元李冶用三乘方取矢度，引伸觸類，厥法蓁詳。顧氏如積未明，開方徒衍，不亦愭乎？爰取弧矢十三術，入以天元，著「弧矢算術細草」。并倣照演段例，括勾股和較六十餘術，著「勾股算術細草」，以開導學習天文者的先路。又從同里顧千里處，得秦九韶「數學九章」，見其亦有天元一名稱，而其術則置奇於右上，定於右下，立天元一於左上，先以右上除右下，所得商數，與左上相生，入於左下，依次上下相生，至右上末後奇一而止。乃驗左上所得以爲乘率，與李書立天元一於太極

上，如積求之，得寄左數，與同數相消之法不同。因知秦書乃大衍求一中的又一天元。秦與李雖屬同時代人物，而宋與元則南北隔絕，兩家學術，無緣流通，蓋各有所授也。銳勤於探討，每得一書，其有關曆數者，必廣搜博探，窮幽極微，取其精華，以資會通輔益，從不肯輕易放過。嘉慶初，內閣阮學士元提學浙江，常延銳至杭，問以天算。因欲撰「疇人傳」，開列古今中西人數，及應探史傳天算各書，囑銳編纂，商加論訂。及撫浙，又令門生天台周治平相助，編寫諸書及西法諸書，成「疇人傳」四十卷，久刊行世。銳又因秦九韶之法，著「開方說」三卷，甫及上中二卷而卒。其徒黎應南續成下卷，與「方程新術草」等書，共刻爲「李氏遺書」行世。

(六)汪萊

汪萊字孝嬰，號衡齋，歙縣人。年十五，補博士弟子，嘉慶十二年以優貢生入都，考取八旗官學教習。萊力通經史百家，及推步曆算之術。時御史徐國楠奏請續修天文時憲二志，經大學士首舉其與徐準宜、許湛入館纂修，十四年書成。客江淮時，與焦循、江藩、李銳辯論宋秦九韶、李冶立天元一，及正負開方諸法，天性敏捷，極能攻堅。不肯苟於著述，凡所言皆人所未言，與夫人所不能言。著有「衡齋算學」七冊，考定「通藝錄磬氏倨句解」一冊。未刊者有「參兩算經」、「十三經註疏正誤」、「說文聲類聲譜」、「今有錄」、「衡齋詩文集」、及「續修歙縣志」、「纂修天文時憲二志」諸書。

(七)焦循

焦循字理堂，號里堂，江都人。生而穎異，年十七應童子試。時諸城劉文清督學江蘇，因見詩中有稺曆字，詢以何本。循舉文藝桃花賦對，兼述其音義，因取入邑庠。并勗之云，不學經？何以足用。盍以學賦者學經！時與化顧九苞以經學名世，循遂往就問難，始用力於經。又因九苞子超宗貽以「梅氏叢書」，復用力於算。性旣專，兼善苦思，以故經史曆算聲音訓詁諸學，無所不精。淡於仕進，一志著述。嘗以梅文鼎「弧三角舉要」環中黍尺，撰非一時，複雜無次；戴震「勾股割圓記」務爲簡奧，變易舊名，因撰「釋弧」三卷。上篇釋六觚八線之義，中篇釋正弧弦切、及內外垂弧之用，下篇釋次形及矢較之術。錢大昕稱是書於正弧、斜弧、次形、矢較之用，理無不包，法無不備。循又撰「釋輪」二

卷，上篇言諸輪的異同，下篇言弧角的變化，以明立法之意。循謂康熙甲子元用諸輪法，雍正癸卯元用橢圓法，蓋實測隨時而差，則立法亦隨時而改。顧其義蘊深密，未易尋究，謹擇其精要，析而明之，庶幾便於初學，爲撰「釋橢」一卷。又謂劉氏徽註「九章算術」，猶許氏愼撰「說文解字」，講六書者不能舍許氏之書，講「九章」者不能棄劉氏之作。「九章」之目雖多，其綱總不外乎加減乘除四法，四法之雜於「九章」，不啻六書之聲雜於各部，故同一今有之術，用於衰分，復用於粟米；同一齊同之術，用於方田，復用於均輸；同一弦矢之術，用於勾股，復用於少廣；而立方之上，不詳三乘以上之方；四表之測，未盡三率相求之例。踵其後者，又截粟米爲貴賤差分，移均輸爲疊借互徵，名目既繁，本原益晦。蓋「九章」不能盡加減乘除之用，而加減乘除可以通「九章」之窮。「孫子」、「張丘建」兩書，似得此意，乃說之不詳。因本劉氏書以加減乘除爲綱，以九章分註而辨明之，撰「加減乘除釋」八卷。循又嘗與李銳、汪萊討論宋秦九韶「數學九章」、及元李冶「測圓海鏡」、「益古演段」諸書，因知立天元一爲算家至精之術，秦書雖亦有立天元一之名，而義與李殊。考銳所校「海鏡」、「演段」二書，專主辨別天元借根之殊，故但指其大概之所近，其於盈朒和較之理，究未析其微芒之所分。乃復貫通其理，舉而明之，撰「天元一釋」二卷、「開方通釋」一卷，以述兩家之學。又謂梅文鼎以「少廣拾遺」發明諸乘方，於正負加減之際，闕而未備，故其廉隅繁瑣，步算既難，並且莫適於用。近讀秦書，其中有開方法，既精且簡，不特與「測圓海鏡」相表裏，究其原本，實屬古代「九章」的遺規。竊以乘除之法，負販皆知，至開正負帶縱諸乘方，則儒者竭精敝神，或有未能了者。使知秦氏此法，則自一乘以至百乘、千乘，庶幾一以貫之，爰列爲十二式，設問以明之。此外著作，仍不下數百卷，茲不具錄。

(八)董祐誠

董祐誠字方立，陽湖人。嘉慶三十三年應順天鄉試，中式經魁。初名曾臣，鄉試後始更今名。幼穎異，進止凝然，不苟言笑。狷急而訥於言辭，書籍之外，一無所嗜。舉世之書，無所不讀。尤有過人之才，凡他人所不能探索者，祐誠稍一過目，輒通其恉。始工爲漢魏六朝文，繼通律曆數理輿地名物之學。根究大道，而以用世自期。衣食奔走，足跡半天下。涉獵益廣，撰述愈富。三試禮部皆未第，意恆鬱鬱，遂肆力治經。又不樂爲世

俗學，專治鉤棘隱奧之書。務出新義，闡秘曲，補罅漏。以是精力耗竭，於道光三年歿於京寓，年僅三十有三。撰有「割圓連比例術圖解」三卷、「橢圓求周術」一卷、「堆垛求積數」一卷、「斜弧三邊求角補述」一卷、「三統術衍補」一卷。至其擬撰的「五十二家曆術」，則屬稿未成，但有序目，載文集中。

(九)張敦仁

張敦仁字古餘，陽城人。乾隆四十年進士，歷官直隸南宮，江西高安、廬陵等縣知縣；銅鼓、川沙等廳同知；江寧、揚州、南昌、吉安等府知府。洊北雲南塩法道，得末疾，乞老歸，僑寓金陵。生平實事求是，居官勤於公事，暇即力求古籍。研究群書，雖老病家居，亦不廢學。尤嗜曆算，以在江南之日最久，與元和李銳相友善。因讀「緝古算經」，凡高台、羨道、築隄、穿河二十術，皆以從立方開之，若有其術無草，且辭隱理奧，無能通之者。其第十六術以下，原本註文、術文爛脫甚多，乃與李銳商榷，各以天元入之，共著細草。並將其爛脫各字，據術補足，使商功之平地役功廣袤之術，較若列眉。手寫定本刊刻，名曰「緝古算經細草」。長塘鮑氏見而愛之，縮爲袖珍本，刻入「知不足齋叢書」中，自是「緝古」始有善本。又因讀秦氏「數學九章」，知大衍求一術與立天元一術，皆爲曆算家至精之詣。天元一幸得宣城梅氏辨明，又有「測圓海鏡」、「益古演段」諸刻本行世，獨大衍求一術載在秦書，而秦書無刊本，鮮有知者，於是復撰「求一算術」三卷。又讀「測圓海鏡」，有翻法在記之註，疑李氏別有「開方記」一書，佚而不傳。爰取秦書所載正負開方法，自平方以迄三乘方，凡六十四問，各設超進商除正負和較之式以副之，名曰「開方補記」。另備擧秦、李諸書，及郭守敬授時法草之遺留於今者，爲「通論」一卷以殿其後，計共九卷。

(十)駱騰鳳

駱騰鳳字鳴岡，號春池，山陽人。嘉慶六年選拔廩膳生，是秋擧鄉試，七上春官不售，考充覺羅官學教習。道光六年大挑一等，例用知縣，以母老不願仕，改授舒城縣學訓導。未一年告養歸，教授里中學徒甚衆。二十一年八月，卒於家，享年七十有二。駱氏賦性敏銳，好讀書，尤精曬人之術。在都中從鍾祥李潢受算學，研精覃思，寒暑靡間。著「開方釋例」四卷，自序略謂：「天元一術，見宋秦氏九韶『九章』大衍數中，初不言

創於何人。元李冶『測圓海鏡』、『益古演段』二書，亦用此術，冶稱其術出於洞淵九容，今不可詳所自矣。是術也，自平方、立方、以至多乘方，悉用一術，即羃童、羨除諸形，亦無不可握觚而得，洵算術之秘鑰也。西法借根方實原於此，乃以多少代正負，徒欲掩其襲取之迹。不知正負以別異同，多少以分盈朒，毫釐千里，必有能辨之者。」又著「藝遊錄」二卷，自識云：「余於正負開方之術，既爲釋例以明其法矣。至於衰分、方程、勾股等法，以及『九章』所未載，與夫古今算書之未能該恰者，輒爲溯其源，正其誤，不敢掠前哲之美以爲名，亦不爲黶黷之詞以欺世也。隨所見而識之，彙爲一編云。」遺稿凡十餘萬言，手自繕寫，病亟授其婿何錦。錦屬同縣丁晏助之校刊，道光二十三年工竣，這就是今日的傳本。

㈠沈欽裴

沈欽裴字俠侯，號狎鷗，元和人。嘉慶十二年舉人，試禮部屬見擯，大挑二等，選授刑溪縣學訓導。不節於飲，病偏枯者累年。藉扶掖以行，神明如常，課講不輟。後布政使檄之入會城驗視，自以不能拜，不敢往。則檄他人攝其官，趣之行。學中士子相率具狀留之，主者不可，遂劾去。老病，旋卒於家。沈氏生平篤於學而邃於思，天文地理，無不通曉。尤洞精算術，宋秦九韶的「數書九章」，元朱世傑的「四元玉鑑」，李冶的「測圓海鏡」，皆世所謂絕學，氏均能通之。鍾祥李潢撰「九章算術細草」，甫寫定，病不起，遺囑務俟欽裴算校，方可付梓。越庚辰歲，李潢朝程喬粲方官儀曹，延欽裴至家，爲之校勘「算草」圖說，均輸一章，增訂尤多。又爲補「海島算經細草」一卷，以成喬粲之志。又嘗補「玉鑑細草」四冊，與羅士琳氏大同小異，而詳實不如。然四象朝元第三、第五兩問，羅草方、廉、隅諸數皆背原術，無說處之。相傳沈氏所演，獨爲吻合，此其勝處。

㈡陳杰

陳杰字靜葊，烏程人。諸生，山陽汪文端公督浙學時，亟賞識之。嘉慶之季，客京師，考取天文生，任欽天監博士。供職時憲科兼天文科，司測量，爲上官所倚重。後官國子監算學助教，最久。道光十九年，有足疾，解組歸田。樓居，撰補「湖州府天文志」七卷。時遊於杭，與仁和項名達、甘泉羅士琳、金椒金望欣、同里徐有壬等相友契。年未及七十，卒於家。陳氏生平邃於

算術、尤神明乎比例之用。初著「緝古算經細草」一卷，後十餘年，又爲之指畫形象，錄成「圖解」三卷。又爲之証引經傳，博採訓詁，是正其傳寫舛譌，稽合其各本異同，別成「晉義」一卷。表章絕業，牖啓後賢，可與陽城張敦仁同功。晚年所撰，爲「算法大成」上編十卷。首加減乘除，次開方勾股，次比例八線，次對數，次平三角弧三角，門分類別，皆先列舊法，而以所擬新法附之。圖說理解，不憚反覆說明，其目的端在引誘初學。下編十卷，則有目無書。上編刻於癸卯，乃孕之齋原本。下編似未寫定，今益不可考求。

㈢項名達

項名達原名萬準，字步來，號梅侶，仁和人。嘉慶二十一年舉人，考授國子監學正。道光六年成進士，改官知縣。不就職，退而專攻算學。三十年卒於家，享年六十有二。着述甚富，今傳世者但有「下學庵勾股六術」，及「圖解」後附「勾股形邊角相求法」三十二題，合爲一卷。以勾股相求和較諸題，術稍繁雜，初學者恆難瞭然，爰取舊術稍爲變通，分術爲六，使題之相同者通爲一術，釐然悉有以御之，繁雜可無復慮。第一、二、三術，及第四術前二題，悉本舊解；餘爲更定新術，皆別註捷法，各爲圖解以明其義。第四、五、六術，其原皆出於第三術，可釋之以比例。第三術以勾弦較比股，若股與勾弦和；以股弦較比勾，若勾與股弦和，是爲三率連比率。凡有比例加減之，其和較亦可互相比例。故第四、五、六術諸題，皆可由第三術轄下諸題，加減而得。即可因第三術之比例，再另生比例。因比例以成同積，而諸術開方之所以然，遂於是得。又著「象數原始」一書，未竟；疾革時，遺書囑戴煦續成之。

㈣羅士琳

羅士琳字次璆，號茗香，甘泉人。上舍生，循例貢太學，遊京師，嘗考取天文生。以出儀徵太傅阮元門下，故相從最久。阮再撫浙，西湖詁經精舍初開，名才畢集，因得徧交通人。當代明算君子，尤多相識。咸豐元年，恩詔徵舉孝廉方正之士，郡縣交薦，以老病辭，未應廷試。三年春，太平天國洪秀全陷揚州，死之，年垂七十矣。少治經，從其舅江都秦太史恩復受舉子業，已乃盡棄去，專力步算。博覽疇人書籍，日夕研求數年。初精習西法，嘗着「比例滙通」一書，凡四卷，刻於嘉慶之季。後雖悔其少作，實便初學問途也。道光二年試京兆，始獲見「四元玉鑑」原書。三年春，假得順德黎

應南舊抄本，又得錢塘何元錫新刻大德本，爲元和李銳
欲補草而未果者，於是服膺歔絕，遂一意專精於天元、
四元之術。生平詣力孟晉，無過是書。羅氏博聞強識，
兼綜百家，於古今法算，尤具神解。以朱氏此書實集算
學大成，思通發明，乃引精一紀，步爲全草。并有原書
於率不通，及步算傳寫訛誤，悉爲標出。補漏正誤，疑
義則反覆設例以申明之。推演訂証，就原書三卷二十四
門，擴爲二十四卷，門各補草。嘗爲提要鈎元之論，謂
是書通體莆出「九章」範圍，不獨商功、修築、勾股、
測望、方程、正負已也。如端匹互隱、糶粟迥求二門屬
粟布，如意混合屬借衰，荄草形段、果垜疊藏、如像招
數三門屬商功中之差分，直段求源、混積問元、明積演
段、撥換截田，鎖套吞容五門屬方田、少廣諸法。他若
和分索隱爲約分、命分，方圓交錯、三率究圓、箭積交
參三門乃定率而兼交互。至於或問歌象、雜範類會二門
，以其各自爲法，不能比類。故一則寄諸歌詞，一則編
成雜法，均有似乎補遺大旨。有淺有深，要皆以加減乘
除開方帶分六例爲問，而每門必備此六例。凡法之簡易
者略之，其繁難者詳之，尤於自來算書所無者，必設二
問以明之。如混積問元中，既設種金田及勾三股四八角
田爲問；撥換截田中，復設半種金田；鎖套吞容中，復
設方五斜七八角田爲問。又果垜疊藏兩設圓錐垜，雜範
類會一設徽率割圓，一設密率割圓是已。更有一門而專
明一義者，如和分索隱之之分開方，三率究圓，兩儀合轍
的反覆互求是已。又因讀「四元玉鑑」，對於如像招數
一門有所會通，更取乾隆間明氏捷法御以天元，知密率
亦可招差。其弧與弦矢互求之法，與授時曆的垜積抬差
，一一將合。且以祖氏之「綴術」失傳已久，其法僅見
於秦書，即大衍之連環求等遞減遞加，亦與明氏捷法相
近，爰融會諸家法意，爲撰「綴術輯補」二卷。又甄錄
古今疇人，仍依阮元體例，各爲列傳，用補前傳所未收
者，得補遺十二人，附見五人；續補二十人，附見七人
，大凡四十四人。離爲六卷，次於前傳四十六卷之後，統
成五十有二卷。二十年後，集所校著，都爲「觀我生室
彙稿」十有二種。

㈩ 徐有壬

徐有壬字君青，亦字鈞卿，烏程人。用宛平廣籍學
京兆試，道光九年成進士，改主事官戶部久，出守揚州
。遷四州成綿龍茂道，歷滇臬湘藩，以至江蘇巡撫。咸
豐十年閏夏，江南大營不守，總督宵遁，潰兵肆掠而下
，太平天國軍民尾追於後。蘇州守卒不盈四千，倉猝敵

至，有壬整衣冠方出督戰，敵遽前刺其額。冠將墜，手
自正之，遂遇害，舉家同殉。事聞，賜諡莊愍。有壬精
於推步，始治算，嘗得元人「四元玉鑑」，積思三晝夜
，以意步爲細草，人見而奇之。尤精於割圓、堆垜等術
，算術以測圓爲甚難，嘉定錢塘北宋人沈括說，覯爲進
位開方法，得周三一六有奇，一時信之。有壬以內容，
外切反覆課之，其說遂破。又對數表傳自西人，云以屢
次開方而得其數，有壬以屢乘屢除法御之，得數巧合而
省力百倍。蓋精心探索，思入幽渺，故深造自得如此。
所著「務民義齋算學」，今傳世者七種。計：「測圓密
率」三卷，「橢圓正術」附羅離用對數法及諸用數合一
卷，「弧三角捨遺」一卷，「三差捷法」一卷，「截球
解義」後附「橢圓求周術」一卷，「造各表簡法」
一卷。其他見諸目錄而未刊刻者，尚有：「堆垜測圓」
三卷，「垜積招差」一卷，「圓率通考」一卷，「四元
算式」一卷，「校正開元占經九執術」一卷，「古今積
年解源」二卷，「強弱率通考」一卷，亦七種，原稿無
從覓得。

㈩ 戴煦

戴煦初名邦棣，字鄂士，號鶴墅，又號仲乙，錢塘
人。以商籍第一入杭州府學，旋補增廣生員。後絕意進
取，循例爲貢生。其兄督學廣東，曾佐校年餘而歸。與
項名達交最摯，項疾革，遺書謂拙作「衆數原始」一書
未竟，足下爲我續成，感且不朽。嗣索稿於項子錦標，
六閱月而稿始定，踐死友約也。並世明算若甘泉羅士琳
、烏程張福僖、徐有壬、海寧李善蘭等，皆來訂交，或
互質得失。咸豐十年二月，太平天國軍圍攻杭州，二十
七日城陷，其兄投園地殉難。家人走報，笑曰，吾兄得
死所矣。丙夜，自投於井，亦殉焉，年五十有六。煦生
平冲淡靜默，避俗如不及，世事一弗與。精研曆算，十
齡後即爲疇人學，晝讀夜布算。覃思有得，則起秉燭以
記。嘗以劉徽「九章重差」一卷李淳風註但詳其數，未
明其理，爲補撰「重差圖說」。又著「勾股和較集成」
一卷，「四元玉鑑細草」若干卷，略同羅書而圖解明暢
則過之。以上皆少作，中年益精進，著有「對數簡法」
二卷、「續對數簡法」一卷、「外切密率」四卷、「假
數測圓」二卷。後又總合四書，名爲「求表捷術」。「
對數」二種，先爲金山錢培因刻入「小萬卷樓叢書」；
「求表捷術」副本，南海鄒伯奇輾轉獲得，因與其邑人伍
崇曜刻入「粵雅堂叢書」。英人艾約瑟（Joesph
Edkins）初見戴氏書，甚佩服；偉烈‧亞力（Alex-

ander Wyile）撰「代微積拾級」序，亦相引重。歲甲寅，文曾至杭州，呈所刻「拾級」諸書，踵門求一識顏色，戴氏以故辭。艾後轉譯戴書入彼國數學會誌中，足徵其傾倒之忱。

㈩丁取忠

丁取忠字果臣，號雲梧，長沙人。為湖南耆宿，整躬飭己，望重時髦。衆數一途，尤所精研。撰著自爍，不求達聞。咸豐改元，幕遊昭陵十年。校書於鄂省，應益陽胡文忠公林翼聘也。因得觀乾隆輿圖，又購魏氏「海國圖志」，作為密尺定分推算，著「輿地經緯度里表」一卷。於海國雖未盡精覈，然足備參証。嘗自謂少喜步算，而苦無師承。又地僻不易得書，每持籌凝思，寢食俱廢。垂四十年，然後古今言算之書，稍稍抒集，而心力亦已衰矣。晚年盡移胡林翼所贈購書貲，廣刻諸書算，凡二十有三種，名曰「白芙堂叢書」，以公同好。所自撰者，為「數學拾遺」一卷，「粟布演草」二卷「演草補」一卷。

復興時期中算家新術舉要

㈠關於三角法方面的：

割圓八線在清初，由於西洋算法的輸入，因而引起了若干學者的研討。「數理精蘊」就曾以圓的內容六邊、四邊，外切六邊、四邊諸形，來算出過圓周率的值。又於下編卷十六割圓八線內，載有「有本弧的正弦，求其三倍弧的正弦」一術。即命 r 為圓的半徑，已知 C 為圓心角 A 的通弦，求圓心角 3 A 的通弦 C_3，用幾何方法，証得

$$C_3 = 3C - \frac{C^3}{r^2}$$

即

$$\sin 3A = 3\sin A - 4\sin^3 A \qquad 。$$

至汪萊「衡齋算學」第三冊，亦以幾何方法，繼續求得圓心角 5 A 的通弦值 C_5，為

$$C_5 = 5C - 5\frac{C^3}{r^2} + \frac{C^5}{r^4}$$

即

$$\sin 5A = 5\sin A - 20\sin^3 A + 16\sin^5 A$$

又由弟子陳際新續成，而於道光己亥始由天長岑氏刊刻行世的明安圖遺著「割圓密率捷法」，則首先以已知的 C 用幾何方法，求得 C_2、C_3、C_4、C_5 等值後，再用代

數方法，遞求 C_{10}、C_{100}、C_{1000}、C_{10000} 各值。終由數學歸納法，証得杜氏九術中的下列各術：

(1) 弧背求通弦

$$C = 2a - \frac{(2a)^3}{4 \cdot \underline{3} \cdot r^2} + \frac{(2a)^5}{4^2 \cdot \underline{5} \cdot r^4} -$$

$$\frac{(2a)^7}{4^3 \cdot \underline{7} \cdot r^6} + \frac{(2a)^9}{4^4 \cdot \underline{9} \cdot r^8} - \cdots\cdots ,$$

即

$$C = \sum_{n=1}^{\infty} (-1)^{n+1} \frac{(2a)^{2n-1}}{4^{n-1} \cdot r^{2(n-1)} \cdot \underline{2n-1}} \qquad (\text{Ⅳ})$$

(2) 通弦求弧背

$$2a = C + \frac{1^2 \cdot C^3}{4 \cdot \underline{3} \cdot r^2} + \frac{1^2 \cdot 3^2 \cdot C^5}{4^2 \cdot \underline{5} \cdot r^4} +$$

$$\frac{1^2 \cdot 3^2 \cdot 5^2 \cdot C^7}{4^3 \cdot \underline{5} \cdot r^6} + \frac{1^2 \cdot 3^2 \cdot 5^2 \cdot 7^2 \cdot C^9}{4^4 \cdot \underline{9} \cdot r^8} + \cdots\cdots ,$$

即

$$2a = \sum_{n=1}^{\infty} \frac{1^2 \cdot 3^2 \cdot 5^2 \cdots (2n-5)^2(2n-3)^2}{4^{n-1} \cdot r^{2(n-1)} \cdot \underline{2n-1}} \cdot C^{2n-1}$$

$$(\text{Ⅵ})$$

(3) 弧背求正弦

$$\sin A = \frac{a}{r} - \frac{a^3}{\underline{3} \cdot r^3} + \frac{a^5}{\underline{5} \cdot r^5} - \frac{a^7}{\underline{7} \cdot r^7}$$

$$\frac{a^9}{\underline{9} \cdot r^9} - \cdots\cdots ,$$

即

$$\operatorname{sim} A = \sum_{n=1}^{\infty} (-1)^{n-1} \frac{a^{2n-1}}{r^{2n-1} \cdot \underline{2n-1}} 。 (\text{II})$$

其次則「割圓密率捷法」於已知 r 為半徑，v 為圓心角 A 的正矢，以求 2 A、3 A、4 A、5 A 諸圓心角正矢 v_2、v_3、v_4、v_5。其以幾何方法証得的值，可書為：

$$\cos 2A = 2\cos^2 A - 1$$
$$\cos 3A = 4\cos^3 A - 3\cos A$$
$$\cos 4A = 8\cos^4 A - 8\cos^2 A + 1$$
$$\cos 5A = 16\cos^5 A - 20\cos^3 A + 5\cos A$$

與前相同，繼以代數方法遞求 v_{10} 、 v_{100} 、 v_{1000}
、 v_{10000} 各值，再由數學歸納法，証得：

　　(4)　弧背求正矢

$$\text{vers } A = \frac{a^2}{\lfloor 2 \cdot r^2} - \frac{a^4}{\lfloor 4 \cdot r^4} + \frac{a^6}{\lfloor 6 \cdot r^6} - \frac{a^8}{\lfloor 8 \cdot r^8}$$

$$+ \frac{a^{10}}{\lfloor 10 \cdot r^{10}} - \cdots\cdots ,$$

即

$$\text{vers } A = \sum_{n=1}^{\infty} (-1)^{n+1} \frac{a^{2n}}{r^{2n} \cdot \lfloor 2n} \quad \circ \quad (\text{III})$$

　　(5)　正矢求弧背

$$a^2 = r \left\{ (2 \text{ vers } A) + \frac{1^2 \cdot (2\text{vers } A)^2}{3 \cdot 4 \cdot r} \right.$$

$$+ \frac{1^2 \cdot 2^2 \cdot (2 \text{ vers } A)^3}{3 \cdot 4 \cdot 5 \cdot 6 \cdot r^2} + \frac{1^2 \cdot 2^2 \cdot 3^2 (2\text{vers } A)^4}{3 \cdot 4 \cdot 5 \cdot 6 \cdot 7 \cdot 8 \ r^3}$$

$$\left. + \cdots\cdots \right\} ,$$

即

$$a^2 = 2 r \sum_{n=1}^{\infty} \frac{1^2 \cdot 2^2 \cdot 3^2 \cdots \cdots (n-2)^2 (n-1)^2}{r^{n-1} \cdot \lfloor 2n}$$

$$\cdot (2 \text{ vers } A)^n \quad \circ \quad (\text{VIII})$$

其他杜氏各式，并可代入求得。

　　稍後於汪萊的，有安清翹的「矩線原本」，亦另設
圖形，以証

$$\sin 5A = 5 \sin A - 20 \sin^3 A + 16 \sin^5 A \quad \circ$$

　　董祐誠「割圓比例圖解」立有「以弦求弦」、「以
矢求矢」四則，稱此四術爲立法之原，杜氏九術可由此
推衍，使歸於簡單。另設幾何方法以証各式，即：

　　(1)有通弦求通弧加倍幾分之通弦（凡弦之倍分，皆
取奇數）。

$$Cm = mc - \frac{m(m^2 - 1^2)c^3}{4 \cdot \lfloor 3 \cdot \ r^2} + \frac{m(m^2 - 1^2)(m^2 - 3^2)c^5}{4^2 \cdot \lfloor 5 \cdot \ r^4}$$

$$- \frac{m(m^2 - 1^2)(m^2 - 3^2)(m^2 - 5^2)c^7}{4^3 \cdot \lfloor 7 \cdot r^6} + \cdots$$

$$\cdots\cdots \circ \quad (\text{X})$$

　　(2)有矢求通弧加倍幾分之矢（凡矢之倍分，奇偶通
用）

$$\text{vers} mA = m^2 (\text{vers} A) - \frac{m^2 (4m^2 - 4)2(\text{vers} A)^2}{4 \cdot 3 \cdot 4 \cdot r}$$

$$+ \frac{m^2 (4m^2 - 4)(4m^2 - 16)2^2(\text{vers} A)^3}{4^2 \cdot 3 \cdot 4 \cdot 5 \cdot 6 \cdot r^2}$$

$$\cdots\cdots \circ \quad (\text{XI})$$

　　(3)有通弦求幾分通弧之一通弦（此亦取奇數）

$$C_{\frac{1}{m}} = \frac{c}{m} + \frac{(m^2 - 1)c^3}{4 \cdot \lfloor 3 \cdot m^3 \cdot r^2} + \frac{(m^2 - 1)(9m^2 - 1)c^5}{4^2 \cdot \lfloor 5 \cdot m^5 \cdot r^4}$$

$$+ \frac{(m^2 - 1)(9m^2 - 1)(25m^2 - 1)c^7}{4^3 \cdot \lfloor 7 \cdot m^7 \cdot r^6} + \cdots$$

$$\cdots\cdots \quad (\text{Xa})$$

　　(4)有矢求幾分通弧之一矢（此亦奇偶通用）

$$\text{vers} \frac{1}{m} A = \frac{\text{vers} A}{m^2} + \frac{(4m^2 - 4) \cdot 2(\text{vers} A)^2}{4 \cdot 3 \cdot 4 \cdot m^4 \cdot r} +$$

$$\frac{(4m^2 - 4)(4 \cdot 4m^2 - 4) \cdot 2(\text{vers} A)^3}{4^2 \cdot 3 \cdot 4 \cdot 5 \cdot 6 \cdot m^6 \cdot r^2}$$

$$+ \cdots\cdots \quad (\text{XI})\text{a}$$

項名達「衆數原始」則另設下列三式爲本術，不但
杜氏九術可由此推衍，即童氏四術，亦莫不皆可由此推
衍。三式者何？即：

$$C_{\frac{n}{m}} = \frac{n}{m} Cm - \frac{n(n^2 - m^2)(Cm)^3}{4 \cdot \lfloor 3 \cdot m^3 \cdot r^2} +$$

$$\frac{n(n^2 - m^2)(n^2 - m^2 \cdot 3^2)(Cm)^5}{4^2 \cdot \lfloor 5 \cdot m^5 \cdot r^4}$$

$$\frac{n^2(n^2 - m^2)(n^2 - m^2 \cdot 3^2)(n^2 - m^2 \cdot 5^2)(Cm)^7}{4^3 \cdot \lfloor 7 \cdot m^7 \cdot r^6}$$

$$+ \cdots\cdots$$

$$b_{\frac{n}{m}} = \frac{n}{m} bn - \frac{n^2(n^2 - m^2)(bm)^2}{3 \cdot 4 \cdot m^4 \cdot r} +$$

$$\frac{n^2(n^2 - m^2)(n^2 - m^2 \cdot 2^2)(bm)^3}{3 \cdot 4 \cdot 5 \cdot 6 \cdot m^6 \cdot r^2} -$$

$$\frac{n^2(n^2 - m^2)(n^2 - m^2 \cdot 2^2)(n^2 - m^2 \cdot 3^2)(bm)^4}{3 \cdot 4 \cdot 5 \cdot 6 \cdot 7 \cdot 8 \cdot m^8 \cdot r^3}$$

$$+ \cdots\cdots$$

$$\text{vers} \frac{n}{m} A = \frac{n^2(2\text{vers } m A)}{\lfloor 2 \cdot m^2} - \frac{n^2(n^2 - m^2)(2\text{vers} m A)^2}{\lfloor 4 \cdot m^4 \cdot r}$$

$$+ \frac{n^2(n^2 - m^2)(n^2 - m^2 \cdot 2^2)(2\text{vers} m A)^3}{\lfloor 6 \cdot m^6 \cdot r^2} -$$

$$\frac{n^2(n^2-m^2)(n^2-m^2\cdot 2^2)(n^2-m^2\cdot 3^2)(2\,\mathrm{versm}\,A)^4}{\lfloor 8\cdot m^8\cdot r^3}$$

$$+\ \cdots\cdots$$

戴煦「外切密率」則証得下列數式：

$$\tan A=\frac{a}{r}+\frac{2a^3}{\lfloor 3\cdot r^3}+\frac{16\,a^5}{\lfloor 5\cdot r^5}+\frac{272\,a^7}{\lfloor 7\cdot r^7}+\frac{7936a^9}{\lfloor 9\cdot r^9}$$

$$+\ \cdots\cdots$$

$$\sec A=1+\frac{a^2}{\lfloor 2\cdot r^2}+\frac{5\,a^4}{\lfloor 4\cdot r^4}+\frac{61\,a^6}{\lfloor 6\cdot r^6}+\frac{1385a^8}{\lfloor 8\cdot r^8}$$

$$+\frac{50521\,a^{10}}{\lfloor 10\cdot r^{10}}+\ \cdots\cdots$$

$$a=\tan A-\frac{\tan^3A}{3\cdot r^2}+\frac{\tan^5A}{5\cdot r^4}-\frac{\tan^7A}{7\cdot r^6}+\ \cdots\cdots$$

㈡關於級數方面的

　　清初官書「數理精蘊」曾論及級數的作法，私家陳世仁亦有「少廣補遺」之著。汪萊「衡齋算學」第四册，有「遞兼數理」所謂三角堆即擬形數（ figurate numbers ），曾臚舉下列各式：

$$\sum_{n=1}^{n}n=\frac{n(n+1)}{\lfloor 2}$$

$$\sum_{n=1}^{n}\frac{n(n+1)}{\lfloor 2}=\frac{n(n+1)(n+2)}{\lfloor 3}$$

$$\sum_{n=1}^{n}\frac{n(n+1)(n+2)}{\lfloor 3}=\frac{n(n+1)(n+2)(n+3)}{\lfloor 4}$$

$$\sum_{n=1}^{n}\frac{n(n+1)(n+2)(n+3)}{\lfloor 4}=$$

$$\frac{n(n+1)(n+2)(n+3)(n+4)}{\lfloor 5}$$

$$\cdots\cdots\cdots\cdots\cdots\cdots\cdots\cdots$$

$$\sum_{n=1}^{n}\frac{1}{\lfloor r-1}n(n+1)(n+2)\cdots\cdots(n+r-2)$$

$$=\frac{1}{r}n(n+1)(n+2)\cdots\cdots(n+r-1)$$

　　董祐誠則於「割圓連比例」、「堆垛求積術」中，舉有下列各式：

$$\sum_{n=1}^{n}\frac{n(2n+0)}{\lfloor 2}=\frac{n(n+1)(2n+1)}{\lfloor 3}$$

$$\sum_{n=1}^{n}\frac{n(n+1)(2n+1)}{\lfloor 3}=\frac{n(n+1)(n+2)(2n+2)}{\lfloor 4}$$

$$\sum_{n=1}^{n}\frac{n(n+1)(n+2)(2n+2)}{\lfloor 4}$$

$$=\frac{n(n+1)(n+2)(n+3)(2n+3)}{\lfloor 5}$$

$$\sum_{n=1}^{n}\frac{n(n+1)(n+2)(n+3)(2n+3)}{\lfloor 5}$$

$$=\frac{n(n+1)(n+2)(n+3)(n+4)(2n+4)}{\lfloor 6}$$

$$\cdots\cdots\cdots\cdots\cdots\cdots\cdots\cdots\cdots\cdots$$

$$\sum_{n=1}^{n}\frac{n(n+1)(n+2)\cdots\cdots(n+r-2)[2n+r(m-1)+(r-2)]}{\lfloor r}$$

$$=\frac{n(n+1)(n+2)\cdots\cdots(n+r-1)[2n+(r+1)(m-1)+(r-1)]}{\lfloor r+1}$$

而 m 爲首層。

　　其後羅士琳、沈欽裴註釋宋、元古算，亦曾論及級數。

㈥關於方程論方面的：

　　方程理論，宋、元時算家即以詳細討論過，惟對於其解，祇知有一正根。如正根不止一個，或有負根及虛根時，則不復論及。「數理精蘊」下編卷三十三論帶縱平方（即二次方程式）稱：「每根之數，或爲長方之長，或爲長方之濶。」蓋指

$$x^2-px+q=(x-a)(x-b)$$

而言。至於帶縱立方（即三次方程式）根數，則未曾論及。延至汪萊始首言方程不僅有正根，其所著「衡齋算學」第二册，言每根之數，知不知條目，共設九十六條，以察正根之值，凡方程無正根者，槪不列入。例如二次方程式：

　　第一條　$x^2-bx-c=0$　可知

　　第五條　$x^2-bx+c=0$　不可知

可知即有一正根，不可知有二根。又三次方程式：

　　第五十條　　$x^3+bx^2-cx-d=0$　可知

　　第五十五條　$x^3-bx^2-cx+d=0$　不可知

　　第五十一條　$x^3-bx^2+cx-d=0$　可知，不可知

可知即有一正根，不可知有二正根，可知、不可知則有一正根或三正根。其第七册內「審有無」在辨別方程式正根的有無，例如二次方程式

$$ax^2 - bx + c = 0$$

於

$$\frac{c}{a} \leqq (\frac{b}{2a})^2$$

時有二正根；三次方程式

$$ax^3 - bx + c = 0$$

於

$$\frac{c}{a} \leqq \frac{2}{3} \cdot \frac{b}{a} (\frac{b}{3a})^{\frac{1}{2}}$$

時有二正根。

　　李銳遺著「開方說」三卷，卷上首論實數符號（正負）與其根數（可開數）的關係。謂：「四次方程上負、次正、次負、下正（－＋－＋），可開三數或一數；上負、次正、次負、下負（－＋－－），可開四數或二數。」又謂：「其二數不可開，是謂無數。凡無數必兩，無無一數者。」這個就是方程式論基本性質中，德加爾特符號的法則（Descarte's rule of signs）：「設所與方程式f（x）＝0各係數皆爲實數，則其正根的個數，和符號變更的數相同，或較其少一偶數。」與定理：「設所與方程式 $f(x)=0$ 各係數皆爲實數，則其虛根必成對的存在。」「開方說」卷下又論方程式的簡單變形，即根的符號的變換，乘以一已知數的根，或除以一已知數的根的各問題。

李善蘭和華蘅芳的偉績

　　我國翻譯西洋數學書籍，始於明、清之際。至清季，繼有李善蘭、華蘅芳諸氏的努力。

　　李善蘭字壬叔，號紉秋，海寧人。十齡通「九章」，十五通「幾何」。應試武林，得「測圓海鏡」、「勾股割圓記」以歸，其學始進。道光乙巳館嘉興陸費家，獲交顧觀光、戴煦、張文虎、汪曰楨、張福禧諸名流，暇則著書。咸豐壬子五月至滬，居大境傑閣，與西士偉烈·亞力共譯「幾何原本」後九卷。自六月朔開始，四歷寒暑，至咸豐丙辰方畢。丁巳二月，松江韓應陛爲之刊刻。善蘭在滬十年，除續譯「幾何原本」九卷外，又與偉烈共譯：

　　　侯失勒「談天」（Herschel；Outline of Astronomy）十八卷，

　　　隸麼甘「代數」（Augustus De Morgan；Elements of Algebra）十三卷，

　　　羅密士「代微積拾級」（Elias Loomis；Analytical Geometry and Calculus）十八卷，

　　　奈端「數理」（Iscac Newton；Principia）若干

卷。又與艾約瑟共譯：

　　　胡威立「重學」（William Whewell；Mechanics）二十卷，

　　　「曲線說」（一作「圓錐曲線說」）三卷。

同治六年李善蘭自序「則古昔齋算學」十三種，共計二十四卷，由友人分校，曾國藩捐貲刊行。計：

南海馮煖光校	「方圓闡幽」一卷
南匯張文虎校	「弧矢啓秘」二卷
南匯買步緯校	「對數探原」二卷
湘鄉曾紀澤校	「垛積比類」四卷
湘鄉曾紀鴻校	「四元解」二卷
烏程汪曰楨校	「麟德術解」三卷
江寧汪士鐸校	「橢圓正術解」二券
無錫徐壽校	「橢圓新術」一卷
無錫華蘅芳校	「橢圓拾遺」三卷
上元孫文川校	「火器眞訣」一卷
南豐吳嘉善校	「尖錐變法解」一卷
無錫徐建寅校	「級數回求」一卷
長沙丁取忠校	「天算或問」一卷

善蘭著作，在「則古昔齋算學」外者，尚有：

　　　「九容圖表」七頁，在劉鐸「古今算學叢書」內

　　　「測圓海鏡解」一卷，有傳抄本

　　　「考數根法」三卷

　　　「造整數勾股級數法」（亦作「級數勾股」）二卷

歲戊辰，入北京同文館爲算學總教習。在館時，傳刻李冶「測圓海鏡細草」十二卷，卒葬海鹽縣牽罾橋東北。

　　華蘅芳字若汀，江蘇金匱人。年十四，即通程大位「算法統宗」法理。繼復探索「數理精蘊」及「九章算術」，學乃益進。又從無錫鄒安鬯受秦九韶、李冶、朱世傑等學說。蘅芳嘗遊曾國藩幕府，因與李善蘭相善。上海江南製造局成立，蘅芳與西士博蘭雅（John Fryer）共譯英人華里司（Wallis）所著：

　　　「代數術」二十五卷，

　　　「微積溯源」八卷；

海麻士（Hymers）所著：

　　　「三角數理」十二卷，

　　　倫德（Thomas Lund）「代數難題」十六卷，

　　　隸麼甘「決疑數學」十卷，

　　　白爾尼「合數術」十一卷。

自著有：

　　　「開方別術」一卷

　　　「數根術解」一卷

「開方古義」二卷

「積較演術」三卷

「學算筆談」十二卷

「算草叢存」四卷

以上各書統稱「行素軒算稿」，於光緒八年自刻行世。至光緒十九年刻本，有：

「答數界限」一卷

「連分數學」一卷

「算草叢存」八卷，後附其弟華世芳「恆河沙館算草」二種。八卷本「算草叢存」較四卷本多「求乘數法」、「數根演古」、「循環小數考」、「算齋瑣語」四種。蘅芳著作，收入「藝經齋算學叢書」的，有：

「算學須知」一卷，

「西算初階」一卷。

教會的數學教育

清末數學教育，首由教會提倡。道光十九年蒲倫博士（Dr.R.S.Brown）設一學校於澳門，教授華人子弟。此後道光二十五年，美國聖公會主教文氏，創立學校於上海，後名約翰書院。同治十年又立一校於武昌，後稱文華書院。同治三年美國長老會狄考文（Rev．Calvin W. Mateer）設文會館於山東登州，同治五年英國浸禮會設廣德書院於青州，後二校合併爲廣文學堂，改設濰縣。同治十三年，英總領事麥君華陀及傅蘭雅博士，設立格致書院於上海。光緒十四年，美國美以美會設匯文書院於北京，十九年公理會設潞河書院於通縣，後兩校合併爲燕京大學。光緒七年美國監理會林樂知設中西書院於上海，二十三年該會又設中西書院於蘇州，至二十七年與其地博習書院合併爲東吳大學。美國長老會自光緒十一年起，即在廣州、澳門諸地建設學校，其格致書院於光緒二十七年改嶺南學校，至三十年又改爲嶺南大學。此爲英、美耶穌教士於清末在華設立學校的大概情況。至於天主教，它在中國每一教區，皆設立得有天主教啓蒙學校（Ecoles de Catechumen）。道光三十年開辦了徐匯公學（College de St。Francis Xavier）。光緒二十九年，京師譯學館以戊戌政變停辦，由蔡元培等商請耶穌會創辦震旦學校（Universite' L'aurore）於上海。

是時學校初立，教科圖書缺乏，英、美、法、意各國教士，不得已只好來自行編著教科用書，以應需要。經他們編成的，計有：

㈠耶穌教士編譯的：

「心算初學」六卷，登州哈師娘撰

「心算啓蒙」十五章一卷，美國那夏禮輯譯，上海美華書館鉛印

「西算啓蒙」無卷數，光緒十一年譯印

「數學啓蒙」二卷，美國偉烈．亞力撰，咸豐三年偉烈．亞力序刻本

「筆算數學」三冊，美國狄考文、鄒立文同撰，光緒十八年狄考文自序鉛印

「代數備旨」十二卷，美國狄考文撰，鄒立文、生福維同譯，美華書館鉛印

「代數備旨」下卷十一章，美國狄考文遺著，范震東據遺稿校訂，會文編譯社石印

「形學備旨」十卷，美國羅密士原著，美國狄考文、與鄒立文、劉永錫同譯，美華書館鉛印

「八線備旨」四卷，美國羅密士原著，美國潘慎文（Rev．A.P. Parker）選譯，謝洪賚校錄，美華書館鉛印

「代形合參」三卷，美國羅密士原著，美國潘慎文選譯，謝洪賚校錄，美華書館鉛印。

「圓錐曲線」無卷數，美國羅密士原著，美國求德生口譯，劉維師筆述，美華書館鉛印

「格致須知」內「量法須知」、「代數須知」、「三角須知」、「微積須知」、「曲線須知」，英國傅蘭雅撰

㈡天主教士編譯的：

「課算指南」無卷數，天主教啓蒙學校用書

「課算指南教授法」無卷數，同上用書

「數學問答」無卷數，余賓王（P.F. Scherer, S.J.）撰，匯塾課本，上海土山灣書館鉛印

「量法問題」無卷數，余賓王撰，同上書館印行

「代數問答」無卷數，余賓王撰，同上書館印行

「代數」無卷數，Carlo Bourlet撰，雲翔譯，同上書館印行

「幾何學」平面，無卷數，Carlo Bourlet 撰，戴運江譯，同上書館印行

據傳基督教徒曾於光緒三年舉行教士大會，并組織學校教科書委員會。光緒十六年又創辦中國教育會於上海，編譯并出版各種教科用書，及討論解決中國一般教育問題。同時我國新興教育事業，亦多有西方教士插足其間，如同文館館長一職，即係由丁韙良博士（Dr. W. A. P. Martin）來擔任。又光緒二十四年間，美人李佳白、狄考文曾建議設立總學堂，爲京師大學堂設立的先

聲；而天津北洋大學、上海南洋公學等校初立時，并得西人之助云。

清末數學制度

清末興學，始於同治元年。是年八月，設立同文館於北京，二年諭設廣方言館於廣東。同文館期限八年，關於數學則第四年課數理啓蒙、代數，第五年課幾何原本、平三角、弧三角、第六年課微分、積分。廣方言館則午後卽學算術，不論筆算、珠算、皆先從加減乘除入手。繼則有海、陸軍專門學堂的設立，而小學堂、普通學堂亦同時成立，但學制尙未確定，教學亦無專書。至光緒二十四年，始下奠定國是的上諭，催促各省各辦高等學堂，中等學堂，及小學、義學、與社學，并籌辦京師大學堂。是年八月，慈禧太后幽禁光緒帝於瀛台，九月停止各省書院改辦學堂之擧。光緒二十六年拳禍亂起，大學停辦。翌年十二月，辦學之議復興，當時科擧尙未廢棄。至光緒二十八年、九，始訂定學堂章程，三十一年廢科擧。宣統二年十一月，淸廷又改學制，將初等小學和高等小學，一倂定爲四年畢業。比較光緒二十九年制度，宣統二年制的初等小學，算術時間減少；高等小學則算術時間加多。宣統二年十二月二十六日，學部又奏改中學堂爲文、實兩科，奉旨依議，是爲清末數學教育制度的尾聲。民國成立，中國數學教育，方始步入一個新領域。清末數學制度，施行較久的，爲光緒二十九年制。就中初等小學堂、高等小學堂、中學堂、高等學堂等所課數學，規定如下：

㈠初等小學堂　七歲入學，五年畢業

第一年　算術（每週六小時）　數目之名　實物計數　二十以下之算數　書法　記數法　加減

第二年　算術（每週六小時）　百以下之算數　書法　記數法　加減乘除

第三年　算術（每週六小時）　常用之加減乘除

第四年　算術（每週六小時）　通用之加減乘除　小數法之書法　記數法　珠算之加減

第五年　算術（每週六小時）　通用之加減乘除　簡易之小數　珠算之加減乘除

㈡高等小學堂　十一歲入學，四年畢業

第一年　算術（每週三小時）　加減乘除　度量衡　貨幣及時之計算　簡易之小數

第二年　算術（每週三小時）　分數　比例　百分數　珠算之加減乘除

第三年　算術（每週三小時）　小數　分數　簡易之比例　珠算之加減乘除

第四年　算術（每週三小時）　比例　百分算　求積　日用簿記　珠算之加減乘除

㈢中學堂　十五歲入學，五年畢業

第一年　算術（每週四小時）

第二年　算術、代算、幾何、簿記（每週四小時）

第三年　代數、幾何（每週四小時）

第四年　代數、幾何（每週四小時）

第五年　幾何、三角（每週四小時）

㈣高等學堂　共分三科，各科皆三年畢業

㈠爲預備入文、法科者，第一、三年不授數學，第二年授代數、解析幾何，每週二小時。

㈡爲預備入理、工科者，第一年授代數、解析幾何，每週五小時；第二年授解析幾何、三角，每週四小時；第四年授微分、積分，每週六小時。

㈢爲預備入醫科者，第一年授代數、解析幾何，每週三小時；第二年授解析幾何、微分、積分，每週二小時；第三年不授數學。

數學教科用書

李善蘭、華蘅芳等所譯，以及當時耶穌教士、天主教士等所編譯各種書算，同爲學制未立前，各級學校所採用。其中以「筆算數學」、「代數備旨」、「形學備旨」、「代形合參」、「代微積拾級」等書應用最廣，且有編爲細草約，而編者又不止一人，足見其流傳之盛。至於小學所用教科書籍，先有「蒙學課本」，次有「蒙學讀本」，最後再有商務印書館發行的「最新教科書」。光緒二十三年，盛宣懷奏設南洋公學於上海，內分師範院、上院、中院、外院四部。外院卽小學，并由師範陀自編「蒙學課本」，以供應用，開中國小學教科書的新紀元。光緒二十四年，俞復等創設三等公學堂於無錫，編有「蒙學讀本」。二十八年俞復等復創辦文明書局於上海，將三等公學堂所編「蒙學讀本」印刷出版，是爲商人編印學印小學教科書的開端。光緒二十九年春，商務印書館依照蔡元培計劃，編輯小學教科書，算學部門由徐寯（果人）擔任。是時學制系統業已確立，教授算法標準已詳知，教科書籍公私編輯者不止一處，因而有審查的必要。光緒三十二年四月，學部第一次審定初等小學暫用書目，稱：

初等小學

「最新初等小學筆算教科書」五冊　陽湖徐寯編

　　　學生用　商務印書館本

「最新初等小學筆算教科書教授法」五册　陽湖
　徐鵷編　教員用　商務印書館本

第七至第十學期，教員可參用：

「蒙學珠算教科書」一册　文明書局編　文明書
　局本

「初等小學珠算入門」二册　山陰杜就田編　商
　務印書館本

　一、二學期教員可參用：

「心算教授法」一册　直隸學務處編　直隸學務處本
至於中學數學教科書籍，則多翻譯外稿，尤以日本出版
的居多。諸如澤田吾一、田中矢德、上野清、菊池大麗
、藤澤利喜太郎、白井義督、三輪桓一、原濱吉、樺正
董、遠藤又藏、松岡文太郎、奧平浪太郎、宮崎繁太郎
、三本清二、渡邊政吉、竹貫登代多；以及英、美密爾
（Milne）、查李斯密（Charles Smith）、費烈伯及
史德朗（A.W. Phillips and W.M. Strong）、克濟（
John casey）、突罕德（Isaac Todhunter）、溫特渥
斯（G. A. Wentworth）、翰卜林・斯密士（Hamblin
Smith）、駱賓生（Robinson）等所著數學教科書的譯
本，一併流行於國內。至此，我國數學的內容，已全部
世界化，再無所謂中西之分了。

參考書籍

　　中國算學史　　李儼著
　　中國算學史　　錢寶琮著
　　中國之科學與文明　　李約瑟著
　　中國算學之特色　　三上義夫著

曉人傳　　阮元、羅士琳、諸可寶、黃鍾駿等著
周髀算經　　著者不詳
九章算術　　著者不詳
孫子算經　　孫子
海島算經　　劉徽
五曹算經　　著者不詳
夏侯陽算經　　夏侯陽著
張建丘算經　　張丘建著
五經算術　　甄鸞著
數術記遺　　徐岳著
緝古算經　　王孝通著
莊子　　莊周著
墨子　　墨翟著
開元占經　　翟曇悉達著
明皇雜錄　　鄭處誨著
夢溪筆談　　沈括著
數書九章　　秦九韶著
楊輝算法　　楊輝著
田畝比類乘除捷法　　楊輝著
續古摘奇算法　　楊輝著
測圓海鏡　　李冶著
四元玉鑑　　朱世傑著
幾何原本　　利瑪竇、徐光啓合譯
同文算指　　利瑪竇、李之藻合譯
算法統宗　　程大位著
數理精蘊　　乾隆御製
策算　　戴震著
莊氏算學　　莊亨陽著

近 代 數 學　　　　　劉世超

壹、微分幾何

　　歐氏幾何自引進座標系而進入解析幾何的階段後，
可探討之圖形及圖形之性質自然是增多了。但把微積分
學應用於解析幾何以後，歐氏幾何的內容才大爲增加，
而使之獲得一個全新的面貌——在未用微積分以前的解
析幾何所探討的，比較複雜的而能獲系統知識的圖形，
不過是圓椎曲線或圓椎曲面之類；而有了微積分的工具
後，人們則可研究變化更多的曲線及曲面，這些曲線曲
面的性質確實需要微積分學中的觀念，才能給以適當的
講述。我們先看微積分學給歐氏幾何帶來那些基本的改
變，然後再看它與非歐幾何的關係以及一般地引起後來

數學家對幾何學性質的了解發生何種變化。

歐氏幾何中所探討的圖形的性質，都是爲剛體運動所不改變的。一如以前所講，吾人令任壹三實數組（$x_1 x_2 x_3$）代表三維歐氏空間之一點。每一個剛體運動由一組一次方程式

$$x'_j = \sum_{i=1}^{3} a_{ji} x_i + a_{j4}, \quad j = 1, 2, 3.$$

所表示，這運動把空間中任一點（$x_1 x_2 x_3$）搬到（$x'_1 x'_2 x'_3$）。若這運動把另一點（$y_1 y_2 y_3$）搬到（$y'_1 y'_2 y'_3$）。

在此 $y'_j = \sum a_{ji} y_i + a_{j4} \quad j = 1, 2, 3.$ 則必有

$$\sqrt{\sum_{j=1}^{3} (x_j - y_j)^2} = \sqrt{\sum_{j=1}^{3} (x'_j - y'_j)^2}$$

卽任二點間的距離經搬運後仍保持不變——把空間中任二點的距離皆保持不變，便是剛體運動最基本的特性。用微積分的觀念，我們可看出曲線長是不因剛體運動而改變的量，換言之曲線長亦是歐氏幾何所探討的圖形性質，現述之如下：

依現行之符號及術語，吾人把每一點（$x_1 x_2 x_3$）看成一個向量而以 X 表之。設 $x_1(t)$, $x_2(t)$, $x_3(t)$ 爲 t 的三個函數，於是 $X(t)$ 或（$x_1(t)$, $x_2(t)$, $x_3(t)$）表示一因 t 而變之點，亦卽表一個一維的圖形或曲線。今設 $x_i(t)$ 皆有連續之第一次導微函數 $\dfrac{dx_i(t)}{dt}$ ，而欲求曲線由 $X(t)$ 點至 $X(t^*)$ 點間之曲線長。在 t 與 t^* 二實數間揷入 n 個實數，合於 $t < t_1 < t_2 < \cdots < t_n < t^*$ 及 $t_1 - t = t^* - t_n = t_{j+1} - t_j$, $j = 1, 2, \cdots n-1$ 。照微積分學中所講定義得知由 $X(t)$ 至 $X(t^*)$ 間之曲線長等於定積分

$$\int_{t}^{t^*} \sqrt{x'_1(\zeta)^2 + x'_2(\zeta)^2 + x'_3(\zeta)^2} \; d\zeta$$

或 $\displaystyle \lim_{n \to \infty} \sum_{k=1}^{n-1} \sqrt{\sum_{j=1}^{3} (x_j(t_{k+1}) - x_j(t_k))^2}$

現令一任意之剛體運動將上述之曲線由 $X(t)$ 至 $X(t^*)$ 之一段搬運至新的一段曲線。又令任一點（$x_1 x_2 x_3$）被此運動可搬至之點恒以（$x_1^* x_2^* x_3^*$）表示。於是原曲線上的各點（$x_1(t_i) x_2(t_i) x_3(t_i)$）被搬至新曲線段上的各點（$x_1^*(t_i)$, $x_2^*(t_i)$, $x_3^*(t_i)$）。因設此運動爲剛體運動，故各點間之距離不因其搬動而改變，乃有

$$\lim_{n \to \infty} \sum_{k=1}^{n-1} \sum_{j=1}^{3} \sqrt{(x_j(t_{k+1}) - x_j(t_k))^2}$$

$$= \lim_{n \to \infty} \sum_{k=1}^{n-1} \sqrt{\sum_{j=1}^{3} (x_j^*(t_{k+1}) - x_j^*(t_k))^2} \; 。$$

此式兩端分別爲原曲線段及新被搬至之曲線段之長度。由上所述，可見曲線段之長度是不因剛體運動而改變的幾何量。

在剛體運動下不變的幾何量，我們可再提出些在曲線論中重要而非在舊有解析幾何中常見之概念。令 $X(t)$ 表一曲線。此曲線由 $X(t_0)$ 點至 $X(t)$ 點間的線段長以 $S(t)$ 表之；令 $f(s)$ 表其反函數，使得 $s = S(t)$ 當且僅當 $t = f(s)$ 。吾人可將 $X(t)$ 中之 t 換以 $f(s)$ ，而得 $X(f(s))$ ；此式仍表示 $X(t)$ ，原來所表示的曲線，只數參數 t 改爲參數 s 而已。此式之優點在於求曲線從點 $X(f(o))$ 至點 $X(f(s))$ 間（卽從點 $X(t_0)$ 至點 $X(t)$ 之間）的曲線長時恒得到 s。對任一表示曲線的式子 $X(t)$，若從 $X(o)$ 到 $X(t)$ 點間曲線長恒爲 t ，則吾人稱此式爲表示該曲線的範式。由上所述知對任一相當規則之曲線，我們恒能找到一個表示它的範式。

令 $X(s)$ 爲表示一曲線的範式，我們求其對於 s 的微分 $X'(s)$ 卽（$x'_1(s)$, $x'_2(s)$, $x'_3(s)$）。求此向量之點自乘 $X'(s) \cdot X'(s)$ 卽

$$\sum_{j=1}^{3} x_j(s) x_j(s) \; ;$$

此向量自乘之結果乃成爲一個 s 的實函數，且函數之值恒爲 1 。卽

$$\sum_{j=1}^{3} x'_j(s) X'_j(s) = 1 \; 。$$

這是因爲 $X(s)$ 爲曲線之範式；從 $X(o)$ 至 $X(t)$ 之曲線長，卽

$$\int_{o}^{t} \sqrt{\sum_{j=1}^{3} x'^2_j(s)} \qquad ds \; 恒等於 \; t \; ;$$

於是

$$\int_{o}^{t} \sqrt{\sum_{j=1}^{3} x'^2_j(s)} \qquad ds = \int_{o}^{t} 1 \, ds \; ;$$

可見

$$\sum_{j=1}^{3} x'_j(s) \cdot x'_j(s) \qquad 恒等於 1 。$$

當我們把 s 固定爲值 s_0 時，向量 $X'(s_0)$ 在解析幾何中可表一個方向。事實上 $X'(s_0)$ 這向量恰表示曲線 $X(s)$ 在 $X(s_0)$ 點的切線方向。

我們再將 $X'(s)$ 對於 s 微分得 $X''(s)$。向量函數之點自乘的平方根 $\sqrt{X''(s) \cdot X''(s)}$ 變成 s 之一實函數；當此函數恒不爲 0 時，吾人以 $\rho(s)$ 表其倒數；換言之

$$\sqrt{X''(s) \cdot X''(s)} = \frac{1}{\rho(s)} 。$$

$\sqrt{X''(s) \cdot X''(s)}$ 有一重要的幾何意義，即當 s 固定爲 s_0 時 $\sqrt{X''(s_0) \cdot X''(s_0)}$ 表示曲線 $X(s)$ 在 $X(s_0)$ 點彎曲的程度，故稱爲曲線在該點之曲率（curvature）。因爲 $X'(s)$ 表示曲線在各點的切線方向，而 $X''(s)$ 表示曲線在各點因 s 變動而引起的切線方向變動的變化比率，故當 $X''(s_0)$ 之絕對值（即點自乘之平方根）愈大時，吾人可想見曲線在 $X(s_0)$ 點附近彎曲的程度愈大。反之若 $\sqrt{X''(s) \cdot X''(s)}$ 恒等於 0，則 $X'(s)$ 爲一常向量，即 $X'(s)$ 恒表示某向量 (c, c, c)；於是曲線在各點之切線方向都相同，曲線 $X(s)$ 便是一直線，它在各處一點也不彎曲。這可見出吾人稱 $\sqrt{X''(s) \cdot X''(s)}$ 爲曲率的一些理由。在微分幾何的早期曲率的概念亦有別種定義：在曲線的點 $X(s_0)$ 附近另取曲線上二相異點 $X(s_1)$, $X(s_2)$，過此三點作一圓並求其半徑以 $R(s_1, s_2)$ 表示。然後令 $X(s_1) X(s_2)$ 保持相異而沿曲線向 $X(s_0)$ 無限趨近；$R(s_1 s_2)$ 之極限值以 $R(s_0)$ 表之，$\frac{1}{R(s_0)}$ 便稱爲曲線在 $X(s_0)$ 點之曲率。事實上吾人可驗證 $\sqrt{X''(s_0) \cdot X''(s_0)}$ 與 $\frac{1}{R(s_0)}$ 相等，換言之，此二種定義所給出的曲線曲率概念是相同的。

現再講曲線的扭率（Torsion）。令 $\zeta_1(s)$ 表 $X'(s)$；令 $\zeta_2(s)$ 表 $\dfrac{X''(s)}{\sqrt{X''(s) \cdot X''(s)}}$ 或 $\rho(s) X''(s)$。因已設 $X(s)$ 爲範式，故 $X'(s) \cdot X'(s) = 1$。將 $X'(s) \cdot X'(s)$ 視爲 s 之實函數，再將它對於 s 微分，必有 $(X'(s) \cdot X'(s))' = 0$。利用一般求二函數乘積微分的法則，吾人可見出

$$(X'(s) \cdot X'(s))' = X''(s) \cdot X'(s) + X'(s) \cdot X''(s) = 2X'(s) X''(s) = 0 故有(s)$$

$$\xi_1(s) \cdot \xi_2(s) = 0$$

再令 $\xi_3(s) = \xi_1(s) \times \xi_2(s)$　在此 X 表示向量之交乘，即當

A，B 表二向量 (a_1, a_2, a_3)、(b_1, b_2, b_3) 時，$A \times B$ 即表向量 $(a_2 b_3 - a_3 b_2, a_3 b_1 - a_1 b_3, a_1 b_2 - a_2 b_1)$。由行列式的恒等式：

$$\begin{vmatrix} a_1 & a_2 & a_3 \\ a_1 & a_2 & a_3 \\ b_1 & b_2 & b_3 \end{vmatrix} = 0 \qquad \begin{vmatrix} b_1 & b_2 & b_3 \\ a_1 & a_2 & a_3 \\ b_1 & b_2 & b_3 \end{vmatrix} = 0$$

可見 $A \cdot (A \times B) = 0$，$B \cdot (A \times B) = 0$。至此吾人對已定 X 之 $\xi_1(s)$，$\xi_2(s)$，$\zeta_3(s)$ 可得下列關係：

$$\xi_j(s) \cdot \xi_j(s) = 1, \qquad i = 1, 2, 3$$

及 $\qquad \xi_j(s) \cdot \xi_k(s) = 0 \qquad 當 j \neq k$

吾人定義扭率如下：我們將 $\xi_3(s)$ 再對 s 微分得 $\xi'_3(s)$。令 $\dfrac{1}{\tau(s)} = \sqrt{\xi'_3(s) \cdot \xi'_3(s)} \cdot \dfrac{1}{\tau(s_0)}$ 即稱爲曲線 $X(s)$ 在點 $X(s_0)$ 之扭率。當曲線 $X(s)$ 爲一平面曲線時，顯然 $\xi_1(s)$，$\xi_2(s)$ 所表示之方向皆與該曲線所在的平面平行，而 $\xi_3(s)$ 所表之方向却與該平面垂直，因此 $\zeta_3(s)$ 爲一常向量；於是曲線 $X(s)$ 在各點之扭率 $\sqrt{\xi'_3(s) \cdot \xi'_3(s)}$ 恒等於零。我們可以說一個曲線在一點之扭率是他在此點異於一平面曲線的程度。

一個曲線 $X(s)$ 的曲率 $\dfrac{1}{\rho(s)}$ 及扭率 $\dfrac{1}{\tau(s)}$ 是曲線很重要的兩個特性表示，也是在剛性運動下的不變量。設 a 爲曲線 A 上任一點，又設一隨意之剛性運動將 a 與 A 搬運至 a^* 及 A^*。我們說曲率及扭率爲剛性運動下之不變量的意思是曲線 A 在 a 點的曲率及扭率恒與曲線 A^* 在 a^* 點者相等。曲率及扭率對於一個曲線的重要性可由下面定理見之：

定理：若二曲線 $X(s)$，$Y(s)$ 在各點有相同之曲率 $\dfrac{1}{\rho(s)}$ 及扭率 $\dfrac{1}{\tau(s)}$，且 $\dfrac{1}{\rho(s)}$ 及 $\dfrac{1}{\tau(s)}$ 皆爲 s 之連續函數，則二曲線爲相同之曲線，換言之，吾人能找一剛性運動將其中一曲線搬運至與另一曲線重合。——曲線論中之基本定理。

此定理已可使人見出微分幾何與早期解析幾何之間區別的概略了。爲了後文的說明，現再提出幾個曲面論中之概念。令 $X(u, v)$ 表向量 $(X_1(u, v), X_2(u, v), X_3(u, v))$。於是當 u，v 變動時 $X(u, v)$ 表示一個二維的圖形即曲面。令 $u(t)$, $v(t)$，爲 t 的二函數；於是當 t 變動時，$X(u(t), v(t))$ 表示上述曲面上的一條曲線。今再令 X 爲 $X(u(t), v(t))$ 之縮寫；X_u, X_v 分別爲向量

$$\left(\frac{\partial x_1(u(t),\ v(t))}{\partial u},\frac{\partial x_2(u(t),\ v(t))}{\partial u},\right.$$
$$\left.\frac{\partial x_3(u(t),\ v(t))}{\partial u}\right)$$

及 $\left(\dfrac{\partial x_1(u(t),\ v(t))}{\partial v},\ \dfrac{\partial x_2(u(t),\ v(t))}{\partial v},\right.$
$$\left.\frac{\partial x_3(u(t),\ v(t))}{\partial v}\right)$$

之縮寫。於是根據微積分學中，求二函數乘積微分之法則及向量學中點乘積法則吾人可覆驗下式

$$\frac{dX}{dt}=X_u\frac{du}{dt}+X_v\frac{dv}{dt}\cdot$$

$\dfrac{dX}{dt}$ 恰表示上述曲線在點 $X(u(t),\ v(t))$ 所作切線

之方向；而上式告訴我們表示這切線方向的向量 $\dfrac{dX}{dt}$ 恰

爲二特殊向量 X_u 及 X_v 的一個線性組合。令

$$\xi=\frac{X_u\times X_v}{\sqrt{(X_u\times X_v)\cdot(X_u\times X_v)}}\cdot$$

依前文給交乘積所下定義知當 X_u 及 X_v 二向量不平行且皆不爲 0 時，ξ 不爲零向量；此時吾人稱 ξ 所表示方向爲曲面 $X(u,v)$ 在點 $X(u(t),\ v(t))$ 之法線方向，並定義過點 $X(u(t),\ v(t))$ 而與 ξ 方向垂直的平面爲曲面圓過此點之切面。

令 $S(t)$ 表上述曲面上之曲線從點 $X(u(t_0),\ v(t_0))$ 到點 $X(u(t),\ v(t))$ 一般之曲線長，作求曲線長之公式有

$$S(t)=\int_{t_0}^{t}\sqrt{\left(\frac{dX}{dt}\right)^2}\,d\xi$$

$$=\int_{t_0}^{t}\sqrt{\left(X_u\frac{du}{dt}+X_v\frac{dv}{dt}\right)^2}\,d\xi$$

$$=\int_{t_0}^{t}\sqrt{X_u^2\left(\frac{du}{dt}\right)^2+2X_uX_v\frac{du}{dt}\frac{dv}{dt}+X_v^2\left(\frac{dv}{dt}\right)^2}\,d\xi$$

令 E 表 X_u^2，F 表 X_uX_v，G 表 X_v^2。於是得

$$S(t)=\int_{t_0}^{t}\sqrt{E\left(\frac{du}{dt}\right)^2+2F\frac{du}{dt}\frac{dv}{dt}+G\left(\frac{dv}{dt}\right)^2}\,d\xi$$

及 $\ ds^2=E(du)^2+2F\,du\,dv+G(dv)^2$

（第 1 種基本型式）

現假定以上所講之曲線 $X(t)$ 即 $X(u(t),\ v(t))$ 中之參數 $u(t)$, $v(t)$ 已作適當選擇，使得 $X(t)$ 爲該曲線之範式，換言之從點 $X(o)$ 到 $X(t)$ 一段曲線長 $S(t)$ 即等於 t。於是 $X(t)$ 可換寫成 $X(s)$。和前面所講的一樣，吾人仍有 $\dfrac{dX(s)}{ds}\cdot\dfrac{dX(s)}{ds}=1$。利用此範式再求曲面在點 $X(u(t),\ v(t))$ 處的法線方向

$$\xi(s)=\frac{X_u(u(s),\ v(s))\times X_v(u(s),\ v(s))}{\sqrt{(X_u\times X_v)(X_u\times X_v)}}$$

此向量 $\xi(s)$ 亦可寫成 $\xi(u(s),\ v(s))$。於是

$$\frac{d\xi}{ds}=\xi_u\frac{du}{ds}+\xi_v\frac{dv}{ds}\ ,$$

而有 $\ \ \dfrac{dX}{ds}\cdot\dfrac{d\xi}{ds}=X_u\xi_u\left(\dfrac{du}{ds}\right)^2+(X_u\cdot\xi_v$

$$+X_v\cdot\xi_u)\frac{du}{ds}\frac{dv}{ds}$$

$$+X_v\xi_v\left(\frac{dv}{ds}\right)^2\cdot$$

令 L 表 $-(X_u\cdot\xi_u)$，$2M$ 表 $-(X_u\cdot\xi_v+X_v\cdot\xi_u)$，$N$ 表 $-(X_v\cdot\xi_v)$。

於是得到

$$-(dX)\cdot(d\xi)=L\,du^2+2M\,du\,dv+N\,dv^2$$
$$\text{（第 II 基本形式）。}$$

$$-\left(\frac{dX}{ds}\right)\cdot\left(\frac{d\xi}{ds}\right)=d(x)\cdot d(\xi)/(ds)^2$$

$$=\frac{L\,du^2+2M\,du\,dv+N\,dv^2}{E\,du^2+2F\,du\,dv+G\,dv^2}$$

$$=\mathrm{II}/\mathrm{I}.$$

上面得到的這些式子 E. F. G，L, M, N 及第 I 及第 II 基本形式等都是重要的幾何量，能告訴曲面各點之附近的形狀是怎樣。將 EF 等式加以組合，能得出許多在剛性運動下不變的量。在下文的進行中，我們需用一個不變量而需在此加以解釋的，那就是有名的高氏曲率（Gauschn curvature）。

我們在曲面上固定一點來討論，我們假設前段所說，在曲面上的曲線是過定點 $X(u(s),\ v(s))$ 或 $X(k,j)$。在此 $k=u(s)$，$j=v(s)$。於是曲面過點 $X(k,j)$ 的法線方向爲 $\xi(k,j)$ 與 $X_u(k,j)$，$X_v(k,j)$ 皆垂直。再進一部假設曲面上的曲線是由一過此法線的平面 P 與曲面相交而成。曲線在點 $X(k,j)$ 的切線方向爲

$$\frac{dX(s)}{ds}=X_u(k,j)\frac{du(s)}{dt}+X_v(k,j)\frac{dv(s)}{ds}\ \text{。既然整}$$

個曲線皆在平面P內，則此切線亦必在平面P內，故 $\dfrac{dX(s)}{ds}$ 與平面P平行。又因 $\xi(k,j)$ 與 $X_u(k,j)$ 及 $K_v(k,j)$ 皆垂直。故 $\xi(k,j)$ 與 $\dfrac{dx(s)}{ds}$ 亦垂直。另一方面因曲線在各點之切線皆在平面P內，故 $X''(s)$ 亦與平面P平行。又因 $X'(s) \cdot X'(s) = 1$ ，而有 $2X''(s) \cdot X'(s) = 0$ ；即 $X''(s)$ 與 $X'(s)$ 或 $\dfrac{dX(s)}{ds}$ 垂直，故 $X''(s)$ 與 $\xi(k,j)$ 必平行。現定義 $\dfrac{1}{R(s)} = X''(s) \cdot \xi(s)$ 。因已知 $X'(s)$ 與 $\xi(s)$ 垂直，即 $X'(s) \cdot \xi(s) = 0$. 故再對 s 求微分而有 $X''(s) \cdot \xi(s) + X'(s) \cdot \xi'(s) = 0$ ；總括起來得到：

$$\frac{1}{R(s)} = X''(s) \cdot \xi(s) = -X'(s) \cdot \xi'(s)$$

$$= \frac{L\,du^2 + 2M\,dudv + N\,dv^2}{E\,du^2 + 2F\,dudv + G\,dv^2} = \frac{\mathbb{II}}{\mathbb{I}} \ .$$

吾人已定義 $\sqrt{X''(s) \cdot X''(s)} = \dfrac{1}{\rho(s)}$ ，又知 $\xi \cdot \xi = 1$ ，故在幾何意義上講， $\dfrac{1}{R(s)}$ 的絕對值等於曲線在 $X(k,j)$ 點的曲率 $\dfrac{1}{\rho(s)}$ ，而 $\dfrac{1}{R(s)}$ 之爲正或爲負端視 $X''(s)$ 與 $\xi(s)$ 二平向量之方向爲相同或相反。當 $X''(s)$ 與 $\xi(s)$ 之方向相同時，曲線在點 $X(k,j)$ 附近是處於切面的一邊，當 $X''(s)$ 與 $\xi(s)$ 方向相反時，則曲線在點 $X(k,j)$ 附近是處於切面的另一邊。

現在考慮上述的曲面 $X(u,v)$ 及其上面固定的點 $X(k,j)$ 及過此點之曲面的法線；不同的是令那通過此法線的平面P以法線爲軸而轉至一新平面 P_* 的位置。新平面 P_* 仍與曲面相交於一個過同一點 $X(k,j)$ 之曲線。求此新曲線之範式 $X(u_*(s), v_*(s))$ 。仍設 $u_*(s) = k$ ， $v_*(s) = j$ 。表示此新曲線在點 $X(k,j)$ 之曲率（有方向的）設爲 $\dfrac{1}{R_*}$ 。得 $\dfrac{1}{R_*}$ 之公式如下：

$$\frac{1}{R^*} = \frac{L\,dv_*^2 + 2M\,du_*dv_* + N\,dv_*^2}{E\,dv_*^2 + 2F\,du_*dv_* + G\,dv_*^2} \ .$$

在 $\dfrac{1}{R}$ 的公式中出現的 L, M, N, E, F, G 與在 $\dfrac{1}{R^*}$ 中出現的 L, M, N, E, F, G 是依次相等的，這些量都是屬於同一個點 $X(k,j)$ 。 $\dfrac{1}{R^*}$ 與 $\dfrac{1}{R}$ 可以不同，乃是

由於 dv 與 dv_* 之不同或 du 與 du_* 之不同。吾人令過法線之平面 P_* 以法線爲軸環繞一周，如此得到平面 P_* 與曲面所交曲線在 $X(k,j)$ 點曲率（有方向） $\dfrac{1}{R^*}$ 的所有可能的值。有時， $\dfrac{1}{R^*}$ 的所有諸可能值都是相等的；譬如當曲面 $X(u,v)$ 爲一球面時便是這種情形。但在一般的情形下， P_* 有兩個互相垂直的位置，使得由此二者而到的曲率 $\dfrac{1}{R_1}$ 與 $\dfrac{1}{R_2}$ 分別爲諸 $\dfrac{1}{R^*}$ 可能值中之最大者與最小者。我們令

$$R = \frac{1}{R_1} \cdot \frac{1}{R_2} \ .$$

K 便是曲面 $X(u,v)$ 在 $K(k,j)$ 點的高氏曲率（Gauss curvature）。 K 這個值是因爲考慮了 P_* 環繞法線所有可能位置而後得到的， K 的值應與 P_* 的位置無關，而只與屬於點 $K(k,j)$ 的 E, F, G, L, M, N 等值有關。經計算得公式如下：

$$K = \frac{1}{R_1} \cdot \frac{1}{R_2} = \frac{LN - M^2}{EG - F^2} \ .$$

類似地，吾人令 $2H$ 表 $\dfrac{1}{R_1} + \dfrac{1}{R_2}$ 並稱 H 爲曲面 $X(u, v)$ 在點 $X(k,j)$ 處之平均曲率。有關的公式如下：

$$2H = \frac{1}{R_1} + \frac{1}{R_2} = \frac{EN - 2FM + GL}{EG - F^2} \ .$$

K 與 H 都是專屬於曲面各點的性質，他們並且也都是在剛性運動下之不變量。蓋在我們已知曲線的曲率是在剛性運動下的不變量；於是當二曲線之曲率分別爲 $\dfrac{1}{R_1}$ 與 $\dfrac{1}{R_2}$ 時，我們用剛性運動把此二曲線搬到二新位置，仍會使他們在相應點分別具有曲率 $\dfrac{1}{R_1}$ 與 $\dfrac{1}{R_2}$ 。由此線索可見當曲面在一點的高氏曲率與平均曲率分別爲 K 與 H 時，經剛性運動搬動後該曲面在相應點仍具有同樣的高氏曲率 K 與平均曲率 H 。高氏曲率，平均曲率在曲面論中爲基本的概念，正如曲線曲率與扭率在曲線論中爲基本概念一樣。本文上面及下面將要說的，雖能顯示出微分幾何與早期解析幾何不同之一些特色，但所涉太少，只可說是窺其一斑而已。在十九世紀微分幾何經高斯等人大力發展，內容豐富，典籍甚多。德國人布拉希克（W. Blaschke）於二十世紀初所寫三册微分幾何講義（Vorlesungen über Differential Geometrie）可

供參考。

微分幾何與非歐幾何

　　一個曲面在其各點之高氏曲率皆相等者稱爲常曲率曲面（ surface of constant curvature ）。這一類的曲面與非歐幾何的關係很密切，玆將此種關係加以說明。前面已講過一曲面在其上一點之高氏曲率公式爲 $K = \dfrac{1}{R_1} \cdot \dfrac{1}{R_2} = \dfrac{LN - M_2}{EG - F^2}$。當 $K = 0$ 時（奇異點除外）一個常曲率曲面爲一平面或一柱面之類。當一曲面之 K 恒爲二固定之正值時，此曲面爲球面之類。若吾人在此類曲面上任一點作切面，則在此點附近的該曲面各點皆在切面之同一旁，此類曲面可稱爲正值常曲率曲面。當曲面在各點之 K 恒爲一固定之負值時，此曲面可稱爲免值常曲率曲面。這種曲面的特點是這樣：若在曲面上任一點作曲面的切面，則在此切面的兩側皆會有該曲面的點存在，蓋在此種情形，$K = \dfrac{1}{R_1} \cdot \dfrac{1}{R_2} =$ 負值；$\dfrac{1}{R_1}$ 與 $\dfrac{1}{R_1}$ 的正負號必相反。這表示在曲面上有兩個同過切點的曲線（兩者皆爲過該點法線之平面與原曲面相交而成者），他們的曲率分別爲正負號相反的 $\dfrac{1}{R_1}$ 與 $\dfrac{1}{R_2}$；因此二曲線各處於切面不同之兩側（前面已解釋過，$\dfrac{1}{R_1} = X''(s) \cdot \xi(s)$，$\xi$ 爲法線的方向，又 ξ 與 X'' 是平行的。$\dfrac{1}{R_1}$ 之爲正或爲負端視 ξ 與 X'' 之方向爲相同或相反而已；當 X'' 與 ξ 方向相同時曲線 $X(s)$ 是向切面之一側彎曲，而當 X'' 與 ξ 方向相反時曲線 $X(s)$ 是向切面之另一側彎曲。）當我們給正值常曲率曲面及負值常曲率曲面中的測地線或最短線（ geodasic ）解釋成直線時就得到非歐幾何空間之例。

　　非歐幾何學是幾何學在十九世紀的一項重大之發展，我們將另用篇幅作較詳之講述。在此用常曲率曲面來講時我們只先談其要略。歐氏幾何爲早期之公理化數學：屬於這門學問的有一些基本概念如點、直線、面、相交……等；另有一些是關於這些基本概念的公理，就中特別要提出來的是平行公理。平行公理曾經歷代數學家改變形式，在此取一方便的講法如下：在一平面中過線外一點最多只有一條平行線。所謂二直線平行是指二者不相交。在十九世紀初（及以前）已有人將平行公理加

以否定（譬如提出過線外一點所作平行線不只一條）並續用歐氏其他幾何公理演繹出一些奇特的定理來。這些定理與長期的常識相違，令人難以置信，但人却能將點，直線等基本概念作適當的解釋，並依此種解釋造出空間之例，能滿足歐氏幾何除了平行公理外的其他幾何公理。於是那些奇特定理便也看不出蘊含何種矛盾；從邏輯觀點來看，它們也自成一個幾何系統。

　　現設 $X(u, v)$ 爲三維歐氏空間中一曲面，其第 I 基本形式爲 $ds^2 = du^2 + e^{2u} dv^2$ 換言之屬於此曲面之 E, F, G 分別爲 1，0 及 e^{2u}。前文曾提出求高氏曲率的公式 $K = \dfrac{LN - M^2}{EG - F^2}$，但高斯自己有一求高氏曲率之公式，內中只含 E, F, G 三項：

$$
\begin{aligned}
K = 1/4 \, (EG - F^2)^2 \{ & E(E_v G_v - 2F_u G_v + G_u^2) \\
& + G(E_u G_u - 2F_v E_u + E_v^2) \\
& + F(E_u G_v - E_v G_u + 4F_u F_v \\
& \quad - 2F_u G_u - 2F_v E_v) \\
& + 2(EG - F^2) \\
& \quad (2F_{uv} - E_{vv} - G_{uu}) \}
\end{aligned}
$$

此公式說一曲面的高氏曲率完全由其第 I 種基本形式 $ds^2 = E du^2 + 2F du dv + G dv^2$ 所決定。因屬於上舉曲面的 E, F, G 分別爲 1，0 及 e^{2u}，經計算 $K = -1$，即 $X(u, v)$ 爲一高氏曲率恒等於 -1 的曲面。現在來定義在這曲面 $X(u, v)$ 上的測地線。粗略言之，曲面上的一條測面線必有如下的性質：若 A，B 爲測地線上任二點，則此線從 A 點到 B 點的一段曲線長必較曲面上任另一連結 AB 二點的曲線段之長爲短。我們把這高氏曲率恒等於 -1 的曲面 $X(u, v)$ 看成一個二維空間，把在其上的諸測地線看成這二維空間中的直線（其他幾何基本概念亦隨着作適當解釋），於是便得到一個非歐幾何的平面，它不滿足平行公理，而一些非歐幾何的奇特定理却在它上面成立；下文所述可在直覺上幫助人了解這種情形。

　　我們把 $X(u, v)$ 這三維歐氏空間的曲面寫像到二維歐氏空間的半平面 $y > 0$ 上去，所用變換式如下（x, y 在此表點之直座標）：

$$ x = v, \qquad y = e^{-u} $$

經計算得 $dx = dv$，$dy = -e^{-u} du$ 或 $du = -dy e^u$。於是有

$$
\begin{aligned}
du^2 + e^{2u} dv^2 &= e^{2u}(dy^2 + dx^2) \\
&= dx^2 + dy^2/y^2
\end{aligned}
$$

我們在半平面 $y > 0$ 中引進一個度量曲線長的方法：若

$(x_{(t)}, y_{(t)})$ 為半平面上任一曲線，我們即把

$$S_h(t) = \int_{t_0}^t \left(\sqrt{(\frac{dx}{dt})^2 + (\frac{dy}{dt})^2} / y_{(t)} \right) dt$$

稱為曲線段的 h 一長度。顯然 h 一長與用歐氏幾何公式

所得的長度結果 $\int_{t_0}^t \sqrt{(\frac{dx}{dt})^2 + (\frac{dy}{dt})^2} dt$ 不同，故

h 一長是一種新的長度。我們再定義半平面上的 h 一測地線。粗略言之，一個這種 h 一測地線應有如下之性質：若 A，B 為這曲線上任二點，則這曲線由 A 至 B 一段的 h 一長必較半平面上任另一連結 A，B 二點之曲線段的 h 一長為短。有了這些定義我們可以見出

$X(u, v)$ 上的測地線恰寫像到半平面 $y > 0$ 上的 h-測地線。蓋我們由上面的等式得到

$$\int_{t_0}^t \sqrt{(\frac{du}{dt})^2 + e^{2u(t)}(\frac{dv}{dt})^2} dt$$

$$= \int_{t_0}^t \left(\sqrt{(\frac{dx}{dt})^2 + (\frac{dy}{dt})^2} / y_{(t)} \right) dt$$

回想曾假設 $ds^2 = du^2 + e^{2u} dv^2$ 為 $X(u, v)$ 的第 I 種基本形式；那麼上面的等式等於說曲面 $X(u, v)$ 上任一曲線段的長恰等這曲線段在半平面上之寫像的 h 一長。由這一個線索，自然可看出曲面上的測地線恰寫像到半平面上的 h 一測地線。

半平面 $y > 0$ 上的 h 一測地線是什麼樣的曲線呢？由變分法的知識知求這些 h 一測地線需先求解微分方程式 $y\sqrt{1 + y'^2} = a$，而積分結果得這些測地線的方程式為

$$(x - x_0)^2 + y^2 = a^2$$

在半平面上它們表示與 x 一軸直交的諸半圓，連同與 x-軸垂直的半線在內。因本文在講變分法時已將求這些 h-測地線的過程當作例子講過了，在此不贅述。

我們把半平面當作一個二維空間，把它上面的 h 一測地線，也就是與 x 一軸直交的半圓及與 x 一軸垂直的半線看成此二維空間中的直線；於是得到一個非歐幾何的平面空間之例。而且這空間之為非歐幾何空間的事實在直覺上較為明顯，蓋我們對半平面上任一與 x 一軸直交的半圓 A 及其外一點 a 恒能找兩個不同的，過 a 點且與 x 一軸直交的半圓 B，C 皆不與半圓 A 相交，如下圖。

這就表示我們的半平面空間不滿足平行公理。我們不難覆驗這半平面空間確滿足歐氏幾何的其他公理。但這覆驗工作亦非簡單，蓋我們首需對其他幾何基本概念如相

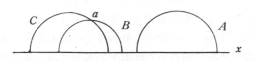

交，合同（congruence）等亦作適當之解釋才行，我們在後文專講非歐幾何時再講仔細些。

現利用曲面上測地線與半平面上 h 一測地線的對應關係再囘頭來看那個高低曲率恒等於 -1 的曲面 $X(u, v)$ 的結構，應可看出在半面上成立的非歐幾何定理在它上面亦會成立。譬如在曲面上對任一測地線 A' 及其外一點 a'，恒存在另二相異之測地線 B'，C'，皆過 a' 點但皆不與 A' 相交，但在此我們提起注意，上面所用的寫像 $x = v$，$y = e^{-u}$ 在此二空間彼此間並不表示一個一對一的關係，我們不能推度說曲面 $X(u, v)$ 與半平面有完全一樣的結構。把歐氏幾何公理中的平行公理換成如下與之矛盾的假設：在平面中過線外一點能作的平行線不止一條，這便得到曾被人稱為雙曲線幾何（byperbolic geometry）的一種非歐幾何。在一八二九年由俄國數學家勞巴柴夫斯基（Lobatschefskij）所發表的，而使世人震驚的所謂虛幻幾何（imaginary geometry）即相當於雙曲線幾何。我們這裏所舉的曲面 $X(u, v)$ 及半平面 $y > 0$ 都是雙曲線幾何的實例。只是曲面 $X(u, v)$ 並非雙曲線幾何的一個完備例子；希拉伯特（D. Hilbert）曾證明，凡負值常曲率曲面皆有作為障礙的奇線（line of singularity），注定只能表現雙曲線幾何空間的一小塊（見希氏所著 Grundlagan der Geometrie, Anhang V）。負值常曲率曲面雖不是雙曲線幾何空間一個完美無缺的例，但却是最早的例。半平面的例子之流行應歸功潘加海（Henri, Poincore 1854-1912）。此例亦稱為潘加海半平面。至於研究常曲率曲面與非歐幾何的關係則是由賣因丁（Minding）開始。他利用求解微分方程的方法把常曲率（正值及負值的）的旋轉面（surface of revolution）的各種形狀都求出來了，並正式指出雙曲線幾何在負值常曲率的曲面上成立，於一八三九年發表於德國的 Crelles Journal 卷 19。勞巴柴夫斯基對雙曲線幾何只是在這以前的兩年，在同一個雜誌也發表過他的相當的議論，而這兩個人所獲結果間的關係要到一八六八年才初被意大利的貝爾拖拉米（Beltrami）指出。後世人喜歡說貝爾拖拉

米發明了雙曲線幾何的模型；他的模型中也有一個負值的常曲率旋轉面。

　　正值的常曲線曲面雖亦有多種形狀而以球面最簡單（見賣因丁所作之研究）。黎曼（G. F. B. Riemann, 1826－1866）在球面上見到了不完全滿足歐氏幾何公理的另外的空間例子。球面上的測地線爲大圓；把大圓看成幾何基本概念的直線後，這球面就具有如下一些性質。例如任二直線皆不平行（即相交）具有二交點；任一三角形之三內角和大於 180 度……等。這些性質都不是歐氏幾何中所有的。但一般文獻並不把對這些性質的研究稱爲非歐幾何而只稱他爲球面幾何（spherical geometry）；非歐幾何的名稱只保留給雙曲線幾何及下面快要講解的橢圓幾何（elliptic geometry），由球面幾何經克萊茵氏加以改進而得到者。

微分幾何的推廣及黎曼幾何新觀點

　　黎曼（G. F. B. Riemann 1826－1866）於一八五四年發表他著名的接受教職演說：關於幾何學的基本假設。他的出發點是三維歐氏空間中負值常曲率面與雙曲線幾何的關係，如賣因丁於一八三九年所爲文討論，以及日後於一八六八年爲貝爾拖拉米更明細指出者。一個作爲雙曲線模型的負值常曲率曲面當寫像到一平面時就在該平面裏引進一個新的量長方法（在前節半平面例子裏所引進的新度量法乃是以長度微分 $ds = \sqrt{dx^2 + dy^2} / y$ 所表示）；以此新量長法再定義出測地線作爲直線，就得到一個新的空間了。以此類推，我們在空間中引進各種不同的量長法，豈不是可以造出各式各樣的幾何空間嗎？黎曼可說是依照此種想法而將幾何空間的觀念加以推廣。

　　他令 x_1, x_2……, x_n 表 n 個變量；以實數爲諸變量之值。當諸變量跑遍各實值時，我們就得到一個 n 維點簇（manifold）。黎曼避免在此使用空間的字樣，蓋他要把我們直觀的空間置於這種點簇之下爲一個三維特例。在 n 維點簇裏他任意給出一個長度微分 $ds^2 = \sum a_{x\lambda} dx_x dx_\lambda$ (x, $\lambda = 1 \cdots n$)。當任一曲線 $x_i = f_i(u)$ $i = 1, 2, \cdots, n$ 給定時，規定曲線段長等於

$$L = \int_{u_1}^{u_2} \sqrt{\sum a_{x\lambda} dx_x dx_\lambda}$$

$$= \int_{u_1}^{u_2} \sqrt{\sum a_{x\lambda} f_x'(u) \cdot f_\lambda'(u)} \, du$$

在此 $a_{x\lambda}$ 原來皆爲諸 x_i 的函數，今皆以 $f_i(u)$ 代 x_i，使成爲 u 之函數。在這規定之量長法下，定義測地線爲如此之曲線，能使其上各點間以依此線所求得之長度爲最短者。測地線之求法仍是照變分法要求

$$\delta \int_{u_1}^{u_2} \sqrt{\sum a_{x\lambda} dx_x dx_\lambda} = 0$$

而行之。通常在 n 維點簇中的每一點皆有 $n-1$ 維的測地線通過。這些測地線就相當於歐幾里德空間中的直線。

　　今舉例以明之。在二維點簇中若表示新度量的長度微分分別爲① $ds = \sqrt{(dx)^2 + (dy)^2} / y$，② $ds = 2\sqrt{(dx)^2 + (dy)^2} / (1 - (x^2 + y^2))$，③ $ds = (2\sqrt{(dx)^2 + (dy)^2}) / (1 + x^2 + y^2)$ 及 ④ $ds = \sqrt{(dx)^2 + (dy)^2}$，則所得到的測地線分別爲①諸與一直線直交的半圓及半線，②諸與一定圓直交的圓及直線，③諸與一定圓在其直徑兩端處相交的圓及直線，④諸直線。在第①，②兩種情形，我們得到雙曲線幾何空間，在第③種情形得到球面幾何空間，第④種就是歐幾里德空間。②③兩種情形我們將詳述之，在此暫略過。

　　高氏曲率既因曲面之第 I 基本形式 $ds^2 = E du^2 + 2F dudv + G dv^2$ 而完全決定，故高氏曲率不因曲面之保長（即保 ds）變換而改變。設有一塊柔軟的綢布，將其變形，而不使綢布受到伸長縮短，則此塊綢布上各點的高氏曲率皆保持不變。由此可見高氏曲率是一極富幾何意義的量。黎曼將高氏曲率的觀念推廣到配有長度微分 $ds = \sum a_{x\lambda} dx_x dx_\lambda$ 的 n 維點簇上去，他的廣義的曲率可稱黎曼曲率。如前所見，n 維點簇因配給它的長度微分而獲得一系特定的測地線（於是也構成一特定的廣義幾何空間）。所謂在某一點的黎曼曲率乃是用一非常複雜的解析公式從過該點諸測地線所計算出來的一個實數值。而常黎曼曲率 n 維點簇的定義（雖然或比人們第一念想到的要複雜些）亦不過靠諸測地線來作決定。在此我們無能作深入的研討，然而可以注意的一點是，配給一 n 維點簇的長度微分 ds 固然決定測地線的樣子及黎曼曲率的大小，反之由後者亦可得到前二者的消息。黎曼將他的幾何新觀點利用來考慮實在的空間，而得如下結果。當三維點簇具有常黎曼曲率且其值爲零時，此三維點簇就是習常的三維歐幾里得空間（它的測地線都是直線）。但當三維點簇具有負值的常黎曼曲率時，我們得到一個雙曲線幾何的空間。當三維點簇具有正值常黎曼曲率時，它能算作一個空間嗎？這樣的點簇中點與點間的距離（沿測地線而計算的長）皆小於定值

，與當時人認爲空間顯然是向外無窮延伸的觀念相違。但黎曼却指出，空間確需是無止境的，而無止境並不必然要無限大。順着這種研討的線索，日後的克萊茵（F. Klein, 1849 — 1925）乃明白的提出橢圓幾何（後將詳細講解）而與歐氏幾何及雙曲線幾何鼎足而三。

　　二維的橢圓幾何空間與一球面類似，其總面積是一定值，換言之，是一有限的宇宙；但一點在其上旅行却可一往直前，不會碰到邊界，蓋這點可轉一周而回到原處。在一個有這種特性的三維空間上（黎曼就是沒想到有這種空間的一個先驅者。）人們可設想天文學家具有强力望遠鏡，向前一直望去可以於若干年後望到自己的後腦。這種無止境而有限的空間觀念日後爲愛因斯坦（R. Einstein 1879 — 1955）所重用以創造他的普遍相對論。黎曼革新幾何空間觀念的劃時代演說於日後發生重大影響，他的演說正式發表後，引起廣泛注意，相關的研究跟踵而來，乃是可以想見的。但黎曼發表演說的當時反應很冷淡，據說在場聽講的可能只有高斯一人充分了解他的新思想的意義，高斯聽完演講亦未發表意見，只凝重沉思返家。黎曼的演說內容是在他死後的一八六八年發表的，意大利數學家貝爾拖拉米發表其有名的雙曲線幾何模型的論文也是在同年。

貳、非歐幾何

　　非歐幾何引起人類思想上的巨變，今專闢篇幅講它的各方面。歐幾里德幾何中的基本假設除了五個關於量之大小的普通概念外另有下面五個公理：

　　1. 從一點到另一點可作一直線。

　　2. 任一有限線段可延長至任意長。

　　3. 以一點爲心，以任意距離之長爲半徑可劃一圓。

　　4. 凡直角皆相等。

　　5. 設某直線與另二直線於相交時在該直線的一側所成二內角之和小於二直角，則在該直線的這一側把二直線延長必會相交。

在歐氏幾何中二互不相交的直線被稱爲平行線。第 5 公理亦可換以下面的公理而不致使歐氏幾何的定理增多或減少。

　　6. 在一平面中過線外一點最多有一條平行線。

5. ，6. 二公理乃是所謂平行公理的兩個不同的形式。

　　非歐幾何的起源是人們想利用歐氏幾何中平行公理以外的諸公理把平行公理自己證明出來。他利用反證法；把平行公理換成它的否定或是與它抵觸的其他假設，從而推論出大串的命題來，希望最後能獲致一項矛盾。這樣的人很多，出名的有沙克利（J. Saccheri 1667-1773），朗巴特（J. H. Lambert，1728 - 1777），勒賽得（A. M. Legendre，1752 - 1833），高斯（C.F. Gauss，1777 - 1855），勞巴柴夫斯基（Lobatschefskij，1793 - 1856），波里亞（J. Bolyai，1802 - 1860）等。但他們的試探皆沒有成功（或僅因錯覺而自以爲成功了）蓋他們雖導出大串奇妙的與歐氏幾何定理不同的命題，但却沒有找到矛盾。上述六人中的後三者屬於同一時期，在衆多人的失敗之後他們開始相信平行公理是不可能證明的，並進而認爲他們與平行公理抵觸的假設出發所導出的諸命題亦同樣有資格當作一系幾何學。這一轉變乃構成幾何學乃至整個數學突進的一大步。勞巴柴夫斯基於一八二九年首先把他的 "虛幻幾何" 在俄國 " Kazan Messenger " 雜誌上發表，這便是第一個非歐幾何的正式誕生。勞巴柴夫斯基的幾何學被後世人亦稱爲雙曲線幾何。雙曲線幾何所用的公理是將歐幾里得幾何中的平行公理換以下面與它抵觸的假設而得到的。

　　7. 在平面中過線外一點能作的平行線不止一條。前述六人所導出的諸命題皆落於雙曲線幾何定理範圍之內，故雙曲線幾何之發明功非一人。雙曲線幾何中具有特色的定理玆舉數例於後。

　　1. 在一四邊形 $ABCD$ 中，若 $\angle A$、$\angle B$ 皆爲直角又 $AD=BC$，則 $\angle C=\angle D$ 且 $\angle C$ 及 $\angle D$ 皆爲銳角。（此定理實即爲 Saccheri 所假設之出發點）

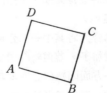

　　2. 任一三角形三內角和小於二直角。（高斯曾在三個山頂上樹立量角器依此定理來測量空間之性質而未成功。）

　　3. $cosh\dfrac{a_j+a_k}{2}cos\dfrac{A_i}{2}+cos\dfrac{A_j+A_k}{2}cosh\dfrac{a_i}{2}=0$

在此 A_i，A_j，A_k 爲三角之三外角，a_i，a_j，a_k 爲三對應邊之長。

　　4. 三角形 ABC 之面積等於 $\pi-A-B-C$ 在此 A，B，C 爲三內角。（此定理曾先爲朗巴特導出）

幾何公理的改進

　　凡是在中學做過歐氏平面幾何題目的人可能有一同

感，即證明題目時並不能完全依靠公理，而有時要靠對作出圖形的觀察。譬如將過角之頂點落於角內之半線向頂點方向延長必落於對頂角內，引用這一常用的事實時即找不到適當的公理或定理來作理由。這例證近代的觀點認為歐氏幾何的公理是不完備的，玆另舉一例，在歐氏幾何中證明三角形 ABC 的外角 $\angle ACD$ 大於其內對角 $\angle A$ 時，是這樣進行的（見左圖）：取 AC 之中點 E，聯 BE 再向前延長至 F 使 $BE=EF$，再聯 FC．得 $\angle A = \angle ACF$；顯然 $\angle ACF$ 之邊 CF 落於外角 $\angle ACD$ 之內，故證得外角 $\angle ACD$ 大於內對角 $\angle A$。但這裏所謂的"顯然"是有問題的，蓋一個好設想的人可以說，

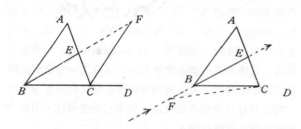

當 BE 朝 E 的方向向上延長時（如右圖）可能因這空間是可以轉圈的而間頭從圖下端出現致使 F 落於 B 點附近（見上圖），這時 FC 就顯然不落在外角 $\angle ACD$ 之內了（事實上在橢圓幾何空間裏情形就可能是這樣，而外角大於內對角的定理在那裏也不成立）。當然歐幾里得幾何學派的人所了解的空間絕不允許這樣兜圈子，這說明歐氏幾何公理中有未盡明言之處。

　　歐氏幾何公理的這些缺點，當吾人將其中一二公理改換而轉到非歐幾何時就使困難增加了，蓋這時既明知直觀及已往經驗之不足恃，但另一方面因幾何公理本身不完備明確而不能不借重它們，致易產生錯覺及混亂。有人說讀勞巴柴夫斯基的幾何有如進到原始叢林的池沼中那樣迷亂難行，而思想上的混亂應為一主因；若將能將幾何公理加以改善使人推論能僅本公理而行，則非歐幾何也不過和一般抽象數學系統那樣難罷。

　　幾何公理的改進有威布倫（Veblen）於一九〇四年引進"在中間"（between）的概念而增加一些有關次序的公理（axioms of order）見於其著作 Veblen，A system of axioms for geometry，Transactions of the American Mathematical society Vol. 5（1904），其後有帕盧（Pasch）及得恩（Dehn）著有 Vorlesungen über newere Geometrie（Berlin，1926），引進一系符合公理（axioms of con-

gruence），再經希爾伯特（Hilbert），莫爾（R. L. Moore）等人加以簡化。增加了秩序公理及合同公理後，我們前舉關於對頂角及三角形外角大於內對角二例的說明就再也不需借助圖形了，事實上研究幾何的人只需依公理及邏輯而行。特別重要一點是合同公理可幫助嚴格定義長度，角度及面積等，選定單位後這些便都獲得確定的數值。在非歐幾何中有關這些量的公式，譬如前舉在雙曲線幾何中的三角及面積公式都是很與常識違背的，人獲得改善之幾何公理後乃能依嚴格定義及推論去研習它們，不受習慣直觀之干擾，庶可得到確切之理解。

　　今將希爾伯特提出之（改進的）歐氏平面幾何及雙曲線平面幾何的公理錄下供解說之用。二者只有在平行公理部份不同，其餘公理都是為他們所公用的。（見 D. Hilbert，Grundlagen der Geometrie，1922，中之附錄Ⅲ）。

Ⅰ聯結公理（axioms of incidence）
Ⅰ₁不同二點恒決定一直線。
Ⅰ₂在一直線上任二點所決定之直線即為此直線。
Ⅰ₃每一直線上至少有一點存在。至少有三點不同任一直線上。

Ⅱ次序公理（axioms of order）
Ⅱ₁設 A，B，C 為直線上三點且 B 在 A，C 當中，則 B 亦在 C，A 之當中。
Ⅱ₂設 A 與 B 為直線上二點，則此直線至少有一點 C 在 A，B 當中，又至少有一點 D 使得 B 在 A，D 當中。
Ⅱ₃直線上任三點中必恰有一點是位於其他二點的當中。
　　定義．在 A 與 B 當中的點構成一線段以 AB 或 BA 表之。
Ⅱ₄設 A，B，C 為不同在任一直線上之三點，又設 a 為一不經過 A，B，C 的直線。則當 a 與線段 AB 有交點時，a 亦必與線段 BC 或 AC 有交點。
　　定義．由Ⅰ，Ⅱ兩組公理（特別要用Ⅱ₄）可證得如下事實：直線 a 上任一點把直線其餘的部分分成二二半線，當在同一半線中任取二點時，0 點必不在此二點當中，但當在兩半線中各取一點時，0 點必在此二點當中，當 A 屬於一半線時，吾人可以 $\overrightarrow{OA}$ 表此半線。
　　定義．由Ⅰ，Ⅱ兩組公理可證得如下之事實：任一直線 a 恒將平面空間其餘部分分為二區域；當二點 A，B 屬於同區域時，線段 AB 與線 a 無交點，但當二點 A，B 屬於相異之區域時線段 AB 與線 a 必有交點。我們稱此

二部分為線 a 之兩側。

定義 · 設 h ， k 為起於點 0 而不同在一直線上之二半線，吾人稱 h ， k ， 0 三者構成一角以文（ h ， k ）表之。h 與 k 所在之二直線將平面空間分為四部分，就中一部分是由就 k 所在直線而言與 k 同處一側同時就 k 所在直線而言亦與 k 同處一側的諸點所構成。我們稱這一部分為角文（ h ， k ）的內部。

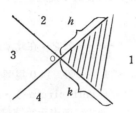

Ⅲ 符合公理（ axioms of congruence ）

符合為線段與線段之關係，為角與角之關係，三角形與三角形之關係，當 x 與 y 合同時吾人以 " $x \equiv y$ " 表之。

Ⅲ₁設 AB 為線上二點，A' 為直線 a' 上一點。我們在屬於 a' 的一個預先指定的由 A' 出發的半線上能且只能找到一點 B' 使得線段 AB 與線段 $A'B'$ 符合，即 $AB \equiv A'B'$ 。

Ⅲ₂每一線段恒與自己符合，即 $AB \equiv AB$ 與 $AB \equiv BA$ 。又當 $AB \equiv A'B'$ 及 $AB \equiv A''B''$ 時恒有 $A'B' \equiv A''B''$ 。

Ⅲ₃設 AB ， BC 為同一直線無公共點之二線段，$A'B'$ ，$B'C'$ 為另一直線（亦可為同一直線）上無公共點之二線段。則當 $AB \equiv A'B'$ ，$BC \equiv B'C'$ 時恒有 $AC \equiv A'C'$ 。

Ⅲ₄給定一角文（ h ， k ）及一直線 a' 及此線的一側。令 h' 為由 a' 線上一定點 0 出發之一半線。於是在 a' 線被給定之一側吾人恰能找到一由 0 點出發的半線 h' 合於文（ h ， k ）$\equiv$ 文（ h' ， k' ）。

Ⅲ₅若文（ h ， k ）$\equiv$ 文（ h' ， k' ），文（ h ， k ）$\equiv$ 文（ h'' ， k'' ）則文（ h' ， k' ）$\equiv$ 文（ h'' ， k'' ）。

Ⅲ₆設 ABC 及 $A'B'C'$ 為二三角形（由三個不同在任一直線上的三點所成之圖形稱三角形）。令文 A 表由半線 $\overrightarrow{AB}$ 及 $\overrightarrow{AC}$ 及 A 所成之角，其餘 $\angle B$ ，$\angle C$ 的意義可類推。當 $AB \equiv A'B'$ ，文 $A = $ 文 A' ，$AC \equiv A'C'$ 時恒有 $\angle B = \angle B'$ ，$\angle C = \angle C'$ 。

以上Ⅰ，Ⅱ，Ⅲ三組公理為歐氏幾何及雙曲線幾何所公用。由他們可推出歐氏平面幾何中許多重要定理，如有關三角形符合之諸定理，作垂直線，平分一線段，平分一角等；還可推出凡直角皆相等的定理—這是原被歐

幾里得當作公理的。最後再舉二例，即三角形外角大於內對角及過線外一點至少可作一條平行線。

Ⅳ 平行性公理（ axiom of parallelism ）

Ⅳ₁（歐氏幾何專用）在平面中過線外一點能作的平行線（與原直線不相交的線）最多有一條。

Ⅳ₂（雙曲線幾何專用）在平面中過直線 a 外一點 A 能作兩條以上與 a 線不相交的直線，就中有兩條發自 A 點而不在同一直線上的半線 h ，k 皆不與線 a 相交，但凡發自 A 點而落於角文（ h ， k ）內部的半線皆與線 a 相交。

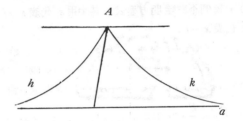

這兩條特殊的半線所屬的直線被勞巴柴夫斯基等人稱為線 a 在點 A 的平行線，而其他過 A 而不與 a 相交的直線稱超級（ ultra ）平行線。

現再列出兩個希爾伯特在平面幾何中原未列入之公理：

V₁（阿基米德公理）設 A_1 為直線上處於 A ，B 二點當中的點，則吾人可在直線上求 A_2 ， A_3 ， A_4 … 諸點使得 A 在 A ， A_2 當中，A_2 在 A_1 ， A_3 當中，A_3 在 A_2 ， A_4 當中等等，又諸線段 AA_1 ，A_1A_2 ，…皆相等（即符合），更在諸點中有某 A_n 存在使得 B 處於 A ，A_n 當中。

V₂（連續公理）· 若將一直線（或線段）分為不空之二部分使得任一部分中的任一點恒不在另一部分的任二點當中，則直線（或線段）中存在於一點屬於二部分之一使得這點處於這部分的其他每一點與另一部分的每一點當中。

上述歐幾里德幾何及雙曲線幾何的公理已足夠供人做不猶疑，無含混的推論。長度，角度，面積等度量之引進亦皆有明確的依藉，並可推得凡符合的，其度量必相等。公理V₁及V₂可幫助在選定的度量單位下確立每一非負實數皆為某一線段的長。

雙曲線幾何的模型

勞巴柴夫斯基本人對相信他的幾何之不含矛盾已有所說明。主要之論點是說，若他的幾何含有矛盾即可 "

翻譯"過去變成球面幾何（歐氏幾何的一部份）的矛盾。與他同時的賣因丁（Minding）及稍晚的貝爾托拉米，我似已講過，曾用微分幾何學中負值常曲率曲面來表現雙曲線幾何空間的一小塊。而由此引起的潘加利半平面才是雙曲線幾何的一個完備的模型（據克萊因稱貝爾拖拉米已先知此例。），我們現在取一個晚期變化出來的雙曲線幾何模型之例，用來把非歐幾何模型的意義說得更仔細些。（在講微分幾何時只說過一個大略。），非歐幾何學能用製出的模型來證明自己之無矛盾是它的一項重大課題。

令複素數 $x+iy$ 表示歐氏幾何平面中之點（x，y），我們不難驗明方程式（其中用 z 代表 $x+iy$，用 $\bar{z}$ 代表 $x-iy$）

$$A(z+\bar{z})+iB(\bar{z}-z)+C(z\bar{z}-1)+D(z\bar{z}+1)=0 \cdots\cdots\cdots\text{(甲)}$$

當 $C+D\neq0$，$D^2<A^2+B^2+C^2$ 時表示一圓，其圓心為 $\dfrac{A+iB}{C+D}$，其半徑平方為 $(A^2+B^2+C^2-D^2)/(C+D)^2$。當 $C+D=0$ 時方程式簡化成

$$A(z+\bar{z})+iB(\bar{z}-z)-2C=0$$
$$\text{或 } Ax+By-C=0$$

其所表示之圖形亦退化成直線了。注意，在此 A，B，C，D 等係數恒為實數。

當 $\alpha\beta\gamma\delta$ 皆為複素數且 $\alpha\delta-\beta\gamma\neq0$ 時　用式子

$$\omega=\frac{\alpha z+\beta}{\gamma z+\delta}$$

把任一點 z（$x+iy$）變到 ω 的平面空間變換稱莫比（A.F. Moebius，1790-1868）變換。用式子 $\omega=\bar{z}$（當 $z=x+iy$ 時 $\bar{z}$ 表示 $x-iy$）所表示的變換為沿 x-軸所作反映。將莫比變換與反映變換結合起來構成一系更多的變換，可以通式 $\omega=(\alpha\bar{z}+\beta)/(\gamma\bar{z}+\delta)$，$\alpha\delta-\beta\gamma\neq0$ $\cdots\cdots\cdots\cdots$（乙）表之。設吾人在平面中加入一理想點 ∞（令每一直線皆含此點 ∞），使成為一擴大平面。並將通式（乙）所表示的變換作廣義的解釋，使他把點 $-\dfrac{\delta}{\gamma}$ 變換到 ∞ 而把 ∞ 變到 $\dfrac{\alpha}{\gamma}$（當 $\gamma=0$ 時則把 ∞ 變換到 ∞ 自己）。我們把這種廣義的變換稱為保圓變換（Circle-preserving transformations）。仍以通式（乙）代表他們。保圓變換有以下的特點：

1. 保圓變換是擴大平面（即平面加理想點 ∞）到它

自己的一個一一對應。

2. 保圓變換把任一直線（連同加入的 ∞ 點）變換到一直線或一圓而把任一圓變換到一圓或一直線。

3. 保圓變換是保角的；特別當二圓（或二直線，或一圓及一線）為直交時，他們在保圓變換下的寫像仍為直交。

現在再從諸保圓變換中挑選一些特別的變換來，以通式

$$W=e^{i\phi}\cdot\frac{a-z}{1-\bar{a}z}$$

表之，在此 ϕ 為實數，a 之絕對值 <1 即 $a\bar{a}<1$ $\cdots\cdots$（丙）以 0 為圓心以 1 為半徑所劃的圓稱為單位圓（unit circle）。$a\bar{a}<1$ 等於說 a 點在單位圓內。通式（丙）所表示的諸保圓變換我們特別稱之為雙曲線剛體運動（hyperbolic rigid motion）。他們有如下特點：

4. 每一雙曲線剛體運動把單位圓上的點仍變到單位圓上，而把單位圓內的點仍變到單位圓內。

5. 每一由定值 ϕ 及 a 所決定的雙曲線剛體運動可由兩個不同變換連結而成。第一個變換把 a 點變到 0；第二個變換是把整個平面以 0 點為心作角度 ϕ 的轉移。

6. 每一雙曲線剛體運動使下式

$$|(z_2-z_1)/(1-\bar{z_2}z_1)| \quad \bar{z_1}z_1<1,$$
$$\bar{z_2}z_2<1 \qquad \cdots\cdots\cdots\text{(丁)}$$

之值保持不變。換言之，設 W_1 為 z_1 之寫像，W_2 為 z_2 之寫像，吾人恒有 $|(z_2-z_1)/(1-\bar{z_2}z_1)|=|(W_2-W_1)/(1-\bar{W_2}W_1)|$，在此 $|z|$ 表示複數之絕對值 $\sqrt{\bar{z}\cdot z}$。

現在已有足夠準備以引進我們的雙曲線幾何的模型了。這模型是由單位圓內所有的點所構成，這模型中的所謂直線乃是由與單位圓直交而處於單位圓內部部分圓或直線。為了驗明這模型滿足前述改善的雙曲線平面幾何公理系，我們尚須在模型中定義幾項概念以作為公理系中諸基本概念的解釋。在第 I 組聯合公理中，我們可選"一點在一線上（或一線過一點）"為基本概念，蓋三個聯合公理都可用這概念表示出來；譬如第 1 聯合公理 "不同二點恒決定一直線" 可翻譯成 "給定不同二點，且只有一條直線存在能使該二點皆在其上"。其餘二聯合公理也可作類似的 "翻譯"。在模型中我們可以相應地定義 "一點是在一直線（實即在歐氏平面中的一圓或一直線處於單位圓內的部分）上當，且僅當該點為該線的一分子。

其次照習常歐氏解析幾何的方法決定在一圓弧（或

線段）上之三點何點處於另二點的當中，以及何者不處於另二者的當中。（可注意，在一個整圓上的三個點我們會發現任一點皆處於另二點的當中。）這樣使我們已在模型中定義了"在當中"的概念以作為公理系中那相應基本概念的解釋。

公理系中還只有一個基本概念尚待解釋的，即符合的概念，相應地我們在模型中作如下的定義。二線段 $z_1 z_2$，$z_3 z_4$ 符合，當且僅當 $|(z_1-z_2)/(1-\bar{z}_1 z_2)|=|(z_3-z_4)/(1-\bar{z}_3 z_4)|$ 時。又設 $\angle(z_1 z_2 z_3)$ 為由模型中之二半線 $\overline{z_2 z_1}$ 及 $\overline{z_2 z_3}$ 所成之角。因為在模型中由 z_2 點出發之二半線 $\overline{z_2 z_1}$ 及 $\overline{z_2 z_3}$ 實即是歐氏平面中由 z_2 點出發的二有向圓弧（或線段），我們便規定此二有向圓弧（或線段）在歐氏平面中所夾的角度即作為模型中那角 $\angle(z_1 z_2 z_3)$ 所具之角度。更進一步定義說："在模型中任二角為符合，當且僅當二者具有相等之角度時"。有了這些約定我們才能進行驗證的工作以示這個模型確滿足前引之改善雙曲線平面幾何諸公理。當然我們不能逐條去作，僅選一二重要例子以示一般。

關於雙曲線平行性公理我們很易看明白。蓋利用中學解析幾何即可證明如下歐氏幾何中之定理：設 a 為一圓（或直線）與單位圓直交於二點 B，C；又設 A 為單位圓內一點不在 a 上者。則必可過 A 作二有向圓弧（或直線）與單位圓分別直交於 B，C 二點使得此二有向圓弧在單位圓內與 a 無交點，而凡過 A 點而夾在上述二有向圓弧當中之與單位圓直交的圓必與 a 在單位圓內有交點。見下圖

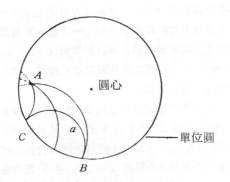

同想單位圓內與它直交的圓弧即是模型中的直線，那麼上述定理即等於說我們的模型滿足雙曲線平行性公理。

現轉到符合公理 III_3。設 a，b 為與單位圓分別直交的二圓在單位圓內的部分。又設 A_1，A_2，A_3 為 a 上

依次之三點而 B_1，B_2，B_3 為 b 上依次之三點。回想雙曲線剛體運動的特色，我們可找到一個特殊的這種變換，它由如下兩個變換結合而成，其中第一個變換把 a 中之 A_2 搬到原點。（因這種變換是保角的於是把 a 變換成過原點而與單位圓直交的圓，實即為一直徑，此時 A_1 及 A_3 亦隨之被搬到此直徑上）。第二個變換是以 0 為心作一轉移把適才得到的直徑搬到與 x 軸相重合並把 A_1 點的寫像落到原點 0 之右，自然 A_3 之寫像便落到 0 點之左。同理我們亦能找到一雙曲線剛體運動把 b 變成與 x 軸相合的直徑，把 B_2 搬到 0 點上而把 B_1，B_3 分別搬到原點 0 的右與左兩側。設 $A_1 A_2 A_3$ 及 $B_1 B_2 B_3$ 經上述二變換後所至之位置分別為 $A_1' A_2' A_3'$；$B_1' B_2' B_3'$；就中 A_1' 及 B_1' 為正實數，A_3' 及 B_3' 為負實數而 A_2' 及 B_2' 皆為 0。現假定在模型中線段 $A_1 A_2$ 與線段 $B_1 B_2$ 合同，線段 $A_2 A_3$ 與線段 $B_2 B_3$ 合同，亦即是
$$|(A_1-A_2)/(1-\bar{A}_1 A_2)|=|(B_1-B_2)/(1-\bar{B}_1 B_2)|\ ,\ |(A_2-A_3)/(1-\bar{A}_2 A_3)|=|(B_2-B_3)/(1-\bar{B}_2 B_3)|\ .$$
於是依雙曲線剛體運動保持"距離"的特點而有
$$A_1'=|(A_1'-0)/(1-\bar{A}_1'\cdot 0)|=|(A_1-A_2)/(1-\bar{A}_1 A_2)|=|(B_1-B_2)/(1-\bar{B}_1 B_2)|$$
$$=|(B_1'-0)/(1-\bar{B}_1'\cdot 0)|=B_1'$$
$$-A_3'=|(0-A_3')/(1-\bar{0}\cdot A_3')|=|(A_2-A_3)/(1-\bar{A}_2 A_3)|=|(B_2-B_3)/(1-\bar{B}_2 B_3)|$$
$$=|(0-B_3')/(1-\bar{0}\cdot B_3')|=-B_3'$$
我們既推得 $A_1'=B_1'$ 及 $A_3'=B_3'$，自然就有
$$|(A_1-A_3)/(1-\bar{A}_1 A_3)|=|(A_1'-A_3')/(1-\bar{A}_1' A_3')|=|(B_1'-B_3')/(1-\bar{B}_1' B_3')|=|(B_1-B_3)/(1-\bar{B}_1 B_3)|\ .$$
至此我們已在模型中由 $A_1 A_2$ 與 $B_1 B_2$ 之合同以及 $A_2 A_3$ 與 $B_2 B_3$ 之合同推到 $A_1 A_3$ 與 $B_1 B_3$ 之合同，這可見我們的模型滿足符合公理 III_3。

到此可作如下之幾點議論：

㈠在驗證的工作中，比較難驗證的公理是那些含有符合基本概念的，我們在驗證模型滿足公理 III_3 時已使用一種技巧，即把任一與單位圓直交的圓用一雙曲線剛體運動搬到與 x 軸相合，並使該圓上任一預先指定的點恰被搬至原點 0。用這一技巧去驗證其他含有符合概念之公理，其過程只不過是大同小異，無須贅述，我們即結論說前面建造的模型確滿足改善的雙曲線平面幾何諸公理。

㈡歐氏幾何空間與雙曲線幾何空間（無論二維或三

維的）都是有度量的空間。建造一個模型使他不滿足歐氏平行公理是簡易的，而要在這模型中又同時引進合適的度量却需煞費苦心。前述驗證含有符合基本概念的諸公理（亦即與度量有關的諸公理）比驗證其他公理爲難，亦可印證此點。那麼在改善的歐氏及非歐幾何公理中增加了次序及符合諸公理確爲抓到要點，不失爲幾何學上實質的進步。

㈢上述雙曲線幾何的模型雖說是指出了雙曲線幾何的無矛盾而這結果究竟只是相對性的。蓋那模型是用實數建起來的；那模型之能滿足雙曲線幾何諸公理完全是根據實數系自身的性質而能推論出來的。若實數系本身有問題，豈不一切都完了，然而上述模型的建造至少把雙曲線幾何被人信賴的程度拉到與實數系同一水平上。這一類建造模型的努力爲非歐幾何的發展剗除了一項重要的障礙。

㈣上述模型的建造中我們把看似乎無關的莫比變換作了有趣的應用，可見如草蔓生之各種幾何學亦有其意外連貫之道。下面將利用其他有趣幾何工具建造克萊因的橢圓幾何空間。

橢圓幾何（Elliptic Geometry）

橢圓幾何是克萊因（F. Klein，1849-1925）在黎曼對幾何空間提出革新之觀點後，將球面幾何加以改進而得到的。此時不再從公理出發；克萊因所建造的橢圓幾何空間不過是由一些點所組成的集合，把它上面的一些子集合稱爲直線，然後引進適當的度量；依黎曼的精神吾人自可視之爲一新建之空間，並研究這空間上的幾何學。在克萊因創出橢圓幾何空間之後亦有人欲用公理方法來研究這種空間，即選出橢圓幾何空間的一些重要特性來製作幾條公理用以推論出其他能以描述橢圓幾何空間特性的命題。作這種工作的有索莫威（D. M. Y. Sommerville)他有關的著作是非歐幾何學的原理(The elements of non-Euclidean geometry）（1914, London）。我們不對之作深入討論。下面是建造克萊因橢圓幾何空間所需的一些準備。

複素數及實數射影空間，橢圓幾何空間

令 C 表示一複素數平面。我們用下面的約定爲平面 C 引進齊座標：任一個複素數三小組 (x_1, x_2, x_3) 稱爲 C 中一點之齊座標——在此須 $x_1 x_2 x_3$ 不全爲 O。又二個複素數三小組 $(x_1 x_2 x_3)$ 與 $(y_1 y_2 y_3)$ 是 C 中同一個點的齊座標當且僅當此二個複素數三小組的相應項成

比例，換言之存在一複素數 λ 合於 $x_i = \lambda y_i$，$i = 1, 2, 3$。以下爲簡便計我們有時不再區別一個點及其座標；雖說 $(x_1 x_2 x_3)$ 本是一點之座標，我們亦逕稱它是一個點。設 u_1, u_2, u_3 爲不全爲零的三數，設 x_1, x_2, x_3 爲變量；我們說一次方程式 $u_1 x_1 + u_2 x_2 + u_3 x_3 = 0$ 表示一條直線；直線中的任一點 (ξ_1, ξ_2, ξ_3) 恰爲方程式中 x_1, x_2, x_3 之解。我們亦用三小組 (u_1, u_2, u_3) 來代表此直線，並稱 (u_1, u_2, u_3) 爲此直線之線座標。因爲二齊次一次方程式有相同的解，當且僅當二方程的係數相應成比例時，故二線座標 (u_1, u_2, u_3) 及 (v_1, v_2, v_3) 代表同一直線，當且僅當有一複素數 $\lambda \neq 0$ 存在使得 $\lambda u_1 = v_i$，$i = 1, 2, 3$。現更引進交比（cross ratio）的觀念。設 (ξ_1, ξ_2, ξ_3) 及 (η_1, η_2, η_3) 爲二點。吾人可分別稱之爲 X, Y。另設 Z, Γ 爲二點其座標爲 $(\xi_1 + \lambda n_1, \xi_2 + \lambda n_2, \xi_3 + \lambda n_3)$ 與 $(\xi_1 + \lambda' n_1, \xi_2 + \lambda' n_2, \xi_3 + \lambda' n_3)$。可證此四點必在一直線上。吾人稱 $\frac{\lambda}{\lambda'}$ 爲此順序四點之交比；以符號表之：$DV\{X, Y, Z, \Gamma\} = \frac{\lambda}{\lambda'}$。類似地，若 $UVW\Omega$ 爲四條直線其座標分別爲 (u_1, u_2, u_3)，(v_1, v_2, v_3)，$(u_1 + \lambda v_1, u_2 + \lambda v_2, u_3 + \lambda v_3)$ 及 $(u_1 + \lambda' v_1, u_2 + \lambda' v_2, u_3 + \lambda' v_3)$，則此四直線必過同一點；我定義此順序四線的交比爲 $DV\{U, V, W, \Omega\} = \frac{\lambda}{\lambda'}$。

現求複素數空間 C 的一個子空間 $P \circ C$ 中任一點被稱爲實點若它至少有一組全爲實數的座標。當然實點亦可有虛座標，譬如 $(1, 1, 1)$ 表一實點而 (i, i, i) 亦爲此實點的座標。我們定義 P 就是 C 中所有實點構成的子空間。進一步定義什麼是 P 中的直線：若 u_1, u_2, u_3 爲不全爲零之三實數，則滿足方程式 $u_1 x_1 + u_2 x_2 + u_3 x_3 = 0$ 之所有實點即構成 P 中之一直線。具有這樣一些直線的子空間 P 我們稱爲實射影平面（real projective plane）。克萊因的橢圓幾何平面就是一個引進了適當度量（長度及角度）的實射影空間。

爲了引進上述所需之度量，先考慮在複素數空間中的一個二次曲線 $x_1^2 + x_2^2 + x_3^2 = 0$ 此曲線稱空圓椎曲線（簡稱空椎線），事實上它只是沒有實點而已，他所含之虛點却是很多。現設 (ξ_1, ξ_2, ξ_3) 爲空椎線上一點，換言之，$\xi_1^2 + \xi_2^2 + \xi_3^2 = 0$。易求空椎線過此點的切線（即恰與空椎線交於該點一點的直線），其方程式即爲 $\xi_1 x_1 + \xi_2 x_2 + \xi_3 x_3 = 0$。令 (u_1, u_2, u_3) 爲此切線之線座標，於是有 $\lambda \neq 0$ 存在使得 $u_i = \lambda \xi_i$，$i = 1, 2, 3$。於是 (u_1, u_2, u_3) 滿足 $u_1^2 + u_2^2 + u_3^2 = 0$。我們很易驗明；任一直線 (u_1, u_2, u_3) 能爲上述空椎線的一

切線，當且僅當 $u_1^2 + u_2^2 + u_3^2 = 0$ 。

我們規定在實射影平面中的二直線 $u:(u_1, u_2, u_3)$ 及 $v:(v_1, v_2, v_3)$ 所夾的角度等於

$\frac{1}{2} \log DV\{u, v, w, t\}$ 在此 w, t 爲過 u, v 之交點對空椎線所作之二切線。類似地我們規定實射影平面中任二點 $\xi:(\xi_1, \xi_2, \xi_3)$ 與 $\eta:(\eta_1, \eta_2, \eta_3)$ 的距離等於

$\frac{i}{2} \log DV\{\xi, \eta, \delta, \gamma\}$ 在此 δ, γ 爲 ξ, η 連線與空椎線相遇的二點。實射影平面經引進這樣角度及距離後即成爲克萊因所創造的橢圓幾何平面了；這橢圓幾何平面仍以原實射影平面之直線爲直線。

在未進一步考察橢圓幾何重要特性以前，先作二點議論：㈠上述引進度量的方法是重用一個作爲基本圖形的空椎線及交比的觀念。這便利於尋求橢圓幾何平面的剛體運動。蓋設 $x'_j \rho = \sum_{i=1}^{3} a_{ji} x_i, \quad j=1,2,3$ 爲一組表示把 (x_1, x_2, x_3) 變到 (x'_1, x'_2, x'_3) 的齊次方程式，其中 a_{ij} 皆爲實數且行列式 $|a_{ij}| \neq 0$。於是這組方程式表示空間 C 中的一個把直線恆變爲直線的線性變換（Kollineation）或稱射影變換。它因此可把四點或四線的交比保持不變。它又因爲 a_{ij} 皆是實數，故恆把實點變到實點而把虛點變到虛點。它特別也成爲實射影平面 P 的一個射影變換。若這 P 中的射影變換（同時亦爲 C 中射影變換）能將空椎線中之點（虛）仍變到該空椎線中；則這射影變換就會因爲能保持交比（及能把空椎線的切線仍變爲它的切線）的原故而使二線 u, v 的夾角 $\frac{i}{2} \log\{u, v, w, t\}$ 及二點 ξ, η 之距離 $\frac{i}{2} \log \{\xi, \eta, \delta, \gamma\}$ 保持不變。吾人結論說，實射影平面 P 的任一射影變換若能使基本圖形空椎線仍變到他自己，則這射影變換便是橢圓幾何平面中保持角度及距離的剛體運動。能將空椎線仍變到空椎線自己的射影變換有很多，克萊因在他所著 Vorlesmgen über nicht-euklidrsche Geometrie（1928 Berlin） 102 頁中曾用四個實參數 a, b, c, d 寫出此種射影變換的通式來。那麼橢圓幾何平面中的剛體運動的多寡可用 ∞^4 這符號來表示了。在上面這段敍述及討論中實點與虛點的各自功能是有嚴格區分的。這是虛數被引進到幾何學中有趣味的例子，故樂於提及。

㈡第二點議論是說，爲實射影平面 P 引進度量有重大功用的基本圖形空椎線是可以改成另一圖形的。譬如可以用單位圓 $x_1^2 + x_2^2 - x_3^2 = 0$ 代替空椎線 $x_1^2 + x_2^2 + x_3^2 = 0$。這樣我們就在 P 中引進了一個新的度量。若這

時我們把單位圓看作一個空間，把直線之在此單位圓內的部份就當作空間中的直線，於是連同新引進的度量我們又得到一個雙曲線幾何的模型！克萊因在前引的式中對非歐幾何的各式各樣模型有完美的講述，可供參考。

橢圓幾何空間的特性

設 $u:(u_1, u_2, u_3)$ 及 $v:(v_1, v_2, v_3)$ 爲橢圓幾何平面上二直線。欲知在橢圓幾何度量中此二直線之交角 $\frac{i}{2} \log DV\{u, v, w, t\}$，必先求 $DV\{u, v, w, t\}$ 之值。令 $(u_1 + \lambda v_1, u_2 + \lambda v_2, u_3 + \lambda v_3)$ 爲過 u, v 之交點而與空椎線相切之直線。前面曾特別講到一個線座標能表示一與空椎線相切直線之充要條件。利用此條件吾人得 $\sum_{i=1}^{3} (u_i + \lambda v_i)^2 = 0$ 即 $\sum_{i=1}^{3} u_i^2 + 2\lambda$

$\sum_{i=1}^{3} u_i v_2 + \lambda^2 \sum_{i=1}^{3} v_i^2 = 0$ 求解此方程式可得 λ 之二解 λ', λ；將 λ', λ 分別代 λ 式 $(u_1 + \lambda v_1, u_2 + \lambda v_2, u_3 + \lambda v_2)$ 中之 λ 而得與空椎線相切之二直線 w, t，而此時交比 $DV\{u, v, w, t\}$ 即等於 $\frac{\lambda'}{\lambda}$ 了。究竟 λ' 及 λ 之值爲何呢？我們利用求解二次方程式之公式得
$$\lambda = [-\sum u_i v_i \pm \sqrt{(\sum u_i v_i)^2 - (\sum u_i^2)(\sum v_i^2)}] / (\sum v_i^2);$$
於是 $\frac{\lambda'}{\lambda} = [-\sum u_i v_i + \sqrt{(\sum u_i v_i)^2 - (\sum u_i^2)(\sum v_i^2)}] / [-\sum u_i v_i - \sqrt{(\sum u_i v_i)^2 - (\sum u_i^2)(\sum u_i^2)}]$。

將上式之分子及分母同用 $\sqrt{(\sum u_i^2)(\sum v_i^2)}$ 除，並令
$\cos\theta$ 表 $(\sum u_i v_i) / \sqrt{(\sum u_i^2)(\sum v_i^2)}$；
$\sin\theta$ 表 $1 - [(\sum u_i v_i)^2 / (\sum u_i^2)(\sum v_i^2)]$，
於是得
$$\frac{\lambda'}{\lambda} = (-\cos\theta + i\sin\theta)/(-\cos\theta - i\sin\theta)$$
$$= (-\cos\theta + i\sin\theta)^2 / \cos^2\theta + \sin^2\theta$$
$$= (\cos^2\theta - \sin^2\theta) - 2i\cos\theta\sin\theta = \cos 2\theta - i\sin 2\theta.$$
$$= \cos(-2\theta) + i\sin(-2\theta) = e^{-2\theta i}$$
$$= e^{2(n\pi - \theta)i}.$$

我們初步的結果是 u 及 v 之夾角（在橢圓幾何度量而得者）是
$$\frac{i}{2} \log DV\{u, v, w, t\} = \frac{i}{2} \log \frac{\lambda'}{\lambda} = \frac{i}{2} \log e^{-2\theta i}$$

$$= \frac{i}{2} \cdot (-2\theta i) = \theta$$

$$= \arccos in(\sum u_i v_i) / \sqrt{(\sum u_i^2)(\sum v_i^2)}$$

完全相似的方法使我們得到在橢圓幾何平面中二點 ξ 及

η 的距離是

$$\frac{i}{2} \log DV(\xi, \eta, \delta, \gamma) = \arccosin(\Sigma \xi_i \eta_i) / \sqrt{(\Sigma \xi_i^2)(\Sigma \eta_i)^2}\ 。$$

在此我們注意上二式所表之角度及距離因有 log 複函數出現，故皆是多值的而不同值只相差 π 的整倍數。u, v 之夾角有二，我們分別以 $\frac{i}{2} \log DV(u, v, w, t)$ 及 $\frac{i}{2} \log DV(u, v, t, w)$ 表之；因 $\log \frac{\lambda'}{\lambda} = -\log \frac{\lambda}{\lambda'} + \pi$ 故 θ 及 $\pi - \theta$ 爲此二角之主值。同理 ξ 及 η 亦決定兩個距離，此二距離之主值相加等於 π。

到此我們可以察看上述橢圓幾何平面與歐幾里得球面的關係。令 (x_1, x_2, x_3, x_4) 表三維實射影空間中一點之齊座標。令方程式 $x_1^2 + x_2^2 + x_3^2 - x_4^2 = 0$ 表以原點爲心單位長爲半徑之球面。再令 $x_3 = x_4$ 表與此球面在 $(0, 0, 1, 1,)$ 點相切的平面。我們規定球面上任一大圓 C_u 與過原點之一平面 $u_1 x_1 + u_2 x_2 + u_3 x_3 = 0$。對應當且僅當此平面與球面所交出之大圓恰爲 C_u，我們再令方程式 $u_1 x_1 + u_2 x_2 + u_3 x_3 = 0$ 在三維實射影空間中所表示的平面與此同一方程式在橢圓幾何平面中所表示的直線對應。於是亦得到球面上大圓與橢圓幾何平面中直線的一一對應。再設 P_ξ 爲球面上任一點並設 P_ξ 與原點之連線交平面 $x_3 = x_4$ 於 $(\xi_1, \xi_2, \xi_3, \xi_4)$。我們令 P_ξ 與連結 P_ξ 及原點之直線對應；又令此二者皆與橢圓幾何平面中的點 (ξ_1, ξ_2, ξ_3) 對應。我們會發現，在這後一約定下球面上恰有兩個點與橢圓幾何平面中的一條線對應；蓋當 P_ξ, P_ξ' 二點關於原點爲對稱時，P_ξ 及 P_ξ' 的聯線必過原點；設此連線與平面 $x_3 = x_4$ 的交點爲 $(\xi_1, \xi_2, \xi_3, \xi_3)$，則 P_ξ 與 P_ξ' 必同時對應橢圓幾何平面中的點 (ξ_1, ξ_2, ξ_3)。

設 C_u, C_v 爲二大圓，$u_1 x_1 + u_2 x_2 + u_3 x_3 = 0$ 與 $v_1 x_1 + v_2 x_2 + v_3 x_3 = 0$ 爲過原點而與球面分別交於 C_u, C_v 之二平面，於是 C_u, C_v 分別與橢圓幾何平面中的二直線 $(u_1, u_2, u_3)(v_1, v_2, v_3)$ 對應。在歐氏幾何中，二大圓 C_u, C_v 之交角等於他似所對應之二平面 $(u_1, u_2, u_3 0)(v_1, v_2, v_3 0)$ 之交角。因此照解析幾何公式，C_u, C_v 的交角等於 $\arccosin \pm (\sum_{i=1}^{3} u_i v_i) / \sqrt{(\sum\limits^{3} u_i^2)(\sum\limits^{3} v_i^2)}$。但另一方面在橢圓幾何平面中相應二直線 (u_1, u_2, u_3), (v_1, v_2, v_3) 之交角被規定爲 $\frac{i}{2} \log DV\{u, v, w, t\} = \arccosin \pm (\Sigma u_i v_i) / \sqrt{(\Sigma u_i^2) \cdot (\Sigma v_i^2)}$。

我們總起來說：

球面上二大圓之歐氏幾何交角與在橢圓幾何平面中相應的二直線的橢圓幾何交角相等。

類似地亦有：

球面上二點所決定一段大圓之長（歐氏幾何意義下的），亦即二點到原點之二直線的歐氏夾角，恰與在橢圓幾何平面中相應的二點之橢圓幾何距離相等。

那麼橢圓幾何平面粗略的說是相當於將歐氏球面上每一雙關於球心對稱之點視爲合一而得到的空間。橢圓幾何平面中沒有平行線，蓋其中任二直線相應於球面上二大圓，故必有交點。我們假想球面上一點 P 沿一大圓走至與他原在之處關於圓心相對稱的地點 P'，這 P 一共走的路程是 π。於是在橢圓幾何平面上與 P 相應的點會沿與大圓相應的一直線走一段 π 長的路程而到達與 P' 相應的點；但因 P 與 P' 只對應於橢圓幾何平面中的一個點，故那與 P 相應的點已沿直線走回它原來的位置。一般說橢圓幾何平面中每一直線皆爲一封閉曲線，一個點在上面轉一圈回到原處的長是 π，這是我們前文說過橢圓幾何平面雖非無限大卻亦無止境的確切意思。在球面上對於圓心對稱之二點只在橢圓幾何平面上對應於一點的事實使得橢圓幾何平面的任二直線只交於一點。因而免去球面上二大圓交於兩點的缺點。這一改進使得橢圓幾何能進而與雙曲線幾何並稱爲兩項非歐幾何，這也給非歐幾何的研究帶來一高潮，此爲大幾何學家克萊因之功。這時已至十九與二十世紀之交了。

非歐幾何與現實世界的關係

雙曲線幾何空間與橢圓幾何空間雖已經由數學家造出模型來，是否亦不過是邏輯的遊戲而已？還可能用它們來描寫現實的世界嗎？勞巴柴夫斯基於一八二九初發表其"虛幻"幾何學之時，世人震驚，以其想入非非而給予之不容忍態度直持續多年。筆者初讀非歐幾何時，認爲若有 p, q 二直線皆與一直線 γ 垂直，則此二直線固可不相交，但若令 p, q 二直線在 r 線的一側與 r 所成內角和小於二直角，則 p, q 二線在 r 的那一側會愈來愈接近，因二線是筆直的。他們愈來愈接近的結果就必會相交於某點，只是有時這交點可能在很遠處爲人所看不見罷了。誠然，當一線爲另一線之漸近線時，二者確可以無限接近而不相交，但此二線中至少有一條會是彎曲的。若說兩條筆直的線與另一直線所交內角和小於二直角時還能如雙曲線幾何所言的不相交，那眞令人感覺不可思議。筆者此一心理狀態或可部分顯示早期反對非

歐幾何的人們在腦筋上轉不過彎來的情形。當時重要的哲學家康德（Kant，1724-1804）即認爲歐幾里得的幾何公理爲先驗（àpriori）之眞理，即獨立於經驗而知之眞理。這種眞理被認爲是人們非相信不可的，蓋與這種眞理抵觸的命題，其成立是根本不能想象的。但究竟歐幾得的幾何公理並非這種顚撲不破之眞理，特別是平行公理。人如肯從根本上去思考仍能想象否定它的可能性。只是歐氏幾何在人心中積習已久，可說深入了人的神經。當時的人若能從相反的方向去設想確實不易，一定要思想無窒礙，有原始創造天才的人才能辦到。（當然一個在現代教育下成長的人，他所接受的語言及科學理論在基本結構上已較昔日大有改變，而能想通非歐幾何的道理又不足爲奇了）。上述能對非歐幾何從根本上思考的應推潘加利（Henri Poingré，1854-1912），他從空間的相對性觀點來解說非歐幾何學而指出非歐幾何可以作實際應用的可能性，亦因而把數學與經驗事物之間的關係顯示得更明白，對日後的思想及科學哲學的發展有重要影響。

　　茲利用潘加利的思路來解說下列二事：㈠雙曲線幾何中的諸公理是可思議的。現回想前文爲雙曲線幾何所提出的模型是一個歐氏幾何中的單位圓內部，模型的直線是單位圓的直徑或與單位圓直交的圓弧。再回憶構成模型的那些點是用複素數來代表的。現對模型內任二點 z_1，z_2 我們稱 $|(z_1/z_2)/(1-\overline{z_1}\,z_2)|$ 爲此二點 $z_1 z_2$ 的 h-距離，任選模型之一直線（即歐氏空間中與單位圓直交之圓弧（在單位圓內者）並在此直線上朝一個方向劃劃一序列的點 N_0，N_1，N_2……N_n，N_{n+1}……使每相鄰二點之 h-距離恆爲1。這模型既滿足雙曲線幾何的諸公理，就中公理Ⅲ₁可告訴我們 N_0，N_1，N_2…），這些點都會落於單位圓之內部而不會跑到界外去。粗略地看一看也會知道情形可以是如此：當 n 增大時 N_n 及 N_{n+1} 都會愈接近單位圓周。這時 N_n 與 N_{n+1} 的 h-距離 $|(N_n-N_{n+1})/(1-\overline{N_n}\,N_{n+1})|$，雖等於1但因分母 $|1-\overline{N_n}\,N_{n+1}|$ 很小，故作爲二點歐氏幾何距離的分子 $|N_n-N_{n+1}|$ 亦會很小。那麼 N_n 雖離單位圓周很近，N_{n+1} 仍可落於圓周內。此時我們假定這個地球上的一個人張三被派到那模型中去生活。我們且對這模型世界的物理特性作第一個假設，即這模型世界的溫度愈在靠外邊愈冷，而張三與他所携帶的尺也會在較冷的地方變得更短。只是張三自己不覺得自己在伸長或縮短而已。（這和潘加利所舉的例相仿，即設想一個人一覺醒來時一切東西皆已無例外地隨他增大一千倍，則他無從察覺此一變動

）。現令張三沿模型世界的直線向外走，而每走一步用他携帶的尺子量恰爲一尺。在我們局外人看來張三是愈往外走，他的尺及他的脚步都在愈變愈小，故總走不到單位圓的周。但張三自己却會覺得在這世界裏，他正在無限大地向外伸延。

　　張三現住的模型世界已幾乎是一個完美的雙曲線幾何空間了。我們唯一有異議的是說在那世界裏硬把彎曲的（與單位圓直交的圓弧）當作直線，實太牽强，令人不服。我們且回頭來分析一下直線的概念是怎麼來的。直線必然是從具有某些特性的形象加以抽象及理想化得來的。直線的一個重要特性是這樣！若 ℓ 爲一直線，則必有一剛體運動將空間中之至少一點搬動，而將 ℓ 中之每點保持不動。我們的模型世界中的直線就確具上述特性。蓋且設 ℓ 爲模型世界中任一直線（相當於歐氏幾何中之一與單位圓相交之圓弧）。我們能選擇一模型世界中的剛體運動 $e^{i\varphi}:(z-a)/1-\overline{a}z$ 把 ℓ 變成與 x-軸相重的半徑 ℓ'。現令 Φ 表示沿 x-軸的反映變換（即 $w=\overline{z}$，仍是一保持 h-距離的剛體運動）。那麼 Φ 會使半徑 ℓ' 上的每個點保持不動。我們用 ψ 爲上述剛體運動 $e^{i\varphi}(z-a)/1-\overline{a}_2$ 的縮寫，又令 ψ^{-1} 表示 ψ 的逆變換，則 $\psi^{-1}\cdot\Phi\cdot\psi$ 顯然是一保持 h-距離的剛性變換，它把模型空間有所搬動但把恰定的任意直線 ℓ 的每一點却保持不動。於是模型世界中的直線具有我們常人心目中認爲直線應有的一個重要特性了。

　　常人還認爲直線是二點間使行程最短的途徑。在我們的模型世界裏假想有任一曲線 $z(t)$ 或 $x(t)+iy(t)$。則此曲線上任一段之 h-長度等於

$$S_h(t)=\lim_{n\to\infty}\sum_{i=1}^{n}|z(t_{i+1})-z(t_i)|/$$
$$|1-\overline{z}(t_{i+1})\cdot Z(t_i)|$$
$$=\lim_{n\to\infty}\sum_{i=1}^{n}\sqrt{(x(t_{i+1})-x(t_i))^2+(y(t_{i+1})-y(t_i))^2}/$$
$$1-\overline{z}(t_i)\cdot z(t_i)$$
$$=\lim_{n\to\infty}\sum_{i=1}^{n}(\sqrt{x'(t_i)^2+y'(t_i)^2}/$$
$$1-(x(t_i)^2+y(t_i)^2)(t_{i+1}-t_i)$$
$$=\int_{t_0}^{t}(\sqrt{x'^2+y'^2}/1-(x^2+y^2))dt$$

或　　$ds_h=(\sqrt{x'^2+y'^2}/1-(x^2+y^2))dt.$

在此種長度微分下，所求之測地線正是與單位圓直交的

圓或直線。那麼模型中的直線也符合爲二點間使行程（h-長）最短的途徑了。

我們再假定在模型世界裏光的行徑是走這模型世界中的直線的，並假設光的折射、反射等定律以及人的眼網膜之構造都變得如此凑巧，使得張三看到那些與單位圓直交的圓弧後所得感受與他未去模型世界以前看到直線所得的感受一樣。我們無須把直線的特性再多列舉下去。總之，我們可以設想有個模型空間其中物理特性是如此巧合使得，雖然我們處在局外時看它的直線都是彎曲的而一旦進入這模型世界裏就會感到它裏面的直線是和我們在從前世界裏遇到的直線是一樣的直。所不同的是這模型世界乃一雙曲線幾何的世界。至此我們已學樣潘加利而能設想出一個與歐氏幾何空間正相抵觸的雙曲線幾何空間來，這自然是比光證明雙曲線幾何不含矛盾又進了一大步，蓋這時一個如此設想的雙曲線幾何空間，雖未必實存，但已有其可能性，人們可以試探着用雙曲線幾何去描寫此一或彼一現實世界了。

㈡第二點要說的是，一套幾何學當作純數學的建造

看時，它是無所謂對錯的，現實世界是這樣或是那樣都與他無關。只有當這套幾何作過解釋之後，使這套幾何中的定理變成言說現實世界語句時才有眞假可言。因此歐氏幾何與雙曲線幾何雖是互相抵觸，然而給他們以不同的適當解釋後還可以都變成眞的命題。用潘加利的話來說：我們用米突、升的，或用英尺、英寸同樣可度量一個長，一如我用歐氏幾何或用雙曲線幾何可以描寫同一個現實世界，只是對應的方式不一樣，亦可有方便與不方便的區別而已。潘加利闡述純數學與實驗（卽經驗事物）之間的關係，幫助人正確了解數學如何應用到現實世界的方式。又以非歐幾何公理爲例。使康德綜合先驗眞理之說不能立足，使日後知識論爲之一變直至於今，影響不可謂不亘。非歐幾何在歷史上引起思想之巨變，那些欲證明平行公理而於迷濛中摸索出一套“虛幻”幾何的人，那些建造模型以示這種幾何免於矛盾的人以及最後在非歐幾何上從事哲學思考的人皆各有他們應得的功勞。

化學發展史（上）　　　　陳元祥

壹、化學的本源

最早的科學起源于實用，這是不容置疑的。在西方文化中發展最早的科學是天文學、數學、和醫學。以化學的發展最爲遲緩。上古册籍之中的一項明顯特徵是其中沒有化學。祇在醫藥古文書中曾提到用礦物作爲藥劑。在鍊金術于公元後第三和第四世紀出現于亞歷山大城以前，沒有眞正的化學古文書。不過美索不達米亞的化學記載可上溯至公元前約七世紀時的亞述時代，更早的還有一塊公元前一千七百年的黏土板，用楔形文記載着製鉛釉時用銅加彩的方法。那是一項很奧秘的記載，使用蘇美人的雙關會意文字以代替閃族文字。由此可見鉛釉在當時是一項不尋常的必須保守秘密的新發明。以後亞述人的化學記載較爲平實，但認爲冶金術需要用一種生命誕生的儀式，這表示金屬的生產屬于有機體的誕生。

美索不達米亞和埃及在早期很少紀錄有關化學，冶

金、染色等的知識。因爲當時學術與技藝的傳統是分立的，而這類知識都屬于技藝傳統，是由有經驗的工匠們口授相傳的。嚴格的說在古代的埃及和巴比倫沒有化學的知識，但是有由各種材料所製的工藝品，許多工藝品曾經記載幷命名。冶金者採用了許多礦幷曾予以命名。一些基本金屬陸續有了供應。金是在文明開始以前被發現爲天然金屬的。銅的使用可能早在公元前四千年以前。含碳酸銅或矽酸銅的礦砂大概探自賽耐牛島，這些礦砂僅需在炭火中煅燒就可煉製成粗銅。接着是銀和靑銅的應用。很早的時代錫和鉛也是人們所熟知的。約當公元前三千年蘇美人到達了靑銅時代冶金的巔峯狀態。他們知道將某種礦物在火中煅燒可以還原得到銅，銅可以熔化幷鑄成各種形狀，而且銅與少量錫的合金可以成爲較硬和易熔鑄的靑銅。黃銅似乎到羅馬時代才有人知道。

埃及的工匠們在公元前一千六百年左右發明了玻璃的製造。蘇美人和巴比倫人都是精細的金屬工匠，他們

也製造了彩色玻璃和搪瓷。玻璃的製造包括了鹼和各種彩色材料的金屬化合物的知識。美麗的藍寶鑲嵌埃及玻璃即爲當時高度技術的明證，因爲它煆燒時需要極仔細的溫度控制，僅在近年來我們才使其複製變成可能。

青銅時代最重要的一項發明是鐵的冶煉。但這項發明是來自青銅文明以外的民族，在公元前二千年時阿曼尼亞（Armenia）山脈中的凱玆安達（Kizwanda）部落中發明了一項有效的煉鐵法，這方法在公元前一千四百年後開始流傳，在公元前一千一百年後逐漸普遍，但鐵到公元前八百年才成爲普通金屬。

埃及和巴比倫人除了上述材料外，記錄了成白的動物、植物、和礦物等可用爲藥劑的產品。但是我們却不能說他們開始了化學的科學，因爲他們并沒有研究這些物質的相互關係以及其變化，只是爲了生活的需要而逐漸使用了許多新材料。

貳、希臘時代的元素觀念

近代的科學從小而易于解決的問題着手，懷疑物體如何會沉、會浮、或會熔化，最後才涉及生命和宇宙性質等大的問題的探討。希臘的科學却開始自最艱巨的問題：宇宙如何能以生存？在他們以前的時代，這問題的答案是一篇創造天地的神話，神本身或諸神如何自虛無中或自簡單無定形的水或土創造宇宙的故事。直到公元前六百年時住在小亞細亞海岸的愛奧尼亞哲學家們才開始注意有關他們的世界的性質和起源，以宇宙學爲其研究的目標，爲解答宇宙的現象，而有種種關于自然科學以及自然哲學的重要問題發生，因此使自然科學從此興起。

愛奧尼亞的哲學家并不否認神的存在，但是他們認爲複襍的宇宙是由一種單一而均勻的物質經自然的原因所形成。

第一位希臘的自然哲學家退利斯（Thales of Miletus 約在公元前 625-545 年）認爲水是宇宙唯一的本源。這是一種抽象而荒唐的思想，在今日固然不足一哂，而在當時却有很大的影響，使當時的哲學家們都同意宇宙是由一種單一的物質而來。

在巴比倫和埃及時代認爲構成世界的主要成分是水、空氣、和土。而另一位希臘哲學家退利斯的弟子亞諾芝曼德（Anaximander 公元前約 611-547 年）却加上了第四種元素火，并且認爲在這四元素之先還有另一種更原始的物質，叫做〝無定物〞（aperion）。四元素從無定物形成後，按次序而一層層分離爲土、水、空氣、和火。

亞諾芝曼德的一門弟子亞諾芝曼尼（Anaximenes 公元前 550-475 年）則認爲包圍一切的空氣是萬物的本源。空氣依其稠密稀疏分別變成火或水，地由此而生，萬物也由此而成。以上是愛奧尼亞米利都學派哲學家的宇宙本源觀念。與我們今日假定宇宙是由宇宙塵的均質雲凝結而生的觀點極爲相近。

將因果報應的觀念廣泛的用爲原理來解釋宇宙秩序的是赫利克利圖斯（Heraclitus of Ephesus 約爲公元前 550-475 年），他認爲火是唯一的原始物質，他主張萬物流轉說，認爲萬物一方面固然不絕生成，一方面也不斷消失，其變遷流轉永不停止，同一本源的物質由於不同的結合和變化可以轉化成萬物。火若失去熱即成爲水，水再失去其熱即成爲土，萬物即由此轉化而生。

以後西西里島上的哲學家恩貝多克利（Empedocles 公元前 500-430 年）調和前人之說，提倡了一項新哲學思想，將一元論發展成了多元論，他認爲原始物質不僅是一種，所有萬物是由土、水、火、空氣等四種基本元素構成。惟構成的比例不同，因此組合而及到許多不同的物質。四元素受愛與憎兩種力的作用，將各種元素結合起來的是一種互相親和力，將元素從某種物質中分開獨立的是一種互相排斥力，這兩種力量是各種元素所特有的性質。

古代希臘的哲學思想以柏拉圖（Plato 公元前 427-347年）最具影響力。柏拉圖與亞里斯多德（Aristotle公元前384-322年）對于元素的見解，均採恩柏多克利的四元素說。亞里斯多德不相信德謨克利圖的原子說，他以爲原子間的空際是不可能的。他認爲熱冷乾濕是四種原感覺，在四者之中取其二互相組合可得六組，但其中熱冷與乾濕二組在事實上不可能有，所以仍然是四組，如冷與乾組合即成土，冷與濕組合而成水，熱與乾組合成火，熱與濕組合即成空氣。這四種元素并不像我們今日所謂的元素，這些元素能改變成另一種元素，因爲它們只是簡單無定形物質的變化。四元素并不能代表我們所謂的土、水、空氣和火，但却可代表下列各種性質：

(1)土：重、不易熔且爲固體。

(2)水：易熔爲液體。

(3)空氣：氣體和揮發性。

(4)火：揮發性、強有力的和光明的。

由這四元素的集合離散，可以說明具有各種形狀的

萬物的轉化。亞里斯多德的元素着重于表示狀態，而不是對物質種類的說明。所以他的元素觀念與現代元素觀念是完全不同的。他認爲無不能生有，有不能變爲無，所以宇宙中的物質不生也不滅，絕對無法增減，僅能表現爲變化。至于變化是由相同或相反的質互相接觸時的作用而起。而作用的起因是運動。若不加阻止，一旦發生運動之後，將永久繼續運動，而靜止者如果不使其運動，必將停止在原來的地位上。由此可見現在的物質不滅定律和相關的能量不滅定律在亞里斯多德時代已有概念。

據說亞里斯多德的著作中氣象學的第四冊是史特拉多（Strato of Lampsacus）所寫的，這是在亞歷山大煉金術士時代以前唯一用希臘文討論化學問題的書籍。書中的一項理論認爲所有的礦物質是在地層內經過兩次蒸發而衍生的。一次是具有熱和乾性質的烟狀蒸發，另一次是具有冷和濕性質的蒸汽蒸發。兩種蒸發的作用產生了各種不同的礦物質。包括烟狀蒸發較多的不熔性的岩石，紅色顏料，以及硫磺；和蒸汽蒸發較多的金屬。

參、古代的原子論

最早的原子論者有琉息帕斯（Leucippus公元前440年）和德謨克利圖（Democritus公元前420年）。他們是將畢達哥拉斯學派的基元說（Unit conception of nature）從有機世界推展至物理世界。他們相信宇宙間的萬物是由原子構成的，原子在本質上是不可分割的。無限數目的原子在一無限的空間不斷的運動。原子永遠存在，不生也不滅。原子的大小，形狀，以及其重量均不相同。原子在空間的運動是成漩渦形的。原子所構成的物質因原子的數量，形狀，大小，排列的不同而互異。原子論者認爲使原子運動的動力在于原子本身之中，萬有事物的發生都是必然性的。

原子論發源雖早，其後并經伊壁鳩魯（Epicurus 公元前342年—270年）和伽桑狄（Gassendi）等的改進，但直到二千年後道爾頓（Dalton）的原子論出現時，才成爲近代科學的基石。

肆、化學的萌芽和煉金術

早期的希臘人對于化學不大重視。因希臘哲人重思考而不喜觀察和實驗，天性不近理化，化學在當時與技藝是不可分的，而哲學家們認爲技藝是等而下之的知識的緣故。但早期的愛奧尼亞哲學家和後來亞里斯多德的繼起者如提奧夫剌斯塔（Thaophrastus）等常以技藝爲比喻以解釋自然的程序。而史特拉多所寫的亞里斯多德全集氣象學第四冊談的全是有關化學的問題。據說原子論家德謨克利圖也有化學方面的記載。

化學是在實驗室用特別的化學器皿所產生的觀念，首先是以煉金術的形式出現于公元約一百年時的亞歷山大城。煉金術的意義是將其他金屬變成黃金的法術。按化學的原文爲 Chemistry，出于埃及，意指黑土，al 爲埃及語的冠詞，兩者合併即成爲煉金術的原文。黑色是埃及的高貴顏色，其染法相傳極爲秘密，煉金是指爲金屬染色，實則所用材料是鉛及汞等，目的是使普通金屬變成貴重金屬。

古代技藝程序很重視神秘的禮儀，認爲製作的成功與否關係在于禮儀。希臘的陶工常在窰上放置假面具以驅走想破壞陶器的魔鬼。金屬的生產則特別類似有機體的程序，有如生死和復活的過程。我們曾經提到過在公元前約七百年的一篇亞述文，談到金屬的煉製要有一種與生產一般的禮儀。在公元前約五百年的一篇波斯神話中，認爲金屬的誕生是一位天神死亡的結果。當天神被殺時，從頭中流出鉛，血液中流出錫，骨髓變成銀，骨骼產生銅，肌肉成鋼，靈魂中產生黃金。

魔法與實用化學以後似乎漸漸的分家了。我們發現在公元後初期的埃及純實用的化學秘方是與神秘的煉金術并載的。最早擬-德謨克利圖的煉金著述中（約在公元一百年時的），同一篇論文的不同部份包括了實用秘方和神秘的推理。以後化學著作有些變成純實用的，例爲公元第三世紀時編纂的李頓（Leiden）和史塔柯姆（Stockholm）古文書；而同時期左息牟斯（Zosimus）所著則多半爲神秘的煉金術。實用的古文書包含了僞造金和銀的技術秘方，以及製人造寶石和染料的方法。金和銀用其他金屬的合金冒充，或將基本金屬的表面鍍金來僞裝。有時用侵蝕法將表面鍍有基本金屬的金銀的表層去掉以顯露出原來的金銀。在技術論文中這些產品是當作仿造品，而在煉金著作中僞品却當做眞的金銀。

當早期的煉金術士時代，最主要的哲學思想是斯多噶主義（Stoicism），但柏拉圖的觀念也存在于斯多噶學派中，復經卜拉迪拉斯（Plotinus 公元204-270年）的新柏拉思想的加入而成熟。斯多噶學派認爲自然界中的萬物都是活的和生長的。每一個體是從開始即賦有形或具有成長後特性的種子發展成的，每一個體的形或特性可以經由死亡和復活的程序轉移給別的個體。那開始

的形就是靈魂或是元氣，是由大自然所賦與，能活動和生存的。

　　由于這種思想，鍊金術士們認爲金屬是生活的有機體，可以逐漸轉化成爲完美的黃金。轉化的方法是將黃金的形或靈魂分離出來，然後將其賦與其他金屬而促使其完成，或以人工仿造。如此其他金屬就具有了黃金的形或特性。金屬的形或靈魂被認爲是一種元氣或蒸氣，可由金屬的顏色而顯明的表示。因此在基本金屬表面鍍一層黃金，大家就以爲鍊金術士成功了。左息牟斯的記載說：

　　"所有昇華的蒸氣是一種元氣，具有染色性………染黃金色的神秘是將物體變成元氣以便爲之染色。"

　　鍊金術士們所用的一極普遍的方法是將四種基本金屬銅、錫、鉛、鐵熔爲合金以得到一種近似原始物質而無定形的東西。合金表面用砷或水銀蒸氣使其變白，賦予銀的形。然後再加進一點黃金作種子或酵素，使整塊都變成黃金。正如酵母發麵團似的，只需少許的金或銀就發生作用了，最後的變化由另一表面處理而完成，有的是蝕去基本金屬的表面層而顯出金黃的表面，或是用硫磺水處理合金使其外表成爲金黃色。在如此的鍊金法中，基本金屬在成爲合金時失去個性而被認爲是死了，因爲它們已失去其特性。表面染色變成的銀和最後變成的黃金認爲是復活的金屬。

　　早期鍊金術士們另外還有一種很普遍的或更原始的觀念，認爲金屬是有性世代的產品，金屬本身也有雌雄之分。一位早期鍊金術士猶太人瑪麗（Mary of Jewess）記錄的鍊金秘法說：將雌雄結合起來，您就可以得到您所尋求的。銀很容易結合，銅的成對却像馬和驢或是狗與狼一樣。這種觀念在亞里士多德氣象學的理論復興時，對回教和中世紀的鍊金術有較大的重要性，產生金屬和礦物質的兩種蒸發被指定爲不同性別。

　　鍊金術的鼻祖當推特立斯梅吉士特斯（ Hermes Trismegistos)，古埃及之神。鍊金術盛行了千餘年，雖然我們確定鍊金術士不曾製成黃金，可是他們却發明了化學技術。在他們的工作中我們首先聽到了蒸餾，蒸餾的發明人似乎是公元第一世紀或第二世紀的猶太女人瑪麗。他們雖使用燒瓶、燒杯、漏斗、過濾器、水浴、灰浴、冷凝器、承受器、昇華器等，且沿用至十九世紀而很少發明添加的器皿。後來在鍊金術上佔重要地位的有左息牟斯。鍊金術在公元第一世紀至第五世紀最盛，隨羅馬帝國的分裂衰亡而日漸式微，鍊金術士們本身的素養也愈來愈低落。據說在公元292年狄奧克萊底（Dio-cletian ）焚燒了鍊金術士的書籍。

　　鍊金術士的主要興趣是製黃金，但也涉及一些礦物質和偶然發現一些新材料，因此使化學漸漸的萌芽。此外亞里斯多德的弟子有名的植物學家提奧夫刺斯塔對于礦物方面的知識亦極豐富，所着的書是最早的礦物書籍，其中有關于辰砂、硫化砷、鉛粉等物的記載。又希臘的帶奧斯科立第（Dioscorides 公元前50年 ）有關于藥物的着述。這些都是與化學有關的。古埃及人關于木乃伊、紙、瓷器以及銅器的製造法也有其不可缺少的化學知識在內。

伍、古代中國的技藝和鍊金術

　　中國最古的文化可能始自商代，商朝于公元前約一千五百年左右建都于黃河流域的安陽。由安陽的出土物表示中國人當時能製青銅器皿，有陶工轆轆。鐵是在公元前六世紀出現在中國的，最初的記載是公元前513年。當時最西方的秦國會製鐵。因此秦逐漸強大而統一了戰國建立了秦朝（公元前 221-207 年）。

　　秦亡于漢，漢朝于公元前124年時創立了太學，當時的學者們首先是在竹簡上作書，然後在絹上寫字，最後才在紙上著書。紙是公元105年由蔡倫發明的。現在我們還保存有公元150年時的紙張樣品。

　　漢朝時有最初鑄鐵的記載。公元三十一年的一本書中敍及一套機械裝置，由一水平的水輪經一套滑輪和皮帶驅動風箱，風箱爲熔鐵爐鼓風以鑄造農具。

　　公元前480年至221年的戰國時代，和公元前220年至207年的秦朝，以及直到公元220年的後朝這一段時期，中國有許多科學和哲學的理論出現，我們稱之爲諸子百家。其中以儒家和道家爲最重要。漢朝建國以後尊崇儒術而罷黜百家，僅餘道家還有相當影響力。儒家以孔子爲傳統，崇尚禮教，在儒家當時的學術思想中，似乎沒有自然哲學的成份，他們對化學和技藝問題不加注意，這些問題差不多都是道家在研究。

　　所謂道家是老子的傳統，老子據說是公元前第六世紀至第四世紀間的人物。道家認爲人類應摒棄文明而返回古代的純樸社會中去。中國人所謂的"道"的意思是指自然之理，人心之理，亦即宇宙之理。道家要探究自然的奧秘，卽所謂天道。他們認爲宇宙和萬物的誕生類似有性世代，是兩種相反的本質作用而生。

　　約自公元第四世紀以後，道家和其他學派都認爲創造萬物的兩種相反本質是陰和陽。陰是被動的，黑暗的

，女性化的；陽是主動的，光明的，男性化的。這兩種本質來自太極質能混沌流體的旋轉之中。這種混元的旋轉運動將黑而重與白而輕的質分離，前者形成了地和陰的本質，而後者變成了天和陽的本質。陰陽作用而產生五行：水、火、木、金、土。水和火分別爲純陰與純陽，木中陰略勝于陽，金中陽盛于陰，土中陰陽平均。陰陽二本質繼續的作用而產生萬物。

道家追隨天道以求控制人類的壽命，使人類長生不老。因此他們發展了丹田納氣之術以及許多強身補元的方法。此外最重要的是他們企圖以化學法分離陰陽二本質，儘力發展鍊金術，食物養生法，以及藥劑等。

秦始皇據說曾向道家術士求取長生術，但鍊金術的最初記載見于前漢書中。其中載有公元前133年有鍊金術士晉謁漢武帝幷表演如何從丹砂鍊金，鍊丹爐中的液體飲之可使人長生不老。中國的鍊金術重視製長生不老藥遠勝于由基本金屬鍊成黃金，但開始時可能是爲了鍊製黃金。黃金之被認爲貴重，由于它是金黃的陽光似的金屬，充滿了生氣的陽本質。但他們認爲丹砂的階級更高于黃金，因爲其色朱紅，而且在加熱時會產生活動金屬水銀。公元四世紀時中國最著名的鍊金術士葛洪的記載說：

"草木焚燒以後變成灰，但丹砂在火上加熱能變成水銀，反過來水銀亦可變成丹砂。丹砂與普通草木之質不同，因此能使人長生。"

在西方，人們認爲礦物質和金屬是在地下生成的。中國在公元前二世紀也有此說。據公元五世紀時的何丁（Ho Ting）的記載說：丹砂在土中經純陽的孕育，二百年後成爲金屬，先產生鉛，然後爲銀，最後成爲黃金。故黃金爲丹砂之子。按死亡及復活論，何丁認爲金生時陽死而陰凝。

像歐洲人一樣，中國人也認爲自然的程序能在實驗室重生。葛洪認爲在鍊丹時以昇華與蒸餾的程序最重要。因爲昇華和蒸餾含有加熱的陽性作用和冷却的陰性作用。陰陽二本質能分離爲水銀及硫磺的化學形式。水銀屬于陰而硫磺爲陽，它們結合則成丹砂，爲金屬的自然或人造形成以及製長生不老藥的起點。

中國的醫藥也是由道家求祛病延年的飲食養生術發展而成形的。主要仍爲陰陽論，飲食中講究滋陰補陽，而醫理中則求陰陽調和，認爲辛辣之劑屬于陽性，苦味瀉導的藥劑屬于陰性。

道家在以後有了天師、道觀、和道士而變成了神秘的宗敎。至唐朝（公元618-906年）時道家又重興，中國的鍊金術士們再度活躍。他們從丹砂鍊出了水銀，也以蒸餾製出了烈酒。追求長生不老術的風氣又起。在唐朝的二十二代皇帝中，實際有七位是由于服用了過量的長生不老丹而中毒死亡的。

中國磁器的製造是始自漢朝粗糙的原始－磁器，在唐朝達到了高度完美的境界，至公元621年時唐朝正式設置了御窰製精美的磁器。

唐朝末年，中國發明了火藥，但在宋朝末期才出現了火器。硝石本是中國和印度土壤的自然風化物。在公元前一世紀的中國典籍中曾首次提及芒硝。第三世紀的中國鍊金術士曾以適當比例混和硫磺和硝石幷暴露此混合物于高溫下做爲實驗。而此類實驗可能卽第七世紀書中所載煙火的起源。在唐朝時的戰爭中據說使用過火箭，不過這種火箭祇是在箭頭上附有燃燒的松脂。在公元969年時有一種類似現代火箭的新型火箭出現。據公元1040年的一項記載說這新的火箭使用了火藥，幷列有正確的火藥配方，以及製造的細節。公元1607年宋朝曾有令禁止硫磺和硝石出口至外國，這表示當時中國極爲重視火藥。

在元朝任客卿的意大利人馬哥勃羅說中國在公元1237年就有了火器。中國當代的記錄中也載有幾種不同的用火藥的武器。首次記錄以火器發射子彈是發生于1259年，當宋朝軍隊用竹筒製的火器驅逐韃靼人時。隨後韃靼人用裝火藥的火器對付蒙古人。公元1231年他們使用了一種叫"震天雷"的武器，這似乎是一種手榴彈，在鐵殼中裝滿火藥幷附有引線，用弩砲發射的。公元1233年蒙古人擄獲了一座中國軍火廠，於是幾年以後元帥速不台（Souboutai）遂領蒙古人西征歐洲，幷將火藥傳入西方。當蒙古人在公元1274-81年東征日本時使用了鐵砲，當時對鐵砲有三種傳說，一說曾用鐵的砲彈。現存的最老中國大砲製造年代大致在公元1354年，1357年，和1377年，最早的歐洲大砲有公元1380年，1395年和1410年造的。

農業社會文明的特性是學術理論與經驗探究的分途發展，中國也不例外。中國的科學發展在宋朝時已很進步，但也在這時期停頓了下來。僅在明朝萬曆年代有一位江西士人宋應星于公元1637年出版了一部"天工開物"的書，其中包括了稻作、織布、染料、製鹽、鑄鐵、製舟車、造紙、珠玉、武器等共十八章，可謂中國的技藝百科全書。這是以記載和繪圖說明中國農工礦業的一部史料。其中農業方面載有五穀、襍糧、甘蔗、棉、麻、毛料、養蠶、農產品加工，製糖及釀造。工業方面有

紡、織、染、製鹽、磚瓦、陶瓷、造幣、鐘鼎、造舟車
、鑄鐵器、煤炭、油脂、造紙、兵器、火藥等，採礦方
面有冶金、顏料，石灰、硫、礬、砒、製墨及採珠玉等
的記載。其中許多民間技藝所用方法與設備，甚至有沿
用至今日的。宋氏的研究與治學精神極為接近實用的現
代科學方法。宋氏原著在明朝的戰亂中失散。幸虧有人
攜至日本才保全了這本書，然後又傳回中國，引起了國
人的重視，并有了英文譯本。

陸、古代印度的醫學和化學

　　印度的醫藥和化學的發展不及數學和天文學。最古
的印度醫書是一本〝包威手稿〞（Bower Manscript）
，大約是公元前四世紀時的着作，其中列舉了許多藥劑
以及使用法。公元二世紀時有一本着名的醫學大綱〝恰
拉卡〞（Charaka）。以後在公元五世紀時有一本專論
外科手術的〝塞斯魯他〞（Susruta）。在這些書中曾提
及六種金屬：金、銀、銅、錫、鉛和鐵；以及與中性鹼
不同的苛性鹼等化學品。七世紀時的醫書〝華格巴他〞
（Vagbhata）曾初次談到水銀。

　　根據中國朝聖者的記載，印度的鍊金術始自公元第
七世紀。這似乎與婆羅門教的復興有關，因為印度主要
的鍊金術書籍是〝曇特拉〞（Tantras），是根據古吠
陀經而寫的。據稱印度鍊金術士知道強的礦物酸，這說
法是根據第八世紀的一本書中提到有一種液體可以溶解
金屬，而十二世紀的一本鍊金術中敘及從綠礬石如何製
造這種液體。公元780年的中國記載中說：

　　〝在印度有一種叫做〝盤查果〞（Pan-chá-cho）
水的物質，是從山中的礦物產生的…………能溶解
草、木、金屬和鐵，若置于人手上將使肌肉腐蝕。〞

　　印度的鍊金術和中國人一樣，似乎主要是為了尋求
長生不老藥，不過也包括了鍊金在內。像別處一樣他們
也認為鍊金和製長生藥的主要物質是水銀和硫磺，但印
度人認為水銀是雄性本質，而硫磺是雌性本質，剛好與
中國和西方人認為硫磺是陽質，水銀是陰質的觀念相反
。除了水銀和硫磺兩種本質外，印度還有土、水、空氣
、火和靈氣等五元素，這種觀念似乎來自希臘。此外還
有來自希臘的原子論哲學，在公元五世紀時原子論已在
婆羅門教和佛教的耆那教派中完善的建立了。

柒、回教世界的化學

　　自七世紀及八世紀之間阿拉伯人勃興侵入南歐，建
立了薩拉森（Saracen）王朝。他們不僅接收了希臘文
化，也溝通了東西方的文化。中世紀的化學知識實由阿
拉伯在薩拉森根據地為之播種，其後至十三世紀始傳播
于法德英等國。

　　鍊金術發源于埃及，早期盛行于希臘的亞歷山大時
代，但後來將之傳播于歐洲的是阿拉伯人。回教鍊金術
仍以亞歷山大時代者為本源，其基本前提是：

　　(1)所有物質含相同的成分，為四元素的不同混合
物。

　　(2)金是所有金屬中最〝高貴〞和〝最純〞的，銀位
于其次。

　　(3)一種金屬轉變成另一種金屬是可能的，是由于元
素混合物的成分改變。

　　(4)基本金屬轉變成高貴金屬可用第五元素或鍊金藥
液而完成。

　　公元九世紀時最有名的鍊金術士及化學家是給伯（
Geber），給伯原名海依因（Jabir ibn Hayyan，公元
約760-約815年），人稱其為〝神秘家〞，是最早的回
教鍊金術作者。他來自阿拉伯南方，屬神秘的純潔兄弟
會教派，他的著作經其門人在公元十世紀收集而刊行。
鍊金術顯非學術正統，一方面與神秘的宗教相關，另一
方面則涉及化學技藝傳統。在回教中這兩重關係更為顯
著。神秘教派認為人是整個世界的縮小體。在化學方面
，他們將所有的自然物質分為兩部份，形體和精神。類
似人係由身體和靈魂構成的觀念。〝精神〞指的是揮發
性質，〝形體〞指不揮發性質。他們認為萬物，尤其是
金屬，都是由水銀和硫磺兩種本質交互作用而產生的。
這種說法最初出自中國和亞歷山大城的鍊金術中。硫磺
本質被認為是一種主動的，雄性的，火焰似的要素，是
中國人所謂的〝陽〞，亞里斯多德的氣象學中所謂的煙狀
蒸發。水銀本質是被動的，雌性的，液體要素，是中國
人所謂的〝陰〞和氣象學中所謂的〝汽狀蒸發〞。回教
鍊金術士也採納希臘人的四元素說，他們認為改變元素
組成的量可使金屬蛻變。除了鍊金術的神秘外，給伯的
工作有些是含有真正的化學知識的。在他的〝性質論〞
（Book of Properties）一書中記載說：

　　〝取一磅氧化鉛細研并與四磅酒醋緩慢加熱，直至
酒醋減至原體積之一半。然後取一磅蘇打與四磅清水加
熱至水減至原體積之一半。將這兩種溶液過濾至極為清
淨并將蘇打液逐漸加入氧化鉛的溶液中。一種白色物質
形成并沉于底面。傾出上面的水并讓殘餘物乾燥。它將

變成像雪一樣白的一種鹽〃

這種生成物叫做白鉛，是一種鉛的碳酸鹽，可用爲陶器的釉和做油漆。

給伯將礦物分爲：

(1)揮發性質（Spirits）：是加熱而揮發的。這些包括硫磺，砷的化合物，水銀、樟腦、和氯化銨。氯化銨可用做工業上的助熔劑，是燃煤時的一種礦物產品。給伯知道爲何從有機物質製氯化銨并以阿拉伯文首次記錄了製造方法。

(2)金屬：他知道七種金屬、金、銀、鉛、錫、銅、鐵、以及他稱之爲〃中國鐵〃的鋅（？）。他認爲這些金屬相當于七大行星。

(3)可粉碎物質：是不可鍛的，沒有展性的物質。這類物質種類繁多，給伯曾再予以分類。

據說給伯在柯發城有一座實驗室，那是在他死後約兩世紀當拆毀房屋時重發現的。

雷玆（Rhazes，公元865-925年）是最偉大的以阿拉伯文著作的鍊金術士。他早年獻身于鍊金術，其工作是以經驗和實驗爲根據的。他的研究眞可稱爲化學研究，他是最早建議裝備一實驗室以做爐、風箱、坩堝、耐火蒸餾器、長柄杓、鉗、剪、鐵鍋、天平和法碼、燒瓶、管瓶、火鍋、沙浴、水浴、烘箱、毛布和亞蔴濾布、爐、窰、漏斗、皿等的人。像如此裝備的工作場所已不再祇是女巫的廚房了。

雖然他在當時是一位堅持鍊金術理論認爲金屬可以蛻變的人，但雷玆的著作和觀念深深的影響了西方的拉丁世界。他最感興趣的是對各種物質巧妙處理，這在他的〃神秘的奧妙〃（Secret of Secrets）一書中曾明白的顯出，此書據說是實驗室手冊的先身。他熟悉許多化學品，其中可能有硝酸甚或硫酸。他知道許多高級技術的操作。他可能是建議分物質爲動物，植物，和礦物三大類的第一人。他也暗示過後來派拉賽修所發展的硫磺、鹽、和水銀爲三種本質存在于萬物中的說法。

雷玆分礦物爲六類：

(1)四種揮發性質；在加熱時昇華的水銀和氯化銨和加熱時燃燒的硫磺和雄黃。

(2)七種金屬：金、銀、鉛、錫、銅、鐵、和鋅。

(3)六種硼砂：包括我們所謂的硼砂和天然碳酸鈉。這種粗碳酸鈉是存在于埃及的。

(4)十一種鹽類：包括石鹽、石灰、磷鹽、鉀碱等。

(5)十三種礦石：其中有孔雀石（綠鹽基性氧化銅），赤鐵礦（希臘文之血石，三氧化鐵），石膏（帶水硫酸鈣），以及明礬（天然的）。

(6)六種礬類：有些礬類的阿拉伯名稱係雷玆按狄奧斯柯萊德的希臘名稱而來：如黃銅礦，白礬等。

亞微塞那（Avicenna，公元980-1037年，波斯原名爲Ali ibn-Sina）是一位博學的思想家，對東西方哲學與醫學均有重大影響。他對鍊金術的影響較少，但重大的是他否認了蛻變的可能性。雖然他未堅此一說法，但在他公元約1022年的醫藥論（Book of the Remedy）書中曾明白的指出基本金屬可能結合成爲外表像金和銀的合金，但是這不同于蛻變，合金中的金屬仍然是分離的。所有稱爲蛻變的都是外表的類似而已。

在阿微塞那以後，阿拉伯還有一些鍊金術的作者。在公元1200年阿拉伯人從中國輸入〃中國雪〃硝石。中國用硝石製火藥是很早的發明。而阿拉伯人在十三世紀知道硝石和硫酸鹽加熱後可製成硝酸，然後又知道硝酸加硇砂可以製成王水。從此知道各種礦物酸可以溶解許多物質，化學方法由此而邁進了一大步。在酸類發明以後，又續有碱類的發明，即在含有鈉或鉀的碳酸鹽的灰中加入石灰水，可製成苛性鈉和苛性鉀的溶液。

阿拉伯鍊金術士在使用天平和研究化學作用方面有很大的成就。

回教民族從中國學到了造紙，然後又傳授給了西方世界。公元704年在中亞細亞撒馬甘（Samarkand）的戰役中，回教俘獲了一些中國造紙匠，於是知道了造紙術。回教的第一座紙廠于公元751年設于撒馬甘，第二座于公元793年設于巴格達。造紙術于公元900年傳至埃及，公元1100年傳入西班牙。當其最後傳入北歐時，于公元1189年在法國比利牛斯山北的赫洛特（Herault）設立了第一座紙廠。

回教人在蒙古人侵歐以前似乎不知道火藥和火器。蒙古大將速不台于公元1235年開始的征歐戰役中使用了火藥，手榴彈，或火器。於是火藥遂傳入了歐洲。在蒙古人侵歐後不久，歐洲各處出現了鑄鐵。在東西文化交流中，蒸餾的酒和眼鏡于十三世紀由歐洲經蒙古人傳入中國。

捌、中世紀的歐洲化學

歐洲鍊金術是當十三世紀時復蘇的。隨着鍊金術的流傳，帶來了新的化學品，諸如公元約1295年法國聖弟濟會教士杜佛（Vital du Four）所首先提及的礦物酸，以及另一位死於公元1167年叫做沙勒納斯（Magister

Salerorus) 首先敍及的由穀酒和啤酒蒸餾得到的酒精。當時將酒精稱爲"生命之水"，地位僅次于鍊金的"生命之丹"。歐洲寺院中的僧侶對酒精的性質曾過份熱切而廣泛的研究。以致在瑞密尼（Remini）的聖多明加會曾禁止其修道院擁有蒸餾設備。但許多修道院的長老仍繼續其對酒精的研究，并製成許多有名的佳釀。

在公元1317年敎皇約翰二十二世紀頒訓令禁止鍊金術，這禁令表示當時鍊金術極爲流行。不過中世紀的鍊金術士并沒有新的理論。他們相信金屬的產生是由硫磺的雄性本質和水銀的雌性本質結合而成的。基本金屬可以經由死亡與復活的程序而變成高貴金屬。一般的無幾物質都是有生命的，由一形體和靈魂而構成的，或說由一種質和元氣而形成。物質的成份可以加熱而分離，當元素像蒸汽似的出來時，有時會凝結成液體。物質的特徵和性質是由元氣決定的，所以經由蒸餾而得到的液體之中包含了原來物質中的精華。因此這種液體更爲活潑，更具潛能，可以賦予舊形體以新生命，可以使基本金屬具有貴重金屬的性質。於是在理論上，將高貴金屬的元氣轉移給基本金屬能導致蛻變。但是在金屬之中只有水銀能蒸餾而分離出元氣。根據鍊金術士的理論，水銀蒸汽使基本金屬的表面變成白銀，水銀因此認爲有銀的元氣，是金屬的祖先和萬物的本源。

以水銀爲主的說法是當時的一位鍊金術士和神秘主義者魯爾（Raymond Lull 公元1232 — 1315年）所倡導的。最初魯爾認爲上帝創造了水銀。然後水銀在循環蒸餾中分析出萬物。最初分出的精美部份形成了天使的形體。較次的部份形成了天體和天空球體。粗糙的部份形成了四元素和第五元素，從四元素形成了地球物質的形體， 從第五元素形成了它們的元氣。魯爾認爲第五元素并不如亞里士多德所言只限于構成天空球體。第五元素是一種元氣或靈魂，擴散在整個宇宙，是上帝存在的一項表徵。魯爾像其他鍊金術士一樣，認爲第五元素或地球物質的元氣能以蒸餾而分離和濃縮。他認爲酒精是一種重要而不純的元氣，如果將酒精蒸餾時它將分離爲兩層，上面的一層是天藍色的，下面的一層是混濁的，正如水銀的太初循環分離成天地一樣。上層爲酒精的純元氣。魯爾及其門人相信元氣能互相吸引，因此元氣能提煉物質，尤其是植物可用酒精分離出其第五元素，味道，香氣，以及醫藥效用。這類酒精提煉物是供醫藥目的用的，魯爾的門人使鍊金術愈來愈趨向于醫藥方向。同時他們大肆抨擊傳統的格林醫藥，隨十六世紀派拉塞修（Paracelsus，公元1493 — 1541年）的化學醫療

法的倡行而使此一運動達于高潮。

鍊金術在今日看來雖屬荒唐不經，但是在中世紀時化學與鍊金術還是不可分的。許多鍊金術的研究具有科學基礎。鍊金術士們曾發明許多方法和器具。他們使用了十二種方法：煅燒、凝結、固定、溶液、浸漬、蒸餾、昇率、分離、上蠟、醱酵、增殖、蛻變（Projection 從基本金屬變爲貴重金屬的方法）。除了蛻變法外都是易于瞭解的。

許多鍊金術的儀器和用具直接傳給了近代科學化的化學家。其中主要的有爐和蒸餾器。并採用煙囱或通煙櫥增進高溫時的通風作用。有些鍊金術士是使用分析天平的專家，有時的天平像現代的實驗室中的一樣，是裝在玻璃罩內。其他的鍊金器具還有以阿拉伯名稱傳至現代的。化學器也有許多是用阿拉伯名稱的。

中世紀有許多從舊有材料製金屬、鹼類、肥皂、酸類、顏料、媒染劑、酒精、火藥等的工業生產。製造法大多來自東西羅馬，在中世紀雖經過技術改良但與科學理論仍然無關。

各種鹼類均有供應，鉀碱已廣泛使用。鉀碱主要含高成分的碳酸鉀，可用瀝濾法純化以供製玻璃和肥皂及其他清潔劑。肥皂可能是韃靼人發明的，在公元八世紀時傳入歐洲的。當時已知道有鉀（軟）肥皂和鈉（硬）肥皂。

在十六世紀以前酸類未認爲是一類。硝酸是阿拉伯人在十三世紀發明的，在十四世紀傳至西方。是在高溫時以脫水硫酸鹽與硝石蒸餾而製出的。硝酸是用來溶解銀和基本金屬以使其與金分離的。這種分離法也可用王水，加氯化銨于硝酸所得的一種硝酸和鹽酸的混合物。王水可溶解黃金。硝石是來自羊糞和腐敗植物廢料堆積的風化物。

當時最普通的媒染劑是明礬，是一種東方的產品，但公元1450年以後歐洲從明礬石製出了明礬。他們的製法是將明礬石礦煅燒，風蝕，將沸水加入，直到在冷却時溶液結晶成明礬，這方法純粹是化學純化程序。明礬是中世紀唯一的純淨化學品。自公元1450年梵蒂崗企圖將明礬專賣以對抗土耳其控制明礬從東方的進口。

火藥與火器就經濟觀點而言，對歐洲中世紀的貢獻重大。最後終於使歐洲雄霸了天下。火藥和火器最初發源于中國，經拜占庭和回敎人的發展，于十三世紀出現于歐洲。拜占庭的紀錄中曾敍及一種硫磺、硝石、和植物油的爆炸混合物，其作用有如火藥，其中由油供給碳。硫磺來自天然的或硫鐵礦，而硝石早已爲一項商品。這·

種火藥可能是歐洲在十三世紀末的再發明。歐洲最先提及火藥的是公元1249年培根（Roger Bacon）所寫的一封信。公元十四世紀聽說有大砲和手榴彈的使用。

大概在蒙古征歐後的幾年，造紙術也從東方傳入歐洲，基督教國家中的第一座造紙廠是公元1189年設于法國赫洛特的。公元1276年意大利的蒙特芬諾也設了紙廠。公元1391年德國在紐倫堡開始了造紙。公元1494年英國出現了第一座造紙廠。十三世紀時鑄鐵出現于歐洲，但鼓風爐到十五世紀才漸漸普遍。

玖、鍊金術和醫藥化學

古代希臘的生物學家和醫書作者從未考慮到以化學名詞來解釋人體的生理學。一般都認爲生物都是由四元素組成的。而在醫學的觀點上，身體的官能是按不同生物的本質而區分的。這些本質是於多血質，膽汁質，神經質，和黏液質等四種體液及動脈血，靜脈血，神經液等三種官能液。此外還有生命的，自然的，以及動物的三種控制元氣。疾病不是由於外來物的入侵人體所引起，而是由於內在四種體液的分配失調所致。疾病本身是不存在的，僅是人體有疾病的狀態。早在喜坡克拉提（Hippocrates 公元前約460－377年）時代就認爲人體本身有恢復失調體液使之平衡的本能，病人不必靠藥劑而痊癒。後來在格林（Galen，公元129－199年）的時代已趨於用醫藥以恢復體液的平衡了，因爲當時認爲體液主要是有機質，而藥物主要也是以動植物爲本源。回教人將格林的藥方中增加了很多藥物，使這些藥方變得更爲複雜，以致中世紀有了治百病的藥方，其中包含了六七十種藥物。這些藥物主要仍以生物爲本源，偶然也有一些有毒性的在內。例如公元1618年第一部倫敦醫藥大全中曾列舉了膽汁，血液、雞冠，以及木虱等可以做可服的藥劑。

很少幾種醫藥是由礦物質而來的，因爲古代的希臘哲學家和中世紀的學者對化學物質及其性質都不太感興趣。但是，化學問題在後來經鍊金術士所研究，有些鍊金術士對鍊金術的醫藥應用感到興趣。這種趨勢在派拉塞修（Paracelsus，公元約1493～1541年）時達到高潮。派氏是一位瑞士醫生，他將鍊金術與醫藥結合，努力以產生當時的一門新科學，所謂的醫藥化學。在鍊金術的歷史中一方面涉及化學的技藝，而另一方面則具有神秘的宗教性。因此在宗教動亂時代的同時，技藝傳統也隨之成熟了是必然的結果。所以鍊金術的醫藥方面的發展是很自然的。

派氏爲醫生世家，他自命爲派拉塞修的意思是認爲他將比羅馬名醫塞修（Celsuo）更偉大。公元1514年他在南德一位財政家和鍊金術士的礦場和冶金廠中工作，然後在巴斯里（Basle）地方學醫，最後在巴斯里教了兩年書。他打破當時大學中的傳統用德語代拉丁語講學，并且邀請藥劑師和兼治病的理髮師來聽講以融合醫學與技藝于一堂。而且他在開講之日，焚毀了醫學權威格林和阿微申那等通用的古代醫典，正如路德（Luther）在宗教革命中焚燒教皇的訓諭一樣。派氏欽敬路德，認爲他是飽學之士，而且路德對鍊金術也極感興趣，因爲鍊金術以死亡和復活的過程使金屬高貴化是有準宗教觀念的。

派氏爲鍊金術所下的定義，認爲鍊金術是一種將大自然中的原料轉化爲對人類有用的終產品的科學。這項定義包括了化學和生化的技藝。將礦物變成金屬的冶鍊匠是鍊金術士，將肉類和穀類製成食物的廚師和麵包師也是鍊金術士。派氏本人則對從自然物質，不論是礦物或植物，製醫藥特別感興趣，而根據他的定義藥劑師和醫生都是鍊金術士。他採納鍊金術士的基本觀點認爲礦物是在地下成長并且漸漸發展爲較完美的形式的，在實驗室人類能人工模仿在地下的變化成長。派氏更進一步闡釋這一觀念，他認爲所有萬物都是天然生活和生長的，人類能加速和改變這些自然程序以適應人類所需。

在醫藥方面，派氏摒棄人體的健康是由四種體液決定的說法，他提倡了一項理論說人體主要是由鍊金術士所說的兩種本質水銀和硫磺，以及他加上的第三種質鹽所組成的一化學體系。在較早期鹽被認爲是一種基本，但在派氏以前并非被普遍認爲是一種基本化學本質。據派氏的看法，疾病可能是由於這些本質的不平衡所引起的，正如格林派醫生認爲疾病是體液的失調所致一樣，但派氏的理論表示平衡的恢復得靠礦物醫藥而非有機藥劑。派氏的後繼者，被稱爲醫藥化學家的，也偶然發現良好的無機藥劑，但經常有一些異想天開的理由。他們給貧血的病人服用鐵鹽，因爲鐵與紅色的行星火星有關，而火星是鐵和血的戰神。不過，將人體視爲一種化學系統的概念是比早期的體液說要有用多了。

在派氏的理論中另一有用的原理，是認爲疾病的症狀各有不同，每種疾病有一特別的化學治療法。所以派氏反對包含很多成分的萬應藥，提倡用單一的物質作藥劑。如此的變更推動了特別疾病的研究，并且有助于有用和有害藥劑的區分。當古老的複雜的治百病藥方存在時期，這種區分極爲困難，因爲幾十種藥物之中任何一種

可能有用或有害。

派氏認爲每一種疾病有不同症狀的觀念可能導源於大自然中萬物均爲自發的生活個體。他認爲在上帝創世時先創造了原始的混沌，然後許多種子在其中生長。每一種子在注定的時間內發展成一特別個體，當個體死亡時，其種子又開始一新的生成循環。派氏寫出：“上帝創造萬物，先從虛無中創造出一些東西。這東西是種子，其用途和功能的主旨是因襲自其始創之時。”因此每一個體的發展是由一內在的定型和一含于種子中的力而成形的。所有萬物的成長是自發的，不受外力的影響，“因爲任何事物都是從本身發展的。”在每一種子中的促進成長力是一種生命力或精神力，派氏稱之爲基原（archens）。在人體中的基原能將在消化中食物的有用和無用部份分離，幷且轉化營養成人體組織，基原像人體實驗室中的錬金術士。不同的基原以不同的方法使物質變化和排列，使生活有機體衍生成萬物幷各具其本身的特別性質：“因爲上帝在最初就將萬物仔細的區分了，絕不會給不同的東西以相同的形狀和形式。

派氏認爲疾病是一種特別和有生命性的力量，像一個基原或一粒種子。這種基原與所侵入的人體基原或某一特別器官的基原作戰，疾病的基原也可用供特別治療的礦物或植物的基原來壓制。在這種方式下，派氏接近了疾病本身爲實體的觀點，與傳統公認疾病爲人體狀態的看法相反。派氏在公元1531年公開了他的疾病觀，幾年以後，在公元1546年，佛拉卡斯托羅（Girolamo Fracastoro 公元 1484 — 1553 年）也提倡了一相似的理論，認爲疾病本身是一種像種子的實體。佛氏是原子論的信徒，所以他在解釋大衆熟知的某種疾病的傳染性時，認爲疾病的原子或種子會自行繁殖幷以人身接觸或經空氣而傳染。一般說來派氏與佛氏倡導了後來的疾病的細菌學說，不過他們的觀念是含混的，而且未爲實驗的事跡所支持。

派氏的觀念與原子論不大相關，他的看法與宗教改革觀念較爲接近，而不是受文藝復興時代古代哲學復興的影響。他認爲他的系統是一種宗教的啓示，目的在恢復喜坡克呂特（Hippocrates）的純正醫藥，正如宗教改革者認爲他們的神學理論是在恢復原始基督精神的純正一樣。派氏認爲格林派的醫生們完全忽略了上天啓示給他的大自然的偉大神秘。就我們所知，法國宗教改革者卡爾文派（Calvinists）和機械論哲學家的一般觀念有其共同看法，而派氏的活力論哲學是與路德的宗教改革觀念在基本上相同。派氏喜愛德國，博得了“化學中的

路德”的美譽，他的醫藥化學系統在德國較在其他各處爲流行。

錬金術現在變成了醫藥化學，但仍然與神秘宗教相關，德國從愛克哈特（約公元 1260 — 1327 年）至波艾米（Boehme，公元 1575 — 1624 年）的時代，神秘主義特別受重視。實際上，地波艾米的著作中我們隨即見到新教的神秘主義與醫藥化學理論的融合。路德的神秘主義與醫藥化學家都認爲人類是一種自發的小宇宙，與早期錬金術士認爲這小宇宙是受大宇宙的天體所統治的觀點不同。派氏倡議自然界的萬物都是自由平等而獨立的，由其內在本質而衍生其自發性，由本身的生命活力推動而發展爲每一實體。但是最後派氏認爲我們不必計較萬物是如何而生，只要信任萬物是按上帝的旨意而成的。

醫藥化學家的知識是以神秘的洞察和類比的經驗探究而獲得，尤其是來自人爲小宇宙與世界爲大宇宙之間的類比。在實際上，洞察和類比法雖然觀念不錯，可是由於從事實驗者的無能而失敗了。派氏曾寫出：“錬金術中的所有錯誤和困難的原因，是由於操作者的欠缺技巧所致”。醫藥化學家的另一知識來源是聖經和當時的宗教觀念。派氏認爲世界的原始物質是三重性的，正如造物主是三位一體的。因此在早期錬金術士認定的硫磺和水銀兩種本質以外，加上了第三種本質鹽。

派氏的理論在十六和十七世紀時有很大的影響，是對格林醫學的挑戰。派氏的著作在大學中一般列爲禁書，但是他的理論極爲流行，在十六世紀末葉巴黎和海德堡的學生曾以暴動抗議對派氏理論的禁止。

醫藥化學對藥劑師引起的注意較勝於對學院派的醫生，因爲醫藥化學對藥劑師的技藝提出了理論，幷且供給了一項依據，使藥劑師可照本行的觀點行醫。在十七世紀時英國的藥劑師地位大爲提高。在1608年藥劑師脫離了藥商的雜貨店行會而自組公會。漸漸地加入了醫生的行列。當公元 1665 — 66 年倫敦大瘟疫流行時他們表現良好的留在崗位上，而格林派醫生却逃出了城。最後在公元1703年一項試驗情況下給予藥劑師以行醫的全權，這項權利直到十九世紀才撤消。

醫藥化學隨後由於范海蒙（John Baptist Van Helmont，公元 1580 — 1644 年），一位高貴的比利時布魯塞爾人的提倡而進一步發展。他的主要著作“論醫藥的發展”（on the Development of Medicine）在他死後，公元1648年出版。但他在生時也曾發表一些同一觀點的作品。范海蒙追隨派拉塞修而揚棄學院派亞里斯多德的邏輯以及演繹推理。范氏認爲觀察及神秘的洞察力獲得

的知識是神聖的，由邏輯和論証獲得的知識是屬人的，較低級的知識。范海蒙極爲主張類比，他依據地面上事物與天空中事物的某些相似點而如此主張。范海蒙比派拉塞修更成爲一位實驗主義者，并且堅持他的實用觀念。他認爲化學應在大學中教授，并且有實驗來作火的示範，以及有蒸餾，潮濕，乾燥，煆燒，溶解等自然程序的操作。

范海蒙不贊同派拉塞修認爲原始物質含三種本質鹽、水銀，和硫磺的說法。但是像派氏一樣以神學觀點認爲水應當是原始物質，因爲聖經中曾提及水在創世以前就存在於原始混沌之中。他更以爲一項巧妙的實驗証實了他的觀念。他將一段重五磅的柳枝種在盆中，覆以二百磅泥土。五年之中不斷澆水，最後柳樹長成爲一百六十九磅，盆中泥土重量不變。范氏認爲樹中只加過水，所增加的重量應當是水變成了木頭。進一步的實驗使他相信水能變成泥土，土是衍生物而不是原始的元素。在當時的粗玻璃容器中水沸騰後，由於玻璃的溶解和沉澱，會產生一些殘渣。范氏認爲這殘渣是土，他以爲這是水變成土的現象。傳統上四元素之一的火，范氏認爲只是燃燒的煙，根本不是元素。不過他認爲空氣可能是一種獨立的元素，因爲他發現不管怎樣壓縮空氣，它也不會像水蒸氣和其他蒸汽一樣凝結成水或成液體狀態。

像派拉塞修一樣，范氏認爲自然界的萬物都是由原始物質中生成的種子衍生的。每一種子中含有一生命活力或元氣，由此而決定其發展的獨特的型態以及成長後個體的行爲。如此自然中遂有無數自發的事物，而每一事物之內在生命活力決定其發展。

范海蒙說：“物體有兩個主要成因或起源，我們知道是水的元素或原始物質……以及酵素或發生的原始力……酵素是創造物體形態的，在創世時即已在其本身內成形，其中包含了物體自身完成的型式：諸如外貌，運動，末日，動機，傾向，配合，均衡，比例，精神錯亂，缺點等等以及在往後的日子裡所發生的一切。”

即使組成一實體的各部份，如人體之各器官，本身均具有生命，此生命來自管制這器官的元氣或活力。疾病是從外界進入人體并且停留在某特別器官肆虐的生活體。范海蒙說：“疾病是一種不速之客，每種疾病有不同的起因和本質。”因此一種疾病有特別的起因，效應，和位置，并且應有特別的藥劑處理，這種藥劑是一種單一的無機物或植物質，而不是古老的複雜的治百病的藥物。范海蒙認爲古代的醫生對疾病與症狀的觀念不清，想除去的不是病因而是症狀。他說：“治療主要在除去病因，絕非只除去病徵。”

在化學方面，范海蒙是首先區別空氣元素和其他氣體的人。在他的時代以前和以後，大家認爲氣體只是空氣元素的不同形式，或是空氣中混有雜質而已。但范海氏以爲氣體是彼此不同的物質，也與空氣和凝結的蒸氣不一樣。鍊金術士們曾認爲物質是由“物體”與“元素”結合而成的，他們假定有時能加熱物體分離出元氣，然後將蒸氣凝結爲液體。他們如此獲得了酒精，或“酒的元氣”；以及鹽酸，或“鹽的元氣”。范海蒙也認爲：每一種個體是由原始物質構成的，而原始物質是萬物共同的，但是每一種個體有獨特的生命活力或元氣。范氏企圖分離出這些元氣，不僅使用傳統的火煉（加熱）法，也利用了酸類對物質的作用，有時他發現分離出的蒸氣或元氣不能凝結。這些蒸氣他稱之爲“氣體”，因爲他以爲是一種物質的元氣使這氣體成爲特定的，所以他認爲氣體依其來源不同而彼此是不同的。如此觀點使范海蒙分離并鑑別了幾種氣體，主要的是碳的氧化物，氮、和硫。由於氣體是純元氣或是物質的生命活力，所以范海蒙的理論認爲氣體本身具有潛在威力，他以火藥的爆炸和壓縮的氣體可以炸裂容器爲例以說明他的論點。

在十七世紀中，不僅是鍊金術士，活力論者，即使是機械主義學派的哲學家也都研究醫藥和化學問題。通常醫藥化學家認爲無機物質是活的，由於內在的生命活力而變化，而機械主義哲學家認爲物質是死的和惰性的，只在受外來機械力時才發生變化。這兩種觀點在十七世紀都限制了化學的應用，而機械主義哲學必竟較爲實際。因爲力學的定律已極爲普遍化，可用以說明各種物質間的相同變化，雖然不易解釋化學反應的特性，但醫藥化學將化學特性歸因於其特別化的生命活力的擬古－解釋卻實在更不切實際。

最早倡議化學變化爲機械理論的一位化學家，是十七世紀上半期一位法國冶金家雷氏（Jean Rey）。當時已知金屬在空氣中加熱時增加重量并且形成了金屬灰。爲了解釋這現象，雷氏在公元1630年建議說空氣有重量；并且在加熱時被金屬所吸收。他沒有想到這程序是空氣與金屬化合的化學反應，他認爲只是一種機械的混合，像乾的沙吸收了水分而變重一樣。

雷氏說：增加的重量來自空氣，是空氣混入了金屬灰，附着于金屬灰的小粒子，無異於加水于乾沙中予以攪拌，水使沙變濕并附於最小的沙粒上而使沙變重。

另一位更有名的化學家是波義耳（Robert Boyle，

公元 1627—91 年），他自命爲機械論哲學家。他對醫藥化學家的研究極感興趣，尤其是他們的經驗觀察，但是他認爲那些觀察應該用機械論哲學來解釋。波義耳的機械論哲學的理論認爲物質含有在運動中的原子微粒。他斷言他不期望"有任何原理會比原子論能更易理解和更明智。"但曾將機械論觀點予以普遍化的笛卡兒却反對原子論，因爲他相信眞空是不能存在的，而波義耳認爲以空氣唧筒可以產生眞空。原子論在十六世紀復蘇，在十七世紀之中再經幾位學者予以闡發。其中最著名的學者是伽桑底（Pierre Gasendi 公元 1592—1655 年），一位法國學院的數學敎授，他使原子論漸漸變成了機械論哲學的一部份。

如此的觀點使波義耳發現適於他的物理學研究。他發現氣體的壓力與其體積成反比。他知道這定律可假設氣體粒子是微小的靜止彈簧或爲自由運動的小圓球而解釋。後來的牛頓認爲波義耳的氣體定律是根據氣體粒子爲微小的靜止彈簧假說，而柏努利（Bernouli）表示他是按氣體粒子爲自由運動的小圓球假說。但當涉及化學問題時，波義耳發現機械論哲學不易應用。在敍及化學物質的特性以及其反應的特點時，波義耳說："關於性質的起源使我所倡導的原子論哲學遭遇了極大的困難，我們難以相信自然界萬物的不同性質是由很少的或僅兩種本質和如此簡單的物質和運動發生的。"波義耳指出鹽溶於水而不溶油或水銀，而金溶於水銀而不溶於油或水，硫磺溶於油而不溶於水或水銀。這些性質他認爲可用某種"物體的變化原則"而說明，并假定物質的基本原子有不同的形狀和大小，以不同方式運動，或以不同的次序和排列彼此相固定，并且在其空際中保留有微妙的放射氣。據波義耳的說法，這些"物體變化的原則"像英文字母一樣可以有許多不同的結合，每一結合顯示一化學質的可能性質。可是由於波義耳的理論未將零亂的化學事實予以系統化，也未將其公開予以實驗証明，所以他未能將所觀察的物體的化學性質按物體變化的原則予以完善的解釋。

但波義耳却在另一方面使現代化學奠定了基礎，他改良了許多現有的化學程序以及普遍的公理。他效法培根要求化學應以實驗觀察實體爲基本。他强調應特別重視化學變化在重量方面的研究。波義耳指出以純粹均勻質研究的重要性，由此他定出了化學元素的定義，他說："我認爲元素是原始而簡單，或完全不攙雜的物體，不是由任何其他物體製成的，是所有化合物的成分，化合物最後可分解爲元素。"波氏的元素定義結束了亞里士多德的四元素說，拓開了近代化學之門。波氏對化學方面的另外重大貢獻是建議用化學指示劑以試驗液體的酸性或鹼性，和分離出磷元素。

但波義耳仍傾向於水，空氣，和火爲基本質的觀點。他認爲有一種"火質"存在，火質是金屬在空氣中加熱形成金屬灰而增加重量的原因。因此波義耳未能發揚雷氏認爲金屬吸取空氣而成金屬灰的理論以及范海蒙認爲氣體是獨立的化學而非基本空氣的一種形式或是空氣所含雜質的觀念。

在生理學方面，波義耳以及他的後繼者，特別是虎克（Robert Hooke，公元 1635—1703 年），羅威（Richard Lower 公元 1631—91 年）以及梅育（John Mayow 公元 1645—79 年）等對於暗紅色的靜脈血液在肺臟中吸取部份空氣而變成鮮紅的動脈血液的變化有深入的研究。他們發現身體中靜脈血吸收空氣的程序類似化學上的燃燒作用。以前的派拉塞修喜歡用類比法辯証，他認爲肺之吸取空氣是一種營養方式，正如胃的吸收食物一樣。波義耳對此說頗表贊同，因爲他發現沒有新鮮的空氣供應時動物不久就會死止，當動物置於他用空氣唧筒產生的眞空中時差不多立刻就會死去。一支蠟燭的火焰同樣的需要空氣，因此虎克認爲呼吸之於生理程序類似燃燒作用。波義耳發現動物和燭焰在密閉容器中吸取部份的空氣供應，他認爲被吸收的部份可能是混合在基本空氣中的"生命第五元素"。虎克發現火藥不論在眞空中或在水中都能燃燒，因此他假定在空氣中的生命第五元素係呼吸和燃燒所必需的，是一種硝化元氣，這種硝化質也含在火藥混和物中的硝石裡。虎克和羅威又發現暗紅色的靜脈血液與空氣一起搖動時會變成鮮紅色的動脈血液，而羅威又單獨發現窒息動物的血是暗紅色的，如果用風箱將空氣灌入動物的肺臟則全部的血液是鮮紅的。羅威認爲血液在肺臟中攝取了空氣中的有生命部份，硝化元氣，使暗紅的靜脈血液變成了鮮紅的動脈血液而攜同"硝化元氣"運行全身，供應各種生活程序。例如胎兒是不能呼吸的，但可由母體的動脈血液中接受"硝化元氣"。

波義耳，虎克和羅威的工作由梅育集其大成并予擴充。梅育在公元1674年出版了一本"醫學五論"（Five Medico-physical Treatises）。梅育認爲在呼吸和燃燒中所不可缺乏的空氣中的有生命部份是由某種"硝化-空氣"粒子所組成的。這些粒子存在於硝石中，因此火藥在缺乏空氣時也能燃燒。它們也含在硝酸中，因爲當銻以硝酸處理或在空氣中加熱時產生相同的生成物。兩種

情況下的生成物都比原來的銻重，所增加的重量是由於吸取了"硝化-空氣"粒子。在呼吸時，血液吸收了這種氣體與血液中"含硫"或可燃粒子化合以發生動物的熱能。梅育沒想到空氣是兩種氣體的混合物，一種他稱之爲"硝化-空氣粒子"和另一種惰性粒子的混合物，他認爲空氣是一種基本質，這種"硝化-空氣"的粒子是附着在空氣的粒子上，空氣粒子像小的彈簧，當"硝化-空氣"粒子因燃燒或呼吸而自其離去後，彈性減低而空氣的體積也減小了。梅育觀點的"硝化空氣"粒子在化學及生命程序中的作用與氧在化學及生理上所扮角色的現代觀念略有不同。梅育固執其機械論哲學，他認爲"硝化空氣粒子"的作用主要是機械性的；他們不知道那就是我們所謂的化學結合。他認爲鐵的生銹是由於"硝化-空氣粒子"的摩擦，肌肉的收縮是由於"硝化-空氣粒子"在肌肉中的快速運動，飢餓是這些粒子壓迫胃壁引起的痛苦。熱和光是這些粒子在快速運動，天空的冷和藍是因爲這種粒子在靜止中。以這種方式梅育將"硝化-空氣"或粒子提昇爲普遍的本質的地位，類似鍊金術士和醫藥化學家的本質。實際上他的許多觀點是活力論者醫藥化學理論的機械觀。像醫藥化學家一樣他認爲自然界中有三種基本本質：即硝化-空氣元氣，硫磺，和鹽，他的硝化-空氣元氣代替了鍊金術士的水銀。鍊金術士曾認爲金屬是水銀和硫磺作用而發生的，梅育則假定一般化學變化是由硝化-空氣元氣與硫磺作用而發生的。

十七世紀英國學派的醫藥化學家的研究至梅育而告結束。學派的傳統由赫爾斯（Stephen Hales 公元1671—1761 年）繼承，但是沒有多大進展。現代化學在其他地方興起，法國的化學在十八世紀末期奠基。

波義耳已完成了一化學元素的合理定義，并且發現了有希望的化學方法概念。他和他的學派曾獲得一結論，即空氣在燃燒和呼吸中是極爲重要的角色，部份的空氣在這些程序中被吸取。這項觀點與范海蒙的氣體觀以及雷氏的金屬的煅燒說漸趨沒落。醫藥化學的新理論燃素說從德國蔓延至全歐洲。

拾、燃素說和化學革命

當十七世紀末期自然哲學開始衰微時，自然科學中受影響最大的是化學。波義耳以及在公元 1660 及 1670 年間盛行的英國醫藥化學學派并未曾爲化學建立起傳統，他們的成就在日後也未引起人們的重視。在華頓（William Wotton）於公元1694年出版的"古代與現代的學術思想"（Reflections upon Ancient and Modern Learning）中即曾指出在科學停滯期中受影響最深的是醫藥化學。

但在十七世紀末英國學派的化學衰微時，德國的醫藥化學派却振興了，他們提倡了一種燃素說。醫藥化學家認爲化學質含有三種本質：硫磺是可燃性的本質；水銀是流體性和揮發性的本質；鹽是固定性和惰性的本質。在梅茲（Mainz）的一位醫學教授比克（Joachim Becher，公元 1635—82 年）修改了醫藥化學的本質說，在公元1669年建議說固體的地球物質含有普遍的三種成分：第一是土石（terra lapida），存在於所有固體中的固定土質，相當於早期醫藥化學家的鹽本質；第二是土脂（terra pinguis），存在於所有可燃物中的一種油質土，相當於硫磺本質；第三是土汞（terra mercurialis），一種流質土，相當於水銀本質。比克認爲所有能燃燒的物體含有硫質，即油性的土脂，土脂在燃燒程序中與其他土質結合而逸出。

燃燒和煅燒的程序因此包含有一化合物體的分解爲其組成成分，亦即在最簡單的情況中分解成含硫的土脂和固定的土石。在理論上簡單物體是不能燃燒的，含有土脂和另一土質的化合物才能燃燒。公元1703年赫爾的一位醫藥和化學敎授史塔爾（Georg Ernst Stahl，公元1660—1734 年）重新命名比克的土脂爲"燃素"，亦即古代的"熱的運動"，"火的運動"，以及"硫磺本質"，和"油性本質"。認爲一種金屬是金屬灰和燃素的化合物，加熱時燃素釋出而留下金屬灰。通常燃素是所有可燃物體，油，脂，木，炭，以及其他燃料的主要要素。當這些物體燃燒時燃素逸入大氣中或進入其他物質中與其結合，例如與金屬灰結合而成金屬。

這種煅燒與燃燒理論包括了早期醫藥化學家以及他們之先的鍊金術士的大部分觀點，認爲一般物質是由一種質和一種元氣構成的，能以烟火法使之分離，當物質加熱時元氣從物質中逸出。當十六世紀時發現有一些顯然的事實，特別是金屬的煅燒，顯示在煅燒後所得的金屬灰或他們所謂的"死體"比原來的金屬重。這現象他們解釋說因爲物質的元氣沒有重量，或說元氣甚至會減輕物質的重量，所以一物質當其失去揮發性或元氣部份時會變重。

燃素說對金屬的煅燒也有一番類似的說明。燃素說家假定金屬是化合物并且在煅燒時分解爲重的金屬灰和氣狀的燃素。史塔爾使燃素說大爲流行，但并未闡明燃素說中燃素是否具有負重量或極輕重量，是否即亞里斯

多德宇宙論所謂的空氣和火元氣。不過他的繼承者却做到了這一步。燃素說由法國南部的科學會社進一步討論，其中較顯明的是在第容（Dijon）及波多斯（Bordeaux）等地，而以在蒙特栢勒的醫學院影響最大。在公元1760年代該院的醫學教授凡納（Gabriel Venel，公元1723—75）斷定燃素具有輕的重量。

據說他曾經說：" 燃素不被吸引向地心，而向上昇起，因此金屬在形成金屬灰時增加重量，在還復時減低重量。"

這種觀念說明了在十八世紀中葉化學已與物理及機械論哲學分離，當時物理學已普遍的接受了萬物受重力影響而被地心吸引的觀念。

在十八世紀的後半期，燃素說普遍被英國的化學家所接受，著名的化學家們是布拉克（Joseph Black，公元1728—99年），卡文狄許（Henry Cavendish公元1731—1810年），以及普力斯萊（Joseph Priestley公元1733—1804年），他們進行了一些實驗工作，目的是在推翻古代希臘認為自然物質是由土，水，空氣，和火業四元素所組成的學說。土已經不再被認為是一種元素，因為已經公認有許多種的" 土" 了。而水，空氣，和火，仍然認為是元素，實際上燃素有時認為是水的元素，或是更普遍的認為是火的助燃劑。在十七世紀初期范海蒙認為氣體是和空氣不同的一種基本質，而他的後繼者認為氣體只是基本空氣的不同形式，是" 不自然的空氣" ，如波義耳所稱的。在十八世紀中葉，布拉克証明了二種氣態物質的存在，他稱之為二氧化碳或" 固定空氣" ，這種氣體的化學性是與空氣不同的。在公元1754 年他指出碳酸鎂在加熱時減輕重量并且放出很多氣體，假如同量的碳酸鎂溶解在酸中，會減輕同樣的重量和發生同樣的氣體。布拉克進一步的証明了加熱後留下的殘餘物是氧化鎂，與酸作用時產生與碳酸鎂溶於酸中時同樣的鎂鹽，不過不發生氣體。此外，他指出氧化鎂在酸中的溶液與可溶解的碳酸鹽，例如蘇打，可產生一種沉澱，這種沉澱與最初製出氧化鎂的碳酸鎂同一重量與組成。如此顯示碳酸鎂以及一般的碳酸鹽是一種為氧化鎂的基（Base），和可稱重量的氣體" 固定空氣" 的化合物。在加熱時，碳酸鹽失去的不是無重量和沒有實體的燃素，而是經完善定義的一種化學質，" 固定空氣" ，有重量而且能分離出并予研究的。試驗" 固定空氣" 的性質時，布拉克發現它被苛性鹼所吸收，而空氣是不被吸收的，但是" 固定空氣" 不像空氣一樣的幫助燃燒和呼吸。

布拉克的研究導致了其他美國化學家注意氣體的化學性質。在公元1766年卡文狄許公佈了一種製氫氣的方法，這種氣體他稱之為" 易燃的空氣" ，他的製法是以稀酸與金屬作用。他也用濃硫酸和硝酸分別作用於金屬以產生" 硫化蒸氣"和" 硝化蒸氣" 。為了分離這些氣體卡文狄許發展了集氣槽，這是以前的赫爾斯（Hales 公元1677—1761 年）所引介的。他將玻璃瓶中充滿了水，倒立在一水槽中，引氣體進入瓶中，氣泡將水排出而充滿了瓶中，然後可將瓶封閉。如果氣體會溶解於水中，他就用水銀代替水，這技術是他的同事普力斯萊發展的。在公元1770年代，普力斯萊發現了幾種氣體，并且以集氣槽法將它們分離出來，亦即氨，氯氫酸氣體，氧化亞氮，氧化氮，二氧化氮，氧，氮，一氧化碳，和二氧化硫。在這同時瑞典的藥劑師錫爾（Carl Scheele，公元1742—86年）也獨自的循此同一途徑研究，比普力斯萊稍微早一點發現了氧氣。錫爾是最初認識這發現的重要性的人之一。在公元1777年他指出空氣不可能是一種基本質，因為空氣是由" 火空氣" 或氧氣及" **污濁空**氣" 或氮氣兩種氣體所組成，根據他的估計其體積比為一比三。但是錫爾執着於燃素說。他認為" 火空氣" 或氧氣的功用是吸收從燃燒物質釋出的燃素。氧氣吸收燃素的量是有限度的，因此當氧氣在有一限空間中與燃素飽和後，就不再能幫助燃燒了。

錫爾的發現除了氧氣以外，還有氯氣，鎂，重土（氧化鋇），四氟化矽，氟氫酸，各種無機酸和許多有機酸，甘油，砷化氫，亞砷酸銅（現仍稱為錫爾綠），以及許多其他物質。

同時，在法國的拉瓦錫（Antoine Lavoisier，公元1743—94年）則以不同的路線從事研究，系統化的評判傳統的化學理論。拉瓦錫是十八世紀法國典型的科學家。他有法學士的學位并精通幾種科學，曾任國家火藥工業的主持人。拉瓦錫最早的化學研究始自公元1769年，當他指出水不能變成土，與范海蒙及其後繼者的見解相反之時。當年范海蒙是根據用玻璃瓶燒開水在瓶中收集到一些渣質的事實。拉瓦錫証明燒瓶的玻璃當燒開水時減輕的重量等於所生渣質的重量。這種渣質是來自玻璃而不是來自水。後來在公元1772年拉瓦錫重覆了一些在燃燒方面的研究，顯示非金屬如磷，和金屬如錫在空氣中燃燒時均增加重量。拉瓦錫以為這種重量的增加可能是由於空氣的吸收。然後拉瓦錫研讀前人的著作中有關氣體的吸收和釋出的實驗。他注意到不同的作者對同一事實常有不同的解釋，因此他認為應重做許多過去

的實驗以決定那一種解釋是正確的，或者以完全新的理論取代之。

拉瓦錫在他的日記中說：“當我研究所有從物質中釋出或與物質結合的空氣的全部歷史時，一些不同的解釋全部呈現。由於這項研究結果的重要性促使我擔任這項工作，這項研究最後可能引起物理和化學的革命。我認爲在過去所做的研究僅可供參考，有人建議我用新的方法去重做這些實驗以便將空氣從物質中釋出或與之化合的知識與其他已知知識融合以形成一項新理論。”

拉瓦錫在公元1772年或後一年的記載中指出在他開始對空氣的主要實驗工作以前，他已計劃了化學理論的全面革命。這項記載中也表示他企圖重做過去的實驗工作以求改革，而不是像卡文狄許，普力斯萊，和錫爾等從新的境界開始。拉瓦錫已經指出范海蒙認爲水能轉變成土是錯誤的。在公元1773—74年他開始証明波義耳認爲金屬在煅燒時由於吸收了火的粒子而增加重量的觀念是不對的。他重覆波義耳將錫在燒瓶中加熱，將燒瓶及其所盛物質在加熱前後都予以稱重的實驗。但拉瓦錫在實驗前將燒瓶密封，而發現加熱後錫雖已煅化但整個燒瓶及內容物的重量并未變更。因此煅燒程序并不是波義耳假想的吸收了有重量的火粒子。打開燒瓶時拉瓦錫發現空氣衝入瓶中，再稱燒瓶時發現重量增加了。這增加的重量是由於進入燒瓶的空氣，并且等於錫在煅燒時所增加的重要，因此顯示金屬灰是金屬和空氣的一種結合。

普力斯萊於公元1772年發現金屬在煅燒時吸收了瓶中所封存的五分之一體積的空氣。拉瓦錫同樣的發現當金屬煅燒時祇有部份空氣被吸收，他假定這部份空氣的性質是與其他不被吸收的部份不同的。在拉瓦錫時代所知的唯一與空氣不同并且可以被化學化合物吸收的氣體是布拉克的“固定空氣”或二氧化碳。拉瓦錫發現鉛加熱時吸收部份空氣而產生氧化鉛，氧化鉛與木炭加熱時會變回爲鉛并且發生一種氣體，他認爲是“固定空氣”。他假定氧化鉛發生的氣體與鉛所吸收的是同一氣體，那麼大氣中幫助燃燒的有用氣體就是“固定空氣”。但是拉瓦錫又發現磷在“固定空氣”中不能燃燒，“固定空氣”在一般情況中均不能助燃。根據這現象他放棄了“固定空氣”是大氣中幫助燃燒和煅燒的部份空氣的假說。但是拉瓦錫并沒有進一步研究，空氣在燃燒中所扮角色的問題仍然存在。

這問題不曾由拉瓦錫重覆前人實驗的方法而獲得解答。而卡文狄許，普力斯萊，和錫爾卻帶來了一些新發現。普力斯萊於公元1774年訪問巴黎并且認識了拉瓦錫，也介紹了他發現的一種新氣體，這種氣體普力斯萊稱之爲“去燃素空氣”，由加熱氧化汞而來。“去燃素空氣”，或今日所謂之氧氣，就是拉瓦錫所尋求的空氣中的活潑成分。在氧氣中，蠟燭能燃得更明亮，動物能活得比在普通空氣中更長久。金屬在煅燒時吸收了全部的氧氣，但只是部份的空氣。拉瓦錫最初在公元1775年認爲氧氣是空氣本身的純元氣，不含大氣中污染的雜質。但錫爾於公元1777年指出空氣含有兩種氣體，一種是助燃的氧氣，另一種是惰性的氮氣。拉瓦錫接納了錫爾的觀念，并且在公元1780年提出大氣是由四分之一體積的氧氣和四分之三的氮氣所組成。普力斯來從他的金屬煅燒時所吸收空氣的體積百分數的實驗，獲得了更正確的空氣成分比是五分之一的氧氣和五分之四的氮氣。

最後在公元1783年拉瓦錫宣佈了他在十年前計劃的化學理論的革新說。拉瓦錫夫人焚燒了史塔爾和燃素說家的書籍以紀念新化學的開端，正如派拉塞修在兩世紀半以前始創醫藥化學紀元時焚毀中世紀醫學權威的著作一樣。拉瓦錫認爲所有燃燒和煅燒中包含了可燃物質與氧氣的化學化合，所形成生成物的重量與開始參加作用物質的重量相等。燃燒與氧化的程序不能認爲是所謂燃素的逸出，因爲老的理論認爲燃素有時具有重量，有時無重量，有時甚至會減輕生成物重量。光和熱曾被認爲是燃素逸出的表徵，是在燃燒和煅燒程序中經常出現的現象，但是光與熱的發出是這些程序的化學外的作用，不在反應時的重量變化之中，因光與熱是不可稱量的。在進行燃燒與煅燒時一物質的重量變化完全由於它與氧氣的反應。

拉瓦錫的化學革命以醫藥化學家的觀點而言是不太完全的，他將一些未經實驗証明的性質賦與氧氣并將氧氣提昇爲一般的“本質”。根據拉瓦錫的說法，氧氣是酸化本質，所有酸類是由氧氣與一非金屬物質結合而組成的。如此的假定經德維（Humphry Davy 公元1778—1829年）証明是不正確的，德維在公元1810年指出鹽酸中并不含氧氣。公元1784年拉瓦錫推廣他的革新，將化學品予以有系統的命名，引介了化學質的現代化名稱。他的化學命名革新也同樣的只做到了一半，化學質的古老鍊金術符號即使在現代化命名以後仍然保留著。

在英國，新化學由蘇格蘭的布拉克所領導傳授，但美國化學家卡文狄許和普力斯萊卻堅持燃素說以迄最後。卡文狄許在公元1781年對空氣的組成做了一項正確的測量，他的結果非常接近現代的計稱，但是他繼續認爲

空氣是一種元素，不是像錫爾和拉瓦錫所假定的氧氣和氮氣的混合物。但是普力斯萊在做了氧氣的研究以後，接受了新的觀念。「雖然空氣的元素性質是一哲學的原理，」普力斯萊在公元1775年的記載說：「但空氣不是一種不變化的東西。」在公元1781年普力斯萊爆炸了氫氣和氧氣的混合氣，他發現氣體都消失了，只剩下一些露水。卡文狄許重覆了這項實驗，發現以2.02體積的氫氣和一體積的氧氣化合可產生水。他的結果暗示水是氫和氧的一種化合物，不是一種元素，但是卡文狄許不曾接受這項暗示。他假定水是一種元素，而氧氣是去燃素的水，氫是燃素本身或是具過剩燃素的水。以普力斯萊的實驗為根據，瓦特（James Watt）在這同一時代單獨的提出了一類似的水的性質的理論。

同時拉瓦錫正在尋求按照他的理論以一種非金屬的氫和氧結合應形成的酸。他并沒有找到這樣的酸，但在公元1783年卡文狄許的助手布萊丁（Blagden）訪問巴黎并報導拉瓦錫說英國的化學家已從氫和氧製成了水。拉瓦錫做了簡陋的實驗証實了卡文狄許和普力斯萊研究水的組成的重要結果。瓦拉錫不曾指出化合氣體的重量等於所產生水的重量，可是他說過「在物理學上和幾何學上總量都等於分量的和，……我們認為水的重量等於形成它的兩種氣體的重量的結論是正確的。」

拉瓦錫從他的實驗得到了現代化的結論：水不是一種元素而是氫氣和氧氣的化合物。現在拉瓦錫可以解決他的新理論在開始時所遭遇的困難了。一種金屬，例如錫或鐵，溶解在一種酸中釋出氫氣并形成一種鹽。金屬的灰渣溶解在酸中所形成同一種鹽，但是不釋出任何氣體。因此以往均認為氫氣是燃素或是與水結合的燃素。酸從金屬中釋出燃素，但不能從金屬灰中釋出燃素，因為金屬假定是由金屬灰與燃素組成的。拉瓦錫在最初不能按他的新理論說明這些現象，但一旦了解水是由氫與氧組成後，他以另一種解釋代替了燃素說。他認為一種金屬溶解在稀酸中，從水中取得氧形成金屬灰或其氧化物，氧化物與酸作用產生一種鹽，而水中的氫釋出。

拉瓦錫的理論對已知化學現象的解釋比燃素說要完善得多，燃素說很快的消失其立足點。土、水、空氣，和火不再被認為是元素了，因為土有了許多種；火已分別為熱，光，和烟；空氣已表示是由氧和氮所組成；水是氫和氧化合而成的。拉瓦錫為化學元素下了定義以代替傳統的觀點，這定義比波義耳的更為正確，他認為化學元素是化學分析所達到的最終境界。在他的「化學元素論」（公元1789年），這第一本近代化學科書中，拉

瓦錫按此定義列舉了約二十三種可靠的基本質。不過他也將一種他稱為「熱素」（Caloric）的質包括在內，這種「熱素」他假定是無重量的熱質，存在於無機世界的元素之中。

關於熱的性質，美國化學家卡文狄許遠比拉瓦錫的觀點現代化，因為他極為守舊并遵奉十七世紀的原理，他贊成牛頓的見解，認為熱不是一種物質而是組成物體的粒子的機械運動。一般說來卡文狄許是十八世紀末期英國化學家中最保守的理論派，他本身不能接受由他的實驗所協助建立的新化學，他在公元約1785年放棄了他的化學工作。和卡文狄許不一樣，普力斯萊不屬於紳士－業餘科學家的保守性傳統，而是新的較急進的不遵奉國教的工業家傳統，但是他從未完全放棄燃素說。普力斯萊接受了空氣不是一種元素而是混合物的觀念，有一段時間他認為水可能是一種化合物而不是一種元素質，但另一位燃素說家瓦特使他又回復到傳統的觀念。在公元1785年，他對燃素說的堅持略有猶豫，當他發現由於氫氣或他所認為的燃素對金屬灰作用能產生水時。但是他將這發現納入燃素說中，假說氫是燃素與水的一種化合物，而不是燃素本身。最後，當他在美國的晚年時，他還寫了一篇完全保衛燃素說的論文。

十八世紀末期英國化學家的理論保守主義似乎是由於他們工作的經驗主義所致。他們所做的實驗曾告訴了拉瓦錫空氣和水不是元素，燃燒和煆燒主要是物質與氧的反應。但是他們却未從這些研究導致結論，而且當他們實驗的理論暗示呈現時，他們發現本身却不能接受這新的理論。在另一方面拉瓦錫本人并沒有很多實驗上的發現，却早已計劃了化學理論的全面革新。他重覆范海蒙和波義耳的實驗，却導致了較多理論，不過直到普力斯萊介紹給他氧的發現，以及他了解卡文狄許的水的組成以後才有新的結論。在他重覆英國化學家所做的實驗時，他所用的方法遠比不上卡文狄許和普力斯萊，但是他所得的結果却使他運立了一套新的理論。

這些化學家各行其是而且互相指責，拉瓦錫認為普力斯萊的「各種氣體的觀察」（Observations upon Different Kinds of Air，公元1772年）是沒有推理的一個實驗網。而普力斯萊還擊說拉瓦錫是一位理論至上的人。普力斯萊可能是化學革命史實中最奇特的人物，他早年就趨向於異端邪說，可是在化學上却堅持傳統的燃素說，而不採納他發現氧氣所建立的新理論。最後由於他在政治和宗教上的異見於公元1794年放逐至美國。在同一年中拉瓦錫由於曾為法國皇室工作而被送上了斷

頭台。

拾壹、化學與原子論

十七世紀的科學家發現許多普通現象并不因物體的大小，形狀，或運動而遵循任何一定路線。這些現象是熱的程度，顏色，光澤，密度，硬度，可燃性，溶解度，熔解性等等。對這些物性的解釋當時有兩種標準：一為亞里士多德的學說，認為所有的物體由四元素所組成并因各種形式的限定而產生我們所觀察的物質的性質。另一為德謨克利圖的學說，認為物質是由原子所組成，其不同大小，形狀和運動的形式產生了各種物質的特性。亞里士多德的學說流行于中世紀，而原子學說由于倡論者德謨克利圖，伊壁鳩魯等都反對宗教，以及原子的跡象難以顯示無法供人信服。但在十七世紀的原子論中發見一以數學解釋這整個世界的方法。假定原子為已知的形狀，大小和重量時，所有現象為原子壓縮或碰擊其他原子的結果，每一物理效應以必然性依其原因而發生，發生方式能理想的由力學定律計稱。

十七世紀的原子學說與現在的學說不同的地方如下：

(1)原子被認為是堅硬不朽的顆粒像許多彈丸或少粒。

(2)有顯明的形狀，成圓的，方的，尖的，鈎狀，螺旋形等。

(3)不相信原子致力于任何力場。

(4)他們不認為原子經常或必須為任何快速運動。

(5)許多科學家認為原子是永久在接觸中，世界上完全充滿了原子。

伽利略和培根都相信原子說，培根推論出熱是原子的一種運動。笛卡兒在他的自然原理中試圖解釋世界的各種現象為各種不同原子的運動，雖然他未明顯的成功，但對密切研究物質的後來者頗有影響。波義耳研究各種化學和物理現象時企圖以原子來解釋。他說：“這世界是由偉大的造物主構成爲今日的現狀，而我發現自然的現象是由于一些物質碰擊另外的物質的固有運動而發生的。”於是我們所謂的機械論（力學）哲學出現，每一現象都以物體的微粒的運動而說明。

牛頓追隨波義耳的見解并進一步闡釋，以萬有引力的假定將天地間每一自然現象最後都以數學定律解釋。按照牛頓的道理，加上足夠的知識則可生每一現象“能使依距離和在不變微粒間的作用所代表的引力或斥力的作用而解釋。”牛頓的力學定律應用于有限範圍內等，極為接近眞理，因此盛行了兩世紀，至二十世紀才再修正。

關于原子學說的最初成功的應用是解釋晶體的形式。公元1782 年法國人侯伊（ Able Haüy ）發現晶體的自然規則：“任何晶體的形狀都可由極簡單的形態構成”。這是科學史上極重要的大事，我們可以說侯伊是第一位實驗原子科學家，實驗常告訴我們自然定律是根據整數的，任何東西都是由小單位組合而成的。他的有理數定律是現代原子學說的創始論。他後來的繼承人有道爾頓，孟德爾，（ G. J. Mondel ），湯姆生（ J.J. Thomsom ），蒲朗克（ Max Planck），愛因斯坦（ Albert Einstein ）每人都發現了新形態的原子。

拉瓦錫也是一位原子學家，但是他未企圖發現包含在化合物分子中的原子的數目和種類。

當拉瓦錫于公元1789年出版了“化學元素論”這本書時，化學已從鍊金術的過去脫蛹而出，以現代化的形態出現了。拉瓦錫強調化學研究中定量法的重要性，因此他介紹了物質不滅的原理，這原理是說在一化學反應中不會有得失，生成物的重量是和開始反應時的物質的重量相等的。他也重興了化學元素是用化學方法不能再分爲任何更簡單的物質的觀念。他說：“元素是化學分析所達到的最終境界。”并且他列舉了約二十三種他認爲可靠的元素。

拉瓦錫的新觀念導致了幾種化學上的經驗律。第一個是當量比定律，這定律是公元1791年由雷且特（ Jeremiah Richter，公元 1762 — 1807 年），一位布列司勞礦場和柏林瓷器廠的化學家，所制訂的。雷且特是哲學家康德的學生，他們認爲物理學是應用數學的分枝。根據這項原則，他發現若一甲物質的重量能與一已知重量的乙物質化合，同時一丙物質的重量能與一已知重量的乙物質化合，則此等重量的甲丙兩物質也能完全化合。在這項發現以後，當量表也列出來了，可以表示化學元素間彼此化合的量。

第二項定律是公元1797年在馬德里的一位化學教授法國人普魯士特（ Proust，公元 1755 — 1826年）所倡的定比定律。他發現不論一化學化合物的製造方法如何，其中各元素間的重量比是一定的，這比例就是各元素的當量。這項定律的確實性被伊科工藝學院的一位化學教授柏卓勒（ Berthollet，公元 1748 — 1822 年）爭辯了好幾年。柏氏認爲化學化合物的組成是變化無窮而不固定的。柏氏對化學變化的方法比對變化的生成物更感興趣，爲了探究他感興趣的主題，他曾預言了公元1860年代的物理化學家的一些發現。他指出有些化學反應是

可逆性的；在有些反應中，生成物的產率是靠所用反應物的最初量而定的，有些是靠反應物與生成物的有關溶解度或揮發性而定的。從這些例子柏氏認爲當反應過程中一化合物的成分是逐漸變動的。但普魯士特指出在反應過程中變動的只是化合物的量而不是化合物的成分，而柏氏所謂的不定成分的化合物實在是混合物。普魯士特事實上是最先辨別混合物與化合物的人，混合物的成分可由物理方法分離，而化合物祇能用化學方法分開。

這些定律使化學家可以表示新化合物和新元素的特性，也導致了原子論的重興，并便于解釋自然律的如何被遵循。原子論遠在希臘的德謨克利圖時代即已首創爲一種哲學推理。在近古及中世紀時不曾流行。但在文藝復興時代復蘇，并且納入了物理世界的機械論牛頓觀中。但在十九世紀以前，原子論的實際應用不多。牛頓曾用以解釋波義耳定律，即氣體的體積與壓力成反比。這解釋假定氣體的原子間以一與彼此距離成反比的力而相互排斥并運動。公元1738年瑞士數學家柏努利（Daniel Bernoulli）對這定律提出了一項現代化解釋，假定一氣體的原子是隨意運動的，氣體的壓力是原子對容器壁的一種撞擊。但在十九世紀以前，原子論不曾應用于化學，因爲當時一般都認爲化學家所研究的所有各種物質是由相同的原子組成的，這種觀念是無法解釋各種化學程序的極不同的特性的，正如波義耳在十七世紀時所察覺的。

原子論經道爾頓（ John Dalton，公元 1766 －1844年）的修正才適合化學的需要，道爾頓在公元1803年對曼徹斯特文學與哲學會宣讀了他的原子論的初步綱要，在他于公元1808年出版的 “化學新系統 ”（ New Systems of Chemical Philosophy ）中更有了詳細的說明。道爾頓的原子論始自牛頓認爲氣體由原子所組成，而原子間以一隨距離而變化的力互相排斥的概念。道爾頓等認爲這排斥力是熱，或他所謂的熱素，因爲他在公元1801年發現當加熱時氣體的壓力隨溫度而增加。給呂薩克（Gay-Lussac，公元 1778 － 1850 年 ）于公元1802年在法國也觀察到這相同的現象，隨後發現他和道爾頓所預期的氣體的體積隨溫度而膨脹的定律已經法國人查理于公元1787年發現。這就是今日的查理定律，道爾頓對氣象問題極爲關切，尤其是空氣的性質問題，在十九世紀初已知空氣有氧氣、氮氣、和水蒸氣等幾種成分。空氣是均勻的，但是道爾頓認爲假如氣體的原子互相排斥，空氣的各種成分應該會分離出來。爲了解釋這現象，道爾頓認爲不同化學物質的原子是不一樣的：不同的原子

形成不同的物質，因此同種化學物質的原子彼此互相排斥，不同化學質的原子不相排斥。他在公元 1802年記載說：

“當甲和乙兩種彈性流體混合一起時，彼此間的粒子不相互排斥；甲的粒子不排斥乙的粒子，但甲和乙同種的粒子則相互排斥。結果任何一粒子的壓力或重量只是來自同種的粒子。 ”

如此道爾頓發現了他的分壓律，即一氣體混合物的全壓力是每一氣體單獨壓力的總和。換言之在一混合物中的不同氣體互不影響，像道爾頓的朋友亨利說的： “每一種氣體對另一種氣體正像是對一真空。 ”

道爾頓概念對化學家的重要性是顯示了原子有不同的種類，任何同種元素的原子都是相同的并具有其獨特的物質，而不同元素的原子是互異的。道爾頓認爲不同元素的原子其大小，重量，以及單位體積的數目都不同，當兩種元素化合以形成一化合物時，第一種元素的原子與第二種元素的一個或多個原子結合。他的後一假定是因爲他發現當兩種元素結合時可形成兩種以上的化合物，與一定量乙元素結合的甲元素的重量常成一簡單的整數比。道爾頓研究過氮的氧化物，他發現與一定量的氮化合的氧的量成 1 ： 2 ： 4 的比例。這就是道爾頓的倍比律，在公元 1804 年公佈的，這定律使原子論有了較大的真實性，也指出一元素的原子并不僅祇與一個原子結合，在某些情況下應與兩個以上原子結合。

道爾頓指出不同元素中的一項重要特性是它們的相對重量，他本人在公元1803年以氫的重量爲一而列出了第一張元素相對重量表。元素的當量，即元素化合成某一化合物的重量，能夠直接稱量，若從相關例子中已知某元素的若干原子可與另一元素的一單獨原子結合，則由上項測定可算出元素的原子量。在當時尚無法計算這些結合的原子數目，因此道爾頓假定當兩種物體僅能得到一種結合時，除非有特別的原因應假定是一種二元結合 。 ”也就是說這種二元化合物假定含有每一元素的一原子，這項假定後來證明是無法維持的。

給呂薩克在1808年的一項發現指示了原子結合的數目。他發現當兩種氣體結合時，結合氣體的體積成一簡單的整數比，若生成物也是氣體時，則與生成物的體積也成一簡單的整數比。道爾頓認爲兩元素結合的原子數成一簡單整數比，如此則兩種結合氣體的體積比似乎就是其成分原子的結合比了。亞佛加德羅（ Avogadro ，公元1776 － 1856 年 ），一位在托林的物理學教授，更進一步研究，并于公元1811年建議說同一體積的不同氣

體在同溫同壓下含同數的粒子。安培（ Ampere ，公元1775 － 1836 年）于公元1814年提出了相同的假說。亞佛加德羅的假說隨即遭遇了困難，那是當一體積的氫氣與一體積的氯氣結合時產生了兩體積的氯化氫，暗示在結合程序中氫和氯的原子分裂成半了。爲了解釋這困難，亞佛加德假設氫氣，氯氣和其他氣體的基本粒子是含該元素兩個原子的分子，兩種氣體的化學結合是由于元素分子的分裂與化合物分子形成的結果，化合物分子中有每一元素的一原子，如氯化氫中的氫和氯。

亞佛加德羅假說能提供一普遍方法以測定元素原子的結合數目，但由于要求同元素的原子應結合爲分子，不爲當時的化學家們所承認，所以直到公元1860年代才被廣泛接納。當時道爾頓以及其他人都不接受這項分子概念，他們都認爲相同的原子應當互相排斥而不能結合。此外，道爾頓本人認爲不同種的原子不僅原子量不同，其大小以及氣態中每單位體積的原子數目也不同。給呂薩克的化合體積定律（ law of combined volumes ）暗示不同氣體在同一體積中的粒子數目相同，道爾頓最初懷疑這定律的正確性。但實驗證明使他接受了這定律，可是他始終否認亞佛加羅德假說的眞實性。

古代的原子說，認爲自然界的基本粒子是均勻而一致的看法仍然繼續存在，幷且經由一項假設，即不同化學物質的不同原子是由同一原始物質所組成的，而與新的原子論融合。倫敦皇家學會的德維（ Humphey Davy ，公元 1778 － 1829 年）說：

"牛頓也承認的古代哲學家們的偉大觀念……那是說物質只有一種品種，不同的化學物質以及其各種機械形式只是這種（原始）物質的粒子的不同排列。"

以氫的原子量爲一，則許多元素的原子量大致均爲整數，一位倫敦的醫生布勞特（ William Prout ，公元 1785 － 1850 年）于公元1815年建議說其他元素的原子是由許多氫原子組成的。在格拉斯哥的一位化學教授湯姆生（ Thomas Thomson，公元 1773 － 1852 年）極贊成布勞特的假說幷且將他所測定的原子量修正爲整數。但是瑞典的柏兹留斯（ Jakob Berzelius ，公元 1779-1848年）以及比利時的史塔士（ Jean Stas ，公元 1813 － 1891年）的研究表示元素的原子量幷不剛好是氫的原子量的倍數，不過有些極爲接近整數。

自公元約1820至1860年，原子論在化學中幷未有重大表現。因爲大多數的化學家寧願用直接法測定的元素的當量，而不願用涉及不確定的原子結合數的原子量。拒絕亞佛加德羅假說使化學家沒有一個普通方法以確定元素原子的結合數，但是一些對原子量的測定感興趣的化學家如柏兹留斯和史塔士等都使用了許多特別方法測定原子量。這些方法相當有效，柏兹留斯在公元1830年所列的原子量表除了銀和鹼金屬外，與今日所用者均相同。從他的化合體積定律，給呂薩克認爲若氣態元素，不包括其化合物，的體積相同，則所含原子數量應相同。柏兹留斯探納了給呂薩克的原理，而定出了許多化合物的現代化分子式。他認爲當兩體積的氫與一體積的氧反應生成水時，一分子的水含兩個氫原子和一個氧原子。道爾頓却認爲一分子的水含一個氫原子和一個氧原子，這是根據他的說法，認爲除非有更好的理由應假定化合物是二元制的。

公元1819年，柏兹留斯的一位學生密契立赫（ Mitscherlich，公元 1794 － 1863 年）注意到具類似化學分子式的化合物有相同的晶體形式。這就是他的類質同形律（ law of isomorphism ），根據這定律柏兹留斯測定了許多鹽類的分子式以及其組成元素的原子量，而密契立赫後來指出他的定律有許多例外。在這同一年度隆（ Dulong，公元 1785 － 1838年）和普替（ Petit，公元 1791 － 1820 年）在巴黎發現許多金屬的原子量與比熱的乘積爲一常數，比熱是使單位重量的金屬昇高溫度一度所需的熱量。度隆和普替的定則能測定金屬原子量的大略值，但柏兹留斯幷未使用這方法，他認爲這方法不能普遍適應。由于他不用度隆和普替的定則，所以柏兹留斯所定的銀和鹼金屬的原子量都不是今日所用的，他當時認爲它們的原子結合數是二，而不是現在所用的一。柏兹留斯像給呂薩克和道爾頓一樣，揚棄了亞佛加德羅的假說，因爲他認爲相同的原子互相排斥而不可能結合以形成分子，實際上這項假說能使他的原子量研究獲得一普遍性的標準。道爾頓曾認爲每一原子的週圍有一層熱氣，這熱氣使相同的原子排斥，但不影響不同的原子。柏兹留斯持有一類似的但更進步的原子吸引和排斥的電氣理論。當時已發展了電化學的新知識幷予化學親和性以另一理論。

當十八世紀時電對生物的效應，特別是電擊，已引起了普遍的興趣；因而發現許多生物的電現象，例如電魚的放電。爲了研究此類現象，波隆那的一位解剖學教授伽凡尼（ Galvani ，公元 1737 － 98 年）于公元1780年代注意到做肌肉－神經實驗時靑蛙的腿與兩種不同的金屬接觸時其肌肉會發生抖動。他認爲這是一種生物電的現象，靑蛙的腿像電魚一樣產生了電。與他同時代的在巴維亞的一位物理敎授伏特（ Volta ，公元 1745-1827

年）認爲這是一種物理電的現象，青蛙的腿只是兩種不同金屬接合時所產生電的靈敏偵檢器而已。伏特以各種不同金屬成對的實驗，他發現有些金屬接合時發生的效應較另外一些大，這實驗支持他的觀念。他發現以一串列金屬接合能產生的電效應可與摩擦發電機所發的電相比，尤其是金屬接合中以酸使它們潮濕時效應更大。最後伏特于公元1799年發現兩種不同的金屬浸在酸中以一外線路相連時發生一相當大的電流。於是他發明了伏特電池，其中的電由一金屬溶解于一酸中的化學作用而產生。

相對的由電也能產生化學作用。公元1800年英國人尼可森（Nicholsom）和卡力塞（Carlisle）將兩根電線浸在水中并通以電流，他們發現水分解爲其元素，氫和氧。隨後一年新任皇家學會化學講座的德維開始對類似的鹽熔液及固體化合物的電解質做了一系列的研究。公元1807年他電解了苛性鹼，獲得了鹼金屬鈉和鉀，後來他又獲得鹼土金屬鈣，鍶，和鋇，所有這些金屬都是新元素。從所有的研究，德維獲得了一項理論，即元素之間形成化合物的化學吸引主要是一種電的特性，這種觀念是自公元1811年以來在瑞典由柏玆留斯所發展的。很偶然的，德國的浪漫派自然哲學家們也根據推理發展了一項相同的觀念，認爲化學化合物是由相對的實體結合而成的，這些實體是帶正電和帶負電的物體。德維的友人柯立芝（Coleridge，公元 1772 － 1834 年）于公元1798－9 年旅行德國帶回來了謝林（Schelling）的學說并在皇家學會傳授。德維本人在另一方面是一位浪漫派，寫了很多詩，并且流行一時。

總之德維和柏玆留斯的實驗建立了一時的化學親和性的電氣理論。柏玆留斯發現在化合物的電解中有些元素和化學團如氫及金屬和鹼類趨向于電路的負極，另一些如氧，非金屬，和酸類則趨向正極。前面這一群他稱之爲正電之素或團，假定它們帶正電，所以被吸引而趨向電池的負極，而後一類他稱之爲負電元素或團，假定帶有負電。柏玆留斯認爲化學反應是由于帶正電和帶負電元素的相互吸引，它們的結合使相反電荷部份中和。如有過剩的電荷時容許其與一帶相反電荷的化學團形成一較複雜的化合物，這複合化合物較其組成團更爲電中性。此一觀點可稱其爲電氣二元論，因爲它假定有兩種基本不同型的元素和化學團，而亞佛加德羅的假說則難以承認了，因相同元素的原子具有同一電荷而相互排斥，所以不能像亞佛加德羅所說的形成二原子的分子。

電氣二元論在無機化學方面是適合的，因爲在以後熟知的礦物化合物多爲簡單的離子化合物，可以當做相反電荷的元素或化學團的結合體。在公元 1790 － 1830 年期間無機化學發展迅速，這段時間是地質學的 " 英雄時代 " ，地質學家們發現了許多礦物質供化學家去分析。柏玆留斯曾敘及在公元 1810 － 20 年這十年中他曾製造，純化，和分析了兩千多種無機化合物。在有機化學方面情況却不相同。礦物化合物的特性，能由其所含元素的相對量而定出，而有機化合物從開始就知道是由幾種元素：如碳，氫，氧，氯等的複襍組合而成，量的分析無法表示出這些化合物的特性。實際上有些化合物叫做同素異性體（ isomers ），它們有相同的元素組成但有極不相同的性質，同素異性體的特性顯示出是由于原子的排列不同，而不是原子的數目不同。這問題在公元1808年原子論剛興起時，曾經由美國化學家華勒斯頓（Wollaston ，公元 1766 － 1828 年）所預料，但直到公元1830年代有機化學發展時才引起較大的注意。

在有機化學發展的同時，德國的化學也興起了，有兩位德國人，胡婁（Wohler，公元 1800 － 82 年）和李比格（ Justus von Liebig ，公元 1803 － 73 年）在化學方面有許多早期的重要發現。十九世紀初期歐洲大陸有名的化學家是柏玆留斯和給呂薩克。李比格遠去巴黎伊科工藝學院就教于給呂薩克，而胡婁去斯德哥爾摩隨柏玆留斯研究。李比格和胡婁均精通當時的礦物化學，但是它們却擴大研究至有機化學。公元1824年李比格製出一種化合物雷酸銀，與胡婁所製的一種化合物氰酸銀同一成分，但是却有顯然不同的性質。這種現象是常在有機化學中出現的，柏玆留斯于公元1830年稱這種現象爲同素異性化以敘述他發現的一件類似酒石酸鹽和消旋酒石酸鹽的情況。

公元1828年胡婁發現了另一件同素異性化的現象。他製造了一種無機化合物的氰酸銨，但是他發現當其在水溶液中加熱重排列時產生一種有名的有機化合物尿素。迄至當時有機化合物都是得自生活有機體的，而現在顯示可以從無機物質製造，於是這種發現動搖了認爲有機化合物係以有生命物質的活力所產生的流行觀念。柏玆留斯遲至公元1819年還以爲有機化合物不遵從定比律，不屬于眞正的化學，因爲它們是生命力的生成物。現在有機和無機化合物的關係漸趨密切，并且正圖擴伸化學結合的電氣二元論及于有機化學方面。公元1832年李比格和胡婁指出有一系列從苦杏仁油製出的有機化合物含有一共同的有機基與不同的無機基，和以一種酸及不同鹽基所形成的一無機鹽系列相類似。但是似乎有機基或根也能與帶正電的氫或帶負電的氧同樣結合。此外杜馬士（ Dumas，公元 1800 － 84 年）于公元 1834 年在

伊科工藝學院發現在有機根內的帶正電的氫能由帶負電的氯替代而不基本地變更這根或其化合物的化學性質。

電氣二元論深入有機化學中時情況愈趨複襍與混亂。胡婁于公元1835年寫信給他的老師柏茲留斯說：

"有機化學現在眞夠令人發狂。它給我的印象是一片原始的熱帶森林。充滿了最新奇的事物，其廣大無邊的奧秘使人無法抗拒，但進入時又令人畏懼不前。"

胡婁終于放棄了有機化學的研究而致力于他在斯德哥爾摩所學的礦物的分析。而李比格却專心于有機化學幷且訓練下一代的化學家以協同解決困難問題。其中有本生（Bunsen），霍夫曼（Hofmann），和克庫耳（Kekule），及烏滋（Wurtz）。霍夫曼放棄了法律，克庫耳放棄了建築學而學習化學。李比格拒絕了柏茲留斯的二元電氣理論，而接納了與其對抗的結構式理論（theory of structural types），結構式理論是杜馬士在公元1840年所倡，幷經在巴黎擁有一小型化學實驗室供教學的吉哈特（Gerhartlt，公元1816－56年）與勞倫特（Laurent，公元1808－53年）所發展的。杜馬士認爲有機化合物的化學性質是由于它們的特別構造排列，而不是來自組成它的元素的電的特性。他認爲所有同一結構式的化合物應有相同的性質，一元素能由另一元素所取代，但如構造排列保持其完整性時，化合物的性質不會有大的改變。杜馬士發現醋酸中四分之三的氫能被一極不同的元素氯所替代，而結果的生成物仍保有醋酸的性質。而胡婁仍堅持其老師的二元論，譏嘲說按照上項理論將醋酸中所有的碳和氧及氫的原子全用氯原子替代，使全部都是氯原子，而仍能保留醋酸的性質。

結構式理論是普遍被有機化學家接受的，而電氣二元論則被無機化學家所接受而認爲是進步的化學理論。一般說來，十九世紀早中期的化學家是不重視理論的，尤其是無機化學家。卽使是杜馬士也使用直接可測量的當量觀念，而不用他所發展的結構式理論中的原子觀念。公元1840年他記載說有相同結構的化合物是"含有相同當量數以同一方式結合幷具相同基本化學性質的物質。"但是結構式理論引起了化學理論的再度發展，因爲要發現一化學分子的構造必需先知道它組成原子的結合數目。於是測定一元素的多少原子能與另一元素的單一原子相結合的問題，一個在十九世紀初期一度棄置的問題，又再度引起了注意。而與原子結合數觀念同時在化學理論中失去重要性的原子論也隨之復興。

有關原子的結合數或原子價計算問題的研究是由李比格的學生們擔任的，最初的是佛蘭克蘭（Edward Frankland，公元1825－99年）他在公元1851年時任新成立的曼徹斯特奧文學院的化學教授，然後有曾在海德堡，甘特，及波昂等地擔任很多職位的克庫耳（August Kekule，公元1829－96年）。佛蘭克蘭研究金屬和非金屬元素的有機化合物，他在公元1852年發現每一金屬原子只能和一確定數的有機根結合，這數目他稱之爲原子價。他指出在根中的元素也有相同于在化合物中的價。例如銻，砷，磷，和氮在通常的結合數是三或五。在有機化合物中最重要的元素是碳，自公元約1857年克庫耳曾提出說每一碳原子能與四個其他原子，或四個其他原子團結合。以此爲根據克庫耳設計了有機化合物的結構模型，利用這模型以解釋這些化合物的反應。但是這種原子價和結構的定義是不健全的，因爲沒有普遍的標準以確定原子結合數。克庫耳于公元1861年談到這段時間時認爲：

"除了重量的定比律和倍比律以及氣體的體積定律以外，化學上迄今還未發現眞正的定律……而所有的理論概念祇是具有可能性或方便性的觀點。"

同時有機化學發展迅速幷需要較多的分子構造理論，所以決定元素原子價的問題變成了迫切的需要。德國的科學家，特別是克庫耳乃于公元1860年卡斯魯召開了一項會議力圖解決這項問題。約有一百四十餘位化學家與會。從法國來的有杜馬士和烏滋；從英國來的有佛蘭克蘭和羅斯科（Roscoe）；德國人有李比格，胡婁，以及他們的首席弟子柯比（Kolbe），本生，和克庫耳，而從俄國來的有門得雷業夫，以及從意大利來的坎尼沙羅（Cannizzars，公元1826－1910）。坎氏爲一極端國家主義者，斷言他的國人亞佛加德羅已在約半世紀以前解決了測定原子價和原子量的問題。與會的化學家幷未被他說服，會議結束時這問題仍未解決。但坎氏分發了一本小冊子給各國代表，充分說明了他的觀念。他指出根據亞佛加德羅的假說，以氫的原子量爲一作根據，因爲氫分子含兩個原子，而同體積的不同氣體或蒸氣含同數的分子，所以一化合物的分子量爲其蒸氣密度的兩倍。蒸氣密度是容易確定的，於是含相同元素的許多化合物的分子量可以測定。坎氏說某一元素的原子量是這元素在其化合物的一系列中的最低重量幷且也是在這系列中的最低公差。

坎氏的小冊以及依此而做的研究不久就使大多數的化學家相信亞佛加德羅的假說是眞實的。最初還認爲有些例外的情況，但後來發現度隆和普替的原子熱定則和密契立赫的類質同形律的不規則現象祇是由于某些化合

物在蒸氣狀態下的分裂所致。亞佛加德羅假說可確定元素的原子量，并由此項測定及一元素的原子量爲其當量及原子價的乘積之關係而確定元素的結合數。由元素的原子價，可以定出其化合物的結構模型。這些化合物的反應可供測驗所定結構的正確性，而結構式也可以指示可能的新反應。由于受過建築學訓練，克庫耳對化合物的可能分子構造有直覺的鑑別力，他在公元1865年建議以六角環狀分子式予苯的複襟結合，苯曾發現是由六個碳和六個氫原子組成的。予古典的分子結構論以最後補充的是公元1874年李貝耳（ Le Bel ，公元 1847 — 1930 年 ）和凡特荷夫（ Van't Hoff ，公元 1852 — 1911 年 ）同時提出說碳的四個價鍵是分向空間朝着四面體的各頂點的，如此以說明公元1848年巴斯德（Pasteur ，公元 1822 — 95 年 ）所分離出的兩種同素異性的酒石酸，以及後來發現的光學上的同素異性現象。這兩種異性體的化學性質仍然是相同的，但是它們的區別是一種晶形會使一束極化光的極化面右旋，而另一種則使極化光左旋。李貝耳和凡特荷夫指出在所有異性體的現象中四個不同的根聯于中央的碳原子，如果碳的四個價鍵成四面體的方向，這四個根可能有兩種排列，因而產生了同素異性現象。

亞佛加德羅假說之被接受，與隨之而確定的元素的一定原子價與原子量，對無機化學和有機化學均有影響。具有相同原子價的元素似乎自然的成爲一族，這種事實導致了元素的分類。我們早已知道有些元素是彼此相關而形成一族的。德國化學家多伯雷勒（ Dobereiner ，公元 1780 — 1849 年 ）于公元1817年指出鈣，鍶，和鋇的原子量大致爲一等差級數。公元1826年巴黎大學的貝拉得（ Balard，公元 1802 — 76 年 ）發現了溴，他從這元素的性質預言氯，溴，和碘的原子量將形成另一等差級數，柏玆留斯表示這點很爲確實。當公元1830 和1840年代原子論晦暗的時候，按原子量的元素分類法不曾引起多大的注意，但杜馬士企圖按照元素的性質和反應將其自然的分族，於是硼，碳，和矽成爲一族；氮，磷，和砷成爲另一族。

當元素的原子量和原子價在公元1860年訂定以後，有幾次新的想將元素分爲相關的族的企圖，其中著名的發起人有公元1863年法國的尚可托依斯（Chancourtois ），和公元1864年在倫敦的紐蘭玆（ Newlands ），而較特別的有公元1869年德國的梅耶（ Lothar Meyer ，公元 1830 — 95 年 ）和俄國的門得列夫（Mendeléeff，公元 1834 — 1907 年 ）。梅耶和門得列夫訂出了週期律，

說明元素的性質按其原子量而成一週期性的變化，他們列出了元素的週期表以例解這定律。而較早的化學家，紐蘭玆曾企圖將已知的元素作一完整的分類，因而迫使有些元素有不規則的關係。梅耶和門得列夫強調在週期表中應有一些空缺，將由尚未知曉的元素所佔有，門得列夫曾就有些未發現元素的性質作驚人正確的預言，而所有這些元素後來都發現了。

週期性分類首先供給了探尋新元素的理論指南。拉瓦錫所知的二十三種元素已由試驗其特殊化學反應而逐步發現。實用的化學分析變成更系統化了，并且應用于地質學家所供的礦物樣品，導致了公元 1790 — 1830 年期間三十一種新元素的發現。公元 1830 到 1860 年間除了柏玆留斯的繼承人孟山德（ Mosander ）在瑞典的耳普沙那部份分離了稀土族元素外，在分離和鑑定新元素方面很少成就。但在公元 1859年化學家本生（ Bunsen ，公元 1811 — 99 年 ）和物理學家克奇荷夫（ Kirchhoff ，公元 1824 — 87 年 ）兩人在海德堡介紹了一種新的儀器分光鏡，利用化學物質火焰的特性色以試驗和鑑別不同的元素。本生用這種儀器于公元 1860 — 61 年發現了新的鹼金屬銫和銣。公元1861年倫敦的克魯克斯（ Sir William Crookes，公元 1832 — 1919 年 ）使用分光鏡發現了鉈，公元 1863 年雷赫（ Feidnand Reich ）在梅因的富雷堡學校也用同樣的方法發現了銦。爲了探究週期表中空白的元素，終于發現了另一族元素。公元1874年法國的波斯保德朗（ Boisbaudran ）發現了鎵，一種門得列夫預言的類 - 鋁元素。公元1879年斯堪的納維亞的化學家尼耳森（ Nilson ）發現了鈧，或類 - 硼元素。最後溫克勒（ Winkler ）于公元1885年在梅因的富雷堡發現了鍺，或類 - 矽元素。

元素在週期表中的順序排列給予化學家一些啓示，即各種元素可能有些相同成分，也可能來自一相同的本源或由相同的基本物質單位所組成。布勞特的假說，即不同的元素原子是由許多氫原子構成的說法又復興了，在十九世紀的最後二十年中流行在科學界中。公元1886年英國學會的會議中克魯克斯提出說：元素來自他稱爲原質的原始物質。他說布勞特的假說含有其眞理，但是被我們所未能消除的一些困難現象所掩蔽。英國學會在公元1894年再度會議時，塞利斯柏（ Lord Salisbury ）宣稱在元素之中座標族類的發現指出元素有若干同一的本源。這觀點在公元1901年當雷李（ Lord Rayleigh ，公元 1842 — 1919 年 ）指出元素的原子量大致趨向于整數而加強了。

　　雷李認為"我們有更強的理由相信修正過的布勞特定律的眞理是勝過那些不可靠而被普遍接受的史實的。"

　　為了試驗布勞特假說的確實性，雷李自公元1890年起在劍橋作了一系列的各種氣體密度的研究。公元1892年他發現空氣中氮的密度較以化學法製得的氮為大。從空氣樣品中除去氮和其他可反應的氣體後，雷李和倫敦的倫塞（William Ramsay，公元 1852 — 1916 年）獲得了少量的新氣體，這種氣體的化學性是極為惰性的，較氮重，其比例為20：14。克魯克斯試驗這種氣體的光譜并指出它與任何已知元素的光譜不同。因此知道，這種氣體是一種新元素，氬，是第一個惰性氣體。公元1895年倫塞從礦物質釔鈾礦獲得了另一種惰性氣體并經克魯克斯予以分光鏡試驗。克魯克斯指出這種氣體的光譜線與法國的占生（Janssen）和英國的洛克義耳兩位天文學家觀察公元1868年日蝕時太陽光球中屬于太陽中元素的氦的光譜線相同，而當時不知道地球上也有這種元素。最後在公元1898年倫塞從部份蒸發的液化空氣後餘留的重餾份中分離出三種其他的惰性氣體氖，氪，和氙。液化空氣是早三年前由英國的韓浦森（Hampson）和德國的林迪所首先製出的。

　　惰性氣體分離出以後，八大族化學元素的發現接近完成，但仍有一些未發現元素的空缺存在。更進一步的新元素的發現以及化學的普遍發展，愈來愈依賴物理學了。光譜學的出現已使物理方法進入了化學的領域，而這方面的發展是由摩色勒（Henry Moseley，公元 1888 — 1915年）在曼徹斯特利用X-射線光譜學，最後解答了有關稀土族的可能數目以及化學性質及其他重元素的問題。元素的可見光譜經發現為其原子量的一週期函數，而元素的X-射線光譜線是與其原子量或原子序成直線關係的，元素在週期表中的順序位置以氫為一而開始。公元 1913 — 14 年摩色勒訂定了元素的原子序至鈾而為九十二，指出尚有十四種稀土金屬以及有七種較鈾為輕的元素尚未發現。

　　柏克勒爾（Antoine Becquerel，公元1852—1908年）于公元1896年在巴黎的放射性發現似乎證實了化學家們多年來的懷疑，認為元素之間有原始的關連。新的放射性元素鐳是在公元1900年由居禮夫人（Marie Curie，公元 1867 — 1934 年）分離出來的。鐳會自發放射成其他元素，然後衰變成更輕元素。放射性元素經分離并以化學分析定其特性，由此發現了三系天然放射性衰變的系列。雖然放射性現象對物理學家具有較重大意義，但實際上這現象經由原子物理而對化學理論造成了主要

的影響。理論化學中原子構造的理論和化學結合的理論與原子物理的關係日後愈趨密切。在實用方面，原子物理供給了化學家以新材料，首先是使普通元素具有放射性，可用以追蹤化學反應的過程，然後是發現超鈾元素擴大了週期表。

拾貳、十八和十九世紀化學的應用

　　迄至十八世紀末期人類僅只使用了以前的時代所不知道的幾種新材料。房屋、工具、家庭用具，紡織品等都是由同樣的舊材料木、石、磚、灰泥、幾種普通金屬及其合金、玻璃、和陶器、以及動物和植物的產品，諸如棉、亞麻、大麻、絲、羊毛、皮革等所製成。十八世紀的藥物和染料，除極少數的例外，都是植物和動物材料，有的雖然極為有用，有的却很不理想。

　　在公元 1800 年時化學已成就了很大的進步。很多元素已經發現，新的化合物已開始在製造。成長中的工業正採用化學所製備的各種原料。例如漂白粉的用以漂白紡織物，氯酸鹽用以製火柴，煤氣用以點燈。不過在公元 1850 年以前工業的進步只是將舊材料用新的機器製造，而不是着重于新材料的製造。

　　公元 1850 年時所用的普通金屬和合金是銅，黃銅、青銅、鉛、錫、和鐵。鋅的用途此時正開始普遍。當時所用的鐵有便宜而易脆的鑄鐵和精煉的鍛鐵或軟鐵，以及少量價昂的鋼。因此當俾斯麥（Bessemer）在公元 1856 年首先發現了一種方法使鑄鐵能便宜和大規模的轉變成軟鋼時成了工業界的一項大事。由于軟鋼的發現引起了所有工程的改進，首先是使機器變輕和變便宜，然後有了鋼軌，鋼架建築物，及鋼筋混凝土的使用。特殊鋼的生產，卽鐵、碳和一或二種金屬如錳、鉻、釩、或鎢等的合金，開始于公元 1870 年，但到公元 1900 年後才變成眞正的重要。

　　化學的應用主要是在化學工業的發展以及應用于微生物學以改良農業和醫藥的古老傳統。在所有這些方面的進步最初多數是靠經驗，而且較機械和電機工程方面的發展遠為落後，尤其是在農業和醫藥方面。像土地革命的技術革新中杜耳（Jethro Tull，公元 1674-1741 年）引進的新農業機器，湯席德（Lord Townshend，公元 1674-1738 年）使用的農作物輪耕法，以及貝克威（Robert Bakewell，公元 1725-95年）的家畜飼養的改良法都不是靠科學而發展的。同時由都市調查委員會發起的有關塵埃與傳染病的公共衞生調查在公元 1844 公

佈的結果亦與科學不相干。同樣的，化學工業的早期發展主要祇是試驗和逐漸改良已發明的方法。

直到十八世紀時，主要的化學品貿易是藥劑師製造小量化合物供醫藥用途，以及明礬製造業製造相當大量的明礬以供皮革，紙、和紡織品的加工和染色之用。化學業與紡織業的傳統關聯是在工業革命時代化學品開始大規模製造時加深的。當十八世紀由凱（Kay），哈格里佛（Hargreaves），克羅卜頓（Crompton），亞克來特（Arkwright）及其他人引介了新的紡織機器，大量增加了紡織品的產量，使漂白的化學問題，和後來的染布問題變重大了。傳統的紡織品是交互的浸在酸牛奶的酸溶液和植物灰的鹼溶液中，然後曝露在"漂白場"的陽光下以漂白的，這方法要佔去一年中整個夏季的時間。產量增加以後首先遭遇到的是天然酸—酸牛奶—的供應不足，因此企圖以人造酸漂白，其中硫酸是最先考慮到的。硫酸長久以來是由藥劑師少量製造的。公元1736年一位倫敦的藥劑師華德（Joshua Ward）設立了第一座商業化的製酸工廠，所用方法是在含少量水的大玻璃球中燃燒硫磺和少量硝石。一位伯明罕的醫生在公元1746年用鉛室代替了易碎和價昂的玻璃球，改進了華德的設備，使硫酸的價格從每磅二英鎊跌到六便士。

其次短缺的是天然鹼，這問題在英國最初不太嚴重，因為他們燃燒沿海岸的豐富海草可製大量的鈉鹼。而在法國這項問題極為嚴重，公元1775年巴黎科學院懸賞一萬二千法朗徵求從普通的鹽製鹼的方法。這方法在公元1789年終於由路布蘭克（Nicolas Leblanc，公元1742-1806年），奧林斯公爵的醫生，發明了。從普通的鹽和硫酸他獲得了硫酸鈉，將硫酸鈉與木炭和石灰石加熱，得到了鈉鹼和硫化鈣。另一位法國化學家白托勒（Berthollet），後來的國家染料工業的主管，發現公元1774年錫爾（Scheele）所發現的氣體氯能迅速的漂白棉織品。他在公元約1786年將這發現告訴瓦特，瓦特又轉告他在格拉斯哥從事紡織業的岳父。於是這方法大規模的試用，并發現用氯漂白只需幾小時，而以前的漂白法却需要好幾星期。使用有毒的氯最初是相當危險的，但在公元1799年格拉斯哥的田納特（John Tennant）將這氣體和石灰化合變成了一種較安全和方便的化學品，叫做漂白粉。

當法國革命時代，法國政府要求化學家研究和改良幾種已有的化學工業。克里門特（Clement）和狄索梅（Desormes）研究在製造硫酸時發生的反應，他們在公元1806年發現加硝石于在鉛室中燃燒的硫磺形成的一種氧化氮氣體能使這方法大為便利。這種氧化氮氣體與空氣中的氧化合成二氧化氮，二氧化氮將它額外的氧轉給燃燒硫磺所生的二氧化硫產生三氧化硫，三氧化硫與水形成硫酸。經克里門特和狄索梅的研究改進減低了所消耗的硝石量而導致了硫酸製造的經濟化，他們不加硝石于燃燒中的硫磺，而單獨用酸處理硝石以直接發生氧化氮氣體。後來在公元1827年給呂薩克表示以強硫酸的吸收作用可以回收鉛室法廢氣中的氧化氮。但是給呂薩克的研究不曾立刻找到實用的機會，因為直到公元1860年才發現從硫酸溶液中重生氧化氮的方法。公元1860年一位英國硫酸製造家格勞佛（Glover）將燃燒硫磺，或後來使用的硫鐵礦的熱氣體通過含氧化氮的酸，如此使酸濃縮幷除去氧化氮以供鉛室中使用。同樣的一位法國工程師佛雷湼爾在公元1810年研究出一種製鹼法，使用石灰石和普通的鹽為原料，以氨為中間品，但是他的發現由於實用時的困難直到公元1865年索爾未兄弟在比利時建立鹼廠時才使用這方法。

法國化學家也研究植物生長的化學，但是他們的研究也未立即應用。公元1804年狄索雪（De Saussure公元1767-1845年）指出生長在密閉容器中的植物是從密閉容器中的空氣混合物中的二氧化碳攫取其全部碳含量的，如此推翻了舊的理論認為植物是從土壤的所謂腐植土攫取養分的說法。他也發現生長在純水中的植物當燃燒時產生與其種子燃燒時同樣的無機物灰分，這表示植物中的無機物質是不生不滅的。公元1817年皮內廸耳（Pelletier）和卡文多（Caventou）分離出葉綠素，植物的綠色物質，公元1837年杜特且（Dutrochel）指出只有植物中含葉綠素的部份當曝露於陽光下時才能吸收二氧化碳。如此遂發現了自然界的二氧化碳循環。植物在陽光中從空氣中吸收二氧化碳而生長，動物食用植物又呼出二氧化碳。公元1841年波辛哥特（Boussingault，公元1802-87）指出各種農作物中所含碳、氫、氧和氮的量不因施肥而改變很多。而無機鹽的量則隨施肥量而變化較大。他進一步發現良好的作物輪耕對某些植物，如苜蓿和豆類，具優越性，這些植物所含的氮遠超過施肥所予的氮。

法國研究者的結果經德國化學家李比格應用於農業。李比格曾在伊科工藝學院受過訓練。李比格認為植物不能創造礦物鹽，正爲狄索雪所示的，它們應從土壤中取得無機物成分，為了維持土壤的肥沃應將這些成分另外還給土壤。他以化學分析植物灰分中的礦物質含量，幷製出同一成分的人造化學肥料，主要含鉀和碳酸鹽。

但是他的獨出心裁的肥料并不是一項成功，因爲其中不含氮的化合物。李比格相信所有植物中的氮是取自空氣的。但是他必竟掀起了研究農業化學的興趣。公元 1837 年他在英國學會利物浦會議中所講的化學和化學在農業及生理學上的應用是極受歡迎的。

公元 1842 年李比格再訪倫敦，會見了首相皮爾（Peel）以及幾位大地主并建議設立一化學學院。後來由維多利亞女王的醫生克拉克爵士（Sir James Clark）募集基金，在公元 1845 年成立了皇家化學學院，由康索特親王（Prince Consort）任院長。請李比格推薦一位教授，李比格介紹了他最有爲的一位學生范荷夫曼。但最初范荷夫曼的研究卻偏重于工業化學而非農業化學，他研究煤氣工業的化學，首先是無機方面的，有關發生的氣體，然後是有機方面的研究，關于煤溚的組成。雖然皇家化學學院做了許多重要的化學研究，但地主們對這學院的興趣迅卽消失，因爲這些研究對他們很少有益。這學院最後倖免解散但在公元 1853 年併入了皇家礦業學院。

有一位地主勞伊斯爵士（Sir John Lawes，公元 1814-1900 年）和李比格的一位學生吉伯特（Joseph Gilbert）在羅撒斯得他自己的土地上進行農業化學方面的研究。他們共同研究人造肥料的使用，在公元 1855年已發現許多農業化學上的基本事實。他們與李比格的觀念相反，他們指出植物通常不需要與其在灰分中發現的同一比例的礦物鹽以供其適宜生長，大多數的植物需要含氮化合物的肥料，如銨鹽或硝酸鹽，唯有荳科植物如苜蓿和豌豆等的生長不需要氮肥。他們更發現如果讓土地休閒時土壤中的氮含量將會漸漸增加，如果僅使用人造肥料連續耕種時土壤的肥沃性也不會減低。吉伯特和勞伊斯的研究引起了對氮在自然界的經濟中的特別地位的重視，有些植物需要氮化合物，而有些植物以及土壤本身似乎可自製氮化合物。這些事實由微生物細菌學的發展而闡明了，微生物學公開了當時所未知曉的自然中氮的循環。

微生物學的創始者是巴斯德（Louis Pasteur，公元 1822-95 年）。他首先是在史特拉斯堡然後在巴黎大學的一位化學教授。巴斯德最初從事釀酒工業，研究長久以來熟知的兩種相同樣品的釀酵有時有不同生成物的事實。他用顯微鏡證實釀酵的酒中有小的酵母有機體，他發現用不同培養法的酵母會有不同的釀酵生成物。公元 1863 年他發現酒的變酸是由微生物所引起的，他指出微生物在將酒加熱至 55°C 時能被殺死。　第二年法國

農業部請他研究蠶的病疾。在幾個月之內他分離出使兩種蠶病發生的微生物，并指示如何辨別無病的蠶卵和蛾，以便分離并供飼養。十年之後他研究牛癱和雞瘟，最後在公元 1880 年代他研究一些人類的疾病。

英國教友會的外科醫生李斯特（Lord Lister，公元 1827-1912 年）讚賞巴斯德對醫學的研究，在巴斯德以前一些時他曾研究人類的疾病問題。當時化學已供給外科醫生以麻醉劑，減輕了外科手術時病人的痛苦，但并無助于手術後高度的死亡率。公元 1799 年德維發現了氧化亞氮或所謂的笑氣，可導致沉醉和失去知覺。他提出氧化亞氮可用于外科手術時使病人昏迷，這項建議在公元 1844 年當美國的威爾斯（Horace Wells）利用這氣體的麻醉性作牙科手術時首被採用。威爾斯的朋友莫頓（William Morton）發現醚是一種較佳的麻醉劑，他在公元 1846 年表示醚能用于大手術中。第二年愛丁堡的辛浦森（Sir James Simpson）發現氯仿在有些手術中，例如分娩，是最佳的麻醉劑。

但是外科手術的病人能復原的人很少，事實是因爲手術過程中病人常受病毒感染。據李斯特公元 1864 年的統計他的百分之四十五的病人在手術後死亡，而其他醫生的外科手術成功的記錄是五分之一。巴斯德對醱酵和腐敗的研究暗示給李斯特手術後傷口的惡化是由于細菌所引起的一種腐化。他找尋化學的方法以殺死這些細菌，試用了各種化合物以後，他發現得自煤溚的一種物質石炭酸可做爲良好的消毒劑。李斯特用石炭酸的水溶液噴射手術室和處理病人手術後的傷口，他發現手術後血中毒的現象大爲降低了。他首次用這新的消毒法的手術是在公元 1865 年，至公元 1868 年時他將外科手術的死亡率從百分之四十五減低至百分之十五。

細菌學在外科手術以外的醫藥應用是始自德國的柯哈（Robert Kock，公元 1843-1910 年）和法國的巴斯德本人。公元 1876 年柯哈發現引起牛癱的細菌能在動物體外，一含肉汁凍的培養介質中生長。用這種方法他在公元 1882 年發現了結核病的桿狀菌，第二年分離出霍亂症的病菌。巴斯德重覆并擴大了柯哈的工作。他發現有些細菌在動物體外培養時失去了活性，一種培養的雞瘟菌過些時注射入雞體內時不再產生瘟病，而且這些雞後來再注射有毒的雞瘟菌時仍能保持健康，這表示失去活性的培養菌能使動物抵抗正常的活性細菌而免疫。公元 1881 年巴斯德製出一種無活性的牛癱疫苗以使牛群免疫，建立了預防注射的原理。

這普遍原理的一特例是在疾病的細菌說出現前就爲

人熟知的。那是故意讓兒童感染輕微的天花以防感染眞正致命的天花，這方法是自公元 1720 年時代由蒙他格夫人（Lady Mary Whortly Montague）從中東帶回來以後就實用的。後來在公元 1798 年一位格羅斯威的鄉村醫生琴納（Edward Jenner）指出更輕微的一種牛的天花病可使人類有天花的免疫性，這發現是他觀察擠牛奶的女工很少發生天花而導致的。於是在公元1880 年代接種預防普遍化了，并且在疾病的細菌說中找到了合理的根據。一般認爲細菌產生了化學毒素，於是而發生了病徵，病體爲對抗細菌的效應和毒性而產生了抗毒素。當失去活性的細菌注射入體內時會產生輕微的病徵，并刺激其產生抗毒素，這種抗毒素能對抗未來的感染。事實確然如此，後來更發現由一種動物所產生的抗毒素在另一種動物體內可對抗相當的細菌。

在農業中微生物的發現有助於瞭解自然界中氮循環的問題。在羅撒斯得勞伊斯的助手之一的華靈頓（Warrington）在公元 1878 年指出在土壤中的微生物能轉變含銨化合物的氮肥首先成爲亞硝酸鹽，然後成爲硝酸鹽。他發現微生物可被氯仿殺死，在這種情況下的土壤即使供以含豐富氮的銨化合物植物也不能生長，這表示植物只能掇取硝酸鹽中的氮。公元 1885 年法國的化學家柏卓勒發現有其他型的微生物能利用空氣中的氮直接轉變成氨。有些微生物在土壤中自由存在，有些只在荳科植物的根節中發現。荳科植物根節中的微生物如被殺死，在根部將不形成結節，而需要氮肥了。具有這些微生物的荳科植物是不需要氮肥的，根部小結節中的微生物能轉變空氣中的氮成氨，然後由其他微生物將氨轉化成硝酸鹽。有些土壤如加拿大和美國的原生土缺乏某種促進氮化的微生物，即使靠荳科植物的輪耕也證明是失敗的。但在十九世紀末，與苜蓿、豌豆及荳科植物有關的固定氮的微生物的培養已普遍供應，當其接種于不毛之地時可使土地適于輪耕。

農業化學的應用促進了人造肥料工業的成長。早在公元 1839 年英國即由秘魯進口脫水鳥糞和海鳥遺骸作爲肥料。公元 1843 年勞伊斯在狄帕福設立了一所工廠製造過磷酸鹽肥料，用硫酸處理不溶性的磷酸鹽使它們較易溶解。首先他用動物骨骼爲磷酸鹽的來源，後來自公元 1847 年起他開採了薩福克和貝得福郡等地發現的磷酸鹽礦。大約自公元 1815 年即用硫酸除去煤氣中認爲是襍質的氨，所生成的硫酸銨自公元 1850 年後廣泛的用爲人造肥料。化學肥料發展的第一步的完成，是智利的硝酸鹽礦和德國斯屈司福的硫酸鉀礦在公元 1852

年的開採，這些粗鹽直接用作肥料。

倫敦的皇家化學學院原是由一些大地主所建立的，他們本來希望化學研究能增進他們的財富，可是後來的研究卻對農業化學不太重視，而導致了精細化學工業的奠基。他們的教授范荷夫曼像他的老師一樣極爲重視化學的應用，尤其是醫藥方面的，他希望自然存在的藥劑可由人工製造。范荷夫曼認爲金鷄納鹼可由煤溚產品製成，公元 1856 年他的一位學生柏金（William Perkin，公元 1838–1907 年）企圖從他正研究的苯胺衍生物氧化以製金鷄納鹼。可是他沒得到金鷄納鹼，却獲得一種苯胺紫的東西，後來證明是一種優良的染料。有機化學家當時還未提出分子構造的理論，有機化合物的性質和反應也未知。今日所流行的合成法當年即有人嘗試，柏金之圖製金鷄納鹼即爲一實例，而金鷄納鹼却直到公元 1945 年才合成成功。

對柏金而言他的發現的工業意義是重大的，雖然僅只十八歲，他却設立了一座工廠大量製造這染料，奠定了一項精細化學工業。在法國吉拉德（Girard）和狄雷耳（De Laire）擴展了柏金的工作，用不同的氧化劑處理苯胺衍生物產生了另一種紅色苯胺染料。他們然後用更多苯胺處理紅色苯胺染料而得到了叫做苯胺藍的各種藍色染料。范荷夫曼在倫敦進一步研究柏金和法國化學家所製的化合物，在公元 1863 年產生了另一類叫荷夫曼紫的染料。兩年以後，范荷夫曼離開皇家化學學院主持柏林德國有機化學的研究，在這同時曾在曼徹斯特化學工廠工作的卡羅（Caro）回到德國擔任新成立的大化學公司 BSAF（Badische Soda and Anilin Fabrik）的主管。從此德國在純粹化學和化學工業上，尤其是精細化學工業方面漸居于領導地位。范荷夫曼協助設計波昂和柏林大學的大而新的實驗室并于公元1869 年完成，培養出許多使德國科學和工業強大的化學家。

十九世紀時使用的兩種重要天然染料是從茜草屬植物得到的茜草色素，以及從藍靛衍生的靛藍。當十九世紀末年德國人已經合成了這兩種染料并且大量生產。其中重要的科學家是拜耳（Adolf Von Baeyer，公元 1835–1917 年），他在公元 1860 年成爲柏林的化學副教授。他和他的學生格蘭比（Graebe）和李柏曼（Liebermam）在公元 1866 年指出茜草色素是蒽的一種衍生物，一種煤溚的普通成分，不久以後他們在實驗室合成了茜草色素。他們的方法不適于大量的生產茜草色素，但在公元 1869 年格蘭比和李柏曼以及 BSAF 的卡羅發展了另一可能商業化的方法。同一年柏金在英國發現

了兩種製茜草色素的方法。但德國人具有工業潛力，在公元 1873 年柏金退休時，BSAF 的茜草色素產量已達每年一千噸，而柏金的產量是四百三十五噸。最後拜耳繼李比格成爲慕尼黑化學研究的主腦，在公元 1878 年合成了靛藍，但是由於技術上的困難，直到公元 1897年才大量製造。當時德國在化學工業方面遙遙領先，六家最大的德國化學公司在公元 1886-1900 年期間取得九百四十八項染料專利，而六家最大的英國公司僅獲八十六項專利。

德國僅在精細化學工業方面有卓越成就，這方面是有機化學的基本發展和應用。英國化學工業家不太重視化學研究對工業發展的重要性，因此他們在精細化學工業方面落于德國人之後，但是他們保持了在重化學工業方面的地位，這方面的繼續研究在當時不太受重視，直到二十世紀才再研究改進。例如公元 1909 年英國使用的百分之九十的染料是德國製造的，而英國化學品的出口，主要是重化學品，仍超過進口化學品六十四萬四千英鎊。十九世紀時重化學工業的重大實際更新是由英國化學工業完成的。首先我們見到的是硫酸製造家克羅佛在公元 1860 年採用了給呂薩克的方法回收用于製硫酸的鉛室法中的氧化氮。

路布蘭氏製鹼法，是法國發現的，當公元 1823 年英國政府廢除了鹽稅後，英國也採用了路布蘭氏法幷予以改良。這方法有兩種重要的副產品氯化氫和硫化鈣，改良就是針對這些副產品的。司托克普內耳（ Stoke Prior ）的一位製鹼業戈沙奇（ William Gossage ）在公元 1835 年發明了一座吸收氯化氫氣體于水中的塔，當公元 1863 鹼業法通過禁止氯化氫釋放至大氣中後這方法更廣泛的採用。從鹼廠的廢氯化氫中發生氯氣的方法是由狄肯（ Henry Deacon ），一位在聖海倫玻璃工廠的經理于公元 1868 年發現的。他將氯化氫和空氣通過加熱的氯化銅以產生氯和蒸汽，然後將氯用以製漂白粉。同一年化學家威爾登（ Walter Weldon ）改良了從二氧化錳和氯化氫酸製氯氣的老方法，利用石灰和空氣流以再生二氧化錳。最後一位奧德堡鹼業家錢斯（ Alexander Chance ） 在公元 1887 年發展了從鹼廠的廢硫化鈣中回收硫磺的方法。他將含二氧化碳的煙道氣通過在水中的硫化鈣懸浮液，於是釋出硫化氫，將硫化氫與空氣通過一加熱的金屬氧化物而產生硫磺。

這些發展使路布蘭氏製鹼法增加了效益。同時另一由佛雷斯涅爾（ Fresnel ）在公元 1810 年研究出的製鹼法，于公元 1865 年經比利時的索爾未（ Solvay ）兄弟而使其實用了。這索爾未法所產的鹼比用路布蘭法的較純而且較便宜。公元 1873 年在英國由布朗勒（ Brunner ）和莫德所採用。布朗勒和莫德的工廠發展極爲迅速，於是使英國其他製鹼業于公元 1890 年組成了聯合鹼業公司與其競爭。值得提及的是鹼業者的鉅子布朗勒和莫德是英國的化學工業家中最初資援科學研究的人。布朗勒在公元 1890 年代捐助給利物浦大學，莫德在公元 1896 年呈獻了德維－法拉第實驗室給英國科學知識普及會。德國的化學工業開始即具較大規模，工業家對科學研究的資助也較早。

在十九世紀末期德國科學家開始爲重工業引介新方法，尤其注重新物理化學的應用以指示化學反應進行時最適宜的反應情況。發展了鉛室法外另一製硫酸的接觸法。在接觸法中二氧化硫和空氣中的氧使用一鉑觸媒而直接化合。接觸法可產生遠較鉛室法爲濃的硫酸，它是當需要濃硫酸供染料製造時，于公元 1897 年發展出來的。德國化學家所面臨的一更要問題是製氮的化合物做肥料和炸藥。由於德國的硝酸鹽和氨的化合物供應多半是靠進口，一旦國家有事可能來源中斷。於是哈北（ Fritz Haber ）以物理化學研究直接化合氫和氮成爲氨的方法，他發現這反應宜于在高壓和中等溫度中進行。同時奧斯華（ Ostwald ）研究氨轉化成氮的氧化物，然後成爲硝酸的方法。這項研究到公元 1912 年才完成，由BSAF 公司予以工業規模的應用，供給了德國第一次世界大戰時充足的肥料和炸藥。

使用物理－化學方法以決定化學反應進行的適宜情況已成爲近代工業實用的特色。化學工業現在已有許多類別。炸藥工業的轉變點是始自公元 1862 年由瑞典的諾貝爾發展了硝化甘油、爆藥、和吉里那特(Gelignites)。人造纖維則始自公元 1883 年當史璜（ Joseph Swan ）用擠壓法產生了硝化－纖維素之時，這方法由法國化學家查多納（ Count Chardonnet ）予以商業化採用。

最初的熱固性塑膠叫人造樹膠（ Bakelite ）是公元 1907 年由哥倫比亞大學的貝克蘭（ Les Backeland ）製成的，而最初的重要熱塑性材料賽璐珞是公元 1865 年由伯明罕的派克斯（ Alexander Parkes ）所發現的。

精細化學工業的發展漸漸擴伸至藥劑和香水。柏金在公元 1868 年從煤溚的衍生物製出了天然存在的香水苯駢哌哝（香豆精，Coumarin）。在公元 1880 年當疾病的細菌學說經採納後，優于石炭酸的成打消毒劑由化學家合成，成爲了現代化的無毒性和無刺激的合成防腐

劑。企圖合成內服藥劑的工作繼之而起。三氯乙醛是最先製成的一種安眠藥。在公元1880年和1890年時製出了退熱藥安替必靈和非那西汀以及阿司匹靈，和安眠藥索佛舒及許多其他的藥，有些雖不能治病但對于減輕症狀——降低溫度減除痛苦等方面極為有效。

藥學家企圖找出一種能殺死病原菌而不傷害病人的藥劑。鑑于有些染料對紡織品的質料有高度選擇性，於是化學藥劑治療法的創始者艾爾利希（Ehrlich，公元1854－1915年）倡議說：由於有些有機染料只被某些有機體細胞吸收，應該可以製出只被寄生的病原菌吸收而不為被感染的病體所吸收的有毒化合物，如此則病原菌被殺死而病體可獲治癒。艾爾利希試驗了許多化合物，最後製成了一種梅毒特效藥六〇六。從此製藥業在不斷的研究和試驗中出現了許多新藥劑。而化學工業也日新月異的種類繁多了。

拾參、現代化學的開始

在錫爾，普力斯萊，卡文狄許提倡燃素說以後不久，法國的化學家拉瓦錫完成了他的化學革命，否定了燃素說，說明了氧如何形成化合物，奠定了現代化學的基礎，開啟了現代化學的門徑。

十九世紀的化學家已發現了現在已知元素的半數，改進了許多早期的理論。不久以後，許多化學家開始專門研究某些特別的問題。於是化學逐漸分為三大主流：(1)無機化學，或是研究不含碳的化合物；(2)有機化學，或是含碳化合物的研究；(3)物理化學，或是化學程序中熱、電、以及其他型能的研究。此外還有分析化學，應用化學，生物化學等。最後可細分為二十四分枝，如聚合物化學，輻射化學等。茲將化學發展中重要事項簡述於後。

無機化學的發展：1808年英國化學家道爾頓出版了他在1803年發展的原子論，他認為每種元素是由某種一定的原子構成的。他說每種元素的原子與其他元素的原子是不同的，尤其是重量。他曾計算幾種元素的原子量。他的觀念是對的，但所算原子量并不正確。

至1826年時柏茲留斯計算出一張相當正確的原子量表。柏氏為一瑞典化學家，他的研究是根據道爾頓的原子說和給呂薩克的氣體結合體積律，認為結合氣體間的體積必成一簡單的整數比。在實驗了各種氣體以及小心分析許多純化的化合物。柏氏測量了原子量并寫出分子式以表示化合物的組成。他介紹了化學符號O代表氧以

及Mg表示鎂。

柏茲留斯和其他計算原子量的化學家們對他們所獲結果常有懷疑。他們沒有一套完善的理論能表示其結果的正確。原因是他們忽略了亞佛加德羅早在1811年所指出的原子和分子的差別，分子可由兩個原子構成的事實。亞佛加德羅的假說被遺忘了約五十年，然後在1860年義大利的坎尼沙羅指出如何應用亞佛加德羅假說計算原子量。亞氏的理論證明柏茲留斯所算原子量的正確。

在坎尼沙羅應用亞佛加德羅的理論計算原子量以後，增進了原子量的正確性，導致了週期律的發現。門得列夫和梅耶在1869年分別提出了週期律。按照週期律，元素的性質隨原子量而定。當他們將元素按原子量的增加而排列時發現了元素性質的週期性，於是排出了週期表。

週期表和週期律的發展，詳見化學發展史（下）之無機化學部份。

有機化學的發展：自從煉金術士時代以來，實驗者就辨別和使用了各種從植物和動物中找出的物質。在十九世紀時，化學家知道所有的有機物含有碳并遵循礦物質中化合物的相同化學律。諸如拉瓦錫，道爾頓，給呂薩克，和柏茲留斯等人幫助了後來的化學家測定了許多碳化合物的組成。

1828年人類首次從實驗室製出了一種有機物質。德國的化學家胡婁從無機化合物製成了尿素。他因此指出生活體并不是有機化合物的唯一來源。

另一位德國化學家李比格發現了許多有機化合物的成分。他以應用有機化學于食物的成長和製造而聞名。

當1850和1860年代，有機化學家發展了價理論（Valence theory）。這項理論說明了原子如何結合以形成化合物。價的觀念在研究有機質時是特別重要的。德國化學家克庫耳利用價理論解釋碳和氫原子如何結合以形成一苯分子。克庫耳對苯的研究導致了對許多類似有機化合物的了解。在十九世紀末期，有機化學成了化學中的一大主流。二十世紀的有機化學在工業化學方面的發展是無可比擬的。有機化學的領域幾乎是無邊際的。

物理化學的發展：在十九世紀，物理學家和化學家發展了新的化學理論。許多新的觀念談到化學反應與以熱和電等形式之能之間的關係。

格雷漢姆（Thomas Graham，1805－1869）是一位蘇格蘭化學家，為物理化學的創始者之一。格雷漢姆領導

了對氣體和溶液的研究。1833年他制訂了格雷漢姆擴散定律，說明兩種氣體爲何互相混合。

1870 年代美國物理學家吉布玆（Josiah Willard Gibbs，1839－1903）發展了相律（phase rule），有關物質的固體，液體，和氣體的三相。

相律幫助凡特荷夫（Jacobus Van't Hoff，1852－1911）研究晶體如何在各種溶液中形成。凡氏爲荷蘭化學家，也研究化學反應所產生的熱。他的原子在分子中排列的理論導致了立體化學（stereo chemistry）的發展。

十九世紀末期另外的重要物理學家有瑞典的阿瑞尼士（Svante A Arrhenius，1859－1927），德國的阿斯特瓦德（Wilhelm Ostwald，1853－1932）。他們倡議電在溶液中經離子而傳導。

有關物理化學的詳細發展，請參見化學發展史（下）之物理化學部份。

放射性的發現：十九世紀末放射性的發現使二十世紀的化學理論有了重大的進展。所謂放射性元素是一種能放射原子質點和高能量線的元素。 1896 年柏克勒爾（Antoine Henri Becquerel，1852－1908 ），一位法國物理學家，發現了鈾礦中的放射性。柏氏的研究導致了居里夫婦於 1898 年發現了鐳。

1911 年英國物理學家拉塞福（Ernest Rutherford，1871－1937）提出了原子構造的一項新理論。根據此一理論，原子有一被荷負電的電子所環繞的荷正電的核。其他的物理學家擴充了此項概念幷且發現了核中含有質子和中子。 1919 年拉塞福用鐳的射線使氮變成了氧。這是人類首次將一種元素變成另一種元素。

化學家利用有關原子的新資料以改進他們對原子價的觀念。在 1916 年美國的路易斯（Gilbert N. Lewis，1875 － 1946 ）提出一種原子構造以解釋電子在化學鍵中的作用。此項理論後來由另一美國化學家蘭牟爾（Irving Langmuir，1881－1957）和德國的柯塞爾 （Walther Kossel，1888 － 1956 ）進一步發展。

當三十年代時科學家知道了如何分裂鈾原子核以產生能。這發現導致了四十年代原子時代的誕生，首次有了控制的核反應。在 1940 年初期，化學家和物理學家也開始製造不曾在天然物質中發現的元素。這些元素是用諸如中子的質點撞擊鈾和其他放射性元素製成的。在這方面重要的科學家有席伯格（Glen. T Seaborg ，1912-　　　 ）和其他美國科學家。 1961 年科學家們于加州大學產生了鐒。 1969 年以後製出了元素 104 鑪（Ku）和 105 鎂（Ha ）。

有關放射性的發展經過，詳見化學發展史（下）放射現象及原子構造部份。

今日的化學：二十世紀五十年代和六十年代，科學家在生物化學方面有重大的進展。美國的化學家克爾文（Melvin Calvin ，1911－ ）揭開了光合作用的神秘。英國的肯厥 （ John C. Kendrew，1917－ ）和貝魯玆（Max F Perutz ，1914－ ） 分析了發現在血液中的複襟有機化合物。生物化學家也知道了化學品如失氧核糖核酸（DNA）及核糖核酸（RNA）之影響遺傳。

1962 和1963，無機化學家連續產生了氙、氡、和氪的化合物。這三種元素原屬惰性氣體，長久以來都認爲是不活潑氣體，不可能形成化合物的。

在 1960 年代中期，美國化學家發展了太空探測的特別裝置和技術。計劃發射化學裝備至各行星。各種自動裝置經設計以分析月球土壤和搜索火星上生物的化學象徵。

未來的化學領域，一方面將擴伸生物化學，一方面將遠及于太陽。

參考資料

S. F. Mason，A History of the Sciences, 1970.

S. Taylor, A Brief History of the Sciences and Scientific Thoughts .

C. Singer，A Short History of Scientific Ideas to 1900.

其原始參考資料來自：

J. C. Gregory ，A Short Histry of Atomism, London, 1931.

J. R. Partington, A Short History of Chemistry , London, 1939.

M. Berthelot, Collection des Anciens Alchemists Grecs, Paris, 1888.

J. R. Partington. Origins and Development of Applied Chemistry, London, 1935.

H. Chatley, Chinese Technology Trans. Newcoman Soc. 1941. XXII, 117.

C. Haskins, Arabic Science in Western Europe Isis, 1925, VII, 478.

C. H. Haskins , Studies in the History of Medieval Science, Harvard, 1924.

A. J. Hopkins, A Modern Theory of Alchemy

Li Chiao-ping, The Chemical Arts of Old China, Easton, Pennsylvania, 1948.

D. L. O'leary, How Greek Science Passed to the Arabs, London, , 1948.

P. C. Ray, The Chemical Knowledge of the Hindus of Old , Isis, 1919, II, 322.

G. Sarton, Introduction to the Histsoy of Science, Vol 1—5, Baltimore, 1927—48.

C. Singer, From Magic to Science, London, 1928

F. S. Taylor, The Alchemists, New York, 1949

L. Thorndike, A History of Magic Experimental Science, 6Vols, New York, 1923—41.

Wang Ling, On the Invention and Use of Gunpodwer ard Firearms in China, Isis 1947 XXXVII, 160.

K. C. Wong and Wu Lien-Teh, History of Chinese Medicine, Shanghai, 1936.

The Works of the Honorable Robert Boyle, ed

With a life of the author by Thomas Birch 5Vols, London 1744.

L. T. More, The Life and Works of the Honorable Robert Boyle, New York, 1944.

W. Pagel, The Religious and Philosophical Aspects of Van Helmontis Science and Medicine, Supplement to the Bulletin of the History

of Medicine, No. 2, Baltimore, 1944.

The Hermetic and Alchemical Writings of Paracelsus, Trans, A. E. Waite, 2Vols, London, 1894.

P. J. Hartog, Priestley and Lavoisier, Annuals of Science, 1946—7, V. 1.

J. R. Partington and D. Mckie, Historical Studies on the Phlogiston Theory, Annuals, of Science, 1937, II361 and 1938, III 1, and 337.

J. H. White, The History of the Phlogiston Theory, London, 1932.

A. Findlay, A Hundred Years of Chemistry, London, 1948.

M. M. P. Muir, History of Chemical Theories and Laws, New York, 1907.

C. A. Browne, Source Book of Agricultural Chemistry , Waltham, Massachusetts, 1944.

A. and N. Clow, The Chemical Revolution : a Contribution to Social Technology, London, 1952.

B. Lepsuis, Deutschlands Chemische Industrie, 1888—1913, Berlin, 1914.

E. J. Russell, British Agricultural Research: Rothamsted, London, 1942.

化學發展史（下）　　　　于濟昌

物理化學部分

一、早期原子量之發展

⑴原子熱與原子量

　柏兹留斯（Jöns Jakob Berzelius）運用二種不同方法測定原子量，一是用度隆及普替（Petit and Dulong）（1819）原子熱定律。一是密契立赫（Mitscherlich）之異質同形（Isomorphism）定律。

　普替（A. T. Petit）與度隆（P. L. Dulong）在研究固體元素之比熱時，發現通常所謂之度隆普替定律。他們首先提出道爾頓之假說，即「所有彈性流體最小微粒所具有的熱量，在等壓等溫下，必爲相符。」並且指出，道爾頓所計算出之比熱，與實驗値並不相等。但道爾頓之假說畢竟提供了固體元素具有最小微粒之觀念，而度隆、普替發現原子量與比熱之乘積（後稱原子熱 Atomic heat）爲一常數，並指出：所有簡單物體（Simple bodies）之原子，皆具完全相等之熱容量（Capacity of heat）。他們曾列出13種元素之有關數値如下：

	比　　熱	原子量（O＝1）	比熱×原子量
鉍	0.0288	13.30	0.3830
鉛	.0293	12.95	.3794
金	.0298	12.43	.3704
鉑	.0314	11.16	.3740
錫	.0514	7.35	.3779
銀	.0557	6.75	.3759
鋅	.0927	4.03	.3736
碲	.0912	4.03	.3675
銅	.0949	3.957	.3755
鎳	.1035	3.69	.3819
鐵	.1100	3.392	.3731
鈷	.1498	2.46	.3685
硫	.1880	2.011	.3780

為了得到原子熱之常數值，他們曾把柏茲留斯之某些原子量加以改變。例如硫及銀之原子量曾被減半；鈷的原子量被1½除；但如此仍不能使比熱之數值符合；碲的數值中，二者皆有誤差。柏茲留斯接受了硫的原子量減半，但對銀、碲及鈷則拒絕改正。他並聲稱「度隆‧普替的卓越研究，可能對科學有真正的貢獻。」

賴諾（Henri Victor Reynault）認為，上述結果不符合該定律之原因有二：(1)低熔點之元素常在熔化之前即已軟化，可能是在液化前已吸收了一部分熔化潛熱。(2)在恆壓下加熱一物體，除了此物體之真正比熱外，尚能吸收一部分熱量，以使其發生膨脹，此熱量可以稱做膨脹潛熱（Latent heat of expansion），此熱量對氣體物質而言較大，固體及液體較小，甚或可忽略之。比熱值亦會隨溫度之昇高而增大。欲使符合上述定律，某些元素之當量必須加倍，稱之為熱當量（Thermal equivalents）。於是賴諾稱比熱與原子量之乘積（Sp. ht. x at. wt）為原子熱（Atomic heat）。賴諾指出，柏茲留斯所指出銀的原子量必須減半；鉍之舊原子量（1300，O＝100）應以887代之。他也曾證實，鈉及鉀之原子熱，僅為柏茲留斯所採用之數值之半。賴諾曾把碳的原子量加倍，因為他對該元素出乎常規的低比熱值未加注意所致。

1849年賴諾發見液態汞符合度隆‧普替定律；固態溴也符合，但液態溴則否。他對碳原子量加倍的辯解，是假設由於碳酸鹽的正鹽皆為鹼性所致。1861年他解釋硼及矽不正常的低原子熱時，他假設二元素的氧化物的化學式分別為 BO_3 及 Si_2O_5。但上述二式並未能被化學家所接受。柯普（H. Kopp）發現硼、碳及矽等原子熱之不正常，僅限於在它們的固體化合物中。韋柏（H. F. Weber）曾證實碳（金剛石及石墨）、硼、矽及鈹（Be）等之比熱，隨溫度之上升增大的相當快。並且在高溫時，其原子熱漸趨正常值。凡具有偏低比熱的元素，均係原子量小而熔點高者。波爾茲曼（L. Boltzmann）利用動力論（Kinetic theory）把度隆‧普替定律加以推論。但首次以量子學說為基礎對原子熱偏低的解釋還是愛因斯坦。

度隆和普替也曾建議把他們的定律推廣應用於化合物中去，但他們並未試加證實。第一位把此一定律延伸至固體化合物中去的，是紐曼（F.E. Neumann），他從研究碳酸鹽、硫化物及氧化物的結果得結論如下：化學式相似的化合物均具有相等的「比熱」。此處他所謂的比熱，他也了解應是分子熱（Molecular heat）亦即比熱×分子量。亞佛加德羅（Avogadro）亦得類似的結論，但他的結果不夠十分精確，曾遭賴諾之非議。賴諾並證實紐曼定律對化合物之可靠性。

紐曼與度隆‧普替定律間之關係，曾被焦耳（1844 Joule）指出，同時也被沃士亭（A. C. Woestyn）分別指出。他證明，一種固體化合物 $A_x B_y C_z \cdots$ 的分子熱，是其各元素原子熱之總合。即是：設 c＝比熱，a＝原子量，則其分子熱應為 $\sum Xa_1c_1$。此一關係，後來曾被柯普（Kopp）及培普（Carl Pape）作廣泛的研究時加以證實。

(2)異質同形與原子量

自然界晶體之特殊形狀，雖早已引起科學家之好奇與研究，但直到快至十八世紀，才真正有人從事科學的晶體學之研究。前此，人們曾相信，同一物料之晶體，可能在形狀及角度上有變化。但在1669年斯坦森(Niels Stensen)證實了一重要定律，即岩石晶體（水晶）之晶體角度之不變性定律。此一結論，曾被古里米(Dominic Guglielmi)推廣至其他晶體。他說：「自然界可採用所有的形體形成晶體，但僅採用了可能應用的一些。」侯伊（René Just Haüy 1743-1822）曾用畫圖，把晶體作為由許多單獨分子，以不同的規則排列而構成者。他曾假設同一物質的晶體可能有其「原始形」，此形係由解理（cleavage）分劃而成，但也可能演變為其「次生形」（Secondary form）晶體。例如由極小的正立方體可形成斜方十二面體。他利用此理論，建立了數學晶體學的基礎。並證出晶體的形狀是有限的。他奠定了一重要理論，即晶體稜角，尤其是解理間的角度是某物質

的特性（一般晶系除外）。

在密契立赫（Mitscherlich）因發現異質同形而將侯依的理論推翻之前，已知有許多事實與之不符。路布蘭克（Leblanc 1787）發現他所製得的明礬晶體，有正方體的，也有八面體的。他又證實，各種形狀的鈣晶石晶體（Calcspar crystals）都具有相同的組成。給呂薩克（Gay-Lussac 1816）曾在碳酸鉀明礬溶液中結晶出銨明礬晶體，他建議這兩種礬的分子具有同樣的形狀，而且分子間之作用力也相等。畢丹特（Bendant）亦曾發見，含有鐵、銅及鋅等之礬類，均能結晶成爲一種形狀，雖然這些晶體中含有相當數量的其他鹽，而且

這些鹽類單獨結晶時，都成其他的晶形。因此侯依說這是由於此一鹽的晶形影響了另一鹽類所致。克拉普魯士（Klaproth）發見，斜方文石與六方方解石具有同一組成。傅克勞（Fourcroy）、服克倫（Vauquelin）、任那得（Thenard）及必阿特（Biot）均證實此事。最後一人增加說明如下：組成相同但分子排列不同的結合，可以形成物理性質不同的物體。

密契立赫於1818年在柏林曾注意到若干磷酸鹽及砷酸鹽具有極相似之晶體，但並未能作晶體之測量。魯斯（G. Rose）告訴他應改用化學分析加以研究。於是密契立赫窮其一生作晶體學之研究，因而對同質異相在實

柏兹留斯的原子量表

	1814	1818	1826 O = 16	1826 H = 1	近 代
O	16	16	16	16.026	16
S	32.16	32.19	32.19	32.24	32.07
P	26.80	31.88×2	31.38×2	31.436	30.98
M	22.33	22.82	—	—	—
Cl	—	—	35.41	35.47	35.46
C	11.99	12.05	12.23	12.250	12.01
Nt	12.73	12.36	—	—	—
N	—	14.18×2	14.16	14.186	14.008
H	1.062	0.995	0.998	1.000	1.008
As	67.19×2	75.26×2	75.21	75.329	74.92
Cr	56.64	56.29	56.29	56.38	52.01
Sb	129.0×2	129.0 ×2	129.03	129.24	121.76
Si	32.46×3/2	31.62×3/2	29.58×3/2	29.61×3/2	28.09
Hg	202.5×2	202.5 ×2	202.5	202.863	200.61
Ag	107.52×4	108.12×4	108.12×2	108.31×2	107.88
Cu	64.51×2	63.31×2	66.31	63.415	63.54
Bi	189.2 ×3/2	189.2 ×3/2	212.80	213.208	208.99
Pb	207.76×2	207.12×2	207.12	207.458	207.21
Sn	117.6 ×2	117.6 ×2	117.6 ×2	117.84	118.70
Fe	55.5 ×2	54.27×2	54.27	54.363	55.85
Zn	64.52×2	64.52×2	64.51	64.621	65.38
Mn	56.92×2	56.92×2	56.92	57.019	54.94
Al	27.44×2	27.38×2	27.38	27.431	26.98
Mg	25.23×2	25.33×2	25.33	25.378	24.32
Ca	40.81×2	40.96×2	40.96	41.03	40.08
Ba	136.73×2	137.1 ×2	137.1	137.325	137.36
Na	23.17×4	23.27×4	23.27×2	23.31×2	22.99
K	39.12×4	39.19×4	39.19×2	39.26×2	39.10

驗與理論上，均奠下良好的基礎。

密契立赫研究報告中指出，他曾對鈣、鎂、銅、錳、亞鐵、鈷、鋅及鎳等之鹼式磷酸鹽、砷酸鹽及碳酸鹽及硫酸鹽等加以研究，僅有結果，並無測量數據。他把這些鹽類分爲三類：(1)錳及銅的硫酸鹽中，氧化物中之氧對結晶水中之氧的比爲1：5。(2)亞鐵及鈷之硫酸鹽中，上述比例爲1：6。(3)鋅、鎳及鎂之硫酸鹽中，上述比例爲1：7。但他却把 $FeSO_4 \cdot 7H_2O$ 及 $CoSO_4 \cdot 7H_2O$ 錯認爲6個結晶水，鋅、鎳、鎂的硫酸鹽中的結晶水數都無誤。密契立赫更測量了鉀、銨與鎂、亞鐵、錳、鋅、銅、鈷及鎳所構成複鹽的晶體角度。據此而確定了鉀與銨的硫酸鹽均具有異質同形。他發現硫酸鉀複鹽比硫酸銨複鹽在比例上多一個結晶水。故他曾聲稱他希望在研究晶體時，可能推知此晶體的組成，一如化學分析一樣的準確。故藉此可作原子量之測定。

1826年，在他的修訂德文教科書中，柏兹留斯（Berzelius）曾改變了幾種元素的原子量，以便符合原子熱及異質同形等理論。因爲他早期的原子量，不能使原子量×比熱恆爲常數。有的爲二倍，有的又成爲分數。他認爲應該把這些數值加以統一。但他並未完全按此法則實施。例如他並未把銀的原子量減半，因爲他認爲氧化銀應是 AgO ，正如其他强鹼性的氧化物一樣，其化學式應爲 $R+O$ 而非 $R+2O$ 。他曾把鉛、銅及鐵的原子量減半，以與原子熱定律符合。他並把密契立赫的異質同形定律敍述如下：「當一種物質與另一種互爲異質同形，而前者中之原子數又已知時，則二物質中之原子數卽可皆知。因爲是異質同形的二物質，由於原子的排列結構相同而形成的結果。」例如下列二氧化物 Mn^2O^3 與 Fe^2O^3 爲異質同形，其中後者的化學式係根據鐵的原子量（由原子熱測出）而定出。氧化鋁也與之爲異質同形，故化學式也應爲 Al^2O^3。柏兹留斯的原子量表見上頁。

(3)亞佛加德羅學說與原子量

亞佛加德羅雖然建立了分子說，但在他發表的論文中，也有涉及到原子量的。他在這方面工作的根據，是給呂薩克的氣體化合體積定律。他曾檢討道爾頓的原子說。道爾頓認爲水是由氫與氧各一分子而形成，二者質量之比氧：氫＝6：1，更準確者應爲 $7\frac{1}{2}$：1。就二者密度而言（空氣密度＝1），氧爲1.10359，氫爲0.07321，二者之比應爲15.074：1或15：1。但由二者化合積而言，水是由1分子氧與2分子氫化合而成，若把氫（H_2）的分子量作爲1單位，則水的分子量

應爲15＋2＝17。爲了解釋此一分子被分爲二，則水之分子量（$H_2=1$）應爲 $8\frac{1}{2}$ ，或精確爲8.537。此精確值係由水蒸氣的密度0.625（空氣＝1）除以氫的密度0.07321而得。因爲亞佛加德羅是以氫分子量爲標準，所以他所有的分子量均爲現代分子量（$H=1$）之半數值。雖然如此，他對分子的組成仍然十分清楚。他曾推演出許多正確的化學式：$CoCl_2$, H_2S , CS_2 , SO_2 , CO , CO_2 , SiO_2。藉可資利用的數據，他曾計算 C, Cl, S 及 Si 的幾近正確的原子量。然後他利用幾近正確的原子量 $H=1$, $O=16.026$, $N=14.0$, $Cl=36.124$, $C=11.36$ 又得出下列化學式：Cl_2O_5 , Cl_2O_7 , CO , CO_2 , CH_4 , C_2N_2 , $COCl_2$, HCN , SO_2 , SO_3 , H_2S ，以及許多氮及磷的氧化物的正確化學式。

1826年杜馬士（Dumas）宣佈了他測定蒸氣密度的方法，並認爲依據亞佛加德羅及安培的假說（在同一狀況下，所有的彈性流體中，各原子間之距離相等，且數目相等。）由蒸氣的密度可測出正確的原子量。杜馬士測定了汞、磷、氫化砷、氯化錫及氯化鈦等的蒸氣密度，（後二種在1830年，磷在1832年重新測定。）磷蒸氣的密度爲4.355或4.420（空氣＝1.），硫的在490° 爲6.495，506°爲6.512，524° 爲6.617及6.581。他發見磷的蒸氣密度約較原子量大4倍，硫大6倍，而汞只有原子量的一半。這是因爲杜馬士把所有元素氣體的分子都認爲是由二原子所構成，因此他無法解決此困難。

1828年杜馬士曾定義一簡單物體中之原子爲一極小粒子，此粒子在化學反應中無任何變化，故可想見，測定原子量時，必須知道在某一化合物中各元素的原子的數目。他重申，在相同狀況下，同體積的各種氣體，含有同數的"分子或原子"。再由蒸氣密度發現下列原子量（此處所列數值係以 $O=16$ 爲標準，再計算而得者）：氧16，氫1，氯35.8 ，氮14.15，碘126.5，汞101，因1體積的氫與½ 體積硫蒸氣化合，而 1½ 體積的氫與½ 體積的磷或砷蒸氣化合，據此，他計算硫的原子量32.2，磷31.4，砷75。他錯誤的假設甲烷含有2體積的氫及1體積的碳蒸氣；乙烯含有2體積的氫及2體積的碳蒸氣，因此計算出碳的原子量爲6。上述各原子量，除汞及碳爲正確值之半數外，其他均屬正確。

柏兹留斯曾指出：「杜馬士所得之結果係簡單氣體的比重，但並非一定是原子量之比。他所謂的"體積"，可能是"原子"的次倍量或倍量。若氧爲1，則汞、磷及硫包含等數"原子"的"體積"依次爲½，2及3

。」杜馬士在1828年所提出的原子量，除了他把Hg＝100，C＝3，（因為O＝8）外，與1826年柏玆留斯所提出者相同。

高鼎（Marc Augustin Gaudin）首次應用單原子、雙原子……等名詞，用來表示一分子中所含有的原子數（作為參考）。他認為汞、磷及硫的分子依次為單原子、四原子及六原子。他曾提出23種正確的原子量。高鼎也曾使用道爾頓的原子符號，作出明晰的"體積圖"如下，用以證明亞佛加德羅假說在各氣體反應體積中之關係。

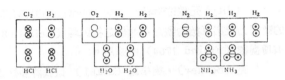

圖1　高鼎的體積圖。

上圖最右者表示1體積氮與3體積氫化合，產生二體積氨，而其中並未把任何原子分割，只是3個氫原子圍繞1氮原子，而形成一個具有四原子之氨分子。

葛美林（Gmelin）在他的理論化學手冊前三版中，均採用"化學計量數"（Stoichiometric number），"化合量"（Combining weight），化學當量（Chemical equivalent）或混合物量（Mixture weight）。以上均係當量（equivalent）之意。在第四版中，他列出一原子量表，但實際上仍都是當量。

葛美林認為H＝1或O＝100等單位標準較好。因為如此，原子量既小又易記憶，並且可使多種原子量成為整數。

(4)化合量與原子量

1815年布勞特（William Prout）在他的論文中，用計算證明各種元素在氣態下之比重，幾乎恰為氫的整倍數。他並把這種關係推廣到數種尚未達成氣態元素的原子。布勞特於1836年，在寫給道本尼（Daubeny）的信中曾說：「在無數次的實驗中，使我相信，元素的化合量或原子量，互相間具有簡單的關係，常常是整倍數。」他在1834年並建議，氫可能是從元素中生成的，不過為量甚少。

湯姆生（T. Thomson）於1813年指出，若把氧的原子量＝1作為標準，則有八種元素的原子量可成為整數。如下：

氧	1	銅	8
硫	2	鎢	8
鉀	5	鈾	12
砷	6	汞	25

磷一原子的質量為氫一原子的十倍重。沒有任何其他原子的原子量成為0.132的整倍數。因此，如果以氫作為單位，則除磷一種外，所有的原子量皆成分數。

湯姆生指出，若把氧的原子量認為是其體積量（volume weight）即是單位體積的重量，則有多種元素之原子量亦必為其體積量，其他的是體積量的2倍或4倍。他接受了布勞特的假說，並列表各種原子量（仍採用氧＝1，氫＝0.125），其中各原子量均是氫原子量的整倍數。但他與布勞特的原子量不同。後者是以$H＝1$為標準，$O8$，$S16$，$C6$，$N14$，$Cl36$，$I125$，$Na24$，$K40$，$Ca21$，$Ag110$，$Hg200$，$Fe28$等。

約於1840年，許多化學家都停止使用柏玆留斯的原子量，而採用當量或化合量。因為這是直接來自實驗而且與假說無關。例如：H＝1，C＝6，O＝8等。這些數值似乎亦為法拉第電解定律所支持。柏玆留斯和另外一些化學家使用有橫線的化學符號以表示代表化合量的元素，但當橫線被省略後（與普通化學符號相同），無人可知用的是那一系統的原子量了。H_2O_2可能指的是過氧化氫也可能是水，C_2H_4也許是乙烯，也許是甲烷。如此以來，甚至倍比定律似乎已被廢棄。

1860年十一月克庫爾（Kekule）倡導一次會議，在德國的加爾斯盧合（Karlsruhe）集會三天。大會係由韋爾層（Weltzien）邀請。在此會議中，並無結論達成。杜馬士說，化學有兩種，無機與有機；坎尼沙羅指出不同的原子量可用於二種化學中。會議最後決定，每位研究者可使用他所樂於使用的原子量。在會議結束時，發行一本由坎尼沙羅所寫的小冊子。梅耶（J. Lbthar Meyer）於看過之後說：「我眼中的陰翳消除去了，困惑化為烏有，一種安定的確實感油然而生。」門得列夫也參加了這次會議，他說：「我對與會者的意見互相格格不入，記憶猶新。但最後所得之妥協方案，是如何被科學家們用最偉大的智慧所推崇。……」

(5)坎尼沙羅原理與原子量

自高鼎以後，坎尼沙羅（Stanislos Cannizzaro）是推崇亞佛加德羅假說的第一人，他並於1858年指出，應用此假說可能發展出統一系列的原子量。他強調高鼎

毫無反對的接受了亞佛加德羅學說，也把分子和原子分別清楚，並且由各種蒸氣密度的測定結果，建立了一種結論，即是各種簡單元素的分子，並非含有相等個數的原子。例如：O_2，H_2，P_4，Hg。坎尼沙羅並提出，布勞特也接受了亞佛加德羅學說，且與高鼎得到了同樣的結論。坎尼沙羅證實，揮發性物質之分子量可從其蒸氣密度求出，此蒸氣密度與標準物質密度之比即是二分子量之比。若把最輕的氣體氫作爲標準，但因氫分子中含二原子（1811年亞佛加德羅已理解到此點），故相對密度再乘以2，即得此蒸氣的分子量，亦即此分子中各成分原子量的總合（各原子量皆以 H ＝ 1 爲標準）。某一元素的原子量必定是在各種具揮發性化合物的分子量中，含有此元素最少的重量。此一結論雖爲亞佛加德羅所提出，後爲高鼎加以說明，但通常却稱爲“坎尼沙羅原理”。因爲此原理係由彼所强調者。用此法所得之原子量與用原子熱定律所得者相符合。遇有某元素並無揮發性的化合物（在某溫度範圍以內）時，坎尼沙羅則用與度隆及普替定律相似的方法，求其原子量。

坎尼沙羅雖然沒有涉及到異質同形以求原子量，但他却曾說過，必須設法弄清楚，由原子熱，異質同形以及由應用亞佛加德羅學說三者所得原子量之一致性，究是爲何。

以坎尼沙羅的研究報告爲基礎，羅斯科（Roscoe）曾把原子和分子下一明白的定義如下：「分子是一群原子，它們形成可以被分離或單獨存在化學物質（或是簡單物質或是化合物）的最小部分。它是參與反應或由反應生成物質的最小數量。原子是元素最小的部分，它是存在於化合物中，不能用化學力量加以再分的物質。」

約在1860年，原子量所作的改進，只是在系統上加以改進。事實上，若就1831年，柏玆留斯的原子量表而言，即是以 H ＝ 1（即H ＝ 0.5）爲標準所得的數值再加倍，使之變成以 H ＝ 1 爲標準（純武斷的變更），即得各原子量，（除銀及鹼金族元素之原子量以外，柏玆留斯是取他們正常值的二倍）。格哈特（Gerhardt）把大多數金屬氧化物的化學式均作爲水的形式M_2O，故他把許多金屬原子量均定爲其眞實數值之半數。坎尼沙羅於1858及1871年兩次對格哈特的意見加以反對，至於吳次（Wurtz）及克庫爾所採取的新原子量（C ＝ 12，O ＝16等），使用C，O等符號，用以與當量（C ＝ 6，O ＝ 8）有所區別。這些符號並不比柏玆留斯的雙原子更有意義，不久便把符號中之橫線取消了。

二、化學親和力

(1)化學親和力的早期觀念

有關元素互相間發生作用的最早觀點，是這些物質必須極爲有關者方可作用。回朔至希波克拉第（Hippokrates 1665）曾有“相似者與相似者配合”的觀念。柏拉圖、亞里斯多德，希臘的煉金術士以及較後的煉金術士亦有此觀點。薩拉（Sala 1609），貝功（Beguin 1627），格勞伯（Glauber 1647），波義耳（Boyle 1661），韋利士（Willis 1674），梅育（Mayow 1674）及巴呼申（Barchusen 1698）均曾對化學親和力提出討論。波義耳曾提出一種“微粒說”，作爲對“選擇效應”的解釋。梅育也曾提出對揮發性效應（effect of volatility）正確的解釋。牛頓（Newton）對微粒間的吸引力提出原始的觀念，並繼之被凱耳（Keill 1708）與傅蘭德（Freind 1704）所採用。

比克（Becher），史塔爾（Stahl）以及許多燃素的化學家，都把形成汞齊的原因，解釋爲由於各種金屬中均含有汞，再因汞的吸引力而形成汞齊。至於各種金屬能溶解於硝酸中，是因爲它們與硝酸均含有燃素的原故。而且鹽類能溶於水中，是因爲它們都是泥土與水的化合物。史塔爾和牛頓曾述說，由金屬鹽類的溶液中，用其他金屬依次的可以把各金屬沉澱析出，因而形成電化次序（electrochemical series）的基礎。部耳哈味（Boerhaave 1732）繼牛頓之後，用吸引力來鑑定化學親和力。雖然他和路易斯（Lewis）曾强調力學對化學甚少關連，但史塔爾却完全反對他們的論調。

哲夫勞（E. F. Geoffroy 1718）的化學親和力表，直到柏卓勒（C. L. Berthollet 1801）時代，一直作爲依據。後來由麥克奎（Macquer 1749）和包梅（Baume）加以增刊。在哲夫勞時代，巴黎的學術界對牛頓的吸引力學說均感不滿。但由於福爾特爾（Voltaire）的鼓吹之後，漸爲法國科學界所接受，並且爲博物學家巴方（Buffon）用來解釋化學現象。巴方認爲化學親和力只不過是地心引力，但却因微小元素粒子的形狀而有所影響。

哈姆柏（Homberg 1700）曾有一種觀念，他認爲欲知鹼（所指的珊瑚、牡蠣殼等）對於酸的“力”，必須用酸吸收鹼時需時間的長短來說明。路易斯接着也說，酸的“强烈度”（Powerfulness）以及它們的“活性”（activity）應由它們作用於元素的速度來測量。他說：「各種酸的强烈度、活性及强度（strength），必須仔細的加以區分。因爲這三種性質，雖然普通時互相混用，但却互不相同。硫酸比其他任何酸均强烈，因爲

它能在其他酸的鹽中把該酸驅逐出來。但它的活性却較小，它對大多數物質作用困難或者緩慢。濃硫酸是最強的酸，因爲在此酸液中，以比例而言它含了極多的純酸在內。無論怎樣加以稀釋，它仍含有最強烈的性質。若用稀釋法加以弱化時，它的活性有時反而增大。

文席耳（F. Wenzel）採用了巴方的理論，認爲各元素似可依其對某一共同溶劑，溶解時所需時間之反次序排列，作爲它們親和力大小的次序。若把親和力看作一種力，並且把與之作用之元素看作阻力，於是速度將與力成正比，而與阻力成反比。他敍述一個實驗，是有關金屬小圓柱體的溶解速率，他把金屬圓柱體用漆塗上，但只留下一端的表面，使之與稀酸作用，他說：「若一種酸可以在一小時內溶解一個希臘銅幣或鋅幣，則另一種酸只有上述酸的強度一半時，必需二小時方可溶解完畢。自然他們的表面積及熱度均應保持相等。」奧斯特瓦德（Ostwald）說，這是人類第一次用文字來敍述質量作用定律：「某化學反應的強度，與反應物質的濃度成正比。」文席耳並未列出數值上的結果，甚至他若作了實驗，他的結果也未必如其所述。文席耳的結論後被克耳文（Kirwan）所駁斥如下：錫與銻被硝酸迅速消蝕，較之鉛與銅爲快，但後者對酸具有較大的親和力。後來莫耳發（Morveau）及木累（Murray）亦曾對文席耳之假設詳加討論，並加反對。他們認爲，親和力仍須隨附著力等因素改變其大小，而且反應速度並非永遠與親和力一致。

(2)化學平衡及質量作用觀念之創始

柏卓勒在他的著作（1801，1803）中，曾首次發表化學平衡的觀念，以及質量作用對化學平衡的關係。他指出化學變化常常是無法完成的。因爲反應的產物，趨於變回原有物質之故，因而建立了平衡的觀念。在他的著作中曾說：「親和力並不能像力的作用，藉着它便可以從含有某物質的化合物中，把該物質取代出來。對此一物質而言，尚有二種其他物質以相反的力作用，故此物質必被分爲二部分，至於此二部分的比值，不但按親和力的內部強度，也要按發生作用二元素存在的量而作決定。若元素A作用於化合物BC，則AC的化合永遠不會達到完全的。但元素C將會被分作二部分與元素A及B分別化合。至於二部分的比值，須按其化學親和力，及每一元素的存在量，或它們質量的比。某一物質的作用，與"各種元素的飽和容量的程度"成正比。柏卓勒稱此爲"質量"。

柏卓勒在1803年出版的第二本書中，對"化學質量"下了更明確的定義。他認爲一種當量爲E之酸或鹼的化學親和力應爲：$A = \dfrac{a}{E}$，式中 a 爲一常數。若 w 爲其質量，則活性質量（Active mass）或化學質量（Chemical mass）是 $Aw = \dfrac{aw}{E}$。但若 n 爲當量數，$n = \dfrac{w}{E}$，故 $Aw = an$。或者，若 n 係指在一單位體積中，即即是濃度 C。因此作用質量等於濃度乘以每種物質特定的常數。固體物質的化學質量爲一特定常數。若把某種酸加入一種鹽的溶液中，則其中之鹽基即自己分成二部分，與二種酸化合，其二部分之比，依二者之化學質量而定。

卡斯頓（Karsten 1803）對柏卓勒的理論極爲重視，並且用公式表示質量的作用如下：若有一物質A作用於B，C，D，E四物質，且後四者之化學質量分別爲 m，n，o，p。則A分別爲後四者所化合的比例分別爲 $\dfrac{m}{\Sigma}$，$\dfrac{n}{\Sigma}$，$\dfrac{o}{\Sigma}$ 及 $\dfrac{p}{\Sigma}$，其中 $\Sigma = m + n + o + p$。柏卓勒的質量作用定律甚爲德維（Davy 1812）和柏玆留斯（1819）所推崇。他們二人皆指出，此定律與定比定律並不衝突。

(3)質量作用的研究

度隆用實驗證明（1811年），把硫酸銅與等當量的碳酸鉀溶液共煮沸，則硫酸銅有一部分被分解。若在該溶液中加入少量的苛性鉀，則分解的量可以增多。在沸騰中的硫酸鉀溶液內，加入碳酸銅，碳酸銅有一部分會變爲硫酸銅。但若加入多量的硫酸鉀，則此作用即行停止，不再發生作用。於是度隆得結論如下：(1)不溶解的鹽類可被碳酸鉀或碳酸鈉分解，但這些鹽類的互相變換作用永遠不會完成。(2)所有可溶性的鹽類（形成此鹽類的酸可形成一種非溶性的鹽），與一非溶性的碳酸鹽作用，可被其分解，但分解達到某一限度即行停止，不會超過此限度。在第二種情況中，液體變爲鹼性，他認爲鹼的"力"抗拒了分解的"力"。並且當此力與硫酸使非溶性的碳酸鹽沉澱爲硫酸鹽之力達到平衡時，反應即行停止。

魯斯（H. Rose 1839）在1839年研究水對鹼金族及鹼土族的硫化物的分解作用，他明白的看出，這些作用都是可逆反應。他發現硫酸銅若與含有至少在理論量15倍以上的鹼金族的碳酸鹽溶液共煮沸，則前者會完全

分解。若用硫酸銅與碳酸鉀各 1 當量，則只有½分解，若用碳酸鈉，則只有 1/11 能分解。若把反應中的液體，每隔一個時間倒去，再換上新的碳酸鹽溶液，如此數次之後，亦可使之全部分解。

化學平衡的動力性的觀念，是 1850 年由威廉姆遜（Williamson）所提出。他認為化學平衡是二相對反應間之平衡，雖達平衡狀況時，二反應仍繼續不絕。

首次測定均勻反應的速率者是威廉（L. F. Wilhekny）。1850 年他研究蔗糖在水中由各種酸的存在而發生的轉化情形。威廉發現，若有大量且實際上一定量的水存在時，則蔗糖在任何一瞬間的變化量，都是與它真正存在的量成正比，而酸保持不變。設溶液中蔗糖的量為 Z，而酸的量為 S，時間為 T，則

$$\frac{dZ}{dT} = MZS$$

式中 M（速度係數）對 Z 及 T 獨立。此關係式積分後得：

$$\log Z_0 - \log Z = MST \quad 或 \quad Z = Z_0 e^{-MST}$$

式中 Z_0 為 Z，當 T ＝ 0 時之值。

威廉發見上式適合於硝酸，若用不同的酸，則對蔗糖的轉化速率也各異。

1862 年柏色洛（Berthelot）與聖吉勒（Saint - Gilles）研究乙醇＋酸＝酯＋水之反應，他們發現此反應永遠無法完成，但緩緩漸趨於一相當平衡的極限。而且無論是把乙醇和酸或是把酯和水混合後開始反應，只要它們所用的量都是相當量時，均可達到相同的平衡狀態。在任何時刻，酯所產生的量都與各反應物質的乘積成正比，且與體積的大小成反比。雖然他們也用數學方法表示反應速度，但並未像以後的果爾伯格（Guldberg）及瓦給（Waage）所列出的質量作用定律。這是因為他們忽略了酯與水所發生的逆反應。這種逆反應他們也曾明白的認為非常重要。若開始反應時，乙醇與酸的量皆為 1 單位，且 x 表示在時間 t 後所變化的量，他們假設當反應已發生的分數為 ℓ 時，反應速度 $\frac{dx}{dt}$ 為零。在時間 t 以後，作用的量為 $1 - x/\ell$ 而非 $1 - x$，而速度公式為：

$$\frac{dx}{dt} = k(1 - x/\ell)^2 = (\frac{k}{\ell^2})(\ell - x)^2$$

柏色洛與聖吉勒發現，溫度升高可大幅增加反應速度，但壓力僅有甚小的影響。所以他們建議，溫度的影響是冪數的關係。平衡狀態幾與溫度無關。以溶劑稀釋反應物，則可減小反應速度，這是與體積的大小成反比。

反應速度定律是由果爾伯格和瓦給，同時亦由哈考特（Harcourt）和厄申（Esson）於 1864～1865 年間分別提出的。他們研究過錳酸鉀溶液在稀硫酸中，與硫酸亞錳溶液在有過量草酸之下發生作用，他們構想，過錳酸鉀立刻被還原成二氧化錳，但當有足量的草酸存在時，二氧化錳不會沉澱出來，可能是形成了草酸鹽 $MnC_4O_8 = MnO_2 + 2C_2O_3$，使溶液成為棕色。然後，再分解成草酸亞錳及二氧化碳。

(1) $K_2Mn_2O_8 + 3MnSO_4 + 2H_2O = K_2SO_4 + 2H_2SO_4 + 5MnO_2$

(2) $MnO_2 + 2H_2C_2O_4 = 2H_2O + MnC_4O_8$

(3) $MnC_4O_8 = MnC_2O_4 + 2CO_2$

反應 (1) 的速度可以測定，但因硫酸亞錳是過量的，故只有過錳酸根的濃度變化可以測定。哈考特和厄申說：「若物質的數量任其一再減少，則任何時刻的變化總量，將與剩餘物質的量成正比，似乎是合理的。」故列公式如下：

$$y = ae^{-\alpha x}$$

式中 x ＝時間，a ＝開始時物質之量，α 為常數。或敘述為：「化學變化的速度將與參與變化物質的數量成正比。」此即是質量作用定律。

溫度對反應速率的效應，也經研究過。若 k，k_0 表在絕對溫度 T 及 T_0 時之速度係數，發現它們間之關係如下：

$$k/k_0 = (T/T_0)^m$$

哈考特和厄申研究 $FeCl_3$ 與 $SnCl_2$ 間之反應速度時，發現溫度對其效應，可用上式表示之。若干其他的實驗，包括胡德（J. J. Hood）的實驗在內，都得同一結果。哈考特和厄申未使用"親和力"一詞，濃度對反應速度的效應，只限用質量作用定律。1867 年托德罕特（Todhunter）曾說：「一般人常放棄他們解釋現象的企圖，而最後竟默認"親和力"這個名詞，就好像僅有現象的敘述而無更深遠的分析一般。」

質量作用定律統整性的敘述是在 1864 年由兩位挪威科學家果爾伯格（C. M. Guldberg）和瓦給（P. Waage）所發表。他們發展質量作用定律分三個階段。在他們第一篇論文中（1864）曾提出，他們對此一問題有興趣，是由於柏色洛與聖吉勒二人的工作所引起的。工作於 1862 至 1864 年間，約作了三百次的定量實驗。他們假設，在一化學過程中有兩種力的作用，一是形成新物質的力，另一是由新物質恢復原有物質的力。當此二力在此

物系中相等時，即是達到平衡。他們提出二定律：(1)質量作用（即是取代力），在相等情況下，與各質量的乘積成正比，且各質量均有一定乘冪，若以公式表之為：$\alpha(M^a N^b)$，式中M及N為二質量，α，a，b為常數（其他情況均同），其值僅依各物質之本性而異。(2)體積作用（即是，以相同質量的作用物質，盛於不同體積的容器中）則這些質量作用與體積之大小成反比。若以公式表之為：$\alpha(\frac{M}{V})^a(\frac{N}{V})^b$，式中V為總體積，a及b為任意常數。他們的論文中有下面一段文字：

若p，q，p′及q′為四種物質的質量，且各物質的體積相等，設x為當平衡達成時，前二種質量變化的總量。故在平衡時四種物質之質量分別為：p−x，q−x，及p′+x，q′+x。根據質量作用定律，前二物質之作用力（Force of action）為$\alpha(p-x)^a(q-x)^b$；而後二物質之作用力為$\alpha'(p'+x)^{a'}(q'+x)^{b'}$，因二者平衡，故：

$$\alpha(p-x)^a(q-x)^b = \alpha'(p'+x)^{a'}(q'+x)^{b'}$$

上式中x可以解出，式中六個係數中，僅四個為獨立者。

凡特荷夫（Van't Hoff）於1877年把柏色洛與聖吉勒的實驗結果重新加以計算，他放棄了混含不清的化學力的觀念（Chemical force），僅對反應速度加以考慮。他假設反應速度與活性質量（Active mass）成正比。如反應為A+B=A′+B′，若p，q，p′及q′為其活性質量，則A與B作用產生A′及B′之速度將為v=kpq。而A′與B′作用產生A與B之速度將為v′=k′p′q′。總反應的真實速度則為V=v−v′=kpq−k′p′q′。平衡達成時，V=0，則kpq=k′p′q′，或p′q′/pq=k/k′（早期化學著作中均採用k/k′作為平衡常數，而不採用k）。

果爾伯格與瓦給於1879年發表其第三篇論著時，符和了凡特荷夫的理論，以反應速度為基礎，並應用質量作用定律於各類不同的反應中去。他們並以分子碰撞為基礎，推演質量作用定律。他們判斷分子之碰撞只有一部分能發生反應。

分子速度的分配定律是馬克士威（Maxwell）於1859年所提出，僅限用於氣體。他認為，在一均勻物系中，於一定溫度下，分子動能之大小，與其在此溫度下的平均值多少有所偏差。在普通溫度下，比平均動能大出極多的分子，所佔比率極少。但當溫度升高時，却按冪次定律（如反應速度定律）增加極快。

佛萊（Pfaundler）假設只有超越臨界能（Critical

energy）之分子，才能發生變化。在一定溫度下，僅有一部分分子發生變化，因此其他分子仍恢復原狀。當一化合物的分子被破壞，同時此一化合物又以相等速度形成，故可達成平衡狀態。每秒內氣體分子碰撞的次數，隨溫度之升高而增加，但反應速度却增加更快，其理由如上所述。

雖然凡特荷夫以及後來果爾柏格及瓦給均前後放棄了反應的發生，是由於“化學力”或親和力的觀念。但後來又為厄爾敦（W.E.Ayrton）及培理（J.Perry）所接受。他們說：「單位時間內，化學作用的量，等於電動力（Electromotive force）除以阻力（Resistance）。後於1900年奈斯特（Nernst）用下式表示之：

化學速度＝化學力 / 化學阻力

式中化學力可能是與初物系與末物系的自由能差相同，但對化學阻力的解釋，却很困難。在近代的理論中，能量障壁（Energy barrier）曾被提出，但似仍不相同。

對於質量作用定律的探討，曾有許多較為精確的實驗加以佐證，尤其是氣相物系的實驗為人重視。N_2O_4 ⇆ $2NO_2$ 的解離反應曾被許人研究過，但以質量作用為觀點的有果爾伯格及瓦給（1879年），吉布茲（J.W. Gibbs 1879 年），士賴伯（Schreber 1897年），瑟斐爾（Scheffer 1913年）。在這些研究中指出，平衡的位置與體積V（或壓力）及溫度有關。若以1克分子之N_2O_4作實驗，其中有x發生解離，則

$$x^2/(1-x)V = 常數 = K$$

另一反應為H_2+I_2⇆$2HI$，曾由萊蒙（Lemoine 1867年）及波頓斯田（Bodenstein 1897 年）加以研究。前者測定其正反應與逆反應的速度，並證明二者在平衡時，漸次接近相等。他並證實，當過量的氫或碘加入時，則平衡中碘化氫之量增多。但是，即如加的極為過量，也不能使反應完成。鉑海綿作為催化劑，可以增加反應速度，但對平衡狀態無大影響（雖然萊蒙以為有些影響）。後者發現此反應之平衡與壓力無關。

湯姆生（Thomson）於1869年發表他所研究的，在均勻液體中，用熱力學方法測定平衡的位置。他把一種酸加入另一酸的鹽的溶液中，以測定放出或吸收的熱量。再從所用二酸與同一鹽基已知的中和熱，來計算該鹽基與二種酸分配的比例。他發現，鹽基並非按二種酸的當量數，作為分配的比例。正如柏色洛所假設的，也不是按它們的中和熱的大小為比例而分配的。他證明質

量作用定律仍被導循。若等當量的蘇打、硝酸及硫酸作用於水溶液中，則有⅔的蘇打與硝酸作用，只有⅓與硫酸作用。湯姆生說明如下：硝酸對中和作用的親近力（avidity）或競爭力（striving）爲硫酸的二倍；氫氯酸與硝酸有同樣的結果。

奧斯特瓦德（W. Ostwald）於1878年用體積的改變，同時也用折光係數以代替熱量的變化法，得到同樣的結果。他把湯姆生的親近力叫作相對親和力（Relative affinity），並且發現，任何二種酸（硝酸、氫氯酸及硫酸）的親近力之比，是與鹽基無關的，但對硫酸有若干例外。

三、熱化學及熱力學

(1)熱化學

研究化學親和力的另一途徑，是希冀利用化學反應所放出的熱量，作爲化學力的測定。化學反應中熱效應的重要性，是由拉瓦錫（Lavoisier）和拉普拉斯（Laplace）於1784年所倡導，因此而奠立了熱化學的基礎。他們假設，化學反應中放出的熱量，與其逆反應所吸收的熱量相等。他們測定了一些比熱及燃燒和呼吸等反應中所放出之熱量。百爾修（Perroz）於1839年認爲拉瓦錫的燃燒“熱素”說以及柏茲留斯的“電化學”學說均爲不當。他的結論認爲：對化學反應中熱量變化的解釋，是無意義的。

赫斯（G. H. Hess）於1839年發表他一系列的熱化學研究報告，建立了“熱的加成性定律”。即是說明，在化學變化中，熱的發展爲一常數，不論此變化是直接發生的，或是分數步完成的。他明白的指出，根據上述定律，反應熱即可計算出來。否則，那些不能直接測定的反應熱即發生了困難。例如，一氧化碳的生成熱應爲碳的燃燒熱和一氧化碳變爲二氧化碳的燃燒熱之差。赫斯又建立了“熱中和定律”（Law of thermoneutrality），即是當正鹽在溶液中變換爲酸及鹽基時，其反應熱爲零。但柏卓勒於1873年證明，若是弱酸或弱鹽基時，上述定律不正確。

赫斯於1841年認爲，以某一種酸與不同的鹽基中和時，其中和熱爲一常數。安得魯茲（Andrews）於1841—1842年認爲，各種酸與各種鹽基混合時，其放出的熱決定於鹽基而非酸。同一種鹽基，與一當量的各種酸化合，所生的熱幾近相等。發浮爾（Favre）和西爾柏曼（Silbermann）首先指出，上述二結論互相衝突，均

不可信賴，但二者仍應包含於赫斯的熱中和定律內。安得魯茲於1848年倡言，他的上述法則亦可應用於，在某金屬的數種鹽類的溶液內，用另一種金屬使之取代而析出時，則此反應熱幾與酸的本性無關。他發見，當鋅取代硫酸銅溶液中之銅時，所放出之熱，等於鋅和銅分別與氧化合時所放出熱量之差，再加上由於鋅的氧化物取代銅的氧化物時的熱量。（此關係應包括於赫斯的加成性定律內）。

格雷漢姆（Graham）於1843年測定各種鹽類的溶解熱，並發現所得濃度愈大的溶液，吸收的熱量愈少。他亦發見受溫度的影響。因爲他僅有溫度變化的記錄，並未計算熱量，故他的結果不易說明。他觀察到當硫酸鉀溶解於稀硫酸時，比溶解於水中時，溫度大爲降低。其差爲 $2.04° - 1.51° = 0.53°$。這可能與形成硫酸氫鉀有關。1847年派申（Person）發表了最早而精確的鹽類的溶解熱。

伍自（Thomas Woods）於1851年，根據拉瓦錫及拉普拉斯的敍述，並利用赫斯定律，構想一新的原理。他認爲若把物質A中的粒子aa壓縮使之互相接近，則可以放出熱量。在化學反應中，物質B中的粒子bb會吸引aa，因此而有熱放出。此學說是由仔細研究化合作用中總體積的變化而得的。

熱不是物料（燃素）而是動能的觀念是由培根（Francis Bacon）首先倡導。後由魯謨福特（Rumford）和德維（Davy）給以實驗的基礎，再由邁爾（Robert Mayer）於1842年綜合建立而成。他計算氣體受熱膨脹時，對大氣壓所作的功，是 365 仟克·米/克卡。他把能叫作“Kraft”，但把能與力加以區分。焦耳（J.P. Joule）於1843年開始實驗的研究，獲得熱功當量的精確值。但直至1850年間，熱的燃素說仍未能完全放棄。能的整體理論（The whole theory of energy）是由赫爾姆霍茲（H. Helmholtz）和凱爾汶爵士（Lord Kelvin）所發表，並由化學家湯姆生及柏卓勒所接受。

度隆於1843年曾使用所謂的“度隆定則”。該定則並無明文發表，其意義爲，凡烴的燃燒熱，均是該化合物中所含碳及氫的燃燒熱之總合。此即意指烴之生成熱爲零。該定則隨於1853年爲發浮爾（Favre）與西爾伯曼（Silbermann）驗證有誤（雖然對乙烯而論，幾近正確）。湯姆生於1886年企圖由碳及氫原子數，計算烴的生成熱，並欲找出碳原子間的單鍵、雙鍵及叁鍵的生成熱。以碳的克原子而論，三者的數值由後而前依次爲：

14.71仟卡，13.27仟卡及實測爲零。他並發見，在等容下：

$$2C + O_2 = 2CO + 58.58 仟卡$$

$$C + O_2 = CO_2 + 96.96 仟卡$$

在上述二情況中，二氧原子均與四碳價結合（$2C = O$ 及 $O = C = O$），故情況相同。因此，若 d 爲把一碳原子從固體碳中分離出來所吸收之熱，則

$$58.58 + 2d = 96.96 + d \quad \therefore d = 38.38 仟卡$$

苯之燃燒熱似與九個單鍵相符合，此係拉敦堡的三角柱體結構式（Ladenburg's prism formula）；而與刻庫勒的六角形結構式，三個雙鍵與三個單鍵不符。但後來柏卓勒以及斯托曼（Stohmann）所得之燃燒熱改正了此一觀點。湯姆生於1891年再次測定許多燃燒熱，並得結論如下：在烯屬化合物中之雙鍵的生成熱，比苯中一個鍵的生成熱大出甚多。故此，後者更爲安定。

湯姆生於1882年創立了下述原理：每一種純化學性的反應，不論是簡單或複雜的，均必生熱。此原則是以能的原理以及化學變化的發生由於親和"力"的作用爲根據的。柏卓勒也表示相同的觀點，但更爲明顯。腦曼（Naumann）於1869年也曾假設說：「化學變化所以吸熱，必定伴有其他放熱的變化。」柏色洛解釋吸熱反應，是由於伴有吸熱的"物理"程序的關係。這與柏卓勒於1803年所說者相同。柏色洛曾提出，有些自動發生的反應常伴以吸熱。他認爲在此種情況下，必定有"外來的能"（Foreign energies）。以後於1894年間他提出在固體與固體反應中之"極大功原理"（Principle of maximum work）,雖然在當時"熱"已用來代替"功"，他仍採用"功"一詞。因爲此處所指之熱可轉變爲功，實際應是自由能（Free energy）。

(2)化學熱力學

(A)自由能

湯姆生於1853年認爲反應中放出之熱量，或稱爲能量E之減少，是親和力的一種測量。此種觀念之建立，首爲雷李爵士（Lord Rayleigh）於1875年根據凱爾汝爵士的能量分散原理（Principle of dissipation of energy）明確的敍述出來。所謂能量分散原理，是認爲祇有包含可用能（或自由能）轉變爲不可用能之化學變化，才能自動發生。這些不可用能常常（並非全是）以熱的形式出現。這卽是熱力學第二定律（而非第一定律）。至於能與自由能間之變化關係，係凱爾汝爵士於1857年所首先提出，後再由豪斯曼（Horstmann）及赫

爾姆霍玆(Helmholtz)分別於1872及1882年提出。其關係式如下：

$$F - E = T(dF/dT) \cdots\cdots(1) \quad (式中 T 爲絕對溫度)$$

克勞修司（Clausius）更提出熵（Entropy）S。若一熱量Q被一物系在絕對溫度T下可逆的吸收時，則熵之增加爲：$\triangle S = Q/T$。在自動的變化中漸趨達到穩定平衡時，一物系的熵必定增加，並可達到一極大值，同時自由能減少至最小值。但熵之一詞用於化學中，是在1868年由豪斯曼所引用。

吉布玆（J. W. Gibbs）和杜赫姆（Duhem）於1874-8引用三個熱力學函數式：

$$\chi = \epsilon + pv$$

$$\phi = \epsilon - t\eta$$

$$\xi = \epsilon - t\eta + pv$$

式中 ϵ 爲能；η 爲熵；t 爲絕對溫度；p 爲壓力；v 爲體積。吉布玆把 χ 叫作在恆壓下之熱函數。ϕ 爲恆溫下之力函數。（與F同，凱爾汝稱之爲"原動力"motivity。而赫爾姆霍玆稱之爲"自由能"。）他並未給 ζ 任何名稱，不過它與杜赫姆所謂的"熱力學勢能"（Thermodynamic potential）ϕ 相同，有時並稱爲"塞他勢能"（Zeta potential）。通常也叫作"化學勢能"（Chemical potential）。

化學熱力學是由杜赫姆（Pierre Maurice Martin Duhem）發展出來的。但有一重要的普通熱力學公式（叫作吉布玆-杜赫姆公式）却是由他們二人分別單獨推演得來的。

(B)解離

亞梅（Georges Aimé）於1837年曾說過：「物質當被熱分解時，絕非任何氣體的壓力或蒸氣壓所可使之停止的；只有在分解中所生成的這種氣體，可使此分解作用停止」。這種想法是與道爾頓所認可的拉瓦西的蒸發理論有一同觀點。亞梅以爲，某些有機酸，在過量的碳酸鹽存在時發生反應，可產生一平衡狀態，但更進一步的反應會被二氧化碳所阻止，但任何其他氣體則不能。他說：「如此，在我們的安排下，如果我可以表明我自己的意旨時，我會用數字來表示各種有機酸對於同一鹽基的親和力。」亞梅曾提及荷爾（Sir James Hall）於1804年所作的實驗。荷爾發現，無定形的碳酸鈣在二氧化碳的高壓下，可以被熔化（他測定在172 atm），並轉變爲大理石。巴巴給（Babbage）於1812年也曾在二氧化碳的高壓下，使鹽酸作用於大理石而產生二氧化碳的作用停止下來。卡耶特（Cailletet）於1869年以及

涅斯特（Nernst）和達曼（Tammann）於1892年均曾在汞鈉齊與水作用中或鋅與稀硫酸作用中以高壓氫使放出氫的作用停止。

密契立赫（Mitscherlich）於1844年把格魯柏鹽（Glauber's salt，即硫酸鈉晶體）置入氣壓計的汞面上，在9°時測得其水蒸氣壓爲5.45mm。在同一狀態下，純水的蒸氣壓爲8.72mm。他說：「因此水對硫酸鈉的親和力，等於3.27mm的壓力。」用熱力學的正確計算，要比此值大出甚多。德布雷（Debray）於1867年發現，在一定溫度下，碳酸鈣分解時之二氧化碳的壓力爲一定值，且與分解的數量無關。他並發見水合鹽的水蒸氣壓也與上述的結果同。後來1868年伊薩伯特（F. Isambert）得知，氨的化合物，氯化銀及硫酸鉻等的解離壓力（Dissociation pressure)祇與溫度有關。

豪斯曼（Horstmann）於1869至72年間證實，氯化銨、磷酸鈉水合物及碳酸鈣等鹽類的解離壓力皆遵循液體蒸氣壓定律。不過在克萊匹郎（Clapeyron）和克勞修司（Clausius)推演的公式中，用解離熱Q代替了蒸發熱或昇華熱：

$$dp/dT = Q/T(v'-v) \cdots\cdots (2)$$

式中v及v′爲解離前後的總體積。若把此氣體或蒸氣假設爲理想氣體，pv = RT，則上述公式經積分以後即變爲：

$$\ln\frac{p_1}{p_2} = \frac{Q}{R}(\frac{1}{T_2} - \frac{1}{T_1})$$

豪斯曼根據克勞修司原理（即在平衡狀態下，熵爲最大值），並以五氯化磷及氫溴化戊烯的解離實驗爲基礎，推演而得下式：

$$\frac{Q}{T} + R\ln\frac{p_1}{p_2} + C = 0 \cdots (3) \text{（式中C爲常數）}$$

(3)平衡及反應熱

凡特荷夫（Van't Hoff）於1884年證明豪斯曼公式(2)，若以平衡常數k代替式中的蒸氣壓p，並且把在等體積下的反應熱Q（吸收）代替式中的蒸發或昇華熱，則可得推廣公式如下：

$$\ln K = -Q/RT + C \cdots\cdots(4)$$

式中包含一未知的積分常數C。上式表明，K隨溫度而變，但須視Q的正負而定。若溫度升高時，可使平衡趨向於吸熱反應的進行。凡特荷夫稱此爲移動平衡原理（

Principle of mobile equilibrium)。此原理可應用於物理及化學物系中，並且證明，若無熱量變化，則變化溫度也不會使平衡變動。上述原理須在體積不變的條件下使用，但也並非均須考慮此點。

早於1874年，毛提爾（J. Moutier)曾提出下述原理，但在1879年復由魯賓（G. Robin)提出類似的原理如下：增大壓力時，則反應向縮小體積之方向進行。事實上，此原理乃勒沙特列（Le Chatelier)於1884—8年和湯姆生（J. J. Thomson)於1888年分別單獨所發表的定律的一種特例而已。

(4)涅斯特的熱定理

凡特荷夫公式(3)，可在二不同溫度下（當C消去時）之平衡常數K，可得Q之值。但K因有未知常數C的存在，不能由Q計算出來。式(3)是根據式(1)而來，是關係能與自由能之變化。此一關係曾被涅斯特以下列形式所採用：

$$A - U = T(dA/dT) \cdots\cdots(5)$$

式中$A = -\triangle F$，$U = -\triangle E$。若dA/dT在有限範圍以內，當$T = 0$（絕對零度）則$A = U$，此即柏色洛－湯姆生定則（Berthelot-Thomson rule）。此定則爲凡特荷夫所認可，並說可能在某些情況下有其用途。凡特荷夫於1884年企圖測定近乎絕對零度時二者的關係，但得到的結果是錯誤的。後來理查否（T. W. Richards）在1904年幾乎得到眞確結果，但終未能獲得。涅斯特於1906年建議，在二種純固體（而非氣體或溶液）間發生反應時，

當$T = 0$，　　　$dU/dT = dA/dT = 0 \cdots\cdots(6)$

上式若以曲線表示，即A與U爲T之函數，在近於絕對零度時，此二曲線漸變爲水平，且漸合而爲一。由此他證明，氣體反應的平衡常數可以計算出來。式(4)中之積分常數C，應是參與反應各物質（設爲固體）的蒸氣壓公式(3)中的各常數之代數和。

因爲熵是：$S = -dF/dT = dA/dT$，故涅斯特的熱定理（1906，亦稱熱力學第三定律）可表示如下：

在$T = 0$時　　$\triangle S = 0 \cdots\cdots\cdots(7)$

蒲朗克（Planck)於1911年指出，若假設每一種純固體的熵在絕對零度時分別爲零，則上述定理屬實。

$$S_0 = 0 \cdots\cdots\cdots\cdots\cdots\cdots(8)$$

此結論是追隨愛因斯坦（Einstein）所構想的比熱的量子論（The quantum theory of specific heats)

而來，並使固體的絕對熵可由此而計算出來。

　　對於涅斯特熱定理的正確性，經過多次討論之後，此定理被敍述如下：絕對零度時，在熱力學平衡下的物系內，所有因子的熵均失去爲零。

四、溶液

(1)相律（The phase rule）

　　研究不均物系，一重要的定量關係爲分配定律（distribution or partition law）。這是1869年由柏色洛與永夫來土（E. C. Jungfleisch）所發表的。是說明一種溶質在二種互不溶解的（如水與苯），或部分溶解的（如水與乙醚）溶劑中分配的情形。分配時，在某特定溫度下，二溶劑中濃度之比爲一常數，即$c_1/c_2=k$。但在1890年涅斯特與奧利赫（Aulich）於1891年，分別獨立發表。分配定律有若干例外，似是決定於在二溶劑中，溶質分子量的不同。

　　應用於不均物系中，具有最普通性之定律爲相律（Phase rule），係1876年由吉布茲（J. W. Gibbs）所發表。雖經馬克士威（C. Maxwell）提出其重要性，但仍未爲學術界所週知。吉布茲對"相"所下的定義爲："組成或狀態不同的各種物質……，若僅只大小或形狀不同，應視爲同一相的各種範例。一物系中共存各相的自變數叫做Capable，（現已改稱自由度Degrees of freedom）等於$n+2-r$，其中r爲相的種數，n爲全物系中可自變的成分數。吉布茲並未用此公式，但在1888年羅茲布姆（Roozeboom）曾應用此相律。據說他是經凡得瓦（Van der Waals）的介紹而對相律加以注意的。凡得瓦曾建立荷蘭熱力學學校，並於1873年發表了聞名於世的狀態方程式：$(p+a/V^2)(V-b)=RT$。相律是由班克羅夫（W.D. Bancroft）於1897年提倡用於化學界的，羅茲布姆於1886-7年發表了三相點的重要理論研究及固溶體。簡尼克（Ernst Jänecke）對於鹽類的4- 及5- 成分物系曾作研究，並發明一種特殊圖形。凡得瓦曾對二液體混合物（binary liquid mixtures）作過理論上的研究（1890）。3- 成分液體物系的蒸氣壓理論是奧斯特瓦德（Ostwald）於1899年發表的，並於1900年由士賴涅麥克（Schreinemakers）以實驗加以研究。凡特荷夫在1892年，奧斯特瓦德於1893年，與涅斯特於1911年均曾提出相律的重要性，並由羅茲布姆以及其他學者更予強調。

(2)溶液理論

　　物理化學史上最可令人注意的一個階段，是自1886年以來溶液的現代理論之迅速發展。溶液的性質，早在此期以前已被注目，至於個別的溶解度的測定應朔自普林尼（Pliny 27-79年）時代。普替（F. P. du Petit）於1729年即發現彼德鹽（Saltpetre 即硝酸鉀）在熱水中較在冷水中溶解較多，但食鹽則否。溶解度表似乎是在1750年由厄勒（Eller）首次發表。他認爲當鹽溶入水中時，水的體積並未改變，但這一結論隨於1770年被瓦特遜（R. Wattson）所推翻。拉瓦錫於1789年對鹽溶於水的溶解與金屬溶解於酸內加以區分。他認爲食鹽溶解水中，只不過把食鹽的分子彼此分開，但金屬溶於酸中，則有酸或水的分解發生。傅克勞（Fourcroy）於1800年認爲溶劑與溶質的作用是相互的，它們的結合的傾向相等。他並說：「當一固體溶化在一液體中，並享有液體性質時，溶解即開始了」。有些人尚欲把溶解與溶液加以區分，但現在這二種性質已完全相同。"溶質"一詞是由部耳哈味（H. Boerhaave）開始使用。

　　柏卓勒把溶液看作無一定組成之化合物。湯姆生把水合物定義爲固體物質與水結合的固體化合物，當化合時，水進入固體物質中，成爲固體在液體中之溶液。水與固體的粒子化合在一起，這種結合是由親和力而起的。他說，水合物的溶液在水中常會膨脹，並有冷却現象。柏茲留斯以爲，當鹽溶解於水中，發生吸熱現象時，是由於"它的原子被散佈開"的原因，其結果成爲混合物。但有時鹽與水化合，也會放出熱。給呂薩克（1819）曾在不同溫度下，測定數種鹽在水中之溶解度，並把結果劃成曲線。他看出在一定溫度下，溶液中有固體鹽類存在時之溶解度爲一定值。他並注意到，在格魯伯鹽（Glauber's salt $Na_2SO_4\cdot 10H_2O$）的溶解度曲線中有斷折的現象，此點發生在溶解度最大值處，但他對此並無解釋。實際上是由於形成另一種新的固相（Na_2SO_4），這是克蒲（Kopp 1840）與柏茲留斯（1840）分別作上述說明的。

　　格利芬（1846）繼續了浦雷凡爾（Playfair）和焦耳（Joule）在各種鹽溶液的體積上的研究工作，他的結論認爲，各種溶液都是化合物。他也曾討論到熱效應的問題。洪特（T. S. Hunt 1855）也認爲溶液是化合物。道席歐斯（Leander Dossios）曾於1868年對溶液（尤指液體溶解於液體者）中分子之運動及吸引發表一些構想的理論。提爾敦（Tilden）及顯辛（Shenstone）於1884年發表他們的結論認為，＂把水合作用作為通用的假說，必須放棄＂。溶液似與昇華相類似，是分子離開固體而與四週的液體混合。上述作用可因溫度上升而加快，一部分是因為固體中粒子振動的振幅加大；另一部分是因為液體分子撞擊的更為激烈。這種理論並未解釋溶劑的特殊效應。

溶液＂化學＂理論擁護者是門得列夫（Mendeleeff）與阿姆斯壯（H. E. Armstrong）。門得列夫發現，若把酒精溶液或硫酸水溶液的密度 s 對百分組成 p 的微分係數 ds/dp 作成曲線，斷折點發生於組成相當於一定的水合物處。這些水合物在假設中必然存在，但其在溶液中，或多或少會發生解離作用。此一研究結果為阿瑞尼士（Arrhenius 1889）所認可。

阿姆斯壯（1885-6）與畢克靈（S. V. Pickering 1885）分別相繼的發表論文，認為溶液有些微親和力的表現。阿姆斯壯（1886）建議＂溶液中水分子中之氧原子對氯化氫中之氫原子有拉力＂，但在電解作用中，此力再加上電勢，可能使分子破裂。畢克靈假設，當原子化合時，即形成分子，此分子仍表現有一定量的些微親和力，此親和力可與其他分子化合而使之飽和。上述假設在鹽的水溶液中能發生。阿姆斯壯（1906）假設，單獨的水分子 H_2O 在水蒸氣中存在，但在水中它已發生聚合作用，產生（Ｉ）等，以及 $H_2O + H \cdot OH$ 形式（Ⅱ），且可能有更長的鏈如（Ⅲ），（這種形式，似乎

在氟化氫中也發生）。上述各式中，均為 4 價氧。對於氯化氫，單獨的水分子可形成二種異構物（Ⅳ）。阿姆斯壯企圖用水解離成單獨水分子，並以他的電解理論，來解釋電解質的滲透壓失常現象。

(3)過飽和溶液

拉瓦錫（1773）曾發現，由格魯柏鹽的過飽和溶液中，把該鹽結晶出來時，有熱放出。此現象後由羅維玆（Lowitz 1794）詳加研究過。以後也有許多人研究，但

均未見有何發展。羅維玆發現，由許多鹽的熱飽和溶液冷却而生之過飽和現象，顯示有不同的程度。極易溶水者，更為明顯。結晶可以自動的在分離的各點上發生，並開始析出。若另加一粒鹽的晶體，常常可誘發結晶作用。如在含有二種鹽的溶液中，加入其中一種鹽的晶體，只能誘發此種鹽的結晶。羅維玆說，此一現象與華倫海（Fahrenheit 1724）所發現的過冷的水結晶相似。1813年，給呂薩克曾構想，結晶是由於與空氣接觸而引起的，但此說在1834年被忒涅（Turner）推翻。湯姆生（T. Thomson 1822）認為結晶是由於消除應力狀態，或是由於熱量的保存而發生，但這些理論也被否認。革尼玆（D. J. B. Gernez 1865）及巴斯保得朗（Leeog de Boisbaudran 1865）同時作廣泛的研究後證明，無定形鹽的晶體，可能引起結晶的進行。奧斯特瓦德（Ostwald 1897）發現，必須用極少量的固體，才能引起結晶的進行。吉布玆（1878）和湯姆生（J. J. Thomson 1888）根據表面能量效應（The effect of surface energy）預猜小顆粒晶體的溶解度，要比大晶體的大。瓊斯（W. J. Jones）及派亭頓（J. R. Partington 1914）首次應用此效應解釋過飽和現象，並普遍的被認可。

(4)溶液的冰點

有關鹽溶液的冰點，第一個實驗是由瓦特遜（R. Watson 1771）所作的。他發現：同一種鹽，凍結的阻力與溶解的鹽量成正比。但不同的鹽類，欲降低其冰點，則需不同的鹽量。布萊丁（Blagden）於1788年使用食鹽、硝酸鉀、氯化銨、吐酒石、瀉鹽、綠礬、明礬、蔗糖等，發現相同的結果。同時並找出，鹽的效應是使冰點降低，其降低的程度，視鹽對水的比率而定。若鹽不止一種時，二種鹽皆有降低其冰點的作用，一如實驗所驗證者相同，其效果等於把二種鹽的效應相加而得的總和。有些物質，如酸類、鹼類以及酒精等，降低冰點的程度是漸增的，在較稀的情況下，觀察所得的降低程度，要比計算所得的大些。布萊丁的實驗，以那個時代而論，是超乎尋常的準確。後來把他所得的結論：「冰點下降與濃度成正比」稱為布萊丁定律（Blagden's law）。

路德福（F. Rüdorff 1872）根據許多實驗得結論如下：＂因溶解鹽類而使溶液的冰點下降，其下降的程度，是與一定量水中所溶解鹽的重量成正比＂。並附帶說明，有些溶解的鹽類是無水鹽，有的是水合鹽，也有些是用無水鹽溶解至一定濃度後，再用水合鹽溶解。這

是一種非常無規則的區分法。得科佩特（De Coppet 1871－2）曾證實，無論對一般的或過飽和溶液而言，上述正比定律確實無誤。並計算出所謂的"原子冰點下降"（Atomic depression）如下：1克鹽溶解於100克水中所生之冰點下降，乘以該鹽的"原"子量（實際應為分子量）。同一類鹽的原子冰點下降均相等。得科佩特把鹽分作五類，每類各具有一定的分子冰點下降：(1) KCl，NaCl，KOH，NaOH……共34種；(2) BaCl$_2$，SrCl$_2$……共45種；(3) KNO$_3$，NaNO$_3$，NH$_4$NO$_3$ ……共27種；(4) K$_2$CrO$_4$，K$_2$SO$_4$，K$_2$CO$_3$，(NH$_4$)$_2$SO$_4$……共38種；(5) ZnSO$_4$，MgSO$_4$，FeSO$_4$，CuSO$_4$ ……共17種。

(5)拉烏茲定律 （Raoult's law）

溶液冰點的研究，由於拉烏茲（F. M. Raoult)的工作，而使之進入新的境界。拉烏茲對冰點研究的第一篇報告，於1878年發表，他令人注意凝固點與蒸氣壓降低以及沸點上升間之正比關係，但此關係已於1870年由果爾伯格（Guldberg）用熱力學關係加以演證。1880年拉烏茲又證實布拉格頓定律對於水與酒精混合物的正確性。他最基本的著作，是在1882年發表的，內刊載一表，有29種有機化合物，用這29種化合物證明，其溶液的冰點下降C，乘以該物質的分子量M為一常數（其中溶液是在100克水中溶有1克物質）。若在100克水中溶有p克物質，則布拉格頓定律可表示為：

$$(C/p) M = K \quad\text{………………}(1)$$

K的值由15.5（酚）至22.9（草酸），但大多數物質K的平均質約為18.5。拉烏茲說：「這種傾向可以證明，在多數情況下，有機化合物的分子是因溶解而使之分散水中，並且情況相同，在此情況下，它們受水的物理性質的影響完全相同。」他當時已明瞭，被溶解物質的分子量可能由其溶液的冰點而求出。

在1882年發表的論文中，拉烏茲證明上述結論亦可適用於水以外的溶劑。每種溶劑有一個不同的分子常數K，有時僅有正常值之半數。例如醋酸與苯，他發現前者分子冰點降低（Molecular lowerings）常數值平均約為18及39，後者則為25及49，後者幾為前值之二倍。以水為溶劑而論，情形更為矛盾，但亦得數值為18.5及37，也是一值為另一值的二倍。他綜合結論為：「所有溶劑由於各種不同的化合物溶解其中，所生的分子冰點下降，均趨於二個平均值，此二值隨溶劑的本性而異，但其一必為另一值的二倍。」

除水之外，拉烏茲（1882）發現有六種溶劑，其分子冰點降低（100克溶劑）除以該溶劑的分子量，幾為一常數，其值由0.59至0.65，平均值為0.63（水的值為2.61）此一實驗結果曾被卡奧爾士（Cahours）、柏色洛（Berthelot)和得布雷（Debrag 1883）等加以非議。上述結果，以現代理論言之，並無意義。拉烏茲在1885年說他曾經明智的改正了他最初的意見。1882年他也想到，有機化合物在水中的常數為18.5，是失常的，那是由於形成雙分子的關係。他把水的分子量作為57，相當於（H$_2$O）$_3$，以便得到的比值為0.69。值得注意的是拉烏茲在法國於1884年開始使用新原子量。他的另一論文（1883），曾討論到強酸與強鹽基的分子冰點下降（37），是弱酸與弱鹽基（如氨）以及有機物的二倍。因此，這種方法可以用來測定強酸或強鹽基，在弱酸或鹽基的鹽的溶液中發生取代的程度。

鹽類在水中的情形，至為不規則。但若按金屬的價以及酸的鹽基度來分類，則發現冰點下降是把各組成基的特性數加起來。各基的特性數如下：負一價基（如Cl，Br，OH，NO$_3$）19；負二價基（如SO$_4$，CrO$_4$，CO$_3$）9；正一價基（H，K，Ka，NH$_4$）16；正二價及正多價基（如Be，Mg，Al$_2$）8。例如Al$_2$Cl$_6$，2×8＋6×19＝130（實驗值亦為130，上列各值，為拉烏茲後來所改正者）。拉烏茲證明過Na$_2$PtCl$_6$是如此的，但礬類卻分解成為組成它們的鹽類了。他說：「與我迄今所相信的恰相反，結冰的一般定律，並不能應用於鹽類溶於水中的情形……，相反的，卻能用於組成鹽類的各種基，差不多好像是把這些基混合於溶液中」。

拉烏茲的研究工作，受到了廣泛的注意，約在1886年，用冰點下降法測定分子量，成為普遍使用的方法。此法在1888年由伯克曼（Beckmann）所設計的著名儀器，使之更為簡易。

拉烏茲曾考慮過，有機化合物在水中的值為18.5，是不正常的，並且是由於雙分子的關係。這些化合物以及它們的鹽類的值，應以37為正常。在1892年他曾試驗過，若把溶液極度稀釋，可能會把這些有機分子成為單分子，而使之成為他所想像的正常值37。有幾次用蔗糖所作的實驗似乎與此符合，但因為用酒精實驗的結果是正常的，所以他再用蔗糖重作此實驗，發現在極度稀釋之後，其外插值仍是18.7。現在他才接受了電解質解離學說。鹽類的分子冰點下降，均具有極限值，故可證實阿瑞尼士的卓見。

果爾伯格（1870）與凡特荷夫（1886）分別證明，

冰點下降t°C，是與蒸氣壓降低有關，且經不同的熱力學計算發現，冰點下降與1克溶劑在其凝固點T°K時熔化的潛熱 ℓ_f 有關，其關係可以下式表之：

$$t = RT^2/\ell_f \quad \cdots\cdots\cdots\cdots (2)$$

式中R為莫耳氣體常數，單位為克·卡／度。此式曾由瓊斯（H.C. Jones）於1893年作簡單的驗證。

(6)蒸氣壓降低

給呂薩克發現比重為1.096的食鹽溶液的蒸氣壓，是水的蒸氣壓乘以0.9。但在1836年普林色普(J. Prinsep) 發現上述比值與溫度無關。後於1847年，巴博（Buron Lambert Heinrich Joseph von Babo）曾把此結果予以統一化，他把純水的蒸氣壓f高於鹽溶液的蒸氣壓f'的超過量，以鹽的含量用二幾何級數的形式表示之。相對蒸氣壓的降低，(f−f')/f，與溫度無關一事，首次發現是用氯化鈣作實驗的，後來又用許多其他的鹽類。

吳爾涅（Adolph Wüllner）於1856年首次發現，水中因溶解有非揮發性物質而使其蒸氣壓降低時，其降低的程度與濃度成正比。普林色普的結果曾用許多鹽類以及鹽的混合物證實過，但也發現有些情形是與溫度有關的。吳爾涅把他的結果用實驗式表示如下：V=aP+bP²，式中V為1克鹽溶於100克水中時之蒸氣壓之降低值，P為純水之蒸氣壓。有的情況下b=0。有的情況下，他假設鹽或是以水合物存在的（KOH+2H₂O，NaOH+2H₂O，CaCl₂+6H₂O），另一些鹽雖含有結晶水（如Na₂SO₄，NiSO₄，Ca(NO₃)₂，Na₂HPO₄)却當作無水物。用鹽的混合物所得的結果更為複雜。

奧斯特瓦德參考了下面以克分子濃度作實驗的結果，即在100°時，1克分子溶質溶於1000克的水中時，各種溶質對水的蒸氣壓的降低分別為：NaCl 27，Na₂SO₄ 26，NaNO₃ 25，K₂SO₄ 32，KOH+2H₂O 19，CaCl₂+6H₂O 35，大約是相等的。至於相差大的結果，可能是實驗誤差所引起。塔姆曼（G. Tammann 1885）與艾姆頓（R. Emden 1887)作了更多的研究，他們證實了巴博定律。

拉烏茲用乙醚作溶劑，發現(f−f')/f在0°到20°間與溫度無關，並與濃度成正比。若把P克溶質溶於100克溶劑中，且M為溶劑的分子量，則

$$(f−f')M/fp = 常數 = K \cdots\cdots\cdots (3)$$

1887年他利用不同的溶劑發現，蒸氣壓的相對降低與溶質分子數（n）對溶劑分子數（N）之比值成正比。其關係如下：

$$(f−f')/f = cn/N \quad \cdots\cdots\cdots\cdots (4)$$

但式中常數C約等於1（0.96到1.09）；(f−f')/f的平均值為0.0105。1888年他指出，若C=1，當n=N時，必須f'=0，因此他建議另一修正式如下：

$$(f−f')/f = cn/(N+n) \quad \cdots\cdots (5)$$

此式與各次實驗的結果符合，式中常數C，在稀溶液中仍幾近於1。

拉烏茲（1888），塔姆曼（1887），艾姆頓（1889）及柏克曼（Beckmann 1889）均運用靜蒸氣壓（Static vapor pressure）法測定過分子量；瓦克(J. Walker 1888)，威爾（Will 1889）及步利地格(Bredig 1889)則運用動蒸氣壓法（Dynamic method），在實驗中，溶劑不斷的在空氣流中蒸發。塔姆曼（1888）和派亭頓（Partington 1911)均應用此法測定水合鹽的解離壓（Dissociation pressure）。拉烏茲（1890）運用靜蒸氣壓法，測定溶液在不同的壓力下的沸點。

克希荷夫（G. R. Kirchhoff 1858）及洛希米得（J. Loschmidt 1869）曾把熱力學第二定律對溶液的蒸氣壓，作了許多重要的應用，包括等溫蒸餾功的計算工作在內。柯拉席克（F. Kolacek 1882)根據熱力學第二定律，發現蒸氣壓的降低與冰點下降間的關係。並且推演出一個公式，能得出拉烏茲的極稀溶液蒸氣壓降低的公式來。凡特荷夫（Van't Hoff 1886)曾用熱力學推演出公式(5)。

在一定壓力下（通常為大氣壓下）測定沸點上升可用以代替測定一定溫度下之蒸氣壓降低，且此法在實際操作上甚為容易。柏克曼（1889）曾設計一種測定沸點時使用便利的儀器。阿瑞尼士在他的論文附註中用熱力學證明，克分子沸點上升t°C，與在沸點T°K時之蒸發的潛熱 ℓ_e。有關，其關係與冰點下降公式(2)相似：

$$t = RT^2/\ell_e \quad \cdots\cdots\cdots (6)$$

(7)滲透壓

凡特荷夫的溶液理論，是根據滲透壓的現象而奠定的，有關滲透壓的說明將先述於下。早在1529年已經有人利用此法淨化鹽，他們把鹽裝入牛的膀胱中，再把它浸入水中，則鹽即由膀胱中滲透出來而成溶液，把溶液蒸發後，即可得較純的鹽。赫門（Van Helmont 1652）曾發現，鹽可以與水一同滲透膀胱，因此可以說

明食物如何通過腸的內壁。滲透現象於1748年首為諾勒脫（Abbé Nollet）作明白的敍述，他把一塊腸膜繫緊在一玻璃圓筒的口上，筒內裝有酒精，再把此筒沉入水中，他發現腸膜有凸出的情形，是由於水透過腸膜進入酒精中的緣故。像這樣，水喜愛通過腸膜而進入酒精中去，是諾勒脫實驗的基石。而且這種把水除去的方法，曾用來把葡萄酒和白蘭地的濃度增加。滲透現象以後又於1812年再度被斐西耶（N. W. Fischer）用實驗所發現。

最初對滲透作用作定量實驗的是杜陀其特（Dutro-chet 1826）。他發現把兩種液體用動物膜或植物膜隔開時，兩種液體同時有向另一種液體中通過的情形。他又實驗了多種溶解的物質，並且說明這種現象是由於二種相隔的液體，密度或化學本性的不同而產生一種電流，此電流帶著密度小的液體進入密度大的液體中去。至於隔膜的作用，好像化學上的過濾器一樣。如此看來，他把滲透和電滲透（Electroendosmose）弄混了，並且把濃度也誤認為密度了。1828年他使用過一種"滲透器"（Endos-mometer），構造是把在鐘形玻璃容器的口上蒙一層腸膜，容器上有一根玻璃管連在上面，把密度大的液體裝入容器內，再把容器浸入水中，可量出玻管內液面上升的高度。他用過阿拉伯膠或蔗糖溶液作實驗，並把滲透器與一汞氣壓計相連接，以記錄甚大的壓力，此壓力常超過一米汞柱。他實驗了三種蔗糖的溶液，其密度分別為1.035，1.070，及1.140，當滲透後，最終的密度分別是1.025,1.053，及1.110。這三種密度仍超過水的密度，其超過的數值分別為0.025，0.053，0.110。上述三值的比，實際上正是三種壓力286，617，1238mm的比。他曾構想，硫酸及硫化氫是無滲透作用的，而且還會破壞其他物質的作用。他作結論如下：「滲透作用的原因有二，第一是由於二種液體的不均勻性，第二是由於伏特電池所生的電。」因此可知他把滲透和電滲透混淆不清了。

後來杜陀其特於1837年再重覆實驗密度與化學組成的關係，但他對"電"發生了懷疑。他強調說，既然經常有兩種液體流過隔膜，則二液體中必有一種對隔膜有親和力，並且二液體也必定互相間有一種親和力。雖然他在1828年反對以毛細作用來說明滲透，但現在他認為，可能是在隔膜中的毛細管兩端的表面張力不同，而引起這種流動的。

瓦赫（F. Wach）和李比格（Liebig）分別在1830和1848年對滲透作了更多的實驗。李比格發現，100克的新鮮牛腸膜在24小時可以吸收268克新鮮的水，但在鹽水中只能吸收133克。格雷漢姆（T. Graham 1854）用多孔素瓷瓶，內裝溶液，瓶口用膠封上一根垂直管，把它浸入水中作為滲透器。格雷漢姆假設滲透作用主要的是由於液體對隔膜的化學作用。酸是因擴散而透出的，因此而導致隔膜的內表面成為鹼性狀態，而在外表面上成為酸性狀態。他用實驗證明，鹽類溶液的表面張力與水的完全相等；因此推翻了杜陀其特的毛細現象理論。他假設，水趨向於隔膜的鹼性面流動，並且在滲透現象中，化學親和力被變為機械力了。這種轉變，他解釋為假設水中的氫離子與水分子相連，成為一聚合體，而形成$H_{m+1}O_m = mHO + H (O = 8)$。若m＝1即相當於現代的$H_3O^+$離子，但格雷漢姆並未提出其電荷（1861）。他後來又假設，隔膜是由於脹大而吸收水的。這種吸水力，在純水一方較大，由於在隔膜內部的平衡騷動，水分子即通過了隔膜。上理論李必希在1848年也曾提出過。至於有少數情況發生的負滲透作用（negative osmose），即是水由溶液中逃出去的現象，格雷漢姆的解釋，是因為隔膜帶電的關係。他發現，若把膠放在酒精內，水可由濃酒精移入膠內，而使之沾濕。

人類首次精確的作定量的研究滲透壓，是有賴於半透膜的運用，即是只透過水的隔膜。特勞貝（M. Traube 1867）曾製得單寧膠和亞鐵氰化銅的薄膜。他發現這些膜對於某些鹽類是無法通過的。最初他認為這種膜的作用，好像是一隻"原子篩"，只能讓小於它的篩孔的分子通過，但後來（1899）他又認為，這種作用是由於膠膜把水作機械性的拘留所致。

普斐弗爾（1877）在多孔瓦罐壁上沉澱一些亞鐵氰化銅，便成為半透膜。把罐中裝入欲加研究的溶液，連接一汞氣壓計，再把罐沒入水中。水便進入罐中，且使壓力增加，以至增至一最大值，即所謂滲透壓（Osmotic pressure）。此壓力甚高，就硝酸鉀百分之1.5的溶液來說，比3atm尤大。拉敦堡（Ladenburg 1889）和愛戴（R. H. Adie 1891）證實普斐弗爾的主要結果，拉烏茲（1895）以硫化過的橡膠膜為半透膜，用乙醚和甲醇曾得到一滲透壓高達50atm。

直接測定滲透壓是不易的，但佛里（Hugo de Vries 1884）曾說明一種簡單的方法，用來找出二種濃度不同，但滲透壓却相等的溶液，即是等滲透壓溶液（Isotonic solutions）。他說，在顯微鏡下可以看到，把活的植物細胞放入濃鹽水中，其原生質即會收縮。這樣，外層細胞壁的作用，為一半透膜。若溶液的滲透壓等於細胞內液體的滲透壓，則無任何變化。因此若欲

配製一些滲透壓與此液體相等的溶液，即可按此法配製。這些溶液均含等等克分子量的溶質（鹽類溶液例外，所含溶質之量僅有1克分子量的幾分之一）。漢姆布格（H. J. Hamburger 1884）曾用血球發現滲透壓隨溫度而增大，但與溶解物質的本性無關。

(8)凡特荷夫的溶液理論

普斐弗爾發現滲透壓P 在一定溫度下與濃度成正比或與體積V 成反比；並在一定濃度下正像氣體的壓力一樣，與絕對溫度T 成正比，$PV = kT$。此一結論引起凡特荷夫的注意，他利用普斐弗爾的結論，發現式中的常數 k 與氣體常數R相等。因此除波義耳定律及查理定律外，稀溶液的滲透壓亦遵從亞佛加德羅定律，並且此滲透壓與該溶液把溶劑除去後，溶質的質點能保有理想氣體的性質時，所產生的壓力相等（在指定的溫度及此溶液所佔的體積下時）。凡特荷夫曾說過：「我們在此所要強調的，我們的論題並非是盲從的，而是一基本的。根據我們現在的觀念，氣體發生壓力的機構（Mecha-nism)與溶液中的滲透壓在本質上是相同的。在前者的情況中，是由於氣體分子撞擊容器的牆壁而生的；而後者是溶解的分子撞擊半透膜而產生的。至於溶劑的分子在隔膜的兩方都有，而且它們可自由通過隔膜，故不必予以考慮。」

滲透壓的觀念是基本而又重要的，因爲它可以提供一種直接且簡單的機構，用來計算在溶液中作可逆的稀釋時，所發生的自由能變化。梅耶（L. Meyer）於1890年認爲滲透壓是溶劑所產生的，但他的意見被凡特荷夫予以說明。凡特荷夫用熱力學並根據滲透壓公式證明拉烏茲的蒸氣壓降低定律以及克分子冰點降低的公式。

鹽類的水溶液所顯示的滲透壓、蒸氣壓降低、冰點降低，以及沸點升高等值，均較凡特荷夫的理論值爲高。凡特荷夫當時說，阿瑞尼士曾於1887年寫信給他：「指出可能是因爲鹽類以及類似的物質分解成爲離子的關係。」又說：「至於對亞佛加德羅定律發生偏差一點，可以根據電導（Conductivities）來計算。」爲了要顧及這種偏差，乃在滲透壓公式中引進一實驗因子 i ，而使該公式成爲：$PV = iRT$。這個因子 i 的數值即是蒸氣壓降低及冰點降低的實驗值對計算值之比值。

凡特荷夫（1885）用熱力學的方法推演一個公式，把飽和溶液的溫度對溶解度C 的效應與溶解熱入的關係連繫起來如下：

$$d \ln c/dT = \lambda/RT^2$$

他假設 λ 爲常數，再把上式積分得：

$$\ln C = -\lambda/RT + C$$

上式由哈德曼（R. T. Hardman）和派亭頓（J. R. Partington）予以推廣，他們令 $\lambda = \lambda_0 - \alpha T$（$\alpha =$常數），得到可應用於濃溶液的公式如下：

$$\ln C = -\lambda_0/RT - (\alpha/R)\ln T + 常數$$

士律德（J. Schröder 1893）假設 λ 與溫度無關，並令在此固體的熔點T_0 時$C = 1$：

$$\ln C = (\lambda/R)(1/T_0 - 1/T)$$

(9)化學動力論（Chemical kinetics）

反應速率與平衡的研究，是在凡特荷夫的研究工作之後，才活躍起來，特別是把反應按參與反應的分子數，分爲單、雙、三分子反應。但反應有時因爲有副反應以及其他方式使之非常複雜。因此，解釋此項結果可能是不易的。侯德（J. J. Hood 1878）發現下列反應：

$$6FeSO_4 + KClO_3 + 3H_2SO_4 = 3Fe_2(SO_4)_3 + KCl + 3H_2O$$

在稀硫酸中的反應速率並非與硫酸亞鐵濃度的六次冪以及氯酸根的一次冪成正比，而是與 $FeSO_4$ 及$KClO_3$二者濃度的乘積成正比。下列相似的反應：

$$6FeCl_2 + KClO_3 + 6HCl = 6FeCl_3 + KCl + 3H_2O$$

諾易玆（A. A. Noyes）和瓦遜（R. S. Wason）於1897年發現上述反應速率與$FeCl_2$，$KClO_3$ 及 HCl 三者濃度之積成正比。

凡特荷夫（1884）與奧斯特瓦德（R. S. Ostwald 1897）把反應次數（定義是在速率公式中$dc/dt = -kc^n$ 的乘冪 n）與分子度（Molecularity）（即是在普通方程式中所表示參加反應的分子數）加以區分。侯德顯然是證明反應的次數與分子度可能不相等的第一人。

多南（Donnan）與洛西格諾（Rossignol）於1903年發現鐵氰化鉀與碘化鉀的反應是五次的：

$$2Fe(CN)_6'' + 3I' = 2Fe(CN)_6''' + I_3'$$

路得（Luther）與馬克多高（Mac Dougall）於1908年發現氯酸與氫氯酸的反應是八次的。斯托哈（Storch 1896）發現爆鳴氣（$2H_2 + O_2$）在潮濕狀態下的反應是九次，但在乾燥狀態下是十二次的。如此高次的反應，可能不會是正確的，事實上反應次數高於二次的都很少。

溫度對反應速率的影響是由威廉（L. F. Wilhelmy 1850）以及柏色洛和聖吉勒於1862年研究過。侯德（

1878）把反應的速率表示為溫度的函數：$dy/dt = -\mu f(\theta)y^2$ 並且認為 $f\theta = \theta^2$，但在1885年他又發現應是一冪次函數 $f(\theta) = \alpha^\theta$，式中 α 為一常數。例如他所研究的一特殊反應是用氯酸鉀氧化硫酸亞鐵，其中 $k = (1.093)^{\theta-10}$。侯德並未企圖把此結果一般化。哈刻特（Harcourt）和厄申（Esson）却推崇 $k = aT^m$，式中 a 和 m 皆為正常數。

凡特荷夫（1884）用下列公式表示溫度對平衡常數 $K = k_1/k_2$ 的影響：

$$d \ln k_1/dT = d \ln k_2/dT = q/RT^2 \quad\cdots\cdots(1)$$

他認為由上式，可能得到：

$$d \ln k/dT = A/T^2 + B$$

式中 A 和 B 皆可能是溫度的函數。如此對 A 而論可能是對的，因為 q 隨溫度而變（雖然變化甚小），故得：

$$d \ln k/dT = (A + BT + CT^2 + \cdots)/T^2 \quad\cdots(2)$$

$$\ln k = a/T + b \ln T + cT + \cdots + 常數$$

式中 A，B，C……以及 a，b，c……皆為常數。阿瑞尼士認為式(2)中，應僅保有第一項 A/T^2，得：

$$\ln k = -A/T + C \cdots\cdots\cdots\cdots(3)$$

哈刻特與厄申認為應僅保有第二項，得 $k/k_0 = (T/T_0)^B$。庫益（D. M. Kooÿ 1893）認為應保留前二項，得：

$$\ln k = a/T + b \ln T + 常數$$

上式對實驗的結果很能符合。若僅保留常數 C，則可得彭達伯瑞（Pendlebury）及塞瓦德（Seward 1888-9）公式為：$k = k_0 a^{cT}$。若把 e 改換為普通的常數 a，則可得柏色洛及聖吉勒公式為：$k = k_0 a^{cT}$。

阿瑞尼士比較式(1)與式(3)，認為 A 是能量的增加。在"被動"的分子與少量的"主動"的高能量分子間有一平衡存在，但只有後者可發生反應，並且 A＝q 為活化能。此理論為反應動力之現代觀點的基石，因此，對於溫度效應的其他表示法均不被重視。

五、電化學

(1)離子的游動

法拉第在1834年曾說：「陰離子必定是同向一方移動，且陽離子向另一方向移動。不但如此，而且這些物質必定是等量的在相反的方向推進著。」即是離子在相反的方向以等速在移動。格梅林（L. Gmelin 1838）曾注意到電解硫酸銅溶液時，接近陰極的液體即行退色。坡來特（C. S. M. Pouillet 1845）發現，當電解

氯化金的溶液時，只有接近陰極的液體才會失去含金的量。他認為只有陰極才能發生作用，陽極則無關緊要，不過是氯氣由此極放出而已。

丹尼爾（Daniell）和米勒（Miller）於1844年開始使用隔離的電解槽，他們把電解的機構用圖表示出來（圖2）。在氯化鉀的溶液中，A、B、C、D……為氯粒子，a、b、c、d……為與之化合的鉀粒子，x 為中央的隔膜，z 與 p 為電極。圖中上面第 1 部分是

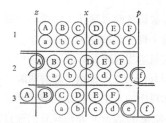

圖2　丹尼爾和米勒的圖解

電解開始前的情況，中間第 2 部分表示每一種離子有一當量已在電極上被分解。若離子如一般所相信的，是等速移動的，則每一粒子向前移動半步即與鄰近的粒子相化合，現在在二電極之間，即形成 Ba，Cb，Dc……粒子鏈。若有第二當量在每一電極上被電解，每種離子的一粒子，將會超越中線，因此即有1當量被移去（圖一），下面第 3 部分所表示者，已有 2 當量被分解。

丹尼爾和米勒由於電解硫酸銅溶液所採用的電解槽是用二隔膜把它分作三個隔室，而發現在陰極隔室內存留於溶液中的銅量，加上在陰極上析出的，恰等於原存在於溶液中的。因此，他們得結論如下：Cu 和 SO_4 二種離子，並未在它們的中途，作等距離的移動，而是 Cu 離子保持不動，只有 SO_4 離子移動。電解硫酸鋅也是同樣的結果。他種電解質有不同的結果。他們二人並未根據他們的結果想出電解的機構，但曾說過，他們相信上述事實與電解的分子學說是矛盾的。

納披爾（J. Napier 1845）研究電滲透以及電極質的不等分解（unequal decomposition of electrolytes）和電解理論時，他假設一種鹽例如硫酸銅，可以不被分解而由電解槽的正方通過至負方，且與溶劑水無關。在這種情形下，他無意間發現了輸電現象（transport phenomena），但他對此並未了解。設 ab 表示一雙列的酸和鹽基的"原子"，而 $C_1 C_2$ 為二電解

（見附圖 3 ）。一當量的正電離開 C_1 並與 a_1 化合，此電量通過 b_1，再與 a_2 化合，如此以至於達到 b_5。這樣並無 a 與之化合，而此電量却達到 C_2。如此，只有酸

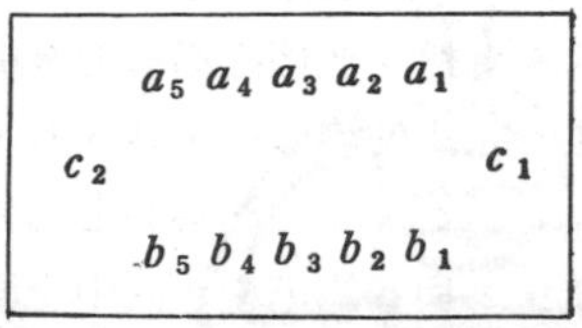

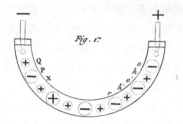

圖 3

向正極移動，1 當量的酸可發生 1 當量的物質分解。以電流的意義而論，鹽也在移動，因而產生了電滲透。

最先明確說明並用實驗演示離子游動現象的是喜托夫（Wilheha Hittorf）。他第一篇有關離子游動的論文是在 1853 年刊出的。在文中他引用格洛蘇斯（Grotthuss）和法拉第的觀念。格洛蘇斯的理論認爲二電極間的分子排列成行，當二端的離子被分離後，所有的分子必定都要打一個轉，然後才能再發生作用（見圖 4 ）。他也同意法拉第對格洛蘇斯假設電極生力的批評，

圖 4　格洛蘇斯的原圖。　圖中左端起第四個圈中的十號，
應是一號無疑。

但他說，格洛蘇斯仍然是照舊認爲在電路中作用於每個電解質粒子上的力是相等的（這與他的假設相反）。後來，喜托夫也作一圖解，與柏茲留斯的相似（見圖 5 ），圖中的圈表示離子，每二離子是一上一下的排列，而且當被置換時，是在水平方向一對一的作用。假設電

圖 5　柏茲留斯的圖解。(A)與(C)分別表示陽極和陰極。

解質被中性不導電的溶劑溶解爲液態，如果我們能在任何地方把液體分成兩部份，則電解後，上述二部分中離子的比值便不同了。丹尼爾和米勒也已顧及到此問題。喜托夫又作正確的解釋以避免他們的攻擊如下：離子的

比值應以距離來決定的，但當電流通過時，每一離子均在游動不已。

喜托夫在 1856 年發表他第二篇論文，述說他實驗的簡單儀器，其中一種是用多孔隔膜，另一種則不用。他也用鎘陽極以使放出的氧和氯保留在極上，可強調電極上的變化不受離子運電的影響，用以證明電解液中間部分的組成保持不變。他的第三篇論文（1858）是對批評他的人作答，並且證明多孔隔膜對運電數（transport number）無關。並且說，以法拉第定律所能適用的最弱電流的實驗結果證明，電解質中的離子並不能緊緊的結合在一起而成爲分子。但他並未把這個結論發展下去，使成爲電解質的解離學說。1859 年喜托夫在答覆魏德曼（Wiedemann）和馬格努（Magnus）時，說明了他的理論。他強調並非是假設鹽類中的化學力微弱，即是良好的電解質，反而像 $KCl, NaCl, KNO_3$ K_2SO_4 等鹽類中，却令人認爲是以極強的親和力化合。鉀離子當運電時，並未分解水，根據歐姆和法拉第定律來看，它必定是自由游離的。電解質是化合物，其分子中的某些部分在化學反應中，可隨即交換。喜托夫提出一普遍性的建議，他認爲所有的電解質都是鹽類（包括酸與鹽基），並且根據布里克羅德（Bleekrode 1878）的電導實驗，祇有鹽類才是電解質。

(2)電解質的導電度（conductivity of electrolytes）

伏特已十分明瞭電流強度 i 爲單位時間內所通過的電荷，或以下列方式表之：若 p 爲電荷密度，而 v 爲電運動的速度，則 $i = pv$。電池的電動勢（electromotive force 伏特採用此名詞）的觀念，是科爾勞士（Kohlrausch 1848）予以澄清的，他認爲：電動勢與連接電池二極的驗電器的張開的程度成正比。德裴（Davy 1821）曾企圖測定液體的導電係數，他發現最好的流體導體的導電力（conducting power）仍須小於最壞的金屬導體無數倍。卡文狄許（Cavendish）曾作過一些關於溶液導電度的有趣的實驗。但他最重要的錯差來源，是因爲用直流電而使電極發生極化作用。必次（Beetz 1862）用鋅汞齊作爲電極，而消除了極化作用。他在中性的硫酸鋅溶液中，利用惠斯登橋測定此溶液的導電度。他的結果是人類第一次所測得電解質導電最精確的數值。他發現百分之 30～35 的硫酸鋅溶液具有導電度的極大值，並且與溫度有極大的影響，且濃溶液的導電由 10° 至 80° 時可增加 5 倍。斯密特（Schmidt

1859）發現百分之 24.4 的食鹽溶液具有極小的導電度。

現在測定電解質導電度的方法是科爾勞士發明的。他消除極化作用的方法有二，(1)使用交流電（1868）。(2)把鉑電極上塗上一層鉑黑，以增大電極的表面積，如此可以減少沉積離子的效應（1874）。他在恒溫（18℃）下進行測定，並把他所製備極純的水的導電度也測定出來（1878）。他用克當量（m）每升表示溶液的濃度，並計算他所謂的"克分子導電度"（實際上應該是克當量導電度的）為：$\lambda = k/m$，式中 k＝比導電度（specific conductivity）。對於稀溶液，科爾勞士發現是與濃度有關，其關係為 $\lambda = \lambda_0 m - \lambda' m^2$。式中 λ_0（或用 λ ，若以稀度 $1/m$ 表時）為無窮稀薄溶劑的克當量導電度。

1875 年科爾勞士以實驗發現二種離子各自游動定律如下：稀薄溶液的當量導電度是二常數的總和，其一（μ）僅與陽離子有關，而另一（v）僅與陰離子有關，用公式表示為：$\lambda = \mu + v$ 。他發現氫離子具有高速度，而醋酸和氨（未料到的）是非良導體。他在 1879 年提出電解質導電度的基本公式如下所述。

設在電解質稀薄溶液中，取一圓柱部分，其長和斷面積皆為一單位，在此單位體積中，溶解有 m 電化分子（electrochemical molecules，實際應是化學當量）。在圓柱軸線方向作用以單位電動勢或電位梯度，藉此力讓離子移動，陽離子以速度 U 而陰離子以速度 V 反向游動。令 ϵ 為每一離子所運載的正或負電量，根據法拉第定律，正負二種電量應相等。

在上述單位體積圓柱體溶液內，由於電位電動勢而產生的電流叫作該物質的導電度，用 k 表示之。由前述符號，此電流應等於 $\epsilon(U+V)m$，若 $\epsilon U = \mu$ 且 $\epsilon V = v$，即得：

$$k = (\mu + v)m$$

欲得到某一稀溶液的導電度，分子數 m 必須乘一因子，此因子叫作被溶解電解質的比分子導電度（specific molecular conductivity）以符號 λ 表示之，故可得：$\lambda = k/m$，代入上式即為：$u + v = \lambda$.
現在已把 ϵ（法拉第）用 F 表示。在電位梯度為每糎 1 伏特時，U 和 V 的單位用每秒糎。若作用於離子的力用仟克重表之，科爾勞士證實，欲使 1 克水中的鉀離子具有 1 每秒糎的速度，則可能需要三千八百萬仟克重之力。如此可見，溶劑對離子的游動產生極大的阻力，因此，離子在一恒力作用下，只能以等速運動。

(3)電解質的解離

喜托夫（Hittorf）和科爾勞士對拉烏茲的結果所作的簡單說明，認為可能是鹽在溶液中多多少少形成了自由且荷電的離子，它們在施以電位差以後，即在溶液中移動而形成電流。因為在一定體積溶液中的粒子數，由於游離而增多，故而對不正常的高滲透壓和過度的冰點降低可簡明的作一說明。這種電解質的解離理論，首先由阿瑞尼士在 1887 年作明確的敘述，他是根據實驗的事實，溶液具有不正常高的滲透效應，同時也是電的良導體。這種合理的觀察包括，第一溶液中存的粒子數比鹽的分子數多；第二這些粒子均帶有電荷。

威廉姆遜（Williamson）在 1850 年曾建議，在任何化學物系中，原子和分子均存在於動平衡狀態中。此一分子不停的與另一分子交換原子或基。一滴鹽酸中，各個分子中的氫原子和氯原子繼續互易其同伴，當進行交換時，在極短時間下必有自由態的存在。但他並未假設這些自由態的粒子帶有電荷。

1884 年阿瑞尼士發表他的第一篇論文，題目是電解質導電性的研究。他的實驗工作非常嚴謹，可能引起誤差的來源均經充分的研究過。許多測定的工作，都延至高度稀薄的溶液（但並未指明），並把所得結果與科爾勞士的結果相比較。阿瑞尼士曾把47種電解質（包括 5 種酸）的實驗結果公佈於世。他的論文分為二部，共有56個主題，其中有許多仍為現代科學界所接受。在論文第一部分的摘要中，他認為：「在實質上，所有的鹽類（包括酸與鹽基）在溶液中，均以"錯合分子"（complex molecules）存在。但在稀釋時，有部分會分解。」由於這種觀念的滋生，可以說明各種稀薄溶液中鹽的性質，同時對所有電解質在極高濃度下的性質也可以解釋。

阿瑞尼士採用了科爾勞士定律，認為導電度與溶解的分子數成正比，$k = (u+v)m$。他證明二種鹽在同一溶劑中時，其導電度是可以相加的，因此他假設，若溶劑設為不導電者，且其導電度為零（常不如此，但偶有如此者），稀溶液的導電度是這種鹽的導電度的總和。如果導電度不隨溶液稀釋度成正比，則一定可能是溶劑有化學反應發生。溶液的黏滯性愈大，離子愈複雜，溶劑的分子量愈大，溶液對離子發生的阻力就愈大。

阿瑞尼士的論文第二部分假設，鹽溶液中包含有"活性的"（電解質的）與"非活性的"（非電解質的）兩部分存在。活性的那一部分當稀釋時會增多，同時非

活性部分消減。活性係數（activity coefficient）即是現有離子數對電解質完全變爲簡單的電解質分子時之離子數的比。也就是相當後來稱爲的"游離度"（degree of ionisation）。阿瑞尼士把威廉遜和克勞修司的假說推廣，他假設電解質的（活性的）部分必定可以發生複分解，其分子繼續不斷地交換相反電荷的離子，而形成電的通路。克勞修司則假設只有一小部分的自由離子，這些離子形成後，再在電路上化合；在此過程中，一定量的電（與一離子化合的）顯然在通路中流過。他們把這種現象叫做"圓電流"（circular current）。在電解質溶液中，有永久的環電流存在。這種觀念啓發了法拉第定律（1885～6）。

阿瑞尼士後於1890年又稱，在名詞的選擇上經愼重的考慮，用"活性係數"較"電解質解離度"爲佳。1884年阿瑞尼士說：酸的活性係數（克分子導電係數）愈大，則愈强；鹽基也是如此（這種觀點大致是正確的，是由於氫離子與氫氧離子的高流動性）。1884年布忒（Bouty）發表鹽、酸及鹽基在極稀溶液中的導電度，他認爲所有鹽的當量導電度在極稀的溶液中均相等（僅近似正確）。酸與鹽基的結果不同，他與阿瑞尼士同樣的用水合作用加以解釋，他並認爲導電性是由於離子與水化合而致的。他並發現氯化汞，溴化汞及氰化汞的溶液均不導電。

阿瑞尼士僅不過測定了5種酸的導電度而已，後來奧斯特瓦德（1884）研究30種酸，建立導電度與反應速度間常成正比的關係。他又發現弱酸的克分子導電度與溶液稀釋度的平方根近乎成正比。各種酸當繼續稀釋時，均能達到一導電度的極大值，即如加入其他物質，也不會越過此值，且各種酸的極大值幾近相等（但後世發現此值並不相等）。1885年奧斯特瓦德在各種不同的濃度下，對各種酸作一系列的測定其克分子導電度相等時，他發現了稀釋定律（dilution law）如下：在一鹽基有機酸的克分子導電度相等時，則各溶液的稀釋度相互間的比值爲一常數。若把稀釋度的對數對克分子導電度作曲線圖，則各種酸的實驗值均能作成同一曲線。奧斯特瓦德發現各種酸的相對强度（把氫氯酸＝100爲標準）與用導電度所測定者相同。

1887年3月30日阿瑞尼士給凡特荷夫一封信，信中說明電解質解離學說。當時阿瑞尼士恰好也接到凡特荷夫的一份論文（1885年10月14日發表），文中附有公式 PV＝iRT。其中 i 的值由拉烏兹的實驗得：在氫氯酸是1.98，硝酸鈉是1.82，氯酸鉀是1.78。

凡特荷夫說：「這種不正常的性質與因氣體的解離而使亞佛加德羅定律發生偏差是相同的，所以我們對溶液也作同樣的看法。」

滲透壓的大小，並不怎麼受離子電荷的影響，氯化鈉溶液中的 Na 與 Cl 都好像很自由。根據上述假設，電解質都分解成離子，則游離係數 i 必應在1與離子數間的數值。如此，像 NaCl，KCl，KNO$_3$，NaOH 等均含有2離子，故 i 應近乎2；Ba(OH)$_2$，CaCl$_2$，K$_2$SO$_4$ 等，具有三個離子，故 i 幾乎漸近於3，其他依此類推。因此 i 可能經導電度求得。阿瑞尼士前所稱之"活性分子"即是可以解離的分子，而在他1884年的論文中有一主題，現在可能要有爭論了。這主題即是："所有的電解質在極度稀釋的溶液中，可能是全部解離的。"凡特荷夫漸趨同意阿瑞尼士的觀念，但克勞修司却說：「阿瑞尼士認爲溶解的電解質，其中任何微量均已解離，且此觀念已爲全體物理學家及化學家所認同……，至今我所能了解的，此一假設唯一使人發生反感的理由，是在如此低溫下即能解離，雖無何事實能予反證。我的論文所得的結論是，在極稀的溶液中，所有鹽類均可能含有簡單的導電分子。但這些導電分子均依照克勞修司及威廉遜假說而解離。因此在極稀溶液中，所有的鹽分子均完全解離。解離度可簡單由此假設求出如下，即把某溶液的克分子導電度與在極稀時之克分子導電度的比值求出即是。

上述理論含有電解質解離學說的要點。此學說比較充分的解釋，是在1887年阿瑞尼士給洛治（Logde）的信中所提出的。信中有公式 i＝I＋(n－1)α，式中 α＝μ/μ_∞ 爲電解質解離度，μ 及 μ_∞ 分別爲在某濃度下及極稀時（極限值）的克分子導電度（即比導電度除以濃度，濃度單位爲每cc克分子）。n 爲鹽每一分子所能生成的離子數（KCl，n＝2，CaCl$_2$ n＝3）。α 的值由二種互不相關的方法（導電度，滲透效應）計算所得者，竟能非常一致。

1887年蒲朗克（Planck）與阿瑞尼士無關的發表論文說：電解質對於理想溶液定律（laws of ideal solution）發生偏差的原因，是因爲解離成爲許多基（radicals）的關係，他並未把此點與導電度相關連，因此他的理論並不如阿瑞尼士的廣泛及穩固。

奧斯特瓦德（1888）把質量作用定律應用到電解質解離與未解離部分的平衡中去：AB⇌A$^+$＋B$^-$。若1克分子AB溶解於V升水中，且解離度爲α，則(A$^+$)(B$^-$)/(AB)＝α^2/(1－α)V＝常數＝K。上

式對弱解離的酸和鹽基均適合，但不適合於"強"或高度解離的電解質，包括酸、鹽基和鹽。上式被稱爲奧斯特瓦德稀釋定律（Ostwald's dilution law）。

阿瑞尼士（1887）由實驗證明，用弱酸（通常加入相當的鹽使它游離）使蔗糖轉化的速率，與氫離子濃度成正比；但有強酸的正鹽存在時，此反應的速率大爲增高。他構想，這是由於弱酸解離增加的緣故，或因水的解離能力增大，或因鹽的作用是一種解離媒介。後來申特（G. Senter）開始研究這個問題，證明正鹽本身以及未解離的酸鹽有催化作用，像氫離子一樣。

弱酸或弱鹽基或二者所成的鹽均能與水分解，叫作水解，反應爲：$BX + H_2O = BOH + HX$。上述反應可用電解質解離理論說明之。弱酸的陰離子或弱鹽基的陽離子依次與水的 H^+ 離子或 OH^- 離子化合，生成不解離的酸或鹽基，剩下了水的 OH^- 或 H^+ 離子，而使溶液呈鹼性或酸性。這個理論是阿瑞尼士於1894年發表的。

澳大利亞物理學家蘇色蘭（W. Sutherland 1902）假設強電解質在溶液中是完全游離的。離子因溶劑而形成，他說：「溶劑對個別離子的游動有特殊黏滯的阻力。這是一種新型的以電爲根源的黏滯性。但是每個離子的電荷可通過周圍的溶液發生電感應，由此可連續發生第二種新型的黏滯性，也是因電而引起的。這兩種加上溶液原有的黏滯性，共有三種對離子游動的阻力。」

根據電解質全部游離與離子間電荷引力作用爲基礎的論文是在1912年由密爾奈（S. R. Milner）所發表，後經得白（P. Debye）和羽克（Hückel）於1923年大加簡化，路易斯（G. N. Lewis）提出一種濃度的任意函數，叫作逸性（fugacity），用 f 表之；並用 a 表示活度（activity），如此若把溶液的活度代替濃度時則理想溶液定律即可運用。$f_c = a/c$ 叫作活度係數。得白、羽克理論證明活度係數是全部游離的電解質濃度的平方根的函數乘以因子 w，此因子是依離子的價而定的（此一效應在阿瑞尼士的理論中未曾提及）：$f_c = 1 - AwC^{1/2}$，式中 A 是以溫度及純溶劑性質爲變數的函數。他們用導電性度 $f_2 = \lambda/\lambda_0$（或 λ/λ_∞）代替阿瑞尼士的解離度 α，f_2 與 f_c 的值數不同，可由公式 $\lambda = \lambda_0 - ac^{1/2}$ 求得，式中 a 爲一常數，但隨溫度及純溶劑的性質作簡單方式的變化。此公式曾被科爾勞士（1900）由實驗的結果而得。

非水溶液的情形更爲複雜。瓦爾頓（1906）發現，在無窮稀的溶液中，克分子導電度與溶劑黏滯度的乘積常爲一常數，$\mu_\infty \eta_\infty = $ 常數 $= 0.7$，且與溫度無關，但有例外。

(4)賈法尼電池

武拉斯呑於1801年發現，把鋅與銀分開置於稀酸中，只有鋅上才有氫逸出；但若把二金屬接觸，則只有銀上有氫生出。相似的，若把金與銅互相接觸放入稀硝酸中，則氧化氮從金上放出。若把鐵與銀接觸放入硫酸銅溶液中，則銅析於銀的表面上。他認爲這些效應是由於二種金屬間電的作用。里夫（De la Rive 1830）發現，蒸餾所得的純鋅對稀硫酸實際上不發生作用，但把它用鉑絲纏繞起來，即會溶解，並且氫從鉑絲上逸出。他解釋說，普通的鋅所以能溶解，是因爲鋅內有其他的金屬粒存在，與鋅形成小電池，而發生局部作用的關係。他也發現，此反應速率隨硫酸的導電度而增加。這種由局部作用所產生的，里夫所謂的"分子電流"（molecular currents）爲法拉第所接受。

柏克勒爾（Becquerel 1829）把鋅放入硫酸鋅或硝酸鋅的溶液中，同時把銅置入硝酸銅溶液中，二溶液用牛腸膜隔開而製成電池，並發現此電池相當持久。包根道夫（Poggendoff 1837）說，上述電池有些像丹尼爾的電池，但比較不能持久。丹尼爾（J. F. Daniell）在1839年所製的電池，是用銅製的圓筒裝入硫酸銅溶液，在此筒內，放一段牛的食道管，管內放一鋅汞齊棒，並浸入稀硫酸中而成。同時，酸時時換新。鋅的消耗量幾近乎與放出的氫相當。以後不久，牛食道管換爲多孔陶杯，酸的換新手續也可以免去。

格羅夫（Grove）的氣體伏特電池（1839），是用塗以鉑黑的鉑片爲電極，分別與二管內各裝有氫與氧的氣體及具酸性的水接觸而成。此電池實是第一個燃料電池（fuel cell）。勒克蘭社電池（Leclanché cell）是用鋅作電極，把去極劑二氧化錳放入氯化銨溶液中而成，在1868年發表的，實是現代乾電池的先驅。

(5)氧化和還原

奧斯特瓦德曾在1892年讓大家注意，由於化學反應可以產生電流。他認爲這是立忒（J. W. Ritter 1805）的成就。立忒說：只有下述的化學反應才能產生電流：反應可分作二部分，在分開的二電極上同時發生，其中之一爲氧化（如 $Zn = Zn^{++} + 2\ominus$），而另一反應爲還原（如 $Cu^{++} = Cu + 2\oplus$）。

氧化還原電池是伏特和德維（1801）研究出來的，他們用一種金屬和二種液體，一是硫化物溶液（還原

），一是硝酸（氧化）。法拉第也曾作過類似的實驗。阿勞特（R. Arrott 1843）用二隻管子，一端用可塑物封閉起來，其中一管裝還原溶液（硫酸亞鐵、氯化亞錫，硫化物的鹼性溶液，硫代硫酸鹽，次亞磷酸等），另一管裝氧化溶液（硫酸鐵、氯、碘、硝酸、鉻酸等）。把此二管沉入盛有稀硫酸的容器中，再把二管內的溶液用一條鉑箔連接起來。阿勞特也曾用過多孔杯，把它放在玻璃器皿中，在多孔杯的內外各放一圓筒裝的鉑箔。杯內裝濃硝酸，杯外裝硫化鉀溶液，這樣的二個電池所成的電池組，可用來電解水。上述每一種裝置，都包括一種氧化的和一種還原的物質，並且所有的情況都是氧化物質被還原，而還原物質被氧化。若在一只電池的二部分中，都裝入硫酸鐵及硫酸亞鐵的混合溶液，並通入電流，則混合物中有一種被氧化另一種被還原。然後，此電池便可以產生反方向的電流。阿勞特明白的指出，電池中的兩種反應，必須在不同地方發生，並且有時水也參加反應。

電池的電動勢，首次出現的定量理論是由吉布茲（1878）和赫爾姆霍茲（Helmholtz 1882）分別以不同的形式發表的。且不論季布茲的研究工作如何，他所得的公式為：

$$d\epsilon = (V' - V'') \, de + t \, d\eta \quad\cdots\cdots\cdots\cdots (1)$$

式中 ϵ ＝能，η ＝熵，t ＝絕對溫度，e ＝電荷，V' 與 V'' 為同一種金屬，分別連接在陽極和陰極上的二電位。也可以說 $t \, d\eta = dQ$ ，為電池所吸收的熱，且在恒溫時，$d\epsilon - t \, d\eta = d\phi$，式中 $\phi = \epsilon - t\eta$ 為自由能；因此在恒溫時，電功 $(V'-V'') \, de$ 並不等於能量的減少 $-d\epsilon$，但却等於自由能 $-d\phi$ 的減少。若壓力像溫度一樣也保持不變，則電功為 $d\zeta$，當 $\zeta = \epsilon - t\eta + pv$ 時。

赫爾姆霍茲曾把自由能作為：$F = U - \theta S$（即是季布茲的 ϕ ），式中 U ＝能，θ ＝絕對溫度，S ＝熵，因此 $S = -\partial F/\partial\theta$ ：

$$U = F - \theta(\partial F/\partial\theta) \quad\cdots\cdots\cdots\cdots (2)$$

把上式用於買法尼電池時，赫爾姆霍茲提供一公式如下：

$$\theta(\partial p/\partial\theta) = (\partial U/\partial\epsilon) + p \quad\cdots\cdots\cdots (3)$$

式中 p 為 e.m.f.，而 ϵ 為流過的電量。

(6)接觸電位

伏特（Volta）在1802年發表演講說，用各種不同的二金屬接觸，以靜電計的偏轉作測量，他發現把電流體（electric fluid）從第一種金屬驅使到第二種金屬上去的力為：銀／銅1，銅／鐵2，鐵／錫3，鉛／錫1，鉛／鋅5。若把銀／鋅直接接觸，則此力為12（＝1＋2＋3＋1＋5），銅／錫5（＝3＋2），鐵／鋅9（＝5＋1＋3）等。如上述，二種金屬作用於電流體的推力，必等於介乎二者間一系列金屬的推力之總和。且此電力與首尾二金屬直接接觸時所生的相等。任何金屬插入其間均不致影響其電力。後人稱此為伏特接觸電定律（Volta's law of contact electricity）。

科爾勞士（1847）把德爾曼（Dellmann）扭轉靜電計加以改進，並於1850年用之測定丹尼爾單電池的電動勢，他發現用鋅片和銅片組合製成的容電器，其二極的電位差為4.17（靜電計的讀數）。他又測定鋅和硫酸銅溶液的接觸電位，他把硫酸銅溶液，倒在舖於玻璃片上的濾紙上，並把它與鋅片相連接，他發現幾無電位差可言。但丹尼爾電池二極的電位差 $F = 4.51$。

若把 F 用 $Zn/ZnSO_4 - Cu/CuSO_4$ 表示，則：

$$Zn/Cu : (Zn/ZnSO_4 - Cu/CuSO_4)$$
$$= 4.17 : 4.51 \quad\cdots\cdots\cdots\cdots (1)$$

科爾勞士於1842年用鋅為容電器的下層片，用濾紙浸硫酸鋅溶液包在玻璃片上作為下層片，每用鋅絲把濾紙與鋅片連接起來，他發現溶液一邊為正，其電位為4.41。另一種與此相似的容電器是用鋅片與硫酸銅溶液以銅絲相連而成，其電位為 -2.94。故：

$$Zn/ZnSO_4 : (Zn/Cu - Cu/CuSO_4)$$
$$= 4.41 : 2.94 \quad\cdots\cdots\cdots\cdots (2)$$

由式（1）及式（2），若鋅與銅的電位差用4.17表示，則鋅與硫酸鋅的電位差應為5.21，且銅與硫酸銅間為0.70。但 $5.21 - 0.70 = 4.51$，且 F 的實驗值也等於4.51。

科爾勞士利用比較二容電器的方法，一個容電器是鋅和銅製成，另一個是二種已知金屬製成的，首先用丹尼爾電池沿一方向連接各金屬片，然後再沿他一方向連接，他發現鋅和其他金屬的接觸電位的數值（$Zn/Cu = 100$）如下：Au 113，Ag 106，Fe 75。根據伏特定律，他曾計算鐵與他種金屬的接觸電位為：Cu 25（32），pt 32（32），Au 38（40），Ag 31（30），這些數值除銅外，均與實驗值（括號內者）相符合。他指出，所有用電流計的方法，所得的結果不過是三種接觸電位的總和，且根據此法所得的公式，至少包含一個或多個未知數。用此法所得的結果，對於錫和鉛是不妥的，因為他們易於氧化。科爾勞士並且想到，所得的結果

可能要受到金屬片上一層氣體的影響。

在科爾勞士1853年的論文裡，有一種新儀器，是把兩個垂直平行的圓形金屬片支持在架上，並連接一換向器。實驗的結果，銅和鋅（尤其顯著）由於氧化而使其無定值。若使$Zn/Cu=100$，他發現各種金屬對鋅的接觸電位爲：Ag 109，Au 115，Pt 123（與前值稍有差別）。若使$Zn/Cu=4.17$，他現在又得：

$$Zn/ZnSO_4 = 3.196 ，而 Cu/CuSO_4 = 2.671 。$$

威廉湯姆生（William Thomson 1864）把鋅和銅的二半圓環一端焊接起來，另一端留一間隙。在此環上懸一輕而帶負電的鋁針，則會向鋅方移動。若把鋁針帶陽電，即會向銅方移動。因此可知鋅帶陽電而銅帶陰電。上述現象的電荷，可能並非由於接觸而生，而是因空氣的氧化。布朗（J. Brown）於1878年用相似的實驗發現。若用鐵和銅，則在空氣和氨中銅帶負電；但在硫化氫中却帶負電。若用銅和鎳，銅在空氣中帶負電，但在氯化氫中帶正電。布朗得結論如下：威廉湯姆生的結果是由於空氣中氧的化學作用，他曾發現通過鋅與銅的空氣間隙（0.05mm）有一非常微弱的電流。

以後若干物理學家大都讚同接觸理論（contact theory），但是洛治（Lodge 1884）却讚同二金屬接觸而帶電的現象是由於其中之一發生氧化所致。在此以前的實驗，與人能把空氣與水汽有效的與儀器隔離，當做到此點以後，實驗的結果又支持接觸理論（1914）如下。每一種金屬都具有"電子親和力"ϕ，相當於在眞空取去一電子所需之功。若把二金屬互相接觸，電子即會從一金屬進入另一金屬中，此二金屬間之電位差$\phi_1 - \phi_2$，等於伏特的接觸電位。例如：鋅的$\phi_2 = 3.4$，銅的$\phi_1 = 4.0$，故$\phi_1 - \phi_2 = 0.6$，這即是測定的接觸電位的大小。至於溶液中離子濃度對電極電位的影響，尚無很成功的解釋。察墨玆（Chalmers 1942）認爲，用化學理論來解釋這些事實與接觸理論同樣重要。

(7)液體接觸電位

費希奈爾（Fechner 1839）繼諾必利（L. Nobili 1828）之後作液體接觸電位實驗，他用四個玻璃容器a，b，A，B，其中a和b裝相同液體，並各插入一金屬片（通常用鉑片），連上電流計。A和B盛入欲實驗其接觸電位的二種液體。把這些液體用三只虹吸管1，2，3連通起來如圖6所示。每只虹吸管的二端都像毛細管那樣細。把二金屬片洗淨，要使它們插入液

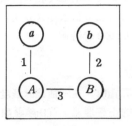

圖6

體中時，用電流計無法量出電流爲止，這才算是費希奈爾假設的a，b二片達到了"完全均勻"。若電流計偏轉，即顯示電流的方向。他作了許許多多的實驗以後認爲，伏特定律對液體接觸能適用一事，以他的實驗結果來看實在是矛盾的。

王爾德（Wild 1858）以實驗爲根據說，所有的正硫酸鹽RSO_4，鹼金屬的鹵化物及硫化物均遵循伏打定律，但硫酸銨，各種如$R_2(SO_4)_3$的硫酸鹽，各種酸，以及同一鹽基與不同酸所生之鹽則否。斯密得（L. Schmid 1860）使用與王爾德相似的儀器發現，鹼金屬的氯化物及硝酸鹽遵循伏打定律。銀及二價金屬的硫酸鹽，硝酸鹽和氯化物均依照金屬的電位次序（Potential series）。此結論曾用來求出數種金屬在電位次序中的順序。斯密得認爲同一種金屬的二種鹽類，其電位差等於那兩種酸的電位差。

王爾德發現若把不同溫度的溶液在管子內接觸可以產生熱電流（Thermoelectric current），且熱電力（Thermoelectric forces）要比溶液接觸電位強。他在二管的底部裝入相同的溶液（即$CuSO_4$），再在上面各注入另一相同的溶液（$ZnSO_4$），他發現在二種不同濃度的同一鹽的溶液間有熱電力存在。且此熱電力遵循伏特定律。

威廉湯姆生（1860～74）曾把靜電計與一絕緣容器連接起來，容器中裝滿水，且有水滴流出到空氣中，以測定大氣與地球的電位差。每一滴水帶去一電荷，直至水的電位變成與空氣的相等爲止，在此過程中靜電計的讀數可以看出電位差。布朗羅特（R. Blondlot 1883）用此法測定二液體間的電位差。他把百分之十的硫酸鈉溶液作爲一種液體，且假定其電位爲零，如此硫酸鋅和硫酸銅二溶液的電位也是零，並且用此二溶液間之電位爲零可以佐證。其他各溶液對硫酸鈉溶液的電位（以伏特爲單位）爲：稀硫酸-0.148，濃硝酸-0.677，

濃鹽酸－0.575，苛性鉀溶液（在5份水中含1分苛性鉀者）＋0.052，（在5份水中含3份者）＋0.154。以上結果精確到0.002伏特。

(8)電極電位

　　同一金屬的二電極，在一種鹽但濃度不同的二溶液中能產生電位差的正確理論，首由赫爾姆霍茲於1877年所發表。這是根據喜托夫所謂的電解質的遷移數（Transport number）而建立的。赫爾姆霍茲計算其自由能，並把它列入電功式內，隨得電動勢。如此得到的公式曾被摩色（Moser 1878）用硫酸鋅溶液與硫酸銅溶液證實過。

　　一種電解質之濃度不同之二溶液，其接觸電位的來源，是涅斯特（1888）把它弄清楚的。他同時也說明了一種金屬在它的離子溶液中，所產生接觸電位的根源，並且還求出一公式（見下述）來。涅斯特假設，電解質的自由離子，可以在滲透壓梯度（Osmotic pressure gradient）的影響下，從濃溶液游動到稀溶液中去。涅斯特把費克擴散定律（Fick's diffusion law）應用於兩種離子，並證明由於靜電力的關係，二種離子最初分開時移動的速度不同，但不久即以相等速度游動，並且電解質作整體的擴散，這是由於在同一電解質而濃度不同的二溶液間有電位差的關係。他並發現一公式，此公式相當於赫爾姆霍茲的公式，並爲瑟斐爾（Scheffer 1888）與歐侯爾姆（W. Öholm 1905）用實驗證實過。涅斯特也曾應用一種由實驗得來的"重疊原理"（Principle of superposition），原理中假定，凡稀薄溶液，只有二濃度的比值有作用，因此在0.1N KCl/0.01N HCl 和 0.1N KCl/0.1NHCl 接觸面間的電位差是相等的。

　　1888～9年間，涅斯特首次研究出一個公式，來表示一種金屬與它的離子溶液間的電位。他是用一種金屬的"電解質溶液壓力"（electrolytic solution pressure）P 來解釋此一現象的，此壓力可使金屬在其離子的溶液中形成離子，若此溶液的滲透壓爲p，則

$$e = (RT/nF) \ln (P/p)$$
$$= e_0 - (RT/nF) \ln C \cdots\cdots\cdots (1)$$

上式 F 爲法拉第（96500庫侖）而 n 爲離子的價。各種電極電位是經紐曼（B. Neumann 1894）與威爾士謨（N. T. M. Wilsmore 1900）所測定的。奧斯特瓦德（1893）設定"當量甘汞電極"（normal calo-

mel electrode）Hg/Hg₂Cl₂/NKCl soln. 作爲標準電極。因爲氯化鉀溶液與其他電解質溶液間的接觸電位極小，可以忽略不計，故比較方便。涅斯特又設定氫電極 pt, H₂/酸 作爲標準，曾爲威爾士謨所採用，並且現在均在採用。甘汞電極因爲用來方便，已被認爲是第二個標準電極。玻璃電極（glass electrode）是由哈柏（Haber）和克萊門席維茲（Z. Klemensiewicz 1909）的實驗發展而得的。

(9)極化作用

　　把電流通入插在加酸的水中的二鉑電極上，電流即漸次變弱，以至達到一最小值。費希奈爾（1831）和坡根道夫（Poggendorff 1841）認爲是由於另外電極到液體的電阻所致。楞次（Lenz 1843）却正確的指出，這是由於極化作用所生的反電動勢所致，是因爲氣泡在附著在鉑片上，其作用好像是一個電池，把電流向原電流的反方向送去一樣。他並且假設並沒有運輸上的電阻，雖然這種電阻常認爲存在，但在實驗上來看，是令人懷疑的。

　　更早期研究極化的人，均未能獲致正確的結論，因爲他們都集中注意力去測定極化作用的極大值。極化作用是因電解作用的產物，析出於電極上，而產生的對電池的反電動勢，對可逆的分解作用而言，此反電動勢等於由涅斯特公式所計算出來的二電極電位之差。除當氫析出於塗有鉑粉的鉑極以及各種不生極化作用的金屬外，分解電位（decomposition potential）要比計算值高出些。這高出的電位叫作過電壓（over-voltage）或過電位（over-potential），這些數值大都用氫研究過。關於這一點的文獻極多，但其機構迄今仍是問題。

　　拉布朗克（1891）證實許多水溶液的分解電位都相等，約爲1.7伏特。他的結論認爲，電極的作用程序也必相同，並且氫和氫氧離子分別在陰極及陽極中和，而生成氫和氧（4OH＝2H₂O＋O₂）。鹵化氫各種酸在陽極能生成鹵素而非氧，且各有各的分解電位。各種鹽的水溶液，其分解電位大都相等，約爲2.2伏特，班克勞夫（Bancroft 1901）曾提出一種簡便的方法，來測定分解電位。

六、光化學

(1)光化學的源起

叔爾策（J. H. Schulze 1687～1744）曾把粉筆在銀與硝酸的溶液內浸濕，再在強烈日光下曝晒，表面即變為深紅色，再轉為紫藍色。粉筆也有一部分溶解於硝酸內，加水稀釋後，倒入一個管子裡。當把此管的一側照射日光，也能同樣的變色。但在火上加熱，却不能使之變色。用一張黑紙，剪出空的字樣來，把這張紙黏在盛有上述粉筆沉澱的瓶子上，放在日光下照晒，日光可以在粉筆沉澱上寫出紙上剪掉的字來。

柏卡里（J. B. Beccari）和邦齊烏斯（Bonzius 1757）研究彩色緞帶在日光下褪色的情形，發現紫色褪色最快，甚至在密封的容器內也是如此。但在黑暗中，雖然加熱亦不褪光，但會失去光澤。新沉澱下來的氯化銀，放在玻璃杯內，在照射日光的一面會變成紫色。若有一條黑紙把氯化銀遮起來，則遮的部分仍是白色。

柏格曼（Bergman 1776）發現草酸銀和草酸亞汞在日光下均會變黑。社勒（Scheele 1777）發現，在氯化銀中生成的金屬銀，能在光中變黑，並且在紫光中要比其他色光變黑的快。這是第一次發現各種色光有不同的化學效應。

哈給曼（A. Hagemann 1782）發現把癒瘡木膠粉裝入氣壓計的管內，隔絕空氣，曝於日光下，會變為明亮的藍色，但在空氣中却變為灰色。森尼比爾（J. Senebier 1782）發現不同的色光，把氯化銀變色時所需的時間（以秒計）如下：色光15，靛紫23，藍光29，綠光37，黃光330，橙光720，紅光1200（最後二種色光並未能將之變為深色）。他又作實驗，使蔬菜在各種色光下生長，並構想（有誤）紫光可以產生綠色，因為它具有更多的燃素。他認為綠色樹膠提取物（實為葉綠素）是--種蔬菜中的普魯士藍（像靛藍一樣），或是一種肥皂。把它溶解在酒精、乙醚或揮發油中所成的溶液，可被日光漂白，但只能在有空氣的狀態下才能漂白。有色的花和各種染料，彩色的羊毛和緞帶，油彩和水彩，染色的布料和紙張，油類和揮發性油以及黃蠟均能用日光漂白。森尼比爾（1782）認為光是好像一種發生燃素的物質，但與燃素或熱或電均不同。

立忒（Ritter 1801）發現潮濕的氯化銀曝晒於日光譜下，首先變黑的在紫光以外看不見的部分；在紅光之下，氯化銀只輕微的變黑；把光譜兩端的紅光和紫光混合起來，也能發生這種變化。他認為：在白光中還原光線，一定比氧化光線要多的多，紅光中為氧化光，而紫光為還原光。他對紫外線的發現，後被武拉斯吞（Wollaston 1802）所證實。紅內線是社勒（1800）發現的。

武拉斯吞發現癒瘡木膠在紫和藍光下會變綠，但在黃光下無作用，而且所得的綠色物放在紅光下，又會變成原色，這種作用是因為熱的關係。他建議用"化學活性光線"以代替立忒的"還原光線"，因為癒瘡木膠是被紫光氧化而非還原。畢拉德（Bérad 1817）把光線分作：熱線（calorific ray，指紅內線），色線（colorific ray 指可見光）和化學線（Chemical ray 指紫光和紫外線）。他並且說：光的化學效應並非由於熱。柏托雷於1803年已把熱和光的化學效應加以區別。

第一次的照相術，是威季吳德（T. Wedgwood）所完成的。他的成就在1802年為德維所著文發表。把白紙或白皮革在硝酸銀溶液中浸濕，並不能感紅光。黃光和綠光可以感光。但藍光或紫光更有效。威季吳德用照相機並未能得到清楚的相，但德維用日光顯微鏡却得到了。他並發現（1854）碘化銀沉澱曝光的速度比濕的氯化銀加快很多，但必須與過量的硝酸銀發生沉澱才可以。

約在1787年魯比遜（J. Robison）發現，若透過一瓶硝酸，用太陽照射硝酸銀，要比直接晒太陽變黑的少些。雷且特（Richeter 1793）認為在社勒分解硝酸的實驗中，必定有光被吸收。格洛蘇斯（Grotthuss 1819）在他的論文中說：只有光被物質吸收後，才能發生化學作用。他假想光線具有正負電互變的性質，十－十－十－（似是光的電磁說的預言），而且化學反應即藉此而生。洪特（R. Hunt 1841）也建議：各種不同的光線都能產生特殊的電的作用。格洛蘇斯（1808）批評立忒的理論說，分光所得的光譜，像一只伏特電池，紅光為氧化極（十）而紫光為還原極（一）（deoxidising pole）。所以每一光線同時既有氧化又有還原。立忒和溫太爾（Wintel 1800）假設把兩種電合在一起，即生熱。但格洛蘇斯說他們所構想的理論，不可能用實驗來證實。他並發現光對游離氧的氧化作用有加速的效果。

(2)化學光度學

第一位建議使用化學光度計的是薩蘇爾（H. B. de Saussure），他於1787年發現，氯水中放出氧的速率，與光的強度成正比。魏特萬（W. C. Wittwer）曾

用化學方法，測定從曝於光中的稀薄氯水中失去的氯。他證實下述定律：在一定光的強度 I 時，化學作用與氯的濃度 C 成正比；$-dc/dt = kCI$，式中 $k = $ 常數，故 $\ln(Co/C) = kIt$。他證明初濃度與末濃度之比 Co/C 在指定光的強度與一定時間下為常數。他並且在一定濃度 C 時，計算 It，發現與公式符合。他又假定，在前述的作用中，雖有氫氯酸生成（$2Cl_2 + 2H_2O = 4HCl + O_2$），但對極稀的氯水（$0.1 \sim 0.4$ p.c. Cl_2）並無影響。但發現，若在 0.1 p.c. Cl_2 以下時，則分解的速率要比公式所需要者為快。

柏克勒爾（A. H. Becquerel 1839）的電流光度計，是用塗有碘化銀（有的是氯或溴化銀）的二純銀片，插入加酸的水中，並連接一靈敏的電流計所構成。若在一銀片照光，即有電流通過。

(3)氫—氯反應

克魯克善（W. Cruickshank 1802）把 2 體積潮濕的氯和 1 體積氫的混合物裝入一隻瓶中，反應並未立即發生，但 24 小時後，二氣體却完全化合了。他並提及光的效應，但勢必已被光照到一些時間。他並發現，若用電火花使之爆炸，3 體積的氫，必須有 3 體積半因氧化鹽酸所生的氣體（即是氯）才能足夠化合。所生的產物為水和鹽酸。等體積的氫和氯，曝於日光下而起爆炸的報告，是在 1809 年，由給呂薩克（Gay-Lussac）和任那德（Thenard）提出的。他們敍述當時的情形如下：「瓶子破成碎片，且被炸出很遠。二氣體的混合物，在黑暗中放置八天，一無作用。但在普通白天的光線中，15 分鐘內，氯的顏色便已消失。」因此他們認為此反應與光的強度有關。電火花或熱至 150°C 的鐵（不確實）均可以引起它們的爆炸。但德維（1812）反對他們的觀點，他認為光對化學作用所起的效應，是因熱而引起的。柏托雷（1803）已經說過，光和輻射熱對化學反應的效應是極不相同的。

任那德說：氫和氯的混合氣體，在普通白天光線下化合而不發生爆炸，是因為只有與瓶壁接觸的那一層氣體，才能吸收光線的關係。

德雷拍（J. W. Draper）是利用氫和氯的化合速率，測定光的強度的第一人（1843）。他所用的儀器，他自己稱為"Tithonometer"。其構造如（圖 7），是一隻玻璃的 U 一形管，其一端是封閉的，在另一端裝上一垂直的玻璃管，用作液體計器。在 U 形管中，並焊入二鉑絲，以便電解儀器中所裝的鹽酸（用氯飽和過

的），使生氫和氯。U 形管除管二端外，均塗為黑色，二管端可以用不透明的套子遮住光線。德雷拍發現，當氫和氯的混合氣體，被電火花的光照射時，即有強烈的效應，發生液體的移動，但立刻又會停止。梅勒（Meller 1902）和畢凡（P. V. Bevan 1903）證明上述"德雷拍效應"是因為二氣體化合時，所生的熱而引起的。德雷拍發現，在正常的照明下，一般說來，化合的量與在一定照明下的時間長短成正比；且與光的強度成正比。此即是德雷拍定律（Draper's law）。

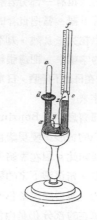

圖 7　德雷拍的"tithonometer"

在光化學上作正統研究的，要算是本生（Bunsen）和羅斯科（H. E. Roscoe）對氫和氯的化合作用了（1855）。他們說，當實驗進行中，德雷拍的"tithonometer"內的壓力變化，是因為氯溶解在液體中的數量發生改變所致，管中氣體的組成並非一定。他們使用另一種儀器，他們稱之為"Actinometer"，在此儀器中，壓力可以保持不變。儀器的結構如（圖 8）

圖 8　本生和羅斯科的 Actinometer

，其中有一個半塗黑的玻璃泡 i（爆光容器），內盛氯水半滿。氯水也裝在水平的指示管 k 內，使部分滿。把電解鹽酸所得的，等體積的氫、氯混合氣體，通過此儀器一段時間，然後把玻璃泡用煤氣火焰的光照射，生成的氯化氫即溶解在玻璃泡內的氯水中，指示管內的液體，即方向移動，用來測定反應速率。他二人得到下述的結果：

(1)最初並發生化合作用（光化學感應階段，隨光的強度和雜質的多少而定），然後緩慢的化合作用開始，漸次增快，到一定速率為止。此速率與光的強度成正比（他們並發現光的平方反比定律）。

(2)若儀器中裝的是新裝備的氫、氯混合氣體，則在同一的光的強度下，化合速率也相等。溫度在 18° ～ 26° 間，溫度的變化只有極小的影響。

(3)若用電解鹽酸法，把氫和氯分開收集，(a)或者把氯在暗中通入爆光容器中，(b)或者使氯通過6呎長的玻管，並用日光曝晒，但感應階段毫無變化。

以上結果發表於1857年。他們敍述到德雷拍曾發現，曝晒過的氯，其活性在黑暗中可保持數星期而不衰。但本生和魯士可却發現此活性瞬即消失。他們說，化學親和力是一種不變的力，但是某物質的質點在進行反應時，會遭遇阻力，此阻力可以被升高溫度，催化作用，日光照射等而克服之。

本生和羅斯科（1857）認為他們證明過，氫和氯的混合氣體，比較等量的氯所吸收的光要多（他們已證明氫能吸收的光，微不足道）。他們把這種現象，叫作光化學吸光作用（Photochemical extinction）。

德雷拍（1845）早已發現，氫、氯所吸收的光，等於氯單獨所吸收的光。但後來光化學吸光作用，却被柏澤斯（C. H. Burgess）和察普曼（D. L. Chapman 1906）用精細的測量工作證實，並不存在。

馬拉古提（Malaguti 1839）對於光化學變化提出一“交互定律”（law of reciprocity）：It＝常數。式中I＝光的強度，t＝時間。即是說，若光的強度減半，而照射的時間加倍，與原強度而照射1單位時間，可產生同樣的效應。上述定律曾由德雷拍（1843）用實驗證明。

德雷拍定律所述，氫與氯的化合速率，與光的強度I成正比。一直到貝雷（E. C. C. Baly）和巴爾凱（Barker 1921）才被否定。他們發現化合速率的增加，比光的強度增大來的快。察普曼夫人（Mrs. Chapman 1924）發現德雷拍定律近乎正確，但化合速率的增加，比光的強度增加略慢。不過她所用的光強度範圍，比貝雷和巴爾凱所用的較小。阿爾曼（Allmand）和必斯萊（Beesley 1930）使用的光的強度從1到440，而且也用極化光，發現上述定律正確。他認為在光的強度更高時，察普曼夫人的發現也有可能。察普曼（1926）預言，若在氫、氯混合氣體中完全無氧存在時，則其反應速率應與光的強度的方平根（$I^{0.5}$）成正比。步德（E. Budde 1871）由觀察得知，氯在日光下曝晒而膨脹。他並假設，那是氯解離成為原子的結果。後來（1873）他又證明，那是因為吸收光線而生熱的關係。

柏澤斯和察普曼發現，氧能減慢氫氯化合的速率，但不發生感應階段。他們構想氨或氯化氮的效應或係純物理方面的。光可使分子（特別是氯）成為諧振（har-monic vibration）的特殊狀態，因此而能使之發生化合作用。若有雜質存在，即會擾亂這種諧振。在一百萬個分子中，若有一個NCl_3分子，即會減少其敏感性1/100。路得（Luther）和葛德堡（Goldburg 1905）等人證實，氧能減緩氫和氯的光化學結合。察普曼和麥馬韓（Mac Mahon 1909）也發現氧化亞氮和一氧化氮是無作用的，氧化氮，臭氧和二氧化氯可使反應緩慢下來。

最令人感覺興趣的，是水汽對此反應的影響。普林席姆（E. Pringshim 1887）發現，仔細乾燥過的氫和氯，曝於日光中，並不發生爆炸，但可以完全化合。他假定水必定參與爆炸的反應如下：

$$Cl_2 + H_2O = Cl_2O + H_2$$
$$Cl_2O + 2H_2 = H_2O + 2HCl$$

未里（Veley 1894）等人假設，在反應中有HOCl生成：

$$Cl_2 + H_2O = HOCl + HCl$$
$$HOCl + H_2 = HCl + H_2O$$

波頓斯田（M. Bodenstein）和達克斯（W. Dux 1913）的研究工作，揭開了新的一頁。他們使用乾燥的儀器，開始時是氫和氯的混和氣體，當反應進行一段時間後，把儀器沒入液態空氣中，如此可把剩餘的Cl_2和生成的HCl凝固出來，而可測出殘餘氫的壓力。他們發現，在有光的情況下，反應速率與下列四種因素有關：

(1)與氯的濃度的平方成正比，但與氫的濃度無關（至少是氯的濃度的四分之一；若量再減，速率減小的很少）。

(2)與HCl的濃度無關。

(3)若水蒸氣的壓力在0.004至2.3mm之間，對速率無影響。

(4)氧能減慢速率，且與其濃度成正比。

綜合以上得：

$$v = k[Cl_2]^2/[O_2]$$

波頓斯田和達克斯為瞭解第（3）條結果，與他們以前的工作矛盾起見，他們假定，乾燥氣體時使用的五氧化磷，能生出少量的氧，以減緩了反應速率。他們並認為，氯被光游離為離子：

$$Cl_2 + 光 = Cl_2^+ + \ominus（電子）$$
$$Cl_2 + \ominus = Cl_2^-$$
$$Cl_2^- + H_2 = 2HCl + \ominus$$

但湯姆生（J. J. Thomson 1901）已證明，氫或

它與氫的混合物，是不會被光游離的，而且此混合物即如游離，也不會發生反應。然後波頓斯田與達克斯又假定，氯吸收了光的振動能量，而生成活性分子，它再與 H_2 又生成活性 HCl 分子。後者可以把它的能量給予 Cl_2 分子或 O_2 分子，這些分子可以保有它的能量。這種"熱分子"（hot molecules）或"能量鍊鎖"（energy chain）理論，似乎很像柏澤斯和察普曼的理論，現代的"原子鍊鎖"（atomic chain）理論是涅斯式建議的（1918）。他認為一個氯分子，由光吸收一量子能 $h\nu$ 而離解為原子。下述鍊鎖反應即是如此形成的，同時氯原子再度形成：

$$Cl_2 + h\nu = Cl + Cl$$
$$Cl + H_2 = HCl + H$$
$$H + Cl_2 = HCl + Cl$$

上述反應中，只有第一步才是光化學反應。這些氣體的鍊鎖反應，一直發展下去，直到它們碰到容器壁為止，或者遇到一個非活性的分子（如氧）而停止。

現代光化學中的基本法則，是愛因斯坦（1912）所創立的光化當量法則（Law of photochemical equivalence）。他認為參與光化學反應的每一分子，首先都要吸收一量子的能量（$h\nu$），此能量相當於頻率為 ν 的輻射能（近乎此一觀念的理論，已於 1908 年田斯塔克所提出）。這是每一光化學反應中的初步程序。每吸收一個量子，至少要有 3⅓ 百萬個 HCl 分子形成。而在愛因斯坦的光化學當量法則中認為，每分解一個分子，就需要一個量子（$Cl_2 + h\nu = 2Cl$，生成 2HCl）。前述產物分子較多，是因為非光化學的鍊鎖反應所致。韋格特（Weigert）與凱萊曼（Kellermann 1922）用電火花照射氫、氯混合氣體 10^{-6} 秒，然後檢查未被氯吸收的光，最初無任何發現，然後有對流所引起的條紋出現，1/100 秒之後，達到最高點（黑暗中的反應），並在 1/20 秒後消失。這是因為鍊鎖反應的展開而放出的熱。

無機化學部分

七、週期表和週期律的發展

(1)早期的元素表

紐蘭志（J. A. B. Newlands）於 1863 年開始，連續出版了許多短文，取名為化學通訊（Chemical news），多係討論原子量的。在他的第一篇論文中指出，為明瞭起見，最好仍採用舊的當量。他認為各種互相有關的元素，其當量之差，為 8 的倍數，並討論到三種元素為一組。在 1864 年 8 月 20 日他提出一簡略的元素表，把元素按其當量大小排列，如：氫 1，鋰 2、鈹 3，硼 4 等等。自某一元素後的第八種元素，與此元素的性質相似，就像音樂上的八音度音程一樣。雖然格萊斯呑在 1853 年也曾按當量，把各元素排列成序，但是這仍是人類第一次有"原子序"的觀念。紐蘭志也曾預言，某些元素可能是這些三個一組元素的中心，但每組應有多少種元素，現在尚且未知，或者是未經察出。1865 年 8 月 18 日，為使人注意他以前的論文，他說：「若把元素按其當量排列（偶而有換位者）應如下表，並可看出，屬於同一組的元素，通常出現在同列中。」

紐蘭志的元素表（1865）

H	1	F	8	Cl	15	Co和Ni	22	Br	29	Pd	36	I	42	Pt和Ir	50
Li	2	Na	9	K	16	Cu	23	Rb	30	Ag	37	Cs	44	Tl	53
G	3	Mg	10	Ca	17	Zn	25	Sr	31	Cd*	38	Ba和V	45	Pb	54
Bo	4	Al	11	Cr	19	Y	24	Ce和La	33	V	40	Ta	46	Th	56
C	5	Si	12	Ti	18	In	26	Zr	32	Sn	39	W	47	Hg	52
N	6	P	13	Mn	20	As	27	Di和Mo	34	Sb	41	Nb	48	Bi	55
O	7	S	14	Fe	21	Se	28	Ro和Ru	35	Te	43	Au	49	Os	51

*在原表中遺印 Bd.。

由上表也可以看出，類似元素的**種類**，一般相差爲 7 或是 7 的倍數。換言之，同一組中的各元素，互相間是相同的關係，正如同音樂中高一音階，或高二音階一般。這種特別的關係，是我暫時使用"八音階法則"（law of octaves ）的根據。」

紐蘭志把某些元素的次序顚倒（如 Te 和 I ），正如後來門得列夫所作的一樣，在他的表中，有些元素的次序錯亂，是因爲不正確的原子量，以及所謂的過渡元素（如 Fe，Co，Ni，鉑族元素）所引起的。但是他的意念

，已使週期律萌芽。

1864 年 10 月歐德林（Odling ）喚起科學界注意，當他把元素按原子量的次序排列（有例外）時，他發現在這一系列的元素，有連續性。威廉姆遜（Williamson ）於 1864 年，也曾提出初步的週期表。1865 年歐德林刊行一種值得重視的表（實爲第一版的修正，見下表），他認爲在衆所週知的每一組中的各元素間，其性質的順序，以及原子量的順序，都是互相平行的。

歐德林的元素表（1865）

						Mo	96	W	184
								Au	196.5
						Pd	106.5	Pt	197
L	7	Na	23	—		Ag	108		
G	9	Mg	24	Zn	65	Cd	112	Hg	200
B	11	Al	27.5	—		—		Tl	203
C	12	Si	28			Sn	118	Pb	207
N	14	P	31	As	75	Sb	122	Bi	210
O	16	S	32	Se	79.5	Te	129	—	
F	19	Cl	35.5	Br	80	I	127	—	
		K	39	Rb	85	Cs	133		
		Ca	40	Sr	87.5	Ba	137		
		Ti	48	Zr	89.5				
		Cr	52.5	—		V	138	Th	231
		Mn	55	—					

1868 年 7 月，梅耶（J. L. Meyer）製一週期表（但未發表），表中共有十六行，最後一行是空白的。若干種元素都弄錯了族（與 1869 年門得列夫所製的週期表同樣的錯誤），但每一族開始的元素分別爲：碳、氮、氧、氟、鋰，並且鹼土金屬元素是完整無缺的。但在碳族中，却有一種尚未發現的元素（鍺）缺着。過渡元素列出的甚少，但 Cu，Ag，Au，以及 Zn，Cd，Hg 都正確的列出。表中列出的數字，是該元素上下二種元素的原子量差。下頁之表即是梅耶的週期表，因爲太寬，故分作二部分印出。

(2)週期表和週期律

門得列夫（D. I. Mendeléeff ） 於 1868 年開始

著作他的化學原理時，他設法把元素加以分類。他認爲根據原子量，似乎最爲可能。他接受了杜馬士（Dumas），藍森（Lenssen）、培坦卡凡（Pettenkofer ）和克利默（Kremers）等的研究結果，但却未認可斯特利克（Strecker ）或紐蘭志的見解。他曾參與加爾斯盧合會議，並受其影響至深。他說：「我深信元素間的結合，必有結合力存在。一切物質的質量，若小至極點，應以原子來表示之。每一種原子，應有其功能上的性能，而且可以從各元素的個別性質，以及其原子量中發現出來。但若不去尋求，不去試驗，則會一無所得。因此我開始用各種元素的原子量和其特性，以研究元素。把相似的元素，以及相近的原子量，分別記錄在卡片上，如此不久即使我深信，元素的性質是依原子量而呈週期性的。雖

梅耶的元素表（1868年未發表）

I	II	III	IV	V	VI	VII	VIII
—	—	—	—	—	—	—	—
—	—	—	—	—	—	—	—
—	—	Al 27.3	Al 27.3	—	—	—	C 12.0
—	—	$\frac{28.7}{2}=14.3$	—	—	—	—	16.5
—	—	—	—	—	—	—	Si 28.5
—	—	—	—	—	—	—	$\frac{89.1}{2}=44.55$
Cr 52.6	Mn 55.1	Fe 56.0	Co 58.7	Ni 58.7	Cu 63.5	Zn 65.0	—
—	49.2	48.3	47.3	—	44.4	46.9	$\frac{89.1}{2}=44.55$
—	Ru 104.3	Rh 104.3	Pd 106.0	—	Ag 107.94	Cd 111.9	Sn 117.6
—	$92.8=2\times46.4$	$92.8=2\times46.4$	$93=2\times46.5$	—	$88.8=2\times44.4$	$88.3=2\times44.15$	$89.4=2\times44.7$
—	Pt 197.1	Ir 197.1	Os 199.0	—	Au 196.7	Hg 200.2	Pb 207

IX	X	XI	XII	XIII	XIV	XV	XVI
—	—	—	Li 7.03	Be 9.3	—	—	—
—	—	—	16.02	14.7	—	—	—
N 14.04	0.16	Fl 19.0	Na 23.05	Mg 24.0	—	—	—
16.96	16.07	16.46	16.08	16	—	—	—
P 31.0	S 32.07	Cl 35.46	K 39.13	Ca 40.0	Ti 48.0	Mo 92	—
44.0	46.7	44.51	46.3	47.6	42.0	45	—
As 75.0	Se 78.8	Br 79.97	Rb 85.4	Sr 87.6	Zr 90.0	V 137	—
45.6	49.5	46.8	47.6	49.5	47.6	47	—
Sb 120.6	Te 128.3	I 126.8	Cs 133.0	Ba 137.1	Ta 137.6	W 184	—
$87.4=2\times43.7$	—	—	$71=2\times35.5$	—	—	—	—
Bi 208	—	—	?Tl 204?	—	—	—	—

然我對於幾點不明之處，也有我的困惑，但我對此一定律宇宙性，從來沒有一次的懷疑。因爲它不可能是巧合的結果。」

門得列夫的第一個週期表，刊於1869年2月中旬，並分送給幾位化學家，他非常欣賞這種週期關係，隨即寫一篇論文，準備在1869年3月6日，向俄羅斯化學會宣讀。這篇論文包括週期表在內，是有史以來第一次敍述週期律的文獻。由此所得的展望是：(1)有些元素的原子量，必須改正，以符合此表。(2)必定有未被發現的元素存在，以塡滿表中空缺的位置。此論文包括下列八個論點：

(1)若把元素按其原子量排列，很明顯的在其性質上有週期性。

(2)化學性質相似的元素，有些具有幾近相等的原子量（如鉑、銥、鋨），有的作規則的增大（如鉀、鉫、鉫）。

(3)以原子量爲序排列，所得元素的族（groups）的順序，與它們的價相當。

(4)自然界存在量豐富的各元素，其原子量小，且性質區分的十分清楚，因此它們成爲該族元素的代表。

(5)原子量的大小，可以決定元素的性質。

(6)未被發現的元素，其發現是可預期的。

(7)某元素的原子量，有時可藉相鄰各元素的原子量，加以校正。

(8)元素的某些特性，可以由其原子量預先推知。

1869年8月，門得列夫發表元素的原子體積，附有一新型的週期表。凡是原子量已確定的元素，均經列入，並且過渡元素的三疊系，也列出來。在此表中，有的族與族間並未分開，例如第一族包括 Li，Na，K、Cu、Rb、Ag、Cs；而第二族包括有 Be、Mg、Zn、Sr、Cd、Ba。

梅耶的第一版週期表上註明的日期，是1869年12月，但却出現在1870年。這是參考德國摘要（German abstract）中，門得列夫的論文而成的週期表。可說是與門得列夫的表大致相同，且對此淵源並未說明。

上表中，相似的元素，排在同列內。有些元素弄錯了族；而且有空缺的地方，這些空缺的地方，可能是原子量尚未確定的元素，或未被發現元素的位置。梅耶令人注意，在第Ⅳ、Ⅵ和Ⅷ行中，各元素對上面一列元素的關係（Ti 對 Si 和 Sn；V 對 P 和 As 等），例如它們的化合物中有些是異質同形。在這篇論文中還包括著名的原子體積曲線，此曲線隨原子量之增大，有極大與極小值。

1871年門得列夫發行一篇長論文，其中的週期表已改進一二處（即是：把鈹從第Ⅱ族改入第Ⅲ族——梅耶曾建議如此），多少已漸接近於新的形式。排錯位置的元素有：鑭（註有??）和鈰（註有?）排在第Ⅳ族。把銅、銀、和金放在第Ⅷ，看作了過渡元素，同時在第Ⅰ族中也列的有。這篇論文中，對某些原子量的改正（如銦、鈾、鋅、鈰等），曾詳加說明，並且預估數種尚未發現元素（門得列夫稱之爲：ekaboron, eka-aluminium, ekasilicon）的可能具有的性質，以及估計的原子量44，68和72。

門得列夫的第一個週期表（1869年3月）

						Ti	50	Zr	90	?	100
						V	51	Nb	94	Ta	182
						Cr	52	Mo	96	W	186
						Mn	55	Rh	104.4	Pt	197.4
						Fe	56	Ru	104.4	Ir	198
						Ni = Co	59	Pd	106.6	Os	199
						Cu	63.4	Ag	108	Hg	200
H	1										
		Be	9.4	Mg	24	Zn	65.2	Cd	112		
		B	11	Al	27.4	?	68	U	116	Au	197?
		C	12	Si	28	?	70	Sn	118		
		N	14	P	31	As	75	Sb	122	Bi	210?
		O	16	S	32	Se	79.4	Te	128?		
		F	19	Cl	35.5	Br	80	I	127		
Li	7	Na	23	K	39	Rb	85.4	Cs	133	Tl	204
				Ca	40	Sr	87.6	Ba	137	Pb	207
				?	45	Ce	92				
				Er?	56	La	94				
				Yt?	60	Di	95				
				In	75.6	Th	118?				

梅耶的週期表（1869年12月）

I	II	III	IV	V	VI	VII	VIII	IX
	B 11	Al 27.3	—	—		In 113.4		Tl 202.7
	C 11.97	Si 28				Sn 117.8		Pb 206.4
			Ti 48		Zr 89.7		—	
	N 14.01	P 30.9		As 74.9		Sb 122.1		Bi 207.5
			V 51.2		Nb 93.7		Ta 182.2	
	O 15.96	S 31.98		Se 78.0	Mo 95.6	Te 128?		
			Cr 52.4				W 183.5	
	F 19.1	Cl 35.38		Br 79.75		L 126.5		
		Mn 54.8			Ru 103.5		Os 198.6?	
		Fe 55.9			Rh 104.1		Ir 196.7	
		Co和Ni 58.6			Pd 106.2		Pt 196.7	
Li 7.01	Na 22.99	K 39.04		Rb 85.2		Cs 132.7	Au 196.2	
		Cu 63.3			Ag 107.66			
?Be 9.3	Mg 23.9	Ca 39.9		Sr 87.0		Ba 136.8	Hg 199.8	
		Zn 64.9			Cd 111.6			

門得列夫的週期表（1871）

族	I	II	III	IV	V	VI	VII	VIII
	—	—	—	RH_4	RH_3	RH_2	RH	—
	R_2O	RO	R_2O_3	RO_2	R_2O_5	RO_3	R_2O_7	RO_4
列								
1	H1							
2	Li 7	Be9.4	B11	C12	N14	O16	F19	
3	Na23	Mg24	Al27.3	Si28	P31	S32	Cl35.5	
4	K39	Ca40	—44	Ti48	V51	Cr52	Mn 55	Fe56 Co59
5	(Cu63)	Zn65	—68	—72	As75	Se78	Br 80	Ni59 Cu63
6	Rb85	Sr87	?Yt88	Zr90	Nb94	Mo96	—100	Ru104 Rh104
7	(Ag108)	Cd112	In113	Sn 118	Sb122	Te125	I 127	Pd106 Ag107
8	Cs133	Ba137	?Di138	?Ce140	—	—	—	— —
9	(—)	—	—	—	—	—	—	
10	—	—	?Er178	??La180	Ta182	W184	—	Os195 Ir197
11	(Au199)	Hg200	Tl204	Pb207	Bi208	—	—	Pt198 Au199
12	—	—	—	Th231	—	U240	—	

　　1870年梅耶的論文和1871年門得列夫的論文，均未引起世人的興趣。前者過於簡短，且有若干疑問之處；後者又太冗長，且細節繁多。直到門得列夫所預猜的元素被發現，且證明其性質與預估者相同，才引起大家的重視。鎵是1875年被波斯保德朗（L. de Bois-baudran）發現的。門得列夫證明它是 eka-alumi-

nium 。尼耳森（Nilson）於 1879 年發現鈧，被認爲
是 ekaborn 。溫克勒（Winkler）1886 年發現鍺，認
爲卽是 ekasilicon 。

週期表的被重視，是在 1876 年由阿姆斯壯（H.E.
Armstrong）的倡導，直到 1884 年，週期表才出現在
英國的幾本教科書中。門得列夫在 1879，1881 及 1889
年，再提出週期表重要性的細節。1889 年他指出，某
元素對氫及氧的價（1871 年的週期表上方所示）的和
爲 8（二者當量數的和必等於 8）。

八、酸鹼工業

1857 年英國西北部蘭凱社州（Lancashire），
正在發展一種拉布蘭克製鹼工業（Leblanc alkali pro-
cess）以及其副產品工業。1866 年，威爾登法製氯
（Weldon chlorine process）開創於聖海倫，並於
1869 年開始製造。狄康法（Deacon process）約在
1867 年開始，且漸漸取代了威爾登法。英國的狄康工
廠最後於 1929 年關閉，但這種方法仍繼續改進，成爲
一種現代式的工業。

狄康（H. Deacon）在 1851 年發明氨一鹼法（
Ammonia-soda process），後來他和哈特（F. Hur-
ter）合作，發表了許多關於鹼工業各方面的文獻。狄
康於 1870 年發表一種製氯的理論。哈申克來萬（R.
Hasenclever 1877）設計一種極爲重要的淨化氯化氫
的方法。狄康法的普遍應用，是在他去世以後，因爲威
爾登法比較簡單，而且所得的氣體濃度也高（85～90
%）。另一種製氯法是登祿普（Dunlop）於 1849 年發
明的，是硝酸氧化鹽酸而得，此法近代曾加改進。

硫酸的合成製法，是把二氧化硫與空氣中的氧，用
加熱的鉑爲催化劑，合成三氧化硫。這種方法是在 1831
年由斐力普（P. Phillips）取得專利的。首次用此法製
造發煙硫酸的，是米色爾（Messel 1875 年）。

尼特士（R. T. J. Knietsch）證明，用黃鐵礦
燃燒所得的氣體，經過仔細的淨化，以免催化劑中毒，
也可以用來製硫酸。且此法於 1898 年由巴底社公司（
Badishe Co.）採用。

氨一鹼法早於 1810 年，卽爲傅利士奈爾（A. J.
Fresnel）所提出，並在蘇格蘭開工製造一二年之久。
戴爾（H. G. Dyar）和赫民（J. Hemming）在 1838
年用此法申請專利，並在倫敦製造一短時期。1855 年
社勞辛（T. Schloesing）和勞蘭德（E. Rolland）
在巴黎附近用此法製造一段時間，他們對此法極爲重

視。

索耳未（E. Solvay）於 1863 年，把他的設備申
請了專利，其中主要的是一個垂直的碳酸化塔（ car-
bonator），並在 1865 年設廠製造，所出的鹼曾在 1867
年巴黎的博覽會上展出。

九、稀土金屬

下表爲稀土金屬元素發現的經過（此表取自 J.
Chem. soc. 1935）。其中原始的二種稀土元素，一
種爲鈰，是克拉普魯士（Klaproth）和柏茲留斯，
以及赫興格（Hisinger）於 1903 年發現的。另一種爲
釔，是 1794 年由加多林（Gadolin）所發現。表中把
各種元素的原子序也列出。此表似低估了馬里乃克（
Marignac）的貢獻。表中並未把分離稀土元素的極度
困難表明出來，後來才知道那些認爲是新元素的，竟是
許多元素的混合物。

雷特格（Retgers 1895）和柏尼狄克（ Bene-
dicks 1904）建議，應把這些稀土元素置入週期表同一
位置內。布勞奈（Brauner 1902）建議他所謂的 "∑
一物系"（∑—system）。他假定稀土元素是一群關係
密切的元素，在週期表中，只能佔一個位置。從鈰＝
140 到原子量爲 178 的一種元素，位於門得列夫週期表
中的第Ⅳ族。鑭在它們之前，應居第Ⅲ族，而鉭在後，
居第Ⅴ族。在鈰與鑭間，位於空位的一列元素，在門得
列夫的週期表上便遺漏掉了。布勞奈的觀念認爲稀土族
中的元素種類，可能無限的增多（現代的觀點，是認爲
稀土元素有一定的限量，且將之與鑭同置第Ⅲ族、第Ⅳ
族的位置，留給近年發現的鉿）。門得列夫在 1902 年
重申他的表中有十七個空位，他說：「在 Ce＝140 與
Ta＝183 之間，可能要有一個大週期的元素，但這一列
的稀有元素（現尚未完全研究出來）例如：現在已知的
Pr＝140.5，……Yb＝173 等等，其原子量適合此一
階段。因此，這一部分的週期系統已被破壞，且需新的
研究。」對於化學性質如此相同，而原子量又相差甚多
的解釋，只有賴於原子結構的知識來說明了。甚爲奇妙
的，門得列夫在同一文中說，他對化學元素想的越多，
越要決定改變對原始物質傳統的見解。由於他欲達到此
目的，他便研究電和光的現象——這兩條路線，正是解
開此一謎底的正確途徑。

最後的一種稀土元素鎦，是鄔爾本（Urbain 1907
）和魏爾士巴赫（A. von Welsbach 1908）分別獨自
發現的。

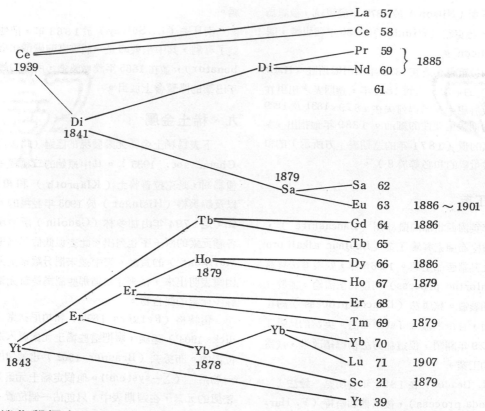

十、對無機化學極有貢獻的化學家

(1)杜瓦（Sir J. Dewar ）

杜瓦在光譜學上發表許多論文（1915）。他曾計算固體化合物中氧的原子體積。又與斯考特（A. Scott）合作，測定鉀、鈉的蒸氣密度，發現此二金屬在蒸氣中是單原子存在的。他並發現（1883）鎂的原子量爲55.16，同時由三乙基胺找出氮的原子量。他和退特（P. G. Tait 1874）用木炭的吸附作用得到高度的眞空。他觀察發見，在電解時，鈀片呈彎曲狀，是因爲它吸收氫而膨脹所致（1869）。他並測定過鋞（hydrogenium）的物理常數，如：密度、比熱等。也測定過碳在高溫下之比熱。他在英國皇家學院時，研究氣體的液化，及低溫下物質的性質。也報導過奧爾次斯基（Olszewski）和拉布里斯基（Wroblewski 1884）液化氧的研究工作，並且根據他們的工作，杜瓦也設計了一組設備。他證明液態氧和臭氧都有磁性（1891）。杜瓦在1893年發表他製得固態空氣，1896年得到液態氫，1900年製成固態氫。用來貯藏液態氣體的杜瓦瓶，是在1892年第一次使用，但此種原理，却早在1873年被應用過。1903年他發表得到液態氟，並在－187°F研究液態氟的反應。杜瓦（1904）在低溫下測定各種

固體的比熱，發現元素的原子熱是原子量的週期函數。杜瓦的最後研究工作，是肥皂膜。

(2)布勞奈（ B. Brauner ）

布勞奈研究工作的靈感是來自週期表。他在李必希（ Liebig）1871年年鑑中讀到門得列夫的論文後，才知道週期表的。在門得列夫的訃聞中，布勞奈說：「當我讀過那篇精闢的論文後（1876），我立卽決定了我的工作方向。在那一刻間，我確定了我一生的目標。卽是用實驗來研究與門得列夫的元素系統有關的問題，而且其中最重要的，似應爲＂所謂的稀有元素，尤其是稀土元素在門得列夫系統中的位置應在何處？＂」布勞奈（1881）測定了輕金屬氧化物的容度（ specific volume ）並且收集證據，證實鈹是第Ⅱ族的元素。他繼續對稀土元素的研究，測定了鈰和鑭的原子量。稀土元素都是強鹽基性金屬，且爲二價，但却沒有那一種在週期中有合宜的位置，那是因爲門得列夫在1869年，認爲它們都是三價的。布勞奈在1871年說，他測定過鈰的比熱，由此顯示其原子量約爲140，此事後由喜勒布蘭得（W. F. Hillebrand 1876）證實，他亦發現鑭和Di（didymium一種誤認的元素）的原子量約爲140（門得列夫把鑭放入第Ⅳ族，以爲它的原子量爲180）。布勞奈在研究稀

土元素的原子量的後期工作中（1906），一般言之，是非常精確的。他也用過容量分析法。 1882年他認爲" Didymium"不是單純的物質，但自從克利夫（Cleve）在同時對此一問題發表論文後，他便 放棄了這一方面的工作。魏士巴赫首先把didymium分離爲鐠和釹。但布勞奈發現，他把二者的原子量弄顚倒了。

在週期表中，碲的位置是不妥的，它比碘的原子量大，但却排在碘的前面，門得列夫在1871年發現 Te ＝ 125，I ＝ 127。布勞奈認爲，碲一定含有高原子量的雜質在內，但經一長時間的研究，他雖然用各種方法使之分離，但仍不能變更碲的原子量。他用硝酸銀滴定 Te Br$_4$，發現（1889）Te＝ 127.61。後來貝克（H. B. Baker）和班奈特（A. H. Bennett 1907）發現碲的原子量爲127.60，較碘的（126.91）爲大。但他們仍不能把碲分離開來。在貝克和班奈特的結果被艾斯頓（Aston）探究之後，他仍未能把碲的同位素研究出來。後來還是荷尼斯密特（Hönigschmid 1933）和班布利吉（Bainbridge 1932）利用質譜儀發現碲的數種同位素。但碘仍爲一單獨元素。

布勞奈曾製備出四氟化鈰Ce F$_4$，H$_2$O 和複鹽3KF，2CeF$_4$， 2H$_2$O 。把此鹽加熱，即放出水和氟化氫以及一種類似氯臭的氣體。他認爲是自由的氟（1882）。他在1894年發現，矽能在加熱 3KF，HF，PbF$_4$ 所生的氣體中燃燒。狄克森（Dixon）和貝克約在1883年發現（但未發表），在氧中加熱 UF$_5$，即有一種氣體逸出，此氣體可以侵蝕銀、金和鉑箔。

(3)克利夫（Per Theodon Cleve ）

克利夫的第一篇論文（1861）是討論氯化氨鉻錯鹽的，他證明此種錯鹽的組成爲〔Cr(NH$_3$)$_4$(H$_2$O) Cl〕Cl$_2$。以後他又研究氨鉑化合物，他發現一新系列的化合物，含有二原子的鉑，這數百種的物質可以分爲二大類（1872）。後來他研究稀土元素，證明它們是三價的，但釷爲四價的。他懷疑didymium可能不是一種元素，後於1885年被魏爾士巴赫證實。在此一研究工作中，克利夫發現了鈥和銩。鈥也單獨被索勒特（Soret 1878）所發現，認爲是" X－元素"。克利夫也把尼爾森發現的元素鈧，詳加研究。

(4)狄佛士（E. Divers）

狄佛士於1870 研究碳酸銨時，發現次硝酸鹽（hyponitrites）。狄佛士和施毛薩（Shimosé 1884）共同研究韋伯（Weber 1875）所發現的SSeO$_3$，並且在加熱STeO$_3$時，發現了TeO（1883）。狄佛士刊出二十四篇有關硫和氮化物的重要論文（1884～1900）。次硝酸（HNO）的存在以及它與氧化亞氮的關係，曾被葛利芬（Griffin 1858）預猜如下：

$$N, NO \atop H, HO \Big\} = \Big\{ HNO \atop HNO$$

(5)桑普（T. E. Thorpe）

桑普和塔呑（A. E. H. Tutton 1886）發現二氧化磷PO$_2$（P$_8$O$_{16}$），並確定三氧化磷 P$_4$O$_6$ 的存在（1890）。桑普發現（1877）五氟化磷。他和勞萊（A. P. Laurie 1887）測定金的原子量（197.28），又和楊（J.W. Young）測定矽的原子量。桑普和哈布萊 （F. J. Hambly）發現（1889）POF$_3$，並測定了氫氟酸蒸氣的密度，證明其在低溫時發生聚合作用，桑普和盧克（A. Rücker）在1884年研究臨界溫度，1894年研究各種液體的黏滯性。桑普於 1880 年測定各種液體的克分子體積，並研究火焰與燃燒。

(6)繆商（H. Moissan）

繆商在無機化學領域中的 第一個工作，是研究鐵族和錳族金屬的氧化物。他從汞齊中得到金屬的鉻，裝備純亞鉻酸，並研究鉻酸（1881～3）。1884年繆商開始研究氟的化合物，以致他在1886年把氟分離出來，這是無機化學中的重要問題之一。自從德維（1812）製備氟失敗以後，有數位化學家曾繼續努力過，他均未成功。約在1850年佛萊米（Fremy）開始研究氟，他在鉑製的曲頭甑中，蒸餾氟氫化鉀，得到純粹而乾燥的氟化氫，且發現一些酸式氟化物。他在鉑皿中試驗氯和氧對氟化物的作用，也常常加熱，但所得到的，只是氯和氟化物的複鹽或是氧氟化物（MOF）。在鉑製器皿中電解熔融的氟化鈣時，鉑陽極即被腐蝕。法拉第（1834）早已發現乾燥的氫氟酸爲電的非導體。戈爾（Gore 1869）研究過無水氫氟酸，測定其蒸氣密度等，以及它對許多元素及鹽類的反應。他也曾企圖電解它（驗證法拉第的結果）。繼之他把氟化銀放入一鉑舟中，再把鉑舟放入充滿氟的鉑容器中加熱，他發現鉑舟被腐蝕，而生出一種赤褐色的物質（氟化鉑）。再用石墨小舟試之，有一種氣體（CF$_4$？）形成，但無氟製得。以上是繆商開始他的工作時，所能獲得的資料。他的觀念認爲，從氟的非金屬化合物分離氟，要比從它的金屬化合物容易些。他在裝有汞的玻璃管中，用電火花處理氣態的

SiF_4，BF_3，AsF_3，PF_3及PF_5等，前二種是安定的，PF_3發生分解（$5PF_3=3PF_5+2P$）。把PF_3與氧共同以電火花處理，發生爆炸，並有POF_3生成。電解液態的AsF_3（溶入KHF_2以使之導電）時，他認為有微量的氟得到。然後，他又在鉑製的V形管中，冷至$-35°$，電解無水液態的氫氟酸，所用的電極是鉑銥合金，也溶入少量的KHF_2於此液體中，以使之導電，結果他得到自由的氟（1886）。繆商和杜瓦使氟液化（1897），且凝固為固體（1903）。自從把氟分離以後，繆商便轉向無機化學的其他重要問題，即人造金剛石。馬士頓（R. S. Marsden 1881）把碳與銀鉑合金共同加強熱，然後冷却之，得到一些碎小的晶體，他認為是金剛石。繆商證實此事，並把鐵與碳在電爐中加熱，用水冷却此坩堝，再用鹽酸溶解其中的鐵，也得到微粒的金剛石。繆商利用電爐製備出許多種金屬（如：鉻、錳、鉬、鎢、鈾、釩、鋯及鈦——大多被碳污染），碳化物，氮化物、硼化物及矽化物。他也發現了氫化鈉與氫化鉀（1902），並證明NaH與SO_2作用生成$Na_2S_2O_4$。

(7)拉姆則

（Sir W. Ramsay, 1904 年獲諾貝爾獎）

拉姆則利用金屬溶解於汞，按蒸氣壓降低法，測定了多種金屬的分子量（1889），而且發現它們之中，大多是單原子的分子。拉姆則對於凡特荷夫的溶液氣體論予以接受（1888），並且對於阿瑞尼士的電解質的輕離學說，也是從開始即接受的。拉姆則和席爾玆（Shields 1893）應用分子表面能（molecular surface energy）公式，測定液體的分子量。拉姆則最重要的研究工作，是與雷李（Lord Rayleigh）合作發現了氬以及其他鈍氣。拉姆則於1892年對各種氣體的密度，作了精確的測定，他發現氮的結果有奇妙的問題存在。他製備氮的方法，是把空氣和氨混合，通過紅熱的銅。這樣製得的氮，比僅從空氣中製得者輕千分之一。雷李證明輕的氮中，並無氫。1893年他發現用氨和氧製得的氮，有百分之0.5的差別。1894年，用四種不同的化學方法，製得的氮，都比空氣中的氮輕二百分之一，而且經過八個月，它的密度都無改變。1894年雷李和拉姆則合力發現了氬。雷李用卡文狄許（Cavendish）的方法，在從空氣製得的氮中，與氧共同用電火花使之化合而分出氬。而拉姆則是把氮通過強熱的鎂而留下氬的。首次宣佈氬的發現，是在1894年8月13日，由雷李爵士在牛津舉行的不列顛協會上，以口頭發表的，

某些要點見諸各報紙。雷李和拉姆則聯合發表的論文，是在1895年1月31日，在皇家學會上，由拉姆則宣讀的。拉姆則在米爾士（Miers）的建議下，研究從富釔複鈾礦放出的氣體，此氣體在1888年時，喜勒布蘭德認為是氮。他在1895年3月發現，那是一種新的鈍氣，原子量為4。此氣體的光譜由克魯克斯（Crookes）發現與氦的相同，且1868年羅掣（N. Lockyer）用太陽光譜發現，太陽附近有此氣體存在。氦之命名，即是由羅掣決定的。朗萊特（Langlet 1895）也單獨發現了氦。由於氬與氦的發現，即認為在週期表中應有一新族的元素出現，其原子價為零。此一族後由拉姆則與特拉萬（Travers）發現還有氖、氪、氙而完成之。氬與氦位居第一短週期（1926），拉姆則曾建議，鈍氣應置入過渡元素第Ⅷ族中，且亦曾如此。

(8)偉爾納（A. Werner 1913 年獲諾貝爾獎）

偉爾納最重大的貢獻，是他的原子價理論以及配位化合物的結構（1891）。他認為於其說原子的價（包括碳原子在內）是一種吸引力，此力由原子中心發射，均勻的作用到表面上的各部分，不如說是價鍵直接了當（1906）。若元素的當量在任何化學狀態，都按法拉第的第二定律的定義，則：價＝原子量÷當量，且是純數字。價與親和力的區別，曾由米開利斯（A. Michaelis 1872）表明過。吳次（Wurtz）認為親和力是化合作用的力，而各種單質（Simple bodies）與另一種單質形成比較複雜的化合作用時所具有的力。這種力是深藏於原始的粒子中的，叫作化合值（Combining value）或價（Valency or atomicity）。某元素的一原子，可化合的氫原子數，或可從一化合物中取代的氫原子數，叫作價。夫蘭德（J. N. Friend 1915）把"Valency"用來表示"原子互相化合時所具的力"。而把"Valence"表示"結合時真正的力或鍵"。氫為一Valence，因為它的Valency是一個單位。

布洛斯傳德（Blomstrand 1871）指出，在鹽類化合物中，所含的氨分子數，是與該金屬的本性有關。羽布納（H. Hübner）與波士德（J. Post 1873）定義價為：在氣態下，一原子上附着的點數。他們認為，價力把分子接合起來，就好像接合原子的力一樣。並且鹽中結晶水分子是連接在金屬原子上的。吳次證明，決定水的含量多少，鹽基的本性比酸更重要。薩爾才（Th. Salzer 1884）令人注意，一鹽基酸的正鹽所含的水，較酸式鹽為多，但較鹽基式鹽為少。並且用金屬使多鹽

基酸漸趨飽和時，水的含量也越增多。有機酸鹽類中之含水量，則視酸之不同而異。並且也與未被取代酸的情況，以及取代基在環上的位置有關。波蘭得（Bodlander）和菲梯希（Fittig 1902）對複化合物（double compound）下定義如下：凡由二種化合物加成而產生的分子化合物或錯合物，其中每一種皆能單獨存在者

　　1798年塔色特（B. M. Tassasrt）曾注意到鈷鹽液溶中加入氨，與空氣接觸後能變為棕色，羹沸後又變為葡萄酒的紅色。任那德在1802年證明上述反應中有氧被吸收。弗萊米（Fremy 1852）和他人證明，鈷已變為三價，而且此鹽與六個（已達最大數額）氨分子結合，即是$CoCl_3(NH_3)_6$。類似此種的化合物，也可以由鉑或亞鉑鹽類形成，而且在許多情況下，某特殊化合物，有異構物（isomers）形成。它們的反應，無論是對金屬或酸根的定量試驗，多不正常。例如在$CrCl_3(NH_3)_5$中，只有二原子氯可以被硝酸銀沉澱下來。

　　其他不規則的化合物，是錯合鹽類。例如：要鐵氰化鉀，$K_4Fe(CN)_6$和鐵氰化鉀，$K_3Fe(CN)_6$，它們都無鐵或氰化物的反應，又如：亞鉑氯化鉀K_2PtCl_4和鉑氯化鉀K_2PtCl_6，也無鉑與氯化物的試驗反應。布洛斯傳德為了這些化合物符合價的學說，他假設Co_2Cl_3為氯化鈷的化學式。其中Co_2“雙分子”的價為6。在氨中，N的價為5，氨分子＝NH_3＝am的價為2。因此，下列化學式即被列出：

　　I　　$Co_2(am \cdot am \cdot Cl)_6$

　　II　　$Co_2 \begin{cases} (am \cdot Cl)_4 \\ (am \cdot am \cdot am \cdot am \cdot Cl)_2 \end{cases}$

　　III　　$Co(am \cdot Cl)_3$

上列化學式可以解釋，為何有部分氯（直接結合在金屬上的），不能被硝酸銀所沉澱，同時也能說明，異構物存在的原因。以上所述，是偉爾納開始研究此一課題時的知識概況。

　　偉爾納假設在$CoCl_3(NH_3)_6$中，氨分子是以副（或次）價（supplementary or secondary valencies）結合（或配位結合）在金屬原子上的。這些分子保留有金屬原子的主（或原）價（Principal or primary valency）＋3未曾改變，因此，錯合物的核心$Co(NH_3)_6$，仍是正三價離子，可以與三個氯離子結合。這三個氯離子，却可以用硝酸銀使之沉澱，〔$Co(NH_3)_6$〕$^{+++}$ $3Cl^-$。與核心原子（Co）可以結合的最大原子或分子數，在上例中為六，叫作此原子的配位數（Co-ordination number）。中性基中之一個或多個可以被酸根（即是負離子）取代時，則核心原子的主要正價，即減少了負電荷的量，例如在〔$CoCl(NH_3)_5$〕$^{++}2Cl^-$中，只有兩個可游離的氯了，其他一個氯，與金屬緊緊結合在一起。如果在核心中，正負電荷恰相等，則結果成為一電中性的分子，例如：〔$Co(NO_2)_3(NB)_3$〕即是，但有二種異構物存在。以上所舉的例，配位數都是六。最初偉爾納用實線和虛線分別表示主價鍵和副價鍵，但後來（1913）他認為，它們之間在根本上並無區別。

　　有時，一個基也能佔兩個配位，如1，2-乙二胺（ethylenediamine）$NH_2 \cdot CH_2 \cdot CH_2 \cdot NH_2$即是。也有能佔3、4、5或6個配位的。元素的配位數，通常是4或6，但有時也可能是2、3、5、7或8的。

　　偉爾納根據說明已知異構物的情形，和預測某些異構物的存在，以支持他的理論。異構物的各種情況如下：

〔$Cr(NH_3)_6$〕〔$Cr(SCN)_6$〕

和〔$Cr(NH_3)_4(SCN)_2$〕〔$Cr(NH_3)_2(SCN)_4$〕

〔$Cr(OH_2)_6$〕Cl_3　〔$CrCl(OH_2)_5$〕$Cl_2 + H_2O$

〔$CrCl_2(OH_2)_4$〕$Ci + 2H_2O.$

　　異構現象也可能因為圍繞中心原子的各原子或基的排列不同而產生，即是幾何異構（geometrical isomerism）。若配位數為4時，則其排列可能是四面體型或平面型。在平面型中，化合物$MeABX_2$（Me為中心原子）可有二種型，一種是順一異構物，為二X基相鄰者；另一種是反一異構物，為二X基相對者：

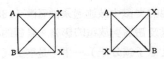

圖9.　配位基之平面配置

若配位數為六，則各基排列於八面體的各角上，則化合物MeR_4X_2有二種異構物如下：

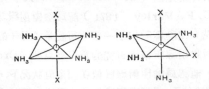

圖10　配位基之八面體配置

若分子中含有佔據二配位位置之基者，如 1.2 一乙二胺，$NH_2 \cdot CH_2 \cdot CH_2 \cdot NH_2$，則可能產生兩個順一異構物與一個反一異構物，如下圖：

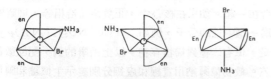

圖 11　順－異構物之光學異構物

因為兩個順型的互成鏡相形，便稱爲光學活性（Optically active）。

放射現象和原子結構部分

十一、陰極射線

摩爾根（W. Morgan　1785）發現，電荷不能通過氣壓計管中的眞空，即如管內的汞沸騰時，也不能通過。但確能通過半眞空。他似是在科學史上，第一位敍述有關在低壓氣體中放電現象者。這種放電現象，最早詳加研究的是法拉第（1837～8），但重大的進展，是在發明高度眞空的汞抽氣機以後。這是由蓋士勒（H. Geissler）完成的。他製造了眞空放電管（他死後方用此名），產生有色的分層分電現象。早在 1858 年，他曾把眞空放電管展示給梅耶（W. H. T. Meyer）博士看，梅耶在他的文獻中敍述過汞抽氣機（1858），眞空管的製造，以及磁場對放電的影響。氣體的導電是因為帶電的離子（原子或分子）一事，是季士（W. Giese 1882），湯姆生（J. J. Thomson 1883）和蘇士特（A. Schuster 1884）等所建議的。

陰極射線是普魯克（J. Plücker　1859）發現的。他並發現陰極射線可以被磁場所偏轉。陰極射線的命名，是由哥爾斯坦（E. Goldstein　1876）所定的。發萊（C. F. Varley　1871）認為陰極射線就像是稀少的質點，從陰極射出的一般，可說是“分子的急速流動”。對此射線作精確研究的爲克魯克斯（Crookes 1879），他認為陰極射線好像在同電荷狀況下，被射出去的物質的分子。他把它們叫作“物質的第四態”或稱爲“物質的超氣態”，或許與“不可再分的原質”（Pro-

tyle）相同。

馬克士威（C. Maxwell　1873）於研究電解之後，他認為離子是與電分子（Molecules of electricity）結合而使之帶電的。然後他說：「若欲了解電解的基本性質時，我們將保留分子電荷的理論。」這是他極少數的錯誤判斷之一。

歐洲大陸上的多數物理學家，都認為陰極射線，不論它能否被磁場偏轉，仍應是以太波（ether waves）。與此觀點相反的意見，認為它可能是荷負電的質點，表面上看來似不能被電場偏轉（赫芝 Hertz 於 1883 年發表）。但在 1897 年，湯姆生與考夫曼（W. Kaufmann）都在極低壓力下，用電場使之偏轉。同時佩菱（J. Perrin　1895）發現，當陰極射線穿過一個空金屬筒（法拉第圓筒），並將此筒連一靜電計，則此靜電計即帶負電。當時對陰極射出之帶電質點（electrified particles），可能與陰極射線並不相同有所爭論。赫芝發現（1892），陰極射線能通過置於放電管中的金或鋁箔。勒納爾（Lenard　1898）又發現，陰極射線可以穿透放電管上的鋁窗，而射入管外的空氣中去。

陰極射線的本性，是質量極小而帶負電的質點，幾乎是同時被維奇特（J. E. Wiechert）以及湯姆生與考夫曼所發現。維奇特發表說，陰極射線是由一群帶負電的電原子（elektrishe atome）所組成，這些電原子之大小，遠比一般原子小的多。它們的質量，只有氫原子的 1/4000 至 1/2000，並且所帶的電都相等。金屬的導電，即是這些質點的流動。他把陰極射線的質點叫作電子（electron）。湯姆生於 1897 年 4 月 30 日，在皇家學院發表演講時，曾把他所用的儀器，使陰極射線偏轉的磁場和電場，用圖作詳盡的介紹，並發現該質點的電荷與質量之比，$e/m = 1.2 \times 10^7$ e.s.u/g。考夫曼和阿斯金那士（E. Aschkinass　1897）也發現類似的數值。

湯姆生經常把陰極射線的質點叫做“微粒子”（Corpuscles）。1874 年他曾計算電子的電荷爲 3×10^{-11} e.s.u.。第一次直接測定電子電荷的，是 1897 年由湯申（J. S. Townsend）測定的。他發現，用強電流電解稀酸或稀鹼時，逸出的氫和氧是游離的，當它們通過水成爲氣泡時，形成帶電的微滴所成的雲霧，他曾用靜電計測定雲霧中的總電量，雲霧中水的總重量，以及每一水滴的平均大小，因此雲霧中的水滴數即可算出。他假定每一滴水所帶的電量相等，如此計算得的電量爲 3×10^{-10} e.s.u.。後來（1911）他改正爲 5×10^{-10}

e.s.u. 。

　　1898 年湯姆生用 X 一射線照射濕空氣而產生氣態的離子，然後用絕熱膨脹法冷却，使生水滴雲霧。他利用雲霧水滴落下的速率，以斯托克斯定律（Stokess law）計算出水滴的大小。再由冷却效應，可知水滴落下的總重量，他利用外加的電位差，測定此氣體中所生的電流，於是水滴上的電荷被發現爲 6.5×10^{-10} e.s.u 。後來又改正爲 3.4×10^{-10} e.s.u. 。威爾遜（H. A. Wilson 1903）用相似的方法得 3.1×10^{-10} e.s.u. 。

　　米力坎（R. A. Millikan）最初（1908）也是用水滴作研究的，但後來（1913）他觀察單獨一個油滴，被 X 一射線照射後，在電場中的運動，他發現每一油滴上所帶的電荷是 4.77×10^{-10} e.s.u. 的整倍數。後來他改正爲：4.80×10^{-10} e.s.u. ，這即是電子的電荷。正電子只是過渡性的存在，是被安德遜（C. D. Anderson 1932）發現的。

　　湯姆生發現，在放電管中產生的負電子，與從不同種類的電極上所產生的，完全相同。同時也知道，它們可以從受熱的金屬上逸射出來（愛迪生效應），也可以用紫外線或 X 一射線照射金屬而產生，同時有些化學作用也能生出。因此，綜合以上事實，湯姆生認爲電子是所有原子的一種共同成份。

十二、陽極射線

　　哥爾斯坦（1886）發現，與陰極射線相反的方向，另有一種發光的射線，能通過有孔的陰極金屬片，射至其後。根據它們在磁場與電場中的偏轉情形，韋恩（W. Wien 1898）證明那應是與原子一般大小的，帶正電的質點。湯姆生（1907）把它們偏轉的情形在照相玻板上顯影出來，呈現抛物線軌跡，且每種質點在不同速度下，具有其特定的 m/e 值。但氖却有兩根接近的抛物線，相當於質量分別爲 20 及 22 者。一種元素有兩種不同的質量，業經發現，多是放射性元素，稱爲同位素（isotopes）。

　　湯姆生的方法，經阿斯吞（F. W. Aston 1919）加以改良，他把射線束焦集在照相底板上，產生一種 "質譜線"（mass spectrum of lines），好像光譜一業。他證明：(1)原子序爲偶數的各元素，均是二種或多種同位素的混合物；而當奇數者：則多爲一種。(2)各同位素的質量，若以 O = 16 爲標準（最初是以化學氧爲標準，實是質量爲 16，17 及 18 的同位素的混合物）皆約爲整數。例如：氯是質量爲 35 和 37 二種同位素（符號用 ^{35}Cl 和 ^{37}Cl表示）的混合物，其原子量 35.46 是按二者存在量之多少而求得的平均值。阿斯吞的儀器經過無數次的修正與改正，但基本原理却未改變。

　　檢定同位素的靈敏方法，是用光譜測定法。例如：氫 ^{1}H 和氘 ^{2}H （或D）的原子量是極不相等的，其原子線光譜能把二種同位素區分出來。阿斯吞提出報告，認爲氫的質譜只有一條線以後，氘便是用光譜測定法檢定出來的。其他的例子如：魯米士（F. W. Loomis 1920）和克拉策（A. Kratzer 1920）利用分子光譜帶，發現氯的同位素 ^{37}Cl。高克（W. F. Gianqve）和強斯頓（H. L. Johnston 1929）發現 ^{17}O及^{18}O。白及（R. T. Birge）和金（A. S. King 1929）發現 ^{13}C 等都是。

　　馬克士威繼道爾頓及許多化學家之後，都假定某種元素的原子完全相同，他並且敘述一種想像的實驗，認爲一種元素的氣體，絕不能用擴散法把它分成密度不同的數部分。分離同位素的方法有多種，但下面敘述的，僅限於早期所應用的：(1)用質譜儀（1920），把不同的射線收集在適當的靶上。(2)在低壓下蒸餾（1921）。(3)液體的分餾（1922）。(4)氣體的擴散（1921）。(5)電解法（1932）。(6)化學交換（Chemical exchange），例如 $NH_3 + HOD \rightarrow NH_2D + H_2O$，1927。(7)光化學作用（1920）。(8)熱擴散（1938）。(9)離心分離法（1939）。

十三、X 一射線

　　樂琴（W. C. Röntgen）發現 X 一射線，也像有些其他的重要發現一樣，是出乎偶然的。他有一個陰極射線管，放在黑色的馬糞紙箱中，置於暗室內。在此紙箱附近，放了一張塗有能發磷光的氰化銀板。當此陰極射線管射出射線時，它便有明亮的光發生。樂琴並發現，用遮光紙包着的照柏底板，也能被陰極射線感光，且他所照出的手相上，能看出骨骼。綜合以上事實，他得結論認爲此陰極管一定發射出一種穿透性的軸射，他把這種輻射叫作 X 一射線（1895）。用黑紙包着的照相底板，會被陰極射線管感光一事，早被克魯克斯以及其他科學家發現過，但並未繼續追究此事。自從1896年以後，世界各地才有許多人開始研究 X 一射線，並且發現（1898）空氣或其他氣體，經 X 一射線照射，會生成離子，因而可使之導電。

　　早期的 X 一射線管，是由陰極射線碰擊到管子的玻璃而產生 X 一射線的。但不久，便使用對陰極或金屬靶

了。巴克拉（C.G.Barkla 1905）和愷易（G.W.C. Kaye 1909）發現，當陰極射線或X－射線，射到不同的元素，而產生X－射線時，其穿透力因元素的原子量之增大而增加。巴克拉把這樣產生的X－射線，分作K和L二類型。

因為X－射線比光的波長短的太多，故很長時期內，都無人能把它用物質予以散射。但於 1912 年勞厄（von Lane）推論，一束X－射線通過一晶體時，當若干條射線排列的對稱形式，與晶體的對稱性相當時，應能通過晶體，而可以射到照片的底板上去。他和夫里德利士（W.Friedrich）和尼平（P.Knipping 1912）用實驗證實此一推論。布拉格（W.L.Bragg 1912）證明，X－射線能從晶體的表面，在一定入射角 θ 時，發生反射。與光從繞射光柵反射的方式相同，也遵循下列公式：

$$2d \sin\theta = n\lambda$$

式中 n = 1, 2, 3……，而 λ 為波長。在一般的繞射光柵中，d 是刻線間的距離，但在晶體中，布拉格認為是晶體面間的距離，相當於晶體中最密集的原子排列。此種測量可提供下列二項計算的方法：(1)X－射線的波長。(2)晶體中原子排列的形式。X－射線法，已在研究分子結構上，充分加以利用，並且達白（Debye）和社累耳（Scherrer 1916）把此法推廣，運用於研究所謂的"無定形"固體（粉末），液體，甚至氣體。達維遜（C.J.Davisson）和革默（L.H.Germer 1927）以及湯姆生（G.P.Thomson 1928）發現，電子流動時，好像具有波動性，並可被物質繞射。利用這種方法，氣體或蒸氣的分子結構，均可加以研究。

晶體中的質點，作整齊排列的觀念，溯至虎克（Hooke）時已滋生，並由席伯（L.A.Seeber 1824）漸趨發展，直到達拉弗斯（G.Delafosse 1843）才有"空間格子"（space lattice）的觀念，是指晶體的結構單元中心的排列，如同規則的網狀，以其互相吸引及推斥力來維繫其平衡狀態。布拉瓦斯（A.Bravais 1848）假設有14種格子的型態。以後又用數學加以推廣，以對稱元（symmetry of elements）為重點，分成 230 種空間組（space groups）。這種理論，當X－射線結晶學開始時，頗可加以利用。

離子晶體（如 Na^+Cl^-）的格子能（lattice energy）是 1 克分子晶體，在絕對零度時的勢能，與它的離子在無窮稀釋的氣態時，勢能總和之差。

十四、放射現象

(1)放射現象的發現

柏克勒爾（H.Becquerel 1912）發現，若把一塊發光的硫酸氧鈾鉀（Potassium uranyl sulphate）放在包有黑紙的照相底板上，並曝露在日光下，則會在底板上顯現此晶體的相。他說（1896），這塊鹽的晶體一定能放出一種輻射，而且它能通過阻隔普通光線的黑紙。不久他又發現，這種效應也能在黑暗處發生，其他的鈾化合物也具此效應。並且此種輻射可使氣體導電，就像X－射線與陰極射線一樣。這便是鉀放射性的發現。

居禮夫人曾把所有已知的元素拿來試驗其放射性，發現除鈾以外，釷的化合物也有放射性。鉭的鹽類具微弱放射性，但活性大小不一。釷的放射性分別由斯密特（G.C.Schmidt 1898）和居禮夫人（1898）分別單獨發現。然後居禮夫人研究各種礦物，發現瀝青鈾礦（與鈾等量時）比純鈾鹽的活性更大。1898年4月，她得結論如下：瀝青鈾礦中含有一種元素，其放射性比鈾更大。居禮（Pierre Curie）也加入與她共同研究。奧地利政府贈送一噸瀝青鈾礦殘渣供他們使用，這殘渣是提取鈾時剩餘下來的。他們用分析化學的分組法，以及部分結晶法，來分離其中的放射性物質，產物的放射性，是用靜電計來測定的。1898年6月，一種放射性元素混在鉍的沉澱中被發現出來，命名為釙（Polonium），是為了紀念居禮夫人的祖國波蘭（Poland）而定名的。1898年12月，另一新元素，在鋇沉澱中被發現，命名為鐳（radium）。他們所製備的不純的鐳，其放射性已相當鈾的一百萬倍。德馬西（E.Demarcay 1898）證明鐳有一種特殊的電花光譜（spark spectrum）

第三種放射性元素，是在含有鐵和稀土元素的氨沉澱中被德伯尼（A.Debierne 1899）發現的。他當時還是居禮夫婦的助理，他把這種元素叫作錒（actinium）。基色爾（Gisel 1900）也發現此種元素，他命名為 emanium。基色爾（1899）發現一種製備鐳的方法，是把鐳的溴化物結晶六次或八次而得到的。這種方法所得的鐳，幾乎不含鋇。他發現鐳的焰色是洋紅色（carmine-red）。

1902年居禮夫人提出她的博士論文，"放射性物質的研究"（1903年刊出）。她用硝酸銀沉澱0.09克的氯化鐳，而測了鐳的原子量為225。1907年，她用 0.4 克的氯化鐳，再度測定鐳的原子量為226.4（Ag= 107.88

，$Cl = 35.46$ ）。阿斯吞的質儀分析結果爲 226.1，而現今的承認值（ 1961 ）爲 226.05。金屬鐳是由居里夫人和德伯尼（ 1910 ）分離出來的，他們電解氯化鐳溶液，用汞爲陰極，然後蒸餾鐳汞齊而把汞分開。1910年艾伯萊（ E.Ebler ）在 $180° \sim 250°$ 用分解 $Ra（N_3）_2$（ radium azide ）法，也得到金屬鐳。鐳的化學至今尚未澈底了解。

(2)放射線的發現

自從鐳發現以後，立刻便有許多研究人員，在放射現象範圍內努力研究。最著名的是拉塞福（ Lord Rutherford ），他開始時研究普通的元素鈾和釷，他發現（ 1899 ）鈾放射出來的射線有二種，其中一種可被薄鋁片阻擋，他把這種射線叫做 α - 射線。另一種須用較厚的鋁片，才能阻擋，他稱之爲 β - 射線。

同時發現 β - 射線可被磁場偏轉的有：基色爾（1899）是利用製備釙時所放射出的 β - 射線。柏克勒爾（ 1899 ）用鐳，以及買爾（ S.Meyer ）和士維德勒（ E.R.von Schweidler 1899 ）用釙和鐳（製備純釙時只放射 α - 射線）。柏克勒爾（ 1899 ）與居禮（ 1900 ）都企圖用磁場使 α - 射線偏轉，但實驗證明，此種效應微不足道。居禮和居禮夫人（ 1900 ）發現，β - 射線荷有負電，並曾把這些負電收集在金屬的"法拉第"圓筒中。柏克勒爾利用在電場和磁場中的偏轉，測定出 β - 射線的速度爲 $1.6 \times 10^{10} cm/sec$，以及其電荷與質量之比 $\ell/m = 3 \times 10^{17} e.s.u/g$。上述二數值之數量級（ order of magnitude ）恰是陰極射線的數量級。斯特魯（ R.J. Strutt ）與克魯克斯（ 1902 ）建議，α - 射線是帶正電的質點，且具有相當大的質量，他們是根據它的游離能力很強，並且對未被磁場偏轉一事不加重視而得的結論。拉塞福（ 1903 ）利用強磁場證明此一觀點。他和考德里斯（ F.Des Coudres 1903 ）分別發現，α - 射線的 ℓ/m 值約爲 $2 \times 10^{14} e.s.u/g$。拉塞福作更精確的測定（ 1906 ）得 $1.5 \times 10^{14} e.s.u/g$，約爲氫離子 H^+ 的數值之半數。從鐳放射出來的第三種射線，是維拉德（ P.Villard 1900 ）發現的，由拉塞福命名爲 γ - 射線。它比 β - 射線的穿透力大 160 倍，且不爲磁場所偏轉。此結果後來被柏克勒爾加以證實。

(3)射氣的發現

1899 年奧文斯（ R.B.Owens ）發現，由氧化釷在空氣中所產生的導電性是反常的。後來拉塞福（1900）證明這是由於有一種放射性的氣體的關係。他把這種氣體叫作釷射氣（ thorium emanation ）。它的化學性不活潑，且看來具有高分子量。鐳射氣是多恩（ F.E. Dorn ）在 1900 年發現的。對於鐳射氣存在的懷疑，被拉塞福和索第（ Soddy ）加以澄清，他們把它在液態空氣中冷却液化。葛雷（ R.W.Gray ）和拉姆則（ Ramsay ）用微量天平測定其密度，並建議（ 1910 ）其名爲" niton "（發光的意思）。錒射氣是達白尼（ Debierne 1903 ）和基色爾（ 1903 ）發現的。

受激放射性或稱感應放射性，即是某固體接近一放射物質時，能產生暫時的放射性者。此種現象幾乎同時分別由居禮夫婦（ 1899 ）用鐳，和拉塞福（ 1900 ）用釷而發現的。拉塞福證明，釷的感應放射性的衰變，與時間的冪次有關；$I = I_0 e^{-\lambda t}$。後來證明，感應放射性是由於一種叫作"放射性礦床"的固體所引起，是由鐳和釷的放射、蛻變而形成的。

克魯克斯（ 1900 ）發現，若把鈾鹽溶液用過量的碳酸銨來處理，會有少量的殘渣存留，其中鈾的照相放射性（由於 β - 和 γ - 射線）已增濃，同時此溶液射出 α - 射線。殘渣中含有克魯克斯稱爲的鈾－X 在內。放置後，它變爲無放射性，同時此溶液又有放射性，並產生另一種的鈾－X。因此可知，鈾能產生鈾－X。柏克勒爾（ 1900 ）把氯化鋇加入此鈾鹽溶溶中，把鋇沉澱爲硫酸鹽，鈾因此幾乎成爲無照相放射性，但硫酸鋇却有強放射性。過一年以後，這些鈾鹽又完全恢復了它的放射性，但硫酸鋇却又完全無放射性了。拉塞福和格黎爾（ P.Grier 1902 ）證明純鈾僅射出 α - 射線；鈾 -X 只射出 β - 射線。

拉塞福和索第（ E.Soddy 1902 ）發現，把氨加入釷鹽溶液中以後，從氫氧化釷的濾液中，得到一種含有強放射性的物質，他們把它叫作釷－X。過一個月的時間後，釷－X 失去其放射性，同時氫氧化釷的沉澱又恢復與原來釷鹽相等的放射性。在任何時刻，沉澱與溶液放射性的總和恆爲常數。拉塞福和索第用鋇分離鈾－X，也證實了柏克勒爾的實驗，並發現其蛻變速率比釷－X 慢的多。他們建議一種理論，認爲放射性是一種原子的現象，並且是由於放射性元素的原子，自動蛻變而引起的。

(4)α - 射線的研究

根據居禮夫婦的實驗，已明顯的看出，α - 射線要比 β - 射線易爲空氣所吸收。布勒格（ W.H.Bragg ）和

克里曼（R.D.Kleemann 1904）測定 α- 質點在空氣中所能進行的距離，略小於 7 糎。拉塞福計算一個 α- 質點的動能約爲 6×10^{-6} 爾格，但也有高能量的。那可能是因爲從鐳生出時，有熱效應的關係。

α- 質點的計數法，是由克魯克斯（1903），伊爾斯特（J.Elster）和給忒爾（W.Geitel 1903）分別單獨發明的。他們是利用 α- 質點撞擊硫化鋅幕，而產生可見的閃鑠光點設計的。

拉塞福（1903）曾仔細思考過，α- 質點即是氦原子的建議，但並未獲得一決定性的結論。他敍述過拉姆則（Ramsay）和索第在 1903 年曾用分光法的證明，鐳射氣產生氦，可是他們並未提到 α- 質點。但却假設氦在放射變化系中，佔有一席之地。1904 年拉塞福說，他未得到實驗的直接證據，證明 α- 質點帶有正電。若它果眞帶有正電，一定是在它從原子中被逐出後才得到的。1906 年拉塞福發現；從鐳射出的 α- 質點的 e/m 爲 1.5×10^{14} e.s.u/g，是氫離子此等比值的半數，因此 α- 質點可能是 H_2^+ 或是 He^{++}。

1905 年拉塞福相信，射至硫化鋅幕上的 α- 質點，僅有一少部分能發生閃鑠光點，故測定閃光的次數，在物理上並無精確的意義。1908 年勒眞納（E.Regener）曾使用在硫化鋅和鉑氰化鋇發生的閃光點法，他假設每一次閃鑠，皆因一單獨的帶有二電子電荷（後來發現爲 4×10^{-10} e.s.u）的 α- 質點。1909 年他利用在金剛石上發生閃鑠光點而得到極精確的電子電荷值爲 4.79×10^{-10} e.s.u（現代公認值爲 4.80×10^{-10} e.s.u）。拉塞福和蓋格（Geiger 1908）用游離法計數 α- 質點，是在低壓氣體中，α-質點使氣體游離後能導電，再把通過的電流經過放大而使發聲，以計 α- 質點數的（蓋氏計數器原理）。他們發現用此法計得的數，與在硫化鋅幕上產生的閃鑠光點數大約相等。此後，閃鑠法便廣泛的被拉塞福及其學生使用。他們發現，1 克鐳和其平衡反應中的產物，每秒鐘可以產生 3.4×10^{10} 個 α- 質點。並計算在 STP 時，1 c.c. 的氣體中所含的分子數爲 2.72×10^{19}，氫原子的質量爲 1.61×10^{-24} 克，以及氫離子所帶的電量爲 4.65×10^{-10} e.s.u（此值甚低）。拉塞福（1908）說，α- 質點上所帶的電量，可能是氫離子的二倍，並且明顯的可看出 α- 質點是帶二電荷的氦原子，He^{++}。

鐳產生氦的速率，是杜瓦（Dewer 1908）首先直接測定的。拉塞福和羅志（Doyds 1908），把鐳射氣密封在一個極薄的玻璃管中，他們發現 α- 質點可以穿過此管壁。他們在包圍此管的外面一個眞空玻璃管內，以眞空放電法檢驗出氦的光譜。把鈤瓦發現的大量鐳所生的氦的體積，與 α- 質點的計數二者聯合來研究，拉塞福與波爾武德（Bolwood 1911）發現了此氣體在 1 c.c. 中的分子數。此數值與拉塞福和蓋格所求出者，非常符合。因此，他們確定 α- 質點即是 He^{++}。

(5) 蛻變

拉塞福在布魯克斯小姐（Miss H.Brooks 1903-5）之助理下，把鐳蛻變的連續步驟弄清楚，包括快速變化（Ra—A，—B，和—C）以及緩慢變化（Ra—D，—E，和—F）的射氣和沉積物。他並認爲 Ra—F 是釙。Ra—B 的變化並未伴有任何放射發生，稱爲"無射線變化"（rayless change）。實際上有微弱的 β- 射線放出。

華簡斯（Fajans）和古林（O.Göring 1913），索第（Soddy）和克郎斯頓（J.A.Cranston 1918）證明，克魯克斯所謂的鈾—X 是 U—X 與 U—X_2 的混合物。蓋格和拉塞福（1910）發現鈾蛻變時，表面上看起來放射出二個 α- 質點，但蓋格和那陶爾（J.M.Nuttall 1912）證明，從鈾的二種同位素 U—I 和 U—II 中演生出二組 α- 射線，後者是 ionium 的產生者。現今已知，U—II 是從 U—I 經 U—X_1，和 U—X_2 生出的。安忿諾夫（G.N.Antonoff 1913）把 U—Y 的性質研究清楚。現在已知，它是從鈾的一種同位素（actinouranium ^{236}U，是鋼系元素的先驅）形成的。索第在蛻變系中補充了一系列遺漏的位置，是從 U—Y 開始的。哈恩（Hahn 1921）發現鈾—Z，並證明它是與 U—X_2 爲同位數。因爲 U—Z 和 U—X_2 皆是由 U—X_1 放射 β- 射線而產生的。它們具有相同的質量和核電荷，這是首次發現核同素的現象。

枝鏈放射性變化（branch chain transformation）是拉塞福建議的（1908），他認爲鈾能經由鈤二三〇（ionium）產生鐳族，並經由鈾族中的某些成員產生鋼族。華簡斯（1911）證明 RaC 的枝鏈放射成爲 RaC′，並經由 RaC″變成 RaD（見圖 12）。哈恩（1906）發現 RaAc（radioactinium）是 AcX 的前身。後者爲鐳的一種同位素，由基色爾（1907）所發現。AcA（actinium-A），AcB，AcC，AcC′，AcC″漸次被發現出來。拉塞福認爲（1929），鋼系開始於鈾的一種同位素叫作 actinouranium，其原子量爲 235，或 239（實即是 ^{235}U，在天然鈾中佔極少量）。

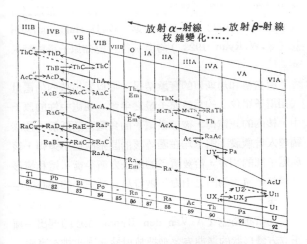

圖12　天然放射性元素的遞次變化系

化學性質看起來相同，而放射性質不同的元素的存在，是斯脫姆后姆（D. Strömholm）和斯維德堡（T. Svedberg 1909）和索第（1910）所倡議的。俟後索第把它們叫作同位素，是因爲它們在週期表中應佔同一位置之故。波爾武德（1905）和拉塞福（1905）建議，鐳（Ra－G）蛻變的最後產物是多種的鉛。拉塞福說：「在鐳系中有 5 個 α- 質點射出，其原子量減少 20，225 － 20 ＝ 205，極近乎鉛的原子量，206.5」。蘇第（1913）指出，由鐳產生的鉛的原子量，應爲 206；由釷產生的鉛，其原子量應爲 208（232 － 6α- 質點），普通的鉛爲 207。這種說法，後來由索第和海曼（H. Hyman 1914）以及雷察玆（T. W. Richards）和萊姆柏（M. E. Lembert 1914）用原子量的測定法加以證實。

索第首先指出，某元素若失去一個 α- 質點，顯然已轉變爲另一元素。此種新元素，在週期表中並非應位於下一族，而是再下一族。在索第指導下工作的傅萊克（A. Fleck 1913）發現，鐳－B，鐳－D，釷－B和錒－B等的化學性質均相同，且不能與鉛分開。鐳－C，鐳－E，釷－C及錒－C等的化學性質相同，且不能與鉍分開。前面一族的元素，可放射出一個 β- 射線而轉變爲後一族，故在週期表中，使之向後移動一族。

拉塞福（A. S. Russell 1913）最先指出，β- 射線的射出，可使此元素在週期表中更換一位置。索第說，拉塞福在 1912 年 10 月即已將其定律用信告訴了他，後來法强斯（K. Fajans）把 α- 射線與 β- 射線所發生

的變化合併爲一，稱爲位移定律（displacement law）。即是某元素射出一 α- 射線的產物，在週期表中較該元素原位移後二位；而射出一 β- 射線的產物，則移前一位。

十五、原子結構

自赫爾姆霍玆（Helmholtz 1881）使化學及物理學家，對原子中有一定電荷認可後，湯姆生（1899）曾說過下面的說：「我認爲原子中含有相當多的電子（corpuscles 即 electrons）。在正常的原子中，這些電子的配置，形成一個系統。在此系統中，原子是電中性的。雖然個別的電子像負離子一樣，但當他們配置在電中性的原子中時，其負電效應已被某些東西抵消，這些東西充滿於原子的空間，在此空間內，分佈着電子。這些東西的作用，似是具有正電荷，其電量恰等於電子的負電荷之總和。」凱爾文爵士（Lord Kelvin 1901）曾建議，原子是由帶正電荷的質量所組成，在其中嵌入了一些能運動的，荷有負電的電子。

湯姆生發表了一連串的論文，用以發展他的學說。1904年他用數學證明，電子運轉在正電荷的區域中，能把它們自己排列成圈，每一圈上包括一定數目的電子。他並且推論，電子也可以排列在各同心球層中。他把這種理論與週期表中各元素的橫列連繫在一起。

一個電子在帶正電的球層中振動，將會形成簡諧運動，並放出一定頻率的輻射，形成一狹窄的線光譜。對於上述理論的探討是非常重要的。湯姆生用數字來研究他的原子模型中的電子，他認爲電子是安定的分佈在環形軌道上。他發現的結果，與梅爾（A. M. Mayer 1878）所作的漂浮磁鐵的實驗相符合。1906年湯姆生根據光的分散以及在氣體中X－射線的散射與吸收等結果，他得結論如下："電子的數目與原子量的差別並不太大"。同時他又說："帶有單位正電荷的個體的質量，比帶有單位負電荷者爲大。"湯姆生的理論，指出了用電子來解釋化學變化的可能性。同時他也主張，原子是由正電荷與負電荷組合而成的觀念。

斯塔克（J. Stark 1908）假設，單位正電是集中在原子表面的某些點上，荷負電的電子則在外面，從一個電子上發出力線或力管，延申至原子的正電荷而結合。二原子的結合，是由於電子共用此二原子所致。斯塔克認爲，單鍵（single bond）爲兩個共用的電子；雙鍵是兩對電子，分別在互相垂直的二平面上；參鍵是六個

電子，每三個分別在二平行的平面上。

勒納爾（P. Lenard 1903）根據陰極射線能穿透物質的基礎，他認爲原子是由許多半徑極小（小於 0.3×10^{-11} cm）的帶電的雙生子（electric doublets）所構成，這些雙生子也構成原子的質量。這種理論暗示原子中大部分的空間是空曠的。日人長岡（Nagaoka 1904）建議，原子是由一極小帶正電荷的核，由電子圍繞着而構成。這種構想，也像勒納爾的理論一樣，認爲原子內極大部分是空的。

蓋格和馬斯頓（Marsden 1909）發現，α-質點穿透金屬箔（0.01mm厚）時，並無多大的偏射，但有少數 α-質點，却以極大的角度偏射，甚至有的可以返回射來的一邊。因爲 α-質點的質量，相對而言是相當大，其運動速度也快，故他們說：「有些 α-質點竟可被薄於 6×10^{-5} cm 的金箔改變其運動方向達90°，甚至有更大者。這似乎是令人驚奇的事。」這種現象提醒拉塞福，α-質點的大幅偏射，必定是由於它趨近於原子中電荷的集中點。他再研究長岡的假設後，他認爲 α-質點在趨近電子時，似不可能發生大角度的偏射，若作通盤的考慮，最簡單的假設，似乎應該是在原子中，含有一個中心電荷，其分佈的體積極小。他並未確定注明此中心電荷的符號（α-質點的散射，可以解釋爲被中心正電或負電作用均可），但他有傾向於正電的觀念。並於1912年他稱此"中心正電荷"爲"核"。他假設庫侖定律可用來計算 α-質點與核間的力（二者距離的數量級爲 10^{-12} cm），他曾計算過 α-質點被不同質料的金屬箔，所散射的不同速度。1913年蓋格和馬斯頓報導他們的實驗結果與計算值非常一致。並說：「假設原子中有一強電荷在其中心，且較原子的直徑爲小一事，已有了強有力且正確無誤的證據。」

威爾遜（C. T. R. Wilson 1911）設計了一種研究放射性的重要實驗儀器，即是所謂的"霧室"（Cloud-chamber）。用此儀器可以看到水滴的軌跡，這是氣態離子在潮濕空氣中的行徑，當空氣絕熱膨脹時，使空氣中的水蒸氣飽和，當離子經過時，即在其進行途中形成水滴的軌跡。這些軌跡是由個別的 α-質點生成的。一般多係直線形，有數厘米長，相當於 α-質點在空氣中的行程。在軌跡的終點，有時現出明顯的偏射，並且有時在相反的方向有一尖刺發生。直線的途徑，表示 α-質點已通過許多原子。終點有偏射的，表示 α-質點遭遇到原子中的小核。生出尖刺的，表示它碰到了核，發生的反彈而生的軌跡。如果碰撞定律能適用的話，則從

α-質點的偏射軌跡，與被核反彈軌跡的角度，可以計算出核對 α-質點（質量爲4）的相對質量。布萊凱特（Blackatt 1922）以及哈更斯（W. D. Harkins）和雷恩（R. W. Ryan 1923）均發現符合已知原子量的結果。

由蓋格和馬斯頓的實驗結果，可以看出核內的電量（用電子單位）約爲該原子量之半數。在電中性的原子中，核內的正電荷，被等數電子的負電荷所抵消。拉塞福等人曾假設，電子均在圍繞核的圓形軌道中運轉，核與電子間的引力，恰被電子的離子力所平衡。這種情形好像行星與太陽間之引力，被行星在軌道上的離心力平衡一樣。

凡頓布洛克（A. Van den Brock 1911）刊出一種正立方體形狀的週期表，他把放射性元素也排在裏面。他在1913年1月1日，發表一篇內容爲放射性元素，週期系統，和原子的構成的簡短論文，文中建議核電荷（用電子單位）等於週期表中從氫數起的元素的次序數。紐蘭志於1864年稱此種次序數爲"元素數"（the number of the element），莫斯萊曾把它叫作原子序（atomic number）。

自勞厄證明X－射線是波長極短的電磁輻射以後，且可以用晶體使之發生繞射，摩色勒測定了各種對陰極所產生的X－射線的波長（λ），並且發現某些射線的波長（此射線稱爲K－射線，能產生 K_α 及 K_β 二線條，實際上是二對非常接近的線），其波長視元素的不同，依下式作規律的改變：

$$Q = \sqrt{\nu / \frac{3}{4} \nu_0} = N - 1$$

式中 $\nu = 1/\lambda$，爲 K_α 線的波數（wave number），ν_0 爲一常數（黎德柏常數，Rydberg constant），N爲此元素的原子序，即週期表中（以氫開始，N＝1）位置的次序數：

元素	Ca	Se	Ti	V	Cr	Mn	Fe	Co	Ni	Cu	Zn
原子量	40	—	48	51	52	55	56	59	58.5	63	65
Q	19	—	21	22	23	24	25	26	27	28	29
N	20	21	22	23	24	25	26	27	28	29	30

摩色勒定律證明，Q值的順序，與元素在週期表中順序相同，不過有幾次（即 Co 和 Ni；Te 和 I）的順序和原子量是顛倒的。由上式推演而得的 Cl 和 K 的順序爲17和19，遺留一空位給氬，雖然氬的原子量比鉀還大。摩色勒定律，對尚未發現的元素也在此順序中留下了位置給它們。（圖13）是摩色勒在1913年發表的，圖

中各部分，表示晶體的反射線角度相同者，在同一垂直

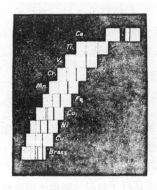

圖13 X射綫光譜（K－射綫）

線上（銃尙缺）。黃銅顯示出Zn和Cn二種線，Co的光
譜顯示有一輕淡的Ni線，是由於Co中的雜質所生。在
Ca（原子序爲20）和鈦（原子序爲22）間的空位，表
示可能有銃（原子序爲21）位於此。這是人類第一次編
製的元素的點名表，以找出何種元素尙未發現。未發現
的各元素，其原子序爲：43，61，72，75，85，和
87。這些元素的空位，大多是早已在週期表中空缺着，
以後漸次被人發現。原子序爲72者，被卡斯特（D.
Coster）和赫斐塞（G. von Hevesy 1923）所發現，
命名爲鉿（Hafnium）。75者被諾達克（W. Noddack
），塔克（Frl. I. Tacke）和拜格（O. Berg 1925）
所發現，命名爲錸（rhenium）。87者爲一種放射性元
素，命名爲鉱，是由派雷（Mlle. Perey 1939）所發現
。其他的元素，皆爲人造元素。核電荷與原子序相等一
事，是由查兌克（J. Chadwick 1920）用類似蓋格和
馬斯頓的散射實驗所證實。

　　拉塞福把凡頓布洛克的刊物和法強斯以及索第的位
移定律詳加思考後，他確定正電子（Positive elec-
tron）即是氫原子，是構成所有原子的基本單位。並且
核中的正電荷，可以決定此原子的主要物理及化學性質
。現在對位移定律甚易解釋如下：某元素射出一個α-
質點，即失去＋2電荷，且降低核電荷或原子序；但射
出一個β-質點，即失去－1電荷，可增加＋1個核電
荷或原子序。

　　根據拉塞福的構想，氫原子是由一極小荷正電的核
，外面圍繞一個距核甚遠之電子所構成，他於1900年，
在不列顛國協會議中發表氫的原子核爲一質子（proton
）。涅斯特（Nernst 1904）認爲中子（neutron）是
由一正電子和一負電子形成的一個質點。查兌克曾致力
於用α-質點撞擊鋁獲得中子，但未成功。波席（W.
Bothe）和柏刻（H. Becker 1930）發現用由鈄射出
的α-質點射擊某些輕元素，如鋰和硼，特別是鈹，可
以射出另一種穿透力極強的輻射。當時以爲是高能量的
γ-射線（也有可能）。居里夫人之女公子愛里尼（
Irene）和她的丈夫若立約（F. Joliot 1931）發現，
若一物料中含有氫，尤其是石蠟，曝露於這種輻射中，
即有高速度的質子射出。他們認爲這種貫穿性的輻射是
γ-射線的另一種形式。但此結論與動量和動能的動力
定律（dynamical laws of momentum and kinetic
energy）相違背。

　　查兌克（1932）對上述結果首先加以改正，他假設
這些具有貫穿性的輻射，是由"與質子的質量幾近相等
，但不帶電荷的質點"所構成。它付與氫原子動能及動
量，但因爲它們不帶電，故不能使氣體游離，因此在威
爾遜霧室內，也無軌跡可見。以後不久的研究工作，便
充分證實了查兌克的假設，就像拉塞福的假設一樣，
中子是一個質子與一個電子的密切結合而成，或者是以
前未被確定的，一種電中性的基本質點。查兌克發現質
子的質量爲1.0067（以O＝16爲標準）。後來求得的
結果爲1.008966。質子的質量爲1.00727，電子的質量
爲0.000548（以$^{12}C＝12$爲標準）。因此中子似乎是
基本質點之一種。

　　最初有人想到，各種原子的核都比氫（含有質子和
電子）重些。海森堡（W. Heisenberg 1932）與梅傑
拉那（E. Majorana 1933）證明電子在核內的存在，
與核的某些特性相矛盾，他建議構成原子核的應是質子
和中子。此後又有許多次原子質點（介子，微中子等）
被發現或假設出來，但以現在來說，這些次原子質點仍
不是解釋原子價或化學性質的重要根據。

十六、原子的人工蛻變

　　快速的α-質點、氘核或中子，與其他元素的原子
撞擊時，可能引起核的破裂。拉塞福（1919）把馬斯頓
（1914）的觀察擴大，他發現把氮用α-質點射擊時，
會放出質子，顯是由氮核中來的。拉塞福和查兌克（
1921）用其他輕元素由硼至鉀（除碳、氧或鈹外），也
得到同樣的結果。布萊克特（P. M. S. Blackett 1922
）以及哈更新和雷恩（1923）用霧室示範原子的人工蛻
變，當α-質點，$_2He^4$，撞擊到氮原子（質量14，核電
荷7），它即進入氮核中，產生一質量爲14＋4＝18

而核電荷爲 7 ＋ 2 ＝ 9 的質點，即是氟的同位素。然後此核放射出一個質子（質量 1 ，核電荷 1 ），剩下的核其質量爲 18 － 1 ＝ 17 ，及核電荷爲 9 － 1 ＝ 8 ，即是氧的一種同位素。在 α-射線軌跡的末端，可以看出有兩個尖端，相當於形成一個質子和一個新核。此種人工蛻變法，由氮製出氧可表示如下：

$$_7N^{14} + _2He^4 = _8O^{17} + _1H^1$$

式中每一符號的下方數字表示核電荷，上方數字表示核的質量。所用的 α-質點是由天然來源供給。1932 年柯克勞夫特（J.D.Cockcroft）和瓦爾呑（E.T.S.Walton）在劍橋大學拉塞福實驗室中，用高能量質子撞擊鋰原子，把鋰蛻變成氦：

$$_3Li^7 + _1H^1 = 2\,_2He^4$$

他所用的高能量質子，是用氫在放電管中使之游離，再用高電位差使之加速而得。這是人類第一次純正的人工原子蛻變。自此以後，利用快速質子、氘核，或氦核以迴旋加速器或其他設計，來撞擊原子，而使之發生變化（fransformation）的工作，大爲進展。

1933 年若立約夫婦（Irene Curie）發現，正電子和負電子二者都可以從鈹、硼和鋁的薄片中，用由釙射出的 α-質點撞擊而產生。1934 年他們更發現，當把 α-質點的來源移去後，正電子仍能繼續射出，鋁蛻變成爲放射性的磷和中子。放射性的磷再射出正電子，而形成矽的一種同位素：

$$_{13}Al^{27} + _2He^4 = _{15}P^{30} + _0n^1$$

$$_{15}P^{30} = _{14}Si^{30} + _1e^0$$

把鋁溶解於氫氟酸中，所逸出的氫有放射性，能射出正電子，這可能是逸出的氫中，含有放射性的 $_{15}P^{30}H_3$ 之故。把鋁溶解於王水中，再加磷酸鈉與鋯鹽；則磷酸鋯的沉澱能把放射性全部帶去。像這些對人造放射性元素操作的化學方法，至爲重要，因爲各種同位素具有與該元素相同的化學性質，且放射性元素已廣泛的用作顯跡劑元素（tracer element），以研究化學反應機構。他們說：「這些實驗是人類第一次用化學方法證明人工的蛻變。並且也證明了在這些反應中，有 α-質點的捕獲。」在此以前的證明，多係根據霧室軌跡的照相，且產物的本性也都是測猜的。若立約夫婦是製備正電子放射物的先進，自此以後，無數的人工元素被製備出來，其中大多數是普通元素的同位素。塡入週期表空位中的人工元素有鎝（原子序爲 43 ），是用氘核撞擊鉬而得，也是鈾分裂的產物（1937）。另一種是砈（原子序爲 85 ），是用氦離子撞擊鉍（1940）而得，且極爲安定。還有一種是鉕（原子序爲 61 ），爲稀土元素之一，自鈾分裂而形成。

十七、量子論

拉塞福曾發覺："電子在軌道（此軌道的半徑，即等於原子的半徑，約爲 $10^{-8}cm$ ）中運行，在若干分之一秒內，可能即失去其大部分的動能"。因爲一電荷在圓形軌道上加速運行，會發生輻射。但在他的核原子學說中，他作了明確的假設，電子在軌道中運轉，並無輻射發生。二者似是矛盾。核原子在物理上的認可，首由波爾（Niels Bohr 1913）倡導。他引用浦朗克的量子論（1900）而使之聲譽漸隆。波爾假設，氫原子中有一個電子繞核運行，但有一定的電子圓形軌道，令其遵行。在每一個軌道上運行時，電子不會放出輻射，但若電子由一軌道跳至更接近核的軌道時，則電子即射出一量子 $h\nu$ 的輻射能（其頻率爲 ν ）。式中 h 爲浦朗克常數。若把電子距核無窮遠時的勢能作爲零，則電子的總能量（動能＋勢能）爲：

$$E = -2\pi^2 e^4 m / n^2 h^2$$

式中 e 爲正電子的電荷，m 爲電子的質量，n 爲量子數（quantum number），可以是 1 至 ∞ 的正整數。若電子從一具有能量 E_1 的軌道（相當於 n_1 ）跳至另一具有能量 E_2 的軌道（相當於 n_2 ），則輻射出的能量爲：

$$h\nu = E_1 - E_2 = (2\pi^2 e^4 m / h^2)(1/n_2^2 - 1/n_1^2)$$

$$\therefore \nu = (E_1 - E_2)/h = (2\pi^2 e^4 m / h^3)$$

$$(1/n_2^2 - 1/n_1^2) \cdots\cdots\cdots\cdots\cdots\cdots(1)$$

勒德堡已證明（1890），在所謂氫光譜的巴爾麥系中各條的波數（wave number）$\nu' = \nu/c = 1/\lambda$（波長），可由下式表示之：

$$\nu' = R(1/n_2^2 - 1/n_1^2) \cdots\cdots\cdots\cdots\cdots(2)$$

式中 c 爲光速，R 爲勒德堡常數。由式(1)及(2)可得：

$$R = 2\pi^2 e^4 m / ch^3 \cdots\cdots\cdots\cdots\cdots(3)$$

由式(3)計算的 R 爲 $109737.31 cm^{-1}$ ，而在巴爾麥光譜中觀察到的數值爲 $109678.18 cm^{-1}$ 。

波爾用電子的能量把量子論推廣，尼科爾孫（J.W. Nicholson 1912）利用電子的角動量，威爾遜（1915）和散麥法爾（A.Sommerfeld 1915）分別建議，用動量矩作出量子方程式。1914年拉塞福說：「對於波爾所作的假設，其確實性及在物理上的意義，可能有許多不同的意見；但波爾的理論對所有的物理學家，可能引起他們極大的興趣，且加以重視，似已毫無疑問。」

波爾對如此複雜的原子，能以巧妙的方法，得到一種與週期表符合的原子結構圖解，實爲難能可貴。他指出，所謂過渡元素原子的內層電子，未經塡滿。如此可解釋各種稀土元素的相似性質（1922）。湯姆生（Julius Thomson 1895）所構想的週期表，把過渡元素放在長列的中間，對波爾的此一觀念似有提示之功。至於更多的電子，加入過渡元素原子中時，是塡入低於價電子的內層中，因此，當原子序增加時，可使它們的化學性質保持適度的不變。

圍繞核運行的電子，就像行星繞行太陽一樣，它的軌道是一個橢圓形而非圓形的。威爾遜和散麥法爾證明波爾的量子數 n，即主量子數，以後改換爲沿徑量子數（radial quantum number）n_r 和方位量子數（azimuthal quantum number）k 的總和。其中 n/k 的比值，等於橢圓的長軸和短軸的比值 a/b。且 k 與 n 一樣，也具正整數值 1，2，3……n。更新的量子論把 k 換作連續的量子數（serial quantum number）ℓ = k－1，其值爲 0，1，2……（n－1）。

電子的橢圓軌道面在磁場中，取一系列互不連續的位置，其位置由第三種的磁量子數（magnetic quantum number）m，來決定。此種磁量子數是散麥法爾創立的，用以解釋瑞門效應（Zeeman effect）的。康普頓（A.H.Compton 1921）以及吳倫貝克（G.E.Uhlenbeck）和谷德斯米（S.Goudsmit 1925）提出第四種的旋轉量子數（spin quantum unmber），s。此種量子數只有二種數值，$+\frac{1}{2}$ 及 $-\frac{1}{2}$，以表明電子繞其軸旋時，只有此二種情形中之一種。

原子中每一電子，均有四個不同的量子數。庖立（W.Pauli 1925）的不相容原理（exclusion principle）是說在任一原子中，不會有一個以上的電子，能具有相同的一組四個量子數的。亦卽具有完全相同的能態（energy state）。利用上述關係，若把 n 的值取作 1，2，3 和 4，則甚易察出對 n 的每一值，其中所能存在

的電子數，最大的限度分別爲：2，8，18 及 32。這些數目恰是週期表內，每一週期中的元素數。雖然波爾的原子模型（電子在軌道中繞核運行）不再被認可，但量子的數的意義，以及各種不同的解釋仍保有其學術地位。吾人充分相信，電子分配在相當 n 的一定數值的各"層"（shells）中，從距核最近的一層開始，各層中的電子數分別爲：2，8，18 及 32。每一週期的最後一種元素爲鈍氣，且鈍氣原子最外一層的電子數，在氦爲 2，其他的皆爲 8 個。

在庖立的不相容原理發表之前，柏立（C.R.Bury 1921）和斯密士（J.D.Main Smith 1924）根據化學的基礎，以及斯頓奈（E.C.Stoner 1924）考慮到瑞門效應之後，他們私自認爲，量子數爲 ℓ 的一電子，其可能的能階（energy levels）數有一定的限量。因此他們假設，原子內可能具有的這種能階，其中所能容納的電子數也必有最大的限量 2（2ℓ＋1）。例如 ℓ＝0，1，2 和 3，則 2（2ℓ＋1）分別爲 2，6，10 和 14。但在 n＝1，2，3 和 4 的能階中，則有 2，8，18 及 32 個電子。

在光譜學的符號中，把 ℓ 的各值 0，1，2，3 用 s，p，d，f 表示之。並把量子數 n＝1，ℓ＝0 的電子叫作 1s 電子；n＝2，ℓ＝1 的叫作 2p 電子等（量子數中的 s 不可與旋轉量子數 S 混淆）。週期表中各元素的原子的電子，均被分配於不同的電子層中。但就稀土元素而論，當核電荷增加時，原子的電子增加到較內層去，因此它們的價，並未像其他元素一樣，隨電子之增加而改變。

十八、原子價

以分子內的靜電力爲基礎，對原子價作定量討論的是理查玆（F.Richarz 1891）。原子價的電子理論是由湯姆生，拉姆則，富蘭德（J.N.Friend 1908），法爾可（K.G.Falk）和納爾遜（1910）以及傅萊（H.S.Fly 1911）等人構想的。極性分子，卽分子中含有電偶極（electric dipoles）的理論，是佛來銘（J.A.Fleming 1900-1）提出，而經得白（P.Debye 1912）和湯姆生（1914）作定量研究的。阿貝格（R.Abegg 1904）構想出主價與反價（principal and contra-valencies）的理論，且二者的和爲八。例如氯對氫（HCl）的主（負）價爲 1，而反（負）價對氧（Cl_2O_7）爲 7。他並建議一種用電子的解釋。科塞爾（Kossel 1916）假

設，自氦以後所有元素的原子，都有內層電子，其結構與前面最接近的鈍氣原子相同。價電子是在最外面的一組，它們可以由一原子轉移到另一原子上去。在鈍氣後面的元素的原子，易失去其價電子；而恰位於其前者，則易接受他原子的價電子。第一第二週期中各元素的原子，可以失去其全部的價電子（例如：S^{6+}，Cl^{7+}等），這是科塞爾理論中特別的一項假設。化合後的各原子結合在一起，好像分子中的離子一樣：

$$CH_4 : \begin{array}{c} + \\ H \\ + \quad + \\ H-C-H \\ + \\ H \\ + \end{array} \qquad CC_4 : \begin{array}{c} - \\ Cl \\ - \quad + \quad - \\ Cl+C+Cl \\ + \\ Cl \\ - \end{array}$$

　　路易斯（G. N. Lewis 1916）以為，普通的價鍵例如硫氫間或碳氫間的價鍵（以後被藍繆爾 Langmuir 稱為共價 covalence），是一對電子所構成，一般是在二原子間共用的，其中每一原子提供一電子，雙鍵有四個共用電子，叁鍵有六個。化合物中每一原子有四對（八隅）電子在價層中的最多，但也有只有 6 個的，或 10，12個電子的。氦只有一對電子，在以後的原子中，都把這一對電子作為最接近核的內部電子。所有其他的鈍氣，在其最外層，均具有完整的八隅電子。自氦以後的原子，接連分別具有 1（Li）至 7（F）個價電子，至氖完成了八隅體。路易斯把內層的電子，作為在立方體以內，只有最外層的價電子表現在他所畫的圖中，如（圖 14）所示。

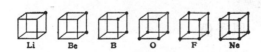

圖14　八隅體學說中的原子結構

　　若把原子最外層的電子用點來表示，則氯化鈉的形成，以及氯分子的形成可表示如下：

$$Na\overset{\bullet}{} + .\overset{..}{\underset{..}{Cl}} : = [Na]^+ + [:\overset{..}{\underset{..}{Cl}} :]^-$$

$$:\overset{..}{\underset{..}{Cl}}\overset{\bullet}{} + .\overset{..}{\underset{..}{Cl}} : = :\overset{..}{\underset{..}{Cl}} : \overset{..}{\underset{..}{Cl}} :$$

前一反應中的產物，包括有帶電的離子，二種離子以電價（electrovalency）結合，並無真正的價鍵。後一反應中之產物，為一中性分子，其中二原子係以價鍵或共價鍵結合，鍵中包括一對反向旋轉的電子對。下列為二氧化碳和氮分子的化學式：

$$:\overset{..}{\underset{..}{O}} : + :\overset{\bullet}{\underset{\bullet}{C}} : + :\overset{..}{\underset{..}{O}} : = :\overset{..}{\underset{..}{O}} :: \overset{..}{C} :: \overset{..}{\underset{..}{O}} :$$

$$:\overset{..}{N} : . + .\overset{..}{N} : = :N ::: N :$$

上式中二氧化碳和氮分子的化學式，相當於普通的化學式 $O=C=0$ 和 $N\equiv N$。有時一分子中含有奇數個電子，例如氧化氮： $:\overset{..}{\underset{..}{O}} :: \overset{..}{N} :$ 以及二氧化氯 $:\overset{..}{\underset{..}{O}} :: \overset{..}{\underset{..}{Cl}} :: \overset{..}{\underset{..}{O}} :$，這些分子都是順磁性的（paramagnetic）。

　　路易斯的理論後經藍繆爾（1919）和其他人等發展而推廣之。路易斯和藍繆爾認為含氧酸的離子中，含有另一型的鍵，在此種鍵中，二共用電子係來自同一原子。如 SO_4'' 離子可以看作由帶有 6 個電子的硫原子，再獲得二電子而成為 S″ 離子。此時，四對電子形成與四個氧原子間的四個鍵，這些原子均有八個電子（見式 I）。硝酸根離子 NO_3' 是由氮原子獲得一電子，與其原有的 5 個電子共有三對電子，氮原子便用這三對電子與三個氧原子形成三個鍵（見式 II）：

$$I \qquad :\overset{..}{S} : \qquad :\overset{..}{\underset{..}{S}} : \qquad \begin{array}{c} :\overset{..}{O}: \\ :\overset{..}{O}:\overset{..}{\underset{..}{S}}:\overset{..}{O}: \\ :\overset{..}{O}: \end{array}$$
$$\qquad\quad S \qquad\quad S'' \qquad\qquad SO_4''$$

$$II \qquad :\overset{..}{N} : \qquad :\overset{..}{\underset{..}{N}} : \qquad \begin{array}{c} :\overset{..}{O}: \\ :\overset{..}{O}:\overset{..}{N}:\overset{..}{O}: \end{array}$$
$$\qquad\quad N \qquad\quad N' \qquad\qquad NO_3'$$

拍琴玆（G. A. Perkins 1921）把這一類型的鍵叫作“借貸給合”（borrowing union），並用符號“∝”表示之。勞萊（T. M. Lowry 1923）認為，由於一個原子提供兩個電子，將會使此原子帶正電荷，而使接受電子的原子帶負電荷。他認為這一類型的鍵是電鍵與共價鍵的混合，並且在形式上說，應看作雙鍵，故他稱之為“混合雙鍵”（mixed double bond），或為“授與鍵”（dative bond），用 $A^+ - B^+$ 表示之。薛知微（N. V. Sidgwick 1923）把這種鍵叫作“配位結合”（Coordinate link），並用箭頭指向接受電子的原子 A→B 表示之。薛知微建立一法則，他認為週期表第二列各元素的最高共價鍵數為 4，因此氮在硝酸（見圖 III）中有四個鍵；硫酸中（見式 IV）可能有兩個配位結合。

$$III \quad H-O-N \begin{array}{c} O \\ \\ O \end{array} \qquad IV. \quad \begin{array}{c} H-O \\ \\ H-O \end{array} S \begin{array}{c} O \\ \\ O \end{array}$$

因爲有安定的 SF_6 存在，表示硫可以有六價，並由鍵長可知，在 SO_2，SO_3 及 H_2SO_4 中皆有雙鍵存在（見式 V ）。

V.

$$\begin{array}{c} H-O \\ \\ H-O \end{array} \quad S \quad \begin{array}{c} O \\ \\ O \end{array}$$

由上列三式可知，氮和硫的鍵並不完全相同。鮑林（ L. Pauling 1931 ）建議，價電子的分佈，是因電子對在分子中各個可能的位置作迅速的運動，因此使所有的鍵效果都相同。這種現象叫作鮑林共振（ Pauling resonance ），並且分子在此狀態時，叫作共振混成（ resonance hybride ）。氧化氮分子 $:\ddot{O}::\dot{N}:$ 可以表示成爲含有一個 "三電子鍵" （ three electron bond ）：

$$:O::N:$$

路易斯提出一種酸鹼廣泛的定義如下：一物質可接受一電子對者（例如 BCl_3）爲酸；而可供出一電子對者（如 NH_3）爲鹼。酸鹼的作用可用下例表示之：$BCl_3 + :NH_3 = Cl_3B \leftarrow NH_3$。所謂 "路易斯酸" 除包括普通的酸外，還有 BCl_3，$AlCl_3$，$SnCl_4$ 等物質。

自價的電子說的早期開始，即有人致力於用電子在分子中的行爲，來解釋有機化合物的結構和反應。關於這一方面的資料，可由吸收光譜獲得。另一種需要解釋的問題，是價鍵的空間方位。這些資料是立體化學（ Stereochemistry ）和光學活性（ optical activity ）所需要的。例如碳原子的四個鍵，是指向四面體的四個角。鍵的方位的說明，是根據波動力學的理論，用數學推演而得的。

布洛利（ Louis de Broglie 1924 ）假設電子運動時，必伴有某種的波動，其波長決定於蒲朗克常數 h ，除以電子的動量 mv = p ：

$$\lambda = h/mv = h/p \quad \cdots\cdots\cdots\cdots(1)$$

上述假設由電子的繞射現象而證實。士勒丁噩（ E. Schrödinger 1926 ）把此觀念加以發展，得到一微分方程式，其中包括波動函數 ϕ，此函數的形式，爲對 x ，y ，及 z 坐標軸的二次微分係數，另有一項爲含有波長 λ 的普通波動式。在此情況中，λ 是來自式(1)，且若 E 爲全部能量，而 V 爲勢能時，則士勒丁噩公式爲：

$$\frac{\partial^2\phi}{\partial x^2} + \frac{\partial^2\phi}{\partial y^2} + \frac{\partial^2\phi}{\partial z^2} + \frac{8\pi^2 m}{h^2}(E-V)\phi = 0 \cdots\cdots(2)$$

他假設式中 ϕ 對所有坐標爲有限、連續、且是一般的單

值，且 ϕ^2 表示每一點上電荷的密度。最後一項才是重要的結果，因爲，若此電子在原子中，則此電子電荷分佈的資料，能顯示出所生鍵的方位。例如一個電子的原子（氫原子），根據此式所得的結果，其電荷密度與 ϕ^2 成正比，對 S 電子來說，呈一個對稱的球形。而就一個 p 電子（ $\ell = 1$ ）來說，則在球面調和函數的三角函數中顯示，ϕ 的某角部分集中於某一定方向。因此，根據路易斯的理論，共價鍵的形成，是包括旋轉方向相反的電子對，故上述理論可以用來解釋鍵所以能具有方向性。

氧原子中有 4 個 p 電子（ $\ell = 1$ ），分配在 3 個 p 軌道（ p-orbits ）中，根據波動力學，這 3 個軌道是沿 x ，y ，和 z 互成垂直的三根坐標軸的方向，其波動函數分別爲 p_x，p_y 和 p_z。這三個函數可以決定電子的密度，是與波動函數的平方成正比。當此軌道被電子佔有時，其形狀就好像啞鈴一般。其中 4 個 p 電子，根據韓德法則（ Hund's rule ）有二個電子分別各進入一軌道。因爲只剩下一個空軌道，另二電子只好共同進入，但旋轉方向相反。那兩個單獨的 p 電子，可與氫原子中的 s 電子結合而成水分子（見圖 15，a ）。水分子中的兩個 O－H 鍵應成直角，但由於二氫原子的互斥，其角度略大於 $90°$，但 H_2S 却是 $90°$。

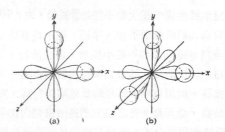

圖15　具有方應的鍵之形成

氮原子有 3 個 p 電子，可個別分佔 p_x，p_y，p_z 三個軌道，且分別能與三個氫原子的 s 電子結合，形成氨分子。其中三個 N－H 鍵彼此互成正角（見圖15，b ）。

正常的碳原子具有二個 p 電子，根據推測應形成化合物 CH_2，但碳的正常價數爲 4，價鍵的方位排列成四面體形。至於所能形成此種狀態者，可假設有下列情況發生：碳原子中二個 2s 電子（ n = 2，$\ell = 0$ ）中之一，接受能量而變爲 2p 電子（ n = 2，$\ell = 1$ ）。當此原子具有四個未配對的電子，即是 2s 中之一，原有的二個 2p 電子，以及由 2s 改進入 2p 中之一電子，其中的一個 2s 電子的波動函數是無方位的（球形對稱），而三個 2p 函數，將可能像氮原子中的一樣（見圖 15 b ）。若鍵能大

於電子從 s 升到 p 能階的激發能（excitation energy）甚多時，則 s 和 p 函數將合併而產生四個相當的波動函數，其方位指向四面體的四個角。這種數學的結果，稱爲"混成"（hybridisation），這是由於這些波動函數，變爲 s 與 p 函數的中間函數之故。在銨離子 NH_4^+ 中，氮原子也完全與上述過程相同，產生四個混成軌道，故它與甲烷一樣，也具有四面體的形態。

在配位化合物中，d 函數（$\ell = 2$）亦將涉及。且波動力學對分子結構而言，似感困難，故林那瓊斯（J. E. Lennard-Jones）和繆里坎（R. S. Mulliken）已努力創立所謂"分子軌域法"（molecular orbital method）。但此二課題，多在現代書刊中詳加討論，本文將不擬敍述。

生物學發展史　　　　　陳賢芳

壹、生源論

"生命的起源"在生物學的發展史上，是個很有趣的問題，生命究竟從何而來？在早期的多種理論中，最普遍爲生物學家所信的是"自然發生說"。這種理論認爲，生物可由一些無生命物質結合而成，而不需經由父母親體。

"自然發生說"從生物學開始發展起，到上個世紀中葉，一直爲人們所深信不移。早期，亞里斯多德（Aristotle）認爲蒼蠅和其他一些小生物，是從池塘，小溪底的爛泥自然發生而成。亞里斯多德也曾觀察過一些動物的生殖機制，例如烏賊和章魚的繁殖期間行爲。對這些較大的動物，亞理斯多德認爲它們是由母體內的卵細胞，經由受精作用而形成。因此其結論是：高等生物是由受精卵發育而成，（雖然許多種生物的卵是肉眼無法看到的。）但是一些無法看到其繁殖作用的低等生物，則由自然發生而成。

這種看法一直毫無問題地爲人們接受至十八世紀。其間，比利時的凡赫蒙（J. B. Van Helmont，1577～1644）也認爲老鼠是自然發生而來。他認爲只要將泥漿破布，澆以麥粒或乳酪，置於黑暗的閣樓中，經過一段時間，就會出現老鼠。當然它們是自然發生的。另有許多學者也認爲靑蛙，鰻魚，蛇等，是由泥土轉變而成。

雷狄的蒼蠅實驗

首先對自然發生說產生懷疑的是意大利自然學家雷狄（Francesco Redi. 1621～1697）。雷狄是意大利著名 Academy of Experiments 中的會首。雷狄決定用實驗方法來觀察蒼蠅是否可以自然發生。他設計一套嚴密的實驗步驟，這可說是應用實驗科學的起端。首先他將三條死蛇放入一敞開的盒子裡，讓它們腐爛。過了一段時間，蛆出現在腐肉中，越來越多，孵化得非常快。在每天的觀察下，蛆經過一段快速生長後，就進入休眠期，再過一段時期，蛹化成蒼蠅飛出。雷狄同時還做了數種不同大小形狀，顏色的蛹的辨認，發現每一種蛹都會化成一種特別形狀的蒼蠅。

雷狄繼續他的實驗，嘗試了許多不同的肉類，有生的，也有煑熟過的。他用的肉類有牛、鹿、水牛、獅子、老虎、鴨、羊、兎子、小山羊、鵝、雞、燕子，甚至好幾種種魚：旗魚、鮪魚、鰻和鰈魚。同前一樣，數種不同的蛆都發育成其特別的蒼蠅。有時候也發現出現的蛆只有一種，這種情況下所生成的蒼蠅也只有一種。他又將數種不同種的蛆分離開來生長，每一種都只生成一種的蒼蠅。他又注意到，當這些蒼蠅盤旋在腐肉上空時，有時亦會撒下一些小東西在肉上，某些蒼蠅停留在肉上時，亦遺留數點小東西於一地方。雷狄即假定"蛆就是由這些蒼蠅遺下的小東西發育而來"。

爲了求証這個假說，雷狄設計了一套完整的實驗。他把魚和鰻的肉置於數個燒瓶中，再嚴密封住燒瓶口。這樣蒼蠅飛不進去，而肉的腐爛作用可從透明的玻璃觀察。對照處理是一組材料完全相同，但未加以封口的燒瓶。數天後，未封口瓶內長出許多蛆，而且瓶內還飛有許多蒼蠅。在封口瓶方面，蛆只出現在瓶口上。這顯示，蛆是來自被蒼蠅遺留下來的小東西，而不是由腐肉自然發生了。

以上的實驗似乎是已達到目的，但雷狄仍不滿意。他反覆地做了許多不同情況的實驗，在不同的季節裡，以不同的瓶器及肉類來進行。他甚至將肉埋在地下，仍然無蛆出現，但在同情況不，露在空氣中的肉則長滿了蛆。雷狄亦懷疑到，是不是因為空氣的隔絕，破壞某些蛆自然發生的條件。因此他又設計了一套新的實驗，讓空氣可以進入瓶內，但是蒼蠅却無法接觸到肉。

雷狄用一種很細的紗蓋住玻璃容器，這樣空氣可進去但蒼蠅不可。結果發現蓋住的腐肉不會生蛆，而未加紗蓋的對照組瓶裡則生了許多蛆。雷狄並且很仔細地觀察，在不同實驗時期裡，蒼蠅的活動情形。

當肉一開始腐爛時，蒼蠅就被其氣味引來，而產卵於其表面上，亦有些卵產在紗網上。當蛆孵出後，沿著網孔爬進瓶內。因此雷狄必須在蛆一出現時，立刻除去。雷狄很仔細地觀察蒼蠅的產卵情形，甚至注意到在少有的情形下，蒼蠅會產下已成的蛆來，那是因為卵還在母體內時，已經孵化出來了。有些蒼蠅是靜止在肉的表面，一次產下數卵。有些蒼蠅則可在黑暗中，從空中排下單一個卵或蛆來。

雷狄經由一連串簡單，精巧的實驗，証實蒼蠅不可能從腐肉自然生成，而是由親代蒼蠅，經卵而生成。1668年，雷狄在他所寫的昆蟲世代實驗（Experiments on the Generation of Insects ）一書中，記載其所做實驗的結果，確實反証了高等生物的自然發生說。然而隨着微生物的發現，自然發生的說法，又引起人們的爭論。因而需要更多的實驗來解決這問題。在處理微小生物時，更精細的工具及技術是必備的！

微生物的自然發生

最早用微生物做實驗，以推翻"自然發生說"的科學家為法國的喬布洛（Louis Joblot ，1645～1723 ）。如同劉文厚（Leeuwenhock ）早期所做的實驗一樣，1710 年，喬布洛將乾草浸於水中，靜置數天，然後觀察其中所生之無數微小生物，當時稱其為纖毛蟲類。按今日所知，大部分實為細菌和原生動物，只有少部分才真正為纖毛蟲類。

當時的人們認為，這些微生物就是自然發生說的最好証據。然喬布洛並不滿足於此種解釋，固此他又繼續另外的實驗。他將乾草浸液羹沸，分成二部分；一部分倒入密封的瓶中，完全和空氣隔絕；另一部分浸液則敞於空氣中。結果後者數天後，即是混濁，其中含有微生物；而另外密封浸液仍保持透明狀，並無任何微生物出現。

喬布洛下結論：羹沸過的浸液不能產生任何生命，而空氣中存有某種物質，致使殺菌後的浸液產生微生物。

尼德蘭─自然發生說

1745年，英國教士尼德蘭（ John T. Needham，1713-1781 ）發表了一篇相同的研究報告，但結果完全不同。尼德蘭也是採用羹沸過的乾草浸液。今日已知乾草常帶有頑強的細菌孢子，抵抗力非常高，普通的羹沸殺不死它。尼德蘭可能是羹的溫度不夠高，沒有將孢子殺死，所以實驗結果，密封瓶內和未封瓶內都充滿微生物。

由於尼德蘭在自然發生說上的貢獻，他被推選為倫敦皇家學會（The Royal Society of London）的會員。不久又成為法國科學院（French Academy of Science）八位外國院士中的一位。法國百科全書學家巴方（Buffon ）尤其推崇之。因此在此二人周圍，形成一支擁護"自然發生說"的力量。

龐奈─生命先存論

在尼德蘭同時期，法國傑出自然學家龐奈（Charles Bonnet, 1720～1793 ）提出一新理論──微小生命已先以另一體形存在。這只是一種假想，但它可解釋微生物生成及其易於生存的原因。龐奈提不出實驗證據，也描繪不出這先存的生命究竟是什麼形狀，因此引起人們的懷疑，認為龐奈或尼德蘭二人的說法都是不正確的。

史伯蘭山尼─自然發生說的反證

不久，義大利生理學史伯蘭山尼（Lazaro Spallanzani, 1729～1799 ）亦加入自然發生說的爭論，而開啓此說另一新頁。史伯蘭山尼是個實驗家，他指出前人實驗結果不同，微結是在實驗步驟上。史伯蘭山尼所做的實驗同於尼德蘭的實驗，但他採用更小心地態度，並加長消毒時間。他用數種不同的材料，例如牛肉湯，甚至尿液，來取代以前的枯草浸液。史伯蘭山尼將各種湯液羹沸一小時，並且在其未冷却前就密封於瓶內，以防還餘有生物生存其內。1765年，史伯蘭山尼認為一切都很圓滿，於是將結果發表於義大利。

1769年，史伯蘭山尼的實驗結果流傳到法國，尼德蘭立刻以不同的解釋及結論評論之。尼德蘭指責史伯蘭山尼實驗結果，無微生物出現於密封實驗媒液中，是因為史伯蘭山尼在長時間高溫羹沸中，已經將微生物生存

所需要的"營養力"破壞，或降低至不能生存程度。更進一步，尼德蘭亦指責，瓶內空氣在熱處理時即被破壞。

尼德蘭提供一種可除去微生物且又不傷營養力的新方法，但史伯蘭山尼認爲此方法不足以去所有生物。史伯蘭山尼再次重覆他以前的實驗，他發現若要殺死所有微生物，實驗媒液至少要羹沸45分鐘。因此在尼德蘭堅持過長的羹沸已破壞媒液的營養力，及史伯蘭山尼堅持尼德蘭所提羹沸時間，不足以殺死所有微生物情況下，他們之間的爭執僵持著。

法國化學家蓋魯薩克（Gay- Lussac, 1778 ～ 1850）的觀察，更增加問題的困擾。蓋魯薩克分析含肉及葡萄汁的消毒密封瓶內的空氣時，發現其中已無氧氣。他結論：食物只能保存於無氧狀態，而氧是媒液中使得生物生長的要素。在此種理論下，尼德蘭的看法似乎更顯正確。雖然史伯蘭山尼仍堅持自己早期的看法，但他并對此問題更廣涵意產生懷疑。

蘇旺、修斯—自然發生說的反證

1837年，德國蘇旺（Theodor Schwann）將肉湯液裝入玻璃燒瓶，在火上密封後，整個放在水中羹沸消毒。冷却後，瓶內無微生物出現。鑑於蓋魯薩克對空氣的看法，蘇旺更進一步地利用一套玻璃管，保持空氣和外界流通。他將空氣加熱後，或空氣加熱待冷却後，再導入瓶內，結果都未造或肉湯內微生物的生成。蘇旺的實驗加強了史伯蘭山尼的論點，同時亦反駁了尼德蘭所謂營養力被破壞及蓋魯薩克的食物只能儲存於無氧狀態下的假說。

蘇旺改用四瓶蔗糖溶液，重覆此實驗時，發現另一問題。蘇旺將一部分糖液敞開，接受普通空氣；而另一部分封住，只有熱空氣可經由玻璃管進入瓶內。實驗結果，前者內生微生物，後者仍保持澄清狀態。當這實驗反覆進行時，有些瓶內糖液開始即敞於空氣中，仍無微生物產生，反導致發酵作用。蘇旺認爲，存於空氣中導致糖液發酵的媒介，絕對不是氧，至少不是氧單獨可擔當的。他認爲那是一種有時空氣中帶有，有時又無的活生物體。

雖然蘇旺的實驗是一強有力的証據，但空氣中帶有導致發酵的活體的觀點，並不普遍爲人接受。大多數生物學家仍猶豫於微生物是導自空氣中，或空氣化學性質的變化的論點間。

德國農業化學家修斯（Frantz F. Schulze, 1815～

1873）設計一類似於蘇旺實驗的實驗。修斯將空氣通過濃氫氧化鉀液或濃硫酸液，以代替加熱步驟。結果亦和蘇旺所得的相同。這種方法雖然解決了人們對空氣加熱的疑慮，但自然發生論者仍堅持氫氧化鉀或硫酸液亦破壞了媒液的生命力或生命的種子。

舒德、蒙達克—棉花塞的引用

德國科學家舒德（Heinrich G. F. Schröder, 1810～1885）和蒙達克（Theoder von Dusch, 1824 ～ 1890）二人首先發現可用棉花來濾過空氣中的雜質。用棉花過濾，不但不改變空氣的性質，不破壞空氣可能具有的生命力，並且空氣中帶有微生物的塵埃全被擯棄在外，空氣仍是流通的。舒德和蒙達克裝配了一套複雜的燒瓶和玻璃管，在通往燒瓶的玻璃管口用棉花塞住，外界空氣則由一馬達經棉花塞，玻璃管送入燒瓶中。實驗前的加熱消毒步驟都經仔細操作，以確定已除去所有的微生物。

他們採用數種不同的汁液，包括肉汁·啤酒糟，牛奶等。實驗結果也不完全相同。肉汁和啤酒糟經處理後，一直保持澄清狀，然而牛奶只要一接觸空氣就凝住腐壞，無論是經過棉花過濾的空氣，或者普通空氣，結果都是一樣。牛奶的腐敗只需要氧氣，而肉汁的腐敗和啤酒糟的發酵則需空氣中另外的因子。1854年，1859年，舒德和蒙達克發表其結論：酒精發酵是由空氣中的某些物質導致，這些物質可以經由玻璃管中的棉花濾去。

棉花塞從此發展成細菌學上一最簡單，也最有用的東西。凡是消毒過的媒液或培養液，裝入燒瓶、試管後，都用消過毒的脫脂棉塞住。只要塞子仍是緊的，乾燥的，它們就可除去塵埃上帶有微生物。這是一種即可保持空氣流通，又不遭汚染的好方法。

雖然在實驗方法上改進了許多，但是自然發生說的爭論仍得不到滿意的答案。法國科學院特爲此設立一獎金，獎勵專門研究"如何由實驗啓自然發生說問題之曙光"的學者。當時競爭此獎的人爲法國自然學家普契特（Felix A. Pouchet, 1800 ～ 1872）和法國化學家巴斯德（Louis Pasteur, 1822 ～ 1895 ）。

普契特的實驗亦是將乾草浸液裝在燒瓶中，羹沸消毒，在瓶頸處燒鎔密封。經過普契特認爲是以殺死所有微生物的高溫處理後，對照瓶和密封瓶實驗結果並無不同。普契特曾取各地的空氣來做比較，甚至包括海拔六千呎高度的冰河。無論這些空氣來自何處，或是有無存在，結果瓶內都長有微生物。

巴斯德—推翻自然發生說

巴斯德受過化學方面的訓練，雖然他曾做過一些有關發酵的實驗，他實際上仍是一位化學家，而不是生物學家。巴斯德的實驗和普契特的實驗非常類似，唯以酵母糧液代替乾草浸液。巴斯德將九瓶準備好的媒液在巴黎自然歷史博物館演講大廳中打開再封口。經過培養，結果有四瓶出現微生物。另外在門外大樹下打開的十八瓶中，則有十六瓶變混濁。巴斯德鑑於經不同地點的空氣接觸，則有不同的結果，認爲微生物發生的因素，不在空氣，而是空氣中所有的某些物質。

巴斯德認爲普契特實驗失敗的原因是加熱處理不足，所以生成微生物，他並不知道乾草浸液中常帶有處於休眠狀態的微生物體，例如孢子，普通加熱處理無法將之殺死。（孢子是藏於乾草內，可以休眠狀渡過長時期，直到適當環境時，再發育成新個體）。酵母液中則無具強抵抗力的孢子，所以普契特和巴斯德的實驗在現在可反覆地進行，而結果亦可理解。可是當時的人並不明白這情形。後來巴斯德不但曉得某些細菌可以孢子形態藏於乾草中，他也注意到嫌氣菌遇到氧氣時，無法生存。

巴斯德在這場競爭中，贏得了獎金。他的實驗首先將裝有媒液的燒瓶消毒，封口——確認瓶內無任何生命存在。然後在不同的地方，將瓶子打開，沾污瓶內空氣。經過培養，觀察有無微生物存在。結果在阿爾卑斯山上打開的二十瓶中，只有一瓶出現微生物，而在一滿是塵埃房子中打開的，全部都有微生物產生。在巴黎市中心街道上打開的，也全被污染。由這實驗，巴斯德不但贏得法國科學院的獎金，在自然發生說的爭辯中，亦贏得勝利。

倫敦醫生貝斯坦（ Henry Charlton Bastian. 1837 ～1915 ）在他1872年出版的" 生命的起源（ The Beginning of Life)"一書中，指出巴斯德的實驗仍有錯誤。貝斯坦強調給呂薩克的舊理論，認爲氧爲生命起源唯一重要因素。巴斯德就改良實驗燒瓶。他將盛有無菌媒液的瓶頸口拉長成一曲頸管狀，稱之爲巴斯德管。管的一端完全敞於空氣中，但因在管彎曲處可承接塵埃，阻擋其進入瓶內，所以經過處理的巴斯德管內沒有細菌產生。

泰德—光學上的純淨空氣

英人泰德（ John Tyndall. 1820～1893 ）研究塵埃的光學效應，他發明一種用光學原理檢查空氣的方法，以確定空氣中不含任何雜質。由這方法他又導出另一比巴斯德所用更好的方法，除去空氣中的雜質。

1876 及 1877 年，泰德在皇家學會會報發表他的實驗結果。泰德研究淨化空氣的方法是靜置空氣於一密閉盒中，使塵埃沈下。引用來自另一密閉盒上縫隙的光線，照射空氣。假如空氣中有塵粒，則光線呈現反射。用這光學方法可以非常精確地指示空氣的純淨度。將由此所得的乾淨空氣，引進實驗瓶中，實驗結果並無生物產生。由巴斯德和泰德的實驗，確定實驗結果的污染是來自空氣中所含有的生物體。自然發生說一直到這世紀中發現濾過性病毒（ virus ）及巨大分子體（ macromolecules)時，才又被提出有可能性存在。

巴斯德後來又提出一論點，說明即使小如細菌的生物，亦不可能自然發生。巴斯德指出，由一特定種類的生物純粹培養中，引其所含的生物入另一消過毒的媒液中，若保持其不接觸別種生物，則新培養液中出現的微生物，只有原來的那種。若換另外一種生物，重覆此步驟，結果所生的微生物，仍是此特定的一種，由此清楚地顯示，微生物親代只產生其同性的子代。

由於自然發生說的爭辯，引發人們開始研究細菌的生活史及繁殖作用，爲人類帶來重大意義。在實際應用上，亦啓發因食物保存及發酵作用所引起問題的解決方法的研究。保持食物不腐敗不再是不可能，罐頭工業隨之發展起來。另外一大發展是有關疾病的控制。消毒方法普遍應用於醫院，尤其是外科手術中。巴黎，在以前平均每十九個住院待產的孕婦中，就有一個是死於產婦熱。當醫生瞭解到接生前應洗手和消毒儀器的重要後，孕婦的死亡率就顯著地下降了。

李斯特—消毒手術

最先應用消毒作用於外科手術中的是英國外科醫生李斯特（ Joseph Lister. 1827 ～ 1912 ）。李斯特對細菌極感興趣，早在1878年，他就做過細菌的純粹培養。繼於巴斯德和泰德的成功後，李斯特設計用５％碳酸液噴灑手術前醫生們的手及手術進行中手術室周圍的環境，完成手術房及儀器的消毒工作。當手術常因細菌感染變得複雜時，這是極需要和極重大的一項改進。在李斯特之前，英國老醫生羅瑞（ Lowry ）所做的一千次手術中，傳說只有三個病人未死。

生命起源的新看法

　　自然發生說現在一截然不同的背景下，重新又被考慮。現代自然學家討論的結果，認爲極可能在早古時代，生命的起源是由一些存於原生"汁液"中的無機物質，自然結合而發生的。其中化學變化所需的能量來於閃電作用。現代在實驗室裡，科學家已利用地球早期溫度，和當時可能具有的一些物質，加上電能，合成某些簡單的氨基酸及核酸。當然這些簡單的有機物質，和生物體中複雜的蛋白質，核酸之間，還有一段極遠的距離。

　　巴斯德顯示複雜生物體，即如細菌，是不可能短期內在實驗裡自然生成。但他的說法並不剔除在長期的遠古時代裡，許多簡單，本身又具有複製能力的生物體，由自然方法生成的可能性。在現在這種過程是不可能再發生的。一方面是因爲現在大氣中已充滿氧氣，只要這未具保護能力的原生質塊，一生成就立刻被氧化掉，不能存在。另一方面，即使不被氧化掉，也會被其他數量多的生物吃掉。

發酵作用的問題

　　在上世紀中葉，發酵作用被認爲是一種化學作用過程。化學家李比格（Liebig）謂此過程爲，由於一化學酵媒的作用，致使另一可變化物質在基質中，分解進行激烈化學反應，這就是發酵作用。所以酵媒的分解，即可阻止欲發酵物質的發酵。根據這種看法，發酵作用的最基本條件就是不穩定的化性。當時有許多其他的化學家亦抱此態度，例如柏玆留斯（Berzelius, 1779～1848）及伯索雷特（Bertholet, 1827～1907）。1837年，蘇旺認爲酒精的發酵是由酵母菌引起，但是當時沒有一位有地位的化學家認眞考慮生物引起發酵作用的可能性。

　　巴斯德相信蘇旺的說法，成爲以實驗研究發酵作用的先鋒。他証實蘇旺的觀察，顯示酵母菌確實是蔗糖發酵成酒精，及碳酸的化學變化中，不可少的媒介。1857年，巴斯德又發現另外一種生物和蔗糖轉爲乳酸的過程有關。由這些觀察，巴斯德假定某些種微生物會導致某些種發酵作用。爲了求証他的假說，巴斯德將有關發酵作用的微生物分離，培養於營養液中，然後將此微生物接種在已除去原有生物的自然液中。發酵作用就在實驗室中，人爲產生。在實驗過程中，攝氏30至到50度是最合適的溫度。

　　巴斯德小心地研究發酵作用的各步驟。他反覆地移植發酵培養液中的生物到無菌的培養液中，觀察結果，發現只有在適宜的環境，適當的生物存在時，發酵作用才會發生。在實驗最後，巴斯德並檢定發酵生成的物質。後來巴斯德發表有微生物參與的蔗糖轉化成乳酸的化學反應過程。

　　他在顯微鏡下觀察各種不同的生物，並仔細描述個別特徵，發現乳酸菌和引起酒精發酵的菌體非常相似。然較近的研究，發現此二種菌體並不如巴斯德所說的接近，乳酸菌是一種細菌，而不是酵母菌。不同的菌種會導致不同的作用。當釀酒的酵母菌加入含糖的標準液時，進行酒精的發酵作用，酒精生成。但是當乳酸菌加入標準液時，乳酸生成。

　　其後20年（1857～1877），巴斯德研究許多可引起發酵的物質，而成爲此門中的權威。1858年，他發現導致酒石酸銨發酵的生物爲一種黴菌。酵母菌，細菌和黴菌，至此始知都和發酵有關。巴斯德在1860年發表有關酒精發酵的研究報告，至今仍爲此題材上的重要文獻。

　　巴斯德在1861年，觀察酪酸的發酵作用，發現一種重要性質：發酵能在無氧狀態下進行。巴斯德認爲引起酪酸發酵作用的桿狀菌體，具有動物性，故命名爲弧菌（Vibrio）。當在顯微鏡下觀察一滴帶有酪酸弧菌的培養液時，巴斯德發現一種奇怪現象；在水滴邊緣，和空氣接觸的菌體不會動，而在中間的菌體，則活動得非常活躍。他假定空氣中的氧，對這種菌體的生長及活性具有抑制作用。爲求証他的假說，巴斯德將氧通入一個現行發酵中的酪酸發酵培養液中，結果發現所有的發酵作用都被抑止。"有氧"和"無氧"即被用於區分兩類不同的生物。1861年，巴斯德發表醋酸發酵作用研究結果。他說明這種發酵作用是由生膜菌（Mycoderma）引起。1862 年他研究其中詳細過程。1864 年及 1868 年，醋酸製造過程的全部步驟爲其揭曉於世。

　　此時巴斯德應其師杜瑪士（J. B. Dumas）及拿破崙三世的邀請，研究當時嚴重威脅法國釀酒工業的酒變酸問題。他非常積極，熱心地觀察研究。而在1866年發表了其重要的酒研究報告。在長達二百六十四頁的報告中，巴斯德研究各種酒的疾病。他認爲這些疾病是由於有某些微生物侵入酒中而改變了酒的性質。巴斯德並且表示一種低溫消毒法，以低於沸點的溫度，部分消毒釀酒用的果汁，除去不必要的細菌，同時又不足以傷害果汁的質地。其他必要的細菌則由純粹培養引進。這種方法即稱之爲"巴斯德低溫消毒法"。後來也應用於牛奶上，用以除去大部份自然菌類及所有病原體，例如肺結核

普魯斯氏桿菌，斑疹，傷寒等細菌。

　　1871年，巴斯德又回到發酵作用的研究。這次他專心於啤酒的發酵作用。詳細實驗結果在1876年發表。在將近四百頁的報告中，他不但討論了對啤酒的觀察結果，並將其歷來所做的實驗做一總結，發酵作用導因於生物的觀念，由此更具體。巴斯德的解釋又遭遇到李比格（Liebiq）的反駁。李比格這次重新修改了他的舊理論，發酵作用是由酵素（enzyme）引起。但是李比克無法指出酵素究竟爲何物，巴斯德的論點最後獲得支持。

細菌學說

　　疾病的細菌學說（Germ Theory）爲生源論論點的一種延續發展。由親代而來的菌體，如同引起發酵，腐敗作用的細菌一樣，可以引起人類及家畜的疾病。最先注意到微生物和疾病關係的爲弗瑞凱斯脫瑞斯（Hiero-nymus Fracastorius. 1484～1553）。他曾寫過一本書"傳染病"（On Contaqion. 1546）。這是最早有關傳染觀念的出現。在書中，弗瑞凱斯脫瑞斯假定疾病是以某種種子形態存在。經由這些病種，可將疾病從一生物傳播至另一生物。弗瑞凱斯脫瑞斯又假設數種傳染的方法，例如直接接觸傳染，間接由衣物傳染，或經由空氣傳染。他並以洋蔥削皮後，其氣味可在空氣中散開，刺激數呎外人眼睛的原理來比擬空氣傳播病種。這個例子說明爲何疾病可以在相距一段距離的人們間傳播。弗瑞凱斯脫瑞斯並且詳細地描述數種普遍的疾病，包括斑疹傷寒，鼠疫，狂犬病，梅毒。1676年，劉文厚發現自然界中散有許多肉眼看不見的生物。此些觀察結果更增加對"疾病是由微生物引起"的觀念的支持。

希登漢—疾病的特異性病因

　　十七世紀的一位醫生，希登漢（Thomas Sydenham 1624～1689）提出某特殊原因導致某特定疾病的看法。希登漢對當時的醫生界有很大的影響力，但沒有人繼續他的說法。他堅持任何疾病有其傳染原因，因此動搖人們以前對疾病是天災的理論。希登漢仔細觀察數種疾病不同的特徵，例如天花，赤痢，鼠疫，猩紅熱等疾病。他認爲若要適當地醫治一種疾病，就必須先瞭解這種疾病致病的原因。當致病原因被瞭解，鑑別後，才可想出治療方法。在許多病例中，其治療方法就是除去這些致病的原因。當這種觀念開始發現之時，少數幾種大家熟知的疾病被用來實驗求証此說法。即使到現在，也只有少數的疾病爲人澈底瞭解，而可治癒。希登漢在研究疾病時，發現治療瘧疾的實際方法。他觀察到金雞鈉霜樹的樹皮，現在已分析得知其中含有奎寧，可以用來醫治瘧疾。他亦嘗試用這處方來治療其他疾病，但是皆無效。對一特殊治療方法，只能治癒一特定疾病，並不能針對所有的疾病。後來發現奎寧只能抑止瘧疾，並不是眞正地治癒瘧疾。

琴納—天花免疫

　　另一實際例証爲倫敦醫生琴納（Edward Jenner）在1796年所做的研究。琴納曾與韓特（John Hunter）住在一起研究過。在他的行醫中，他發現凡是得過輕微牛痘的人，就不會再得天花。這種現象使人們聯想到，可由較安全的牛痘來完成天花的免疫。雖早在琴納以前就有人採用此種免疫方法，但是琴納將其推廣普遍應用。琴納和當時其他醫生都無法解釋這種免疫完全成功的理由。直到後來經由巴斯德的濾過性病毒學說，才得明瞭。

戴雲—病原體的辨識

　　首先仔細觀察，描繪某特殊疾病的特異病原體的病理學家爲法國戴雲（Casimir J. Davaine. 1812～1882）。他對各種疾病的症狀非常感興趣，後來才轉而研究病原體。1850年，戴雲和雷義爾（Rayer）注意到死於脾脫疽（splenic fever）及炭疽病（anthrax）的家畜血液中，有桿狀體出現。當是他們並沒有聯想到任何意義。直到1861年，在閱覽過巴斯德有關酪酸發酵的報告後，戴雲重新研究炭疽病，1863年成爲第一位研究疾病病原體學者。確定血液中的桿狀體，炭疽桿菌（Bacillus anthracis），就是引起炭疽病的主因，柯哈（Robert Koch）繼起研究並追蹤整個炭疽桿菌的生活史。

柯哈—細菌學先鋒

　　德國醫生柯哈（Robert Koch, 1843～1910），同時也是一位老師及細菌學家。他對疾病細菌學說的創立有很大貢獻。早年他在哥庭根大學完成教育，而受教於病理學家漢勒（Jacob Henle）門下。漢勒在1840年預言疾病是由細菌引起。1866年，柯哈取得醫學博士學位以後，數年行醫於普法戰爭中。也就在此時期，柯哈開始他對微生物學的研究。1876年，他觀察研究炭疽桿菌的生活史，並作成純粹培養。

　　利用純粹培養的桿菌，柯哈觀察其增殖情形，研究傳染途徑，並解釋疾病延發的原因。牛群放牧在一個數

月前或數年前，曾埋過病牛的草原上，不久即得相同的病症。柯哈認爲這現象，是因爲以前病死的牛的身上所帶病原體並未死亡，而是形成孢子後，隨著牛的屍體深埋地下，孢子可以保持生命力極久。當蚯蚓將之帶到土地表面後，很少能隨著草一起被牛吃下去。一旦病原體孢子進入牛體內，遇著適宜的環境，就會重新回復活力，不停繁殖，最後牛隻即顯出相同的疾病症狀來。又由仔細研究病原體的生活史及病原體侵入新寄主後的各種活動情形，柯哈發明一種免疫的方法。當時巴斯德也正在研究此一免疫問題。

柯哈對疾病的細菌學說另一偉大貢獻是在1882年，分離出結核桿菌（Mycobacterium tuberculosis），在細菌學及傳染病學史上樹一里程碑。人們第一次瞭解到其本身疾病的傳染性質，肺結核病菌可借著在生物體內的繁殖，從一個體傳至另一個體。

1883年，柯哈發現霍亂病原體，撇形弧菌（Vibrio comma），從此以後如有霍亂發生流行，注意加強傳染地區的清潔消毒，便很容易加以控制住。

柯哈亦改善細菌學的技術。其中之一即爲培養細菌所用的固體培養基。在早期，培養細菌所用的培養基皆爲液體狀。培養液在培養細菌上很有效，但是要做到細菌個體的研究及分離就不容易。同時在液體中亦不能觀察到細菌個體繁殖形成菌落的情形。柯哈因此覺得有必要發明一種固體狀，或半固體狀培養基來培養細菌。他看見船舶被凍結在冰河中，不得動彈，就聯想到細菌亦可用類似的方法固定之。假如細菌同時仍可分裂增殖，自然就會形成菌落（colony）。

柯哈首先用明膠爲固體培養基。明膠加熱即溶成液體。趁熱倒入皿中，冷却後凝成固體，仍會保持細菌生長時所需的濕度。這在細菌學技術上爲一大進步。菌落的形成，菌的特性，無論是固體的或成群的，都可以容易的觀察，研究。最初用淺平盤裝盛明膠，外用鐘形大口瓶罩住，以防空氣的汚染。因爲盤子太淺，明膠常會溢出，造成實驗室的雜亂，倍替（Richard J. Petri, 1852～1921），柯哈的助理，因而設計改良原來的盤子。他把盤子四周加上大約一公分的邊，另外再加上一個較大，同樣式的盤子作爲蓋子，鬆鬆地反蓋在盤子上，一方面空氣仍能進入其內，一方面又能防止被沾汚。因爲是由倍替發明，所以稱爲倍替氏皿（Petri dish）。

柯哈在細菌培養方面亦發明懸滴法或稱爲凹片法。先取一滴含有微生物的培養液滴在蓋玻片上，再將此蓋玻片小心覆於中間有凹陷的載玻片上，使培養液滴恰懸於此凹陷中，一面可保持空氣的流通，又不會導致汚染。而且用此法培養細菌，可以將玻片放置宜於微生物發育適當溫度的培育箱內，或直接置於顯微鏡下，觀察微生物的原始活動情形。

此種懸滴法，廣爲後世接受，尤其在血液研究及組織培養方面。取下的動物組織，用此法培養，可以保持其生命，做詳細長期觀察。在顯微鏡下，時常的觀察，可以研究生長的特徵。無論是從正常細胞或非正常細胞的生長研究中，均有寶貴的貢獻。至於結締組織及骨細胞等硬細胞在組織培養中，却自由地生長成海棉狀疏鬆組織。

柯哈並使染色技術趨於更完善。他首先應用甲基紫（methyl violet）於細菌的染色。如今甲基紫染色已成爲微生物研究及鑑定上不可少的方法。

在理論方面，柯哈亦有偉大的貢獻於“病原特異性”（specific organism with specific diseases）說上。在當時人們已經注意到，是否隨著病症而出現的微生物就是引起疾病的病原體。所以人們急切於找出一可以確定某種微生物即爲引起某種疾病的主因的一套方法，或許更重要的是如何防止非病原體有被誤認的可能。

柯哈擬定一套原則用來確認病原體的眞假：(1)被發現的病原體與疾病有關。(2)病原體可以從患病的動物體分離且做成純粹培養。(3)將此純粹培養的病原體注入健康的動物體內，一段時間後，此動物現出相同的症狀。(4)病原體並可從第二寄生分離。在許多病例中，這些步驟是不可能完成的，因其病原體無法在普通實驗室環境下生存。然而柯哈建立的標準原則，確實爲當時解決許多不正確的推測，而爲人們普遍接受。

柯哈的貢獻不祇對發展中的微生物學具影響作用，他在作爲細菌學先驅上的許多創見，亦極基本而重要。甚至，他的助理及學生們的研究，即爲此一新興科學，建立起堅強的基礎。其中之一，艾爾利希（Paul Ehrlich）做過不少染色方面的研究，並且開創化學藥物治療法的研究。

艾爾利希—化學藥物治療法

艾爾利希（Paul Ehrlich, 1854～1915）生於德國，爲猶太後裔。早期偏於化學方面，但亦接受生物學的基本知識。他曾在醫學院學習生物生理過程及疾病治療方法。當時其表兄衛格特（Carl Weigert）正開啓組織及細菌培養的分類染色研究。

1878年，衛格特發現不同種的細菌，對於各種染料

有不同的接受能力。艾爾利希非常感興趣於此種發現，轉而向舖格特學習染色方法，不久即開始自己的研究。他發現不僅是細菌，生物體內不同的組織亦有不同的染色能力。例如甲基藍注入動物體內後，大部份被腦部組織吸收。從此染色分析法成為解剖學家剖取組織不可少的方法。

艾爾利希聯想到，假如不同的組織對不同的染色有不同的反應，它們對其他各種藥物應該也有不同的反應。這樣對由病原體引起的疾病，可能找到一種殺死病原體但又不傷寄生組織的藥物。基於此理論，艾爾利希開始實踐其"神奇子彈"構想。他首先提出許多問題：為什麼在同一染料下，有些組織呈現紅色，別的却呈現藍色？為什麼細胞核可接某種染色，細胞質却不能？為什麼不同種菌株有些可接受某種染色，有些却不可？甚至在有關疾病最直接而切實方面，亦存有不少問題，例如白喉毒素（Diphtheria toxin）對鴿子無害，然同份量的用劑則會造成嬰孩的死亡。由此推論，在各種不同的細胞，組織間，必有基本差異存在。

艾爾利希在推理外，同時以極巧妙的工具及方法求証其假設。他首先設計一套用以診斷病症的方法，再次發明可將化學藥物帶入實驗動物細胞內的技術。在此整個研究過程中，艾爾利希始終認為"化學親和性"即為生命奧秘之匙，因此在白喉毒素研究上，第一個問題即為"有毒物質如何侵害細胞"？

艾爾利希繼著發現可以中和白喉毒素的抗毒素。但他並不滿足於此發現，仍然好奇於抗毒素"如何"防止毒素的破壞作用，而且他想知道動物體"如何"產生足夠的抗毒素以致免疫。因為毒素和抗毒素皆為化學物質，艾爾利希嘗試在實驗室內製造。雖然並未成功，却成為後世研究的方向。

1904年，完成白喉毒素的工作後，艾爾利希轉向於癌症化學治療方面，欲尋求一化學物質，可以阻止動物體內異常生長及惡性變化。雖然此種研究的目的不曾實現，但實驗工作仍稍有進展。

艾爾利希最大成就在於西砷酚（salvarsan）的發現，一種可以治療梅毒的砷劑。1905年，史高汀（Fritz Schaudinn）發現梅毒病原體（Treponema pallidum）後，不久艾爾利希即以各種砷化物實驗，企圖找出一可以殺死梅毒菌，但對人體無害的藥劑來。在嘗試六百零五次皆失敗後，艾爾利希及其助理採用西砷酚，終於成功，故命名為"606"劑。後來發現西砷酚並非完全可殺死梅毒素菌，但它確實可用以控制病症。

西砷酚為近代人類最先採用為化學藥劑。雖早在多年前，希登漢（Sydeham）曾發現可用奎寧治療瘧疾，艾爾利希實為第一位完成化學治療理論的學者。此砷劑在1930年發現磺胺類藥劑及盤尼西林（Penicillin）前，一直是治療梅毒最好的藥物。

巴斯德—疾病細菌學說的貢獻

1865年，巴斯德的發酵研究為都瑪士教授（Professor Dumas）打斷。當時正流行一種蠶病（Pebrine），嚴重威脅到法國絲織業。巴斯德被請協助研究致病原因及解決方法，前後持續了六年。

巴斯德觀察病蠶，發現其腸道內寄生許多孢子蟲（sporzoan）。這些寄生蟲遍及蠶身，當其侵入造絲腺體後，蠶即停止吐絲。巴斯德並發現此種孢子蟲可藉蠶卵傳播於子蠶體內。

卵可在顯微鏡下檢驗是否帶有寄生蟲。在開始時，絲農不信任此種防治方法，但多次試驗証實其確實有效且方便。在顯微鏡檢視下，毀去帶有寄生蟲的卵，保留正常的卵，法國絲織業因而得以重振。在研究過程中，巴斯德發現此次危機並非由一種疾病引起，而是二種：Pebrine是由孢子蟲寄生引起；另一種病Flacherie則由細菌侵入所致。

1876年，巴斯德完成其有關啤酒報告後，轉變興趣於有關人類的傳染病。此時他已完成侵襲人畜的炭疽病研究，進而將細菌學原理應用到預防工作上。1880年，巴斯德觀察骨髓炎（osteomyelitis），產姆熱（Putrperal fever）病例。這二疾病皆由微生物所引起。巴斯德認為傳染媒介即為留在醫生手上或器具上的膿水。完成許多初步研究後，巴斯德又轉向"病毒疾病"，例如天花。特別有興趣於感染這種疾病後得到的免疫能力。巴斯德極推崇琴納在牛痘苗接種方面的工作。

巴斯德選擇在法國非常普遍的雞霍亂病（Fowl cholera）為其疫苗實驗研究對象。此病已知為細菌感染所致，且有菌種的純粹培養。巴斯德首先取得此種純粹菌種做培養試驗，發現在連續培養移轉下，此菌會失去一部分致病力。1880年巴斯德稱此感染力弱者為減弱病毒（atlenuated virus）。培養的菌種的致病力，受其連續轉換培養時間的長短所影響。若菌種靜置培養，不予轉換，數月後亦會減弱其致病力。

偶然機會下，巴斯德將有致病力的菌種注入曾接種過減弱病毒的雞身上，結果發現雞對此菌已具免疫力。由先接種減弱病毒而導致輕度致病所生"獲得免疫"（

acequired immunity）原理即從此類效果啟示而得。減弱病毒可刺激身體產生抗體，以抗拒此特異細菌，故成為一防禦因子。

由此雞霍亂病菌大量製造，接種於雞群。在大部分情況下，此種疫菌皆可保護雞群免得瘟疫，但亦發生少數不幸事件。因減毒程度不夠，疫菌反使雞群致病而死。雖此些事件招致不少指責，但接種減弱病毒的疫苗免疫原理已確立。1888年，巴斯德引用一種病原菌的毒性培養做為澳洲，紐西蘭消滅野兔的方法。結果不盡理想。巴斯德轉而將後天獲得免疫的原理應用於炭疽病，豬丹毒（Swine erysipelas）及狂犬病（rabies）。

在攝氏42～43度下培養八天，炭疽病菌即失去其致病力。法入天竺鼠及兔子體內，不會導致病症。羊群亦可由其獲得免疫。巴斯德因此勸告牧農採用新疫苗接種於羊群體內，使其對炭疽病具免疫力。米蘭農業協會對此發現非常感興趣，自願提供巴斯德六十隻動物，實驗証實之。巴斯德接受挑戰，即在米蘭近郊一農場進行，並透過巴黎時報（Paris Times）的記者波維茲（M. de Blowitz）公諸於世。

1881年五月五日，二十四隻綿羊，一隻山羊，六頭牛各接種五滴活減弱炭疽病菌。另外一組，二十四隻綿羊一隻山羊，四頭牛則做對照不接種處理。五月十七日，已受接種處理的動物接受第二次接種，施用較少減弱疫苗。五月三十一日，全體動物接種具高度致病力之炭疽桿菌。六月二日，巴斯德觀察結果，經預防接種的羊群全部安然無恙，而未經預防接種的羊群則死於炭疽病。經預防接種的六頭牛亦健康如前，而未經預防處理的四頭牛則在接種病毒有處腫大現象。六月三日，有一隻經預防接種的羊死亡，然經診斷係胎死腹中致死。巴斯德試驗成功，從此其減弱疫苗普遍應用於全世界。

試驗結束數星期後，巴斯德即在倫敦國際醫學會議中發表其報告"預防雞霍亂及炭疽病的疫苗接種"，闡明疫苗可用以預防疾病，同時首次解釋何以接種牛痘苗即可預防天花的理由。

炭疽疫苗廣泛用於各種家畜後，結果並非全部成功，但大致上廣為人們採用。1882年，巴斯德統計，有八萬五千隻家畜接受預防接種。在七萬九千四百隻綿羊中，死亡率已從未經接種時的91.01％降至0.65％在1894年前，三百五十萬隻羊都接受了炭疽病疫苗接種。從此炭疽病在疫苗預防下，不再受人注意。

巴斯德下一研究即為與蘇理爾（L. Thuillier）合作，對豬丹毒的觀察。發現病原菌存在病豬血中，並取

得其純粹培養。當巴斯德以同前之原理製造減弱病毒時，却未成功。不同的動動，其免疫效果不同，不同種的豬，其感受性亦不同。此現象困擾巴斯德的研究，無法確知疫苗的免疫力程度。最後在實驗過程中，發現經由兔子身體，可製得免疫力較均勻之減弱病毒，疫苗方得大量製造。在1886年至1892年間，至少有十萬隻豬曾接受此種須預防接種。

巴斯德最後偉大成就在於狂犬病的研究。狂犬病對人及動物都不是一常發生的疾病，然人們為其特別異常的症狀感到驚恐。巴斯德和張伯倫（Chamberland），羅克斯（Roux），蘇理爾等人展開一系列的觀察，甚至包括動物神經系統亦在觀察之內。經過三年的研究，發現狂犬病毒可經連續猴體培養而減輕其對犬，兔及天竺鼠的致病力。犬的預防接種就是利用此種猴體減弱病毒。1885年，巴斯德又發現狂犬病毒侵入體內後，會有一段潛伏期，故在被瘋犬咬後短期內，此疫苗接種仍有預防功效。減弱病毒的製法為取受狂犬病毒感染致死兔子的脊髓，靜置二星期燥乾之，其即喪失大部份的致病力。將此減弱病毒接種健康犬體內，犬即獲得對狂犬病毒的抵抗力。由此試驗結果的成功，巴斯德推想到人的預防方法。

巴斯德正預備展開其對人的實驗前，發生一件促使成功的事件。1885年七月六日，一個九歲的男孩（Joseph Meister）被帶至巴斯德前，他的手腳都遭一隻瘋犬咬傷。第二天，被咬後六十小時，巴斯德即開始其一連串的預防接種。第一次接種材料為培養十四天的兔子減弱病毒。接著接種的疫苗份量則越來越重，結果非常成功，男孩並未致病。在1886年十月前，有二千四百九十位病人接受此種治療。雖亦有少數人仍然死亡，但較前100％的死亡率，此種失敗實不足慮。1905年裡，全世界接受預防接種的病人幾達十萬人以上。至於在巴斯德研究所（the Pasteur Institute）內接受治療記錄示示，在1935年前，五萬一千位病人中，只有一百五十人死去，死亡率為0.29％。

到巴斯德實驗室求醫的病人越來越多，而醫藥器材亦不敷使用。科學會委員會即建議正式成立一研究機構，從事預防接種及更多的科學研究。從大眾捐款募得2,586,680法郎。1888年，巴斯德研究所在巴黎成立。十一月十四日全世界各地不同的人來到巴黎參加落成典禮。

巴斯德死於七年後，1895年九月二十八日。紀念巴斯德的碑立於巴斯德研究所正進口處。其內敎堂的牆及

天花板上，則以照片形式展示巴氏一生的貢獻、成就。

疾病傳染媒介—節肢動物

此為細菌學說的另一有力支持。自柯哈觀察，發現炭疽病的生活史後，導致人們研究各種致病菌生活史及其與寄主的關係。在許多病例中，發現存有中間寄主，將病原菌從一生物傳播到另一生物。1888年，拉弗瑞（Alphonse Laveran, 1845～1922）觀察瘧疾患者血中存有微小生物，經鑑定為一原生動物瘧原蟲（Plasmodium）。1898年，羅斯（Ronald Ross）發現鳥瘧原蟲寄生於Culex屬蚊體內。同年葛雷斯（Grassi）及畢格納米（Bignami）發現人瘧原蟲，則由Anopheles屬蚊傳播。

此時期，許多種由昆蟲傳播的疾病亦被注意。1893年，布魯斯（David Bruce, 1855～1931年）發現非洲昏睡病是由采采蠅（tsetse fly）引起。1900年，雷德（Walter Reed）發現黃熱病毒以Aedes屬蚊為傳染媒介。史密斯（Theobald Smith, 1859～1934）及其助理克邦（Kilborne）記錄下德州牛熱（Texas cattle fever）生活史。

1889年，史密斯和克邦完成一系列控制下實驗，確定壁蝨（Boophilus annulatus）為牛熱的傳染媒介，然對此病的性狀及病原體仍為不知。史密斯檢查病牛血液，發現在其紅血球內，存有微小生物。1891年鑑定為原生動物（Babesia）。史密斯並記述壁蝨在生活史中傳播病原體至健康者的作用。其最重要的發現乃在此原生動物可由母蟲經卵傳至幼蟲，再經叮咬傳至牛體內，導致發病。1893年，史密斯發表的德州牛熱研究報告成為細菌學上一篇重要文獻。因其為首次有關節肢動物介入傳染疾病的完整生活史記載。

柯哈已發現結核桿菌為人結核病的原體，而牛結核病亦是由同一種細菌引起。但在1898年，史密斯指出即使牛結核病可經由生牛乳傳給人類，牛型結核和人型結核並不相同。生乳可經巴斯德低溫消毒法殺菌，預防結核及其他牛疾的傳染。

結論綱要

從希臘哲學家至雷狄期間，"自然發生說"為一不變的生物來源法則。雷狄以精細實驗証實蒼蠅並非自然發生。隨著微生物的發現，人們又從事一長串實驗，探求此微小生物從何而來。最後巴斯德提出有力証據結束自然發生說的爭辯：細菌非自然發生。巴斯德並指出發酵，腐敗作用是由微生物導致。由此，生源論觀念發展

至疾病的起源及傳播問題方面。

傳染病最早由弗瑞凱斯脫瑞斯在十六世紀提出。十七世紀希登漢發現瘧疾及其特別治療方法。十八世紀琴納建立天花免疫法。一直到十九世紀，微生物學家方才創立疾病的細菌學說。戴雲確定一疾病（炭疽病）和其病原體（炭疽桿菌）的關係。柯哈，在其對細菌學貢獻中之一，探索炭疽桿菌生活史，而巴斯德完成炭疽病的免疫方法。艾爾利希首創化學治療方法，並發明對梅毒的治劑。巴斯德以絲蠶病，雞霍亂病，豬丹毒及狂犬病方面研究加強細菌學說論說。進一步，節肢動物為傳染媒介的發現亦添增此學說的重要性。

貳、機構與生命過程

由於顯微鏡的發明使生物學家確認動物及植物的軀體都是由叫做"細胞"（cells）的小單位組成。顯微構造的揭示及顯微鏡學者的觀察與解釋使生物學邁進新境界。理論學家們各以自己觀察所得假定生物基本機構的統一性理論。因此為求理論圓滿，觀察家們必須試驗其普遍性並擴張其理論。目前細胞不僅被認是生物體的一種構造單位，也是一種機能（新陳代謝）單位、生殖單位及生長與分化單位。

十七世紀的古典派顯微鏡學者曾細心觀察並繪圖表示他們所見的生物體構造單位。例如馬爾必基（Malpighi）曾觀察植物體內的小囊（sacs or utricles）。格魯（Grew）也觀察到類似的小囊，其內充滿液體，因此命名為水胞（bladders）。劉文厚（Leeuvenhock）發現與現在所謂細胞相同的構造，但未命名。史璜爾登（Swammerdam）在其解剖及顯微鏡觀察中也曾發現這種構造單位。上述這些人都是優秀的觀察家，而不是理論家。直到十九世紀，當時的觀察家才將原來累積的片斷資料集合整理並導出細胞學說（cell theory）。

一、細胞學說的背景

虎克（Hooke）於1665年出版"顯微圖解"（micrographia），其中第十八項觀察為軟木（cork）的微小構造研究，虎克發現許多由厚壁圍繞而成的間隔，稱之為小盒（little boxes）或小空間（cellulae），這些小間隔的外形酷似蜂巢，虎克乃以拉丁字"cella"（意指"小室"）形容。此字原指囚犯及修士所居的小室。以後便用cell（細胞）表示生物體的構造單位。由於細胞中具生命的內含物才是重要成分，有人主張應以"原

生質”（protoplast）以替換細胞一辭表示生物體的構
造單位。但因“細胞”一詞在生物學上沿用已久，改變
似乎已不可能。

　　在十七世紀與十九世紀之間，許多假說涉及細胞學
說的觀念。其中有些係受胚胎學及生理學的發展而產生
，這類有關的假說，是研究觀察的結果。其餘有關的假
說則無觀察根據。

　　拉馬克（Lamarck）在其 1809 年出版的“動物學
原理”（philosocical zoology）中指出生命的個體是
由膠質小團塊組成。他未將細胞看成獨立的單位。同年
法國植物學家密耳貝（C.F. Mirbel）指出植物是由連
續的細胞膜（cell membrane）組成。 1805 年歐肯（
Lorenz Oken 1779～1851 ）指出所有生物皆源自細
胞（vesicles or cells），他並用“urschlein”或“
primitive slime”（原生的黏質物）形容細胞內具有生
命的物質，亦即現在所稱的原生質（protoplasm）。歐
肯雖是哲學家而非觀察家，但其所述對後來學者的研究
頗具影響力。十九世紀初期，許多觀察家曾經發現在動
物與植物體內經常有一些微小的構造。德楚其（Henri
J. Dutrochet）於1824年提出細胞獨立性的觀念。此時
細胞是生物體構造單位的觀念，仍然未被普遍的接受。

　　在細胞學說正式提出之前已有人敘述過細胞的兩種
主要構造，細胞核（nucleus）及細胞質（protoplasm
）。 1831 年布朗（Robert Brown）研究他由澳洲（
Australia）採集的植物時，發現表皮層細胞內有一種
構造，命名為“細胞核”。後來他又在各種植物的花粉
粒、胚珠及柱頭等處發現同樣的構造。細胞內的細胞質
亦曾出現於許多觀察家的報告。胚胎學家渥夫（Caspar
Friedrick Walff 1738～94）觀察活細胞，發現不利
先成說（preformation)的證據，他認為卵細胞內並無
先成的小生物個體。都亞汀（Felix Dujardin 1801～
62）於 1836 年報告變形蟲（ameba）的細胞質，稱其
為原生質（sarcode），他發現這些有生命的物質為同
質（homogeneous）、有彈性（elastic）、可收縮（
contractile）及透明的（transparent），其析光能力稍
大於水但比油小得多。在生命物質中他未能發現任何
構造，故其報告僅提到無懸浮成份的基本生命物質
。

　　布朗（Robert Brown）在1828年出版的“植物花
粉的顯微觀察“（microscopic observation on the
pollen of plants）中描述細胞的細胞質構造。他曾觀
察原生質中微粒的跳舞運動，現在稱之為“布朗運動”

（Brown movement）。起初他認為看到的微粒是有
生命的，這種運動為生命物質的基本特性。後來布朗發
現那不過是一種物理現象，無生命的懸浮物也有這種特
性。布朗運動實為一種固體粒子懸浮於液態媒體中的撞
擊現象。這些早期觀察的重要貢獻之一，揭示生命物質
基本上是一種液態物質。晚近化學的進步，澄清在生命
系統及無生命系統中此類物質的物理性質。生命物質的
特性大部分可以膠體化學的原理解釋，而膠體化學則係
研究由一種液相組成的物質，卽在液體中有微小的固體
粒子懸浮其中。

二、細胞學說

　　兩位德國生物學家蘇來頓（M.J. Schleiden 1804
～81 ）及蘇旺（Theodor Schwann 1810～82）最後
提出細胞學說普遍性：“動物及植物都是由細胞所組成
”。雖然他們二人被視為細胞學說的共同創立人，但二
人所得的聲望並不相同。蘇來頓先於1838年發表其植物
細胞的研究結果，蘇旺則於一年後（1839）才發表其動
物細胞的研究結果。蘇旺所提報告較為廣泛且有較好的
生物學根據並提供較多的證據，故就細胞學說的創立而
言，蘇旺享有較多的榮譽。

1. 蘇來頓（Schleiden）

　　蘇來頓本來是學法律的，27歲時應該去作法律實習
，却囘到大學改修藥學。當時植物學是藥學訓練必修課
程，蘇來頓以植物學為其專長，後任耶拿（Jena）大學
植物學教授。1837年蘇來頓開始研究植物的機構與發生
。這些研究為布朗之初步工作的延長，以顯示細胞核在
植物發生上的重要地位。不過他的科學基礎薄弱，致其
觀察及結論均犯嚴重錯誤。他的最顯著的錯誤以為細胞
增殖是一種以核仁為起點的結晶化的物理過程。他摹想
以一個核仁為起點連續產生新層次，形成細胞。在核仁
周圍以結晶化過程產生核。核的側邊生有小孢，乃是一
種芽生過程（budding procss）為細胞繁殖的一部分。
細胞生殖開始於核仁，核仁周圍結晶產生一核，最後在
核的周圍產生新細胞質，整個新生團塊便與母細胞分開
成為子細胞。

　　蘇來頓本人僅能以少數觀察支持細胞學說，但他將
別人研究結果加以整理，得出一種概念：細胞是所有植
物結構的基本生命單位。同時也是所有植物發展所自的
最基本的個體。

2. 蘇旺（Schwann）

　　蘇旺爲一細心且具耐心的觀察家，他在符妓堡（Würzburg）及柏林（Berlin）大學從事動植物細胞的顯微研究，並將組織（tissues）分類。1839年發表"動植物構造及生長相似性之顯微研究"，描述並比較動植物的細胞與組織。蘇旺極力提倡蘇來頓主張的觀念"生物係由細胞組成"，並以其本人觀察結果支持之。蘇旺有關細胞理論的報告發表後不久，他便接受魯汶（Louvan）大學的教授職位。

　　蘇旺研究動物結締組織時，發現生物體有些部份不是由細胞組成。從解剖上發現骨骼的基質（matrix）與結締組織屬非細胞性，而由細胞產物組成。因此蘇旺將細胞學說修正爲"所有的生物都是由細胞及細胞產物組成"。他對細胞具獨立生活的看法與蘇來頓相同，但他認爲細胞要受生物體的管制。他以"細胞質體"（cytoplastema）一辭形容已經定名爲原生質（protoplasm）之生命物質。並以"新陳代謝"（metabolism）一辭表示細胞內進行的一切化學過程。蘇旺認爲細胞不但是生物的構造單位而且是生命單位。

三、細胞學說的修正及擴充

　　蘇來頓與蘇旺兩人提及細胞大都強調細胞爲構造單位。他們着重於生命過程必定在細胞內繼續進行，尤其在發育成長時期。但細胞內含物的種類及複雜性仍未知曉。故下一步驟要確認細胞各部構造並斷定其在細胞內活動的功能。

　　蘇旺曾被動地接受蘇來頓錯誤的細胞增殖觀念。1841年雷馬克（Robert Remak 1815～65）研究青蛙的卵並追查胚胎早期發育，發現細胞由原已存在的細胞而來。1844年耐加利（Karl Nägeli 1817～91）繼續雷馬克的研究工作，報告細胞分裂情形。他雖未觀察細胞有絲分裂（mitosis）之詳細情形，但其報告已足顯示蘇來頓的觀念錯誤。耐加利作細胞的化學分析，發現細胞內各不同構造由不同的化學物質組成。細胞內有些部份，如細胞核含有氮素物質，而細胞壁卻由碳水化合物組成，細胞質中還有完全由澱粉組成的顆粒。

　　1846年摩爾（Hugo von Mohl 1805～72）以"原生質"（protoplasm）一辭表示生命物質。當他研究植物活細胞的內含物時，發現圍繞中央液胞（central vacnole）的細胞質流動（the streaming of cytoplasm）。不久另一輩研究原生動物的觀察家經由原生動物的

纖毛運動，發現生命物質的一種基本特性，卽運動不僅限於細胞內，可以經由一種特殊結構的構造而使整個細胞運動。複雜的活動包括高等動物的肌肉運動，是一般細胞內細胞質流動運動（streaming monement）的精美表現。

　　繆勒（Johannes Müller）的學生克力克（Albrecht Kolliker 1817～1905）將細胞學說應用到胚胎學與組織學。他指出卵爲單一細胞，其細胞核爲細胞中最恆定不變的部份，且在細胞生殖中佔重要地位。雷馬克及其他細胞學家支持他的觀點，故細胞學說擴展爲"細胞也是發育的單位"。雖然此時仍無實驗證據證實細胞爲遺傳物質之攜帶者，但克力克已預見此種可能性。他還研究中樞神經系統的神經纖維，發現此種神經纖維是一種具有長突起的細胞，不隨意肌也是由細胞所組成。他更發現許多從前認爲不是細胞組成的動物構造事實上也是由細胞所組成。

　　細胞學說的進一步擴展工作是由德國病理學家斐爾科（Rudolf Virchow 1821～1902）所作，他於1856年開始研究細胞學與病理學。他遵奉先驅者的主張，認爲細胞是由原有的細胞所產生。他對健康及患病動物的骨骼與結締組織做詳細的顯微觀察，發現身體的不正常或病態情形與細胞的異常活動有關。斐爾科第一篇有關細胞的報告題目爲"癌的演化論"（On the Evolution of cancer）。隨後他展開一系列有關惡性瘤的研究。

　　自1858年斐爾科印行"細胞病理學"（Cellular Pathology）後，細胞學說開始被應用到病理學上，因此細胞病理學取代腫瘤病理學在病理學上的地位。斐爾科晚年的研究方向轉變到以整個人體爲研究對象以及傳染病源對人體的影響。斐爾科不單是細胞學家、病理學家，同時還是人類學家、衛生學家、及頗具重要性的政治家。他在公共衛生方面的貢獻拯救了無數的人命。他擔任德文期刊"Archives for pathology"編輯達55年餘之久。

　　舒茲（Max Schultze 1825～74）着重於細胞內含物的研究。此時生物界確認細胞是一個有生命、有功能的生物體單位，而非死的小室。舒茲爲細胞作一簡單的形容"細胞含有一團細胞質及一個細胞核"。

　　次一步對細胞瞭解貢獻最大的爲細胞分裂的詳盡說明。1875年波昂大學植物學教授斯特伯格（Edward Strasburger 1844～1912）發現植物細胞的有絲分裂，並詳加描述與說明。四年後他證明細胞核發生於原已存在之細胞核。他的研究均採用活的材料，因此他所看

到的都是活細胞中的構造。

　　佛萊明（Walther Flemming 1843～1915），先任普拉格（Prague）大學教授，後任基爾（Kiel）大學教授。他研究動物細胞的有絲分裂過程，其研究報告於1879，1882年及以後十年內定期發表。他採用兩棲類幼蟲的組織，並以固定、染色等現代方法處理，以殺死的材料代替活的材料。對細胞的有絲分裂各時期可作更詳細而正確的觀察，但有一缺點，即看到的細胞構造究竟是活細胞中原已存在或經處理過程引起的結果。佛萊明創立許多名辭以表示細胞的有絲分裂各時期及構造：細胞的有絲分裂（mitosis），前期（prophase）、中期（metaphase）、後期（anaphase）、末期（telophase）、星芒體（aster）、染色質（chromatin）等等。他也觀察到在細胞分裂進行時，源自於核的一種縱分裂構造，此種縱分裂構造隨細胞分裂完成而消失。1888年瓦爾德（W．Waldeyer 1836～1921）將這種僅能在細胞分裂時才可見到的構造命名爲染色體（chromosomes）。

　　符玆堡（Würzburg）大學教授波威利（Theodor Boveri 1862～1915）同時亦在1888年報告動物細胞的有絲分裂時與紡錘體（spindle）形成有關的細胞質構造，並將之命名爲中心體（centrosomes）。不久發現植物細胞內並無中心體，但其細胞質能完成動物細胞中心體所擔任的工作。披令斯含（Nathaniel Pringsheim 1823～94）及薩克斯（Julius Sachs 1832～97）共同描述植物細胞細胞質中的色素粒（plastids），至於其他細胞質中的構造如粒線體（chondriosome）及液胞（vacuoles）則無任何單獨發現者可查。

　　十九世紀末的觀察家的努力使細胞的研究發展成生物學中的一門獨立科學——細胞學。1893年哈特威格（Oscar Hertwig 1849～1922）出版"細胞與組織"，此書成爲細胞學早期發展的里程碑。

　　科學技術的進步促進細胞廣泛與精深的研究。約翰霍普金斯（Johns Hopkins）大學的哈里遜（Ross Harrison 1870～1959）發明組織培養法，使胚胎期的細胞能在體外培養及在顯微鏡下觀察。洛克斐勒學院（Rockefeller Institute）的咯雷爾（Alexis Carrel）和林白（Charles Lindberg）更將組織培養法加以改進。從此以後生物學家不但能研究正常細胞的生長與分化，同時也能研究癌細胞的異常生長，組織培養法也成爲實驗生物學的重要工具。1941年位像差顯微鏡（phase contrast microscope）的發明，更引起科學家研究活細胞的興趣。位像差顯微鏡可區別在普通顯微鏡下看來爲透明的細胞各部分，且可不經染色以觀察活細胞之分裂及其他細胞過程。電子顯微鏡問世以後，促進處理過的細胞的觀察。近來更用於染色體內部構造的照相。

四、細胞學說的問題及評論

　　細胞學說應用於各類不同的生物時，發生了許多問題。如細菌在生物界佔一重要地位後，發現細菌內沒有明確的細胞核，不符合舒玆所下的細胞定義。不過細菌中確含有類似細胞核的物質，現有證據顯示有非常相似高等生物的核的機構。有些細菌如大腸桿菌（E. coli k12）具有一種型式的有性生殖。

　　然後輪到病毒（virus）的發現，病毒是不是細胞呢？如以一般定義來看，病毒顯然不是細胞。雖然病毒缺少某些細胞特徵，如半透性的細胞膜，他們仍具有別的細胞特徵。具有類似高等生物中細胞核的物質，具突變及重組的現象，以及類似高等生物中與基因（genes）有關的活動。

　　有些生物的某些構造，甚至有些生物的整體，不能以一般方法區分成個別的細胞，如mucor屬的黴菌（molds），爲多核菌絲，其核分佈在菌絲（hyphae）內，但不分隔爲許多細胞。又如一些原以爲是單細胞的原生動物，後來發現具有多核。再如心肌並沒有分成獨立的細胞。雖然在前述例子中未分隔成特殊的單位，但各核周圍均有細胞質，故仍符合舒玆所下的細胞定義，因舒玆並未特別重視細胞界限。雖然有許多例外事件，細胞的分開仍爲一般原則。但細胞界限的有無僅爲一種表面特性，並不影響基本的細胞學說。

　　比較複雜的原生動物是否眞的如一般所認的單細胞動物呢？瘧原蟲的生活史中，有一時期爲單細胞動物，以後經孢子分裂成爲十六個細胞的生物體，然後再分開成16個單細胞的merozoites。故原生動物之爲單細胞或多細胞必須視在生活史中的那一時期而定。即使是包括人類在內的高等生物，在其生活史中必須經過一個單細胞的階段。一些原生動物如Euplotes其內部構造比有些後生動物更複雜。故原生動物爲單細胞生物，後生動物爲多細胞生物的區分法是膚淺而值得商榷的。

　　最後究以細胞或整個生物體誰屬生命單位時。蘇旺認爲生命的功能存在於細胞而非整個生物體，故細胞爲獨立的生命單位。在整個生物體死亡後高等生物體之一些細胞仍可生活數小時甚至數天之久。不過整個生物體的狀況被認爲是較重要的生命的準繩。

五、生物的一些生理過程

就整個生物學史來看，生理方面比形態方面的進步慢得多。原因之一爲人類頭腦對可觀察的構造上特徵較易瞭解，而對須以實驗方法始能接近的無形的功能關係比較不易接受。原因之二爲生理學與其他科學如化學、物理學、數學等，關係十分密切，這些科學直到最近才進步到足以被應用來解釋生物學上的現象。

1. 笛卡兒及機械論

法國哲學家及生理學家笛卡兒（Renē Descartes 1596～1650）是最初對生命活動有興趣的人之一。所謂生命活動係指經由生物體內複雜過程，生物始能作用如一和諧一致的整體。他認爲生命現象是機械作用的結果，而這種機械作用可以化學及物理學原則解釋。因此建立對生命本質與生命活動的機械觀點。雖然笛卡兒主要是位哲學家，但他對生理學機械論的創立貢獻很大。

笛卡兒在幼年時就處處顯示其智慧。十歲時進耶穌會學校，不久就表現出他獨立思考的才能。他常常注意到老師上課的內容與書籍之間互有差異，並且發現每個老師對同一主題的意見往往互不相同，故他只偏好精確及穩定的數學，而視其他學科爲無用的、娛樂性的學科。十七歲時，笛卡兒入巴黎大學，此時期他絕少參加社交活動，專心向學。二十一歲時入伍服役，於成守布拉達（Breda）的兩年間，發表其第一篇論文"論音樂"（On music）。

當笛卡兒 33 歲時（1629），他完全退出社交生活，專心於研究工作。由於其反宗教傳統的思想與著作，使他在法國遭受宗教迫害，故他急於找一安全地方以求發展其與教會教條背道而馳的"人與自然的關係"的觀念。爲求避免與家鄉宗教領袖衝突，笛卡兒移居荷蘭。在荷蘭他花費十年時光從事研究，其主要興趣在數學、光學、機械學和聲學，他對解剖學亦有所貢獻。他曾對哈維（Harvey）的血液循環學說發生極大興趣。1637年笛卡兒出版"方法論述"（Discourse on Method）。此書雖只有六篇文章，但對當時的影響力很大。本來還有第七篇，因其內容太反傳統，不爲時代接受，故未付印。

方法論述第一篇文章中，笛卡兒回憶學校生活，敘述他決心離開學校而從事獨立研究工作的動機。第二篇文章描述在軍中的經驗，並提出其研究方法的原則：(1)不要接受未經明顯而客觀確定的資料。(2)將困難問題分成若干部份，然後逐步解決。(3)思考問題時，由易而難，由簡入繁。(4)思慮應周全，觀察應普遍，以免有所遺漏。

第三篇文章敘述道德規則。第四篇說明"我想，所以有我"（I think, therefore I am）的概念形成經過。這種概念在他後來出版的"沈思"（meditation）一書中加以擴大。第五篇討論"精神與肉體之本質及相互關係"的概念。第六篇說明此書遲遲印行的理由。

笛卡兒在其第七篇文章中，以唯物論的方式解釋十七世紀中葉所發生的有關哲學及生理學的問題。他利用所能找到的科學事實，對生物體各種動能的機制加以思索。在這種思索過程中，事實與想像混合，分不清其註釋來自想像抑或來自事實。就科學立場來說，他這篇文章是第一篇以機械原理解釋有機功能的文章，故有其重要性。就哲學立場而言，這篇文章亦很重要，因爲這篇文章創立有名的"笛卡兒之物質精神衝突論"（Cartesian conflict of matter versus mind），這文章在哲學上的價值，主要是使人類認清"人"，使人敢用自然去瞭解人，而不是用超人智的哲學去瞭解人。由於這篇文章爲當時宗教教條所不能容忍，故笛卡兒不敢印行。直至他死後 12 年（1662）才有拉丁文版的印行，死後 14 年（1664）才有法文版的出現。

笛卡兒曾與英國公主伊麗沙白（Elizabeth）通信數年，並因他的成就而受公主讚賞。瑞典皇后克麗絲婷娜（Christina）仰慕他在學術上的成就，於1647年邀他入宮。笛卡兒怕瑞典氣候不利於其胸部健康而猶豫很久，後來瑞典宮庭正式邀請，並賜膺位，他才成行。笛卡兒住在瑞典有三年，而於 1650 年死於肺病。

笛卡兒的最高成就在他的一句名言"數學是科學所必須的"。他視自然爲一部依數學原則運行的機器。他的錯誤在解釋大自然時完全憑其智慧，毫不考慮觀察的因素。笛卡兒爲解析幾何的創始者之一，而解析幾何又導致牛頓創微積分。他在理論光學上很成功。他在物理學上的工作有些仍符合現代標準，有些則證明爲荒謬不確。

笛卡兒在非哲學方面的成就主要在生理學，但由於缺乏觀察的基礎，導致許多錯誤。例如他提出一套用機械原理說明神經系統運行的理論，以解釋單一感覺影響對稱器官。一種中樞控制單位被選定以協調運行機器。笛卡兒認爲松果體爲組織及協調中心。神經被認爲係中空的管子而松果體內的液體可經由神經管流動。松果體內的瓣膜係液體流動的調節器，這種瓣膜的開閉則受外

來刺激的控制。這是一種十分有效的機械設計，可惜事實上並不是如此。由於沒有觀察為根據，笛卡兒在生物學上的觀念，大都很膚淺，不久就被有具體事實根據的其他學說取代。

2. 神經與肌肉的機械學

伽利略（Galileo）的學生鮑雷利（G.A.Borelli 1608～79）追隨笛卡兒的機械論，但他的主要興趣在肌肉運動的機械學。他曾嘗試利用數學原則解釋肌肉運動。他的有關肌肉靜力學與動力學的公式在理論上是正確的，但像笛卡兒的工作一樣，並不是根據真正生活系統的活動。他曾利用重量、槓桿支點及能量來源以發明肌肉運動模型。他又試圖以機械模型解釋鳥類的飛翔、魚類的游泳及陸生動物的步行。當時波拉利並曾暗示，肌肉收縮必可以化學及生理過程予以說明。

瑞士生理學家哈勒（Albrecht von Haller 1708～77）提供早期有關神經系統作用的報告，提出生命物質具有敏感的或易受刺激的特性。他發現身體有些部分特化以傳達衝動，有些部分具有收縮能力，故手腳及其構造得以運動。他認為敏感性及收縮性是所有生命物質固有的性質，但這些性質在生物體某些部位效率特殊，因此使能為整個生物體盡力。神經通道被認為用來將信息由感受器（receptor）傳至收受中心，這中心與腦的感覺聯合。得到腦部發出的衝動，肌肉發生反應。哈勒對神經及肌肉作用雖有現代而合理的觀念，但因他的科學基礎不夠，以致不能對有關的機械學詳加解釋。

1786年義大利生理學家伽凡尼（Luigi Galvani 1737～98）發現動物的電性，他能以電流刺激神經。在實驗的動物中，某一特別的神經受刺激時，則引起有關的肌肉的收縮。伽凡尼發明一種十分敏感的電流計（galvanometer），可以測出活動態神經攜帶的電流量。柏林大學教授雷蒙（Emil du Bois-Reymond 1818～96）指出肌肉與神經處於活動狀態時會產生電流，並稱之為"作用電流"（action current），他的觀察已被納入現代的神經衝動傳遞學說。

德國生理學家赫爾姆霍玆（Hermann Helmholtz 1821～94）繼續伽凡尼的工作，他發現神經衝動在青蛙腿中傳導速率為每秒30米，比電流在銅線中的傳導速率慢了很多。赫爾姆霍玆的解釋是神經衝動傳導不僅有電流作用，同時還有化學作用。自1915年以來許多以赫爾姆霍玆工作為根據的學說均以電流及化學反應說明神經傳導。

3. 反射作用

數位早期生理學家曾思索過身體的不隨意反應的機制。英國生理學家賀爾（Marshall Hall 1790～1857）於1833年創用"反射作用"（reflex action）一辭表示這類反應。摩爾根（Lloyd Morgan 1852～1936）試圖簡化神經反應的觀念，他認定神經系統有最簡單的功能單位。這種單位稱為反射弧（reflex arc）包含三個神經細胞：一個神經細胞將衝動傳入中樞神經系，一個神經細胞在脊髓內負責轉送任務，另一個神經細胞則將反應傳至肌肉。

金寧（H.S.Jennings 1868～1949）研究原生動物與低等植物，發現他們對刺激的反應也遵循簡單的生理化學原則。耐特（T.A.Knight 1759～1838）創用"向性"（tropism）以指植物對外界刺激的反應，並應用於原生動物對刺激的反應。他以不同的名辭形容不同類型刺激引起的反應。例如由化學藥物引起的反應稱為"向化性"（chemotropism），由光引起的叫"向光性"（phototropism）。羅卜（Jaeques Loeb 1859～1924）將金寧的工作擴展到高等無脊椎動物，發現許多反應都受物理狀況控制。現代心理學及生理學的範疇包括感覺、情緒、思想及動機的研究。

六、植物的生命過程

希臘時代的哲學—科學家認為植物是能自然發生的最低等生命。由於這種錯誤觀念使得人們減低對植物營養及生殖的觀察和研究。

1. 植物營養

亞里斯多德（Aristotle）認為土壤為植物食物的倉庫，植物由此吸取食用並加以消化。希薩比諾（Cesalpino 1519～1603）從營養觀點認為植物與動物是一致的。他認為植物體內也有循環系統，包括心臟、血管及其他重要器官。希薩比諾反對亞里斯多德的觀念，他認為植物並不由土壤吸取食物，只是吸收基本元素，在植物體內製成食物。在植物心臟，可能在根冠或接近地面的根部，植物將簡單元素轉變成有用的食物。希薩比諾以物理原則解釋植物如何吸收水分。植物體內有類似吸水紙的構造，故能從土壤吸收水分。

容格（Jung 1587～1657）認為植物的根部必定具有小孔可以從土壤中選擇製造食物所須的物質。這些小孔不獨具有選擇必要物質的能力，亦可摒棄不必要的

土壤成分。容格並指出植物將植物體內化學反應所產生的廢物釋放於空氣中。但此時尚不明瞭空氣對植物營養的重要性。

赫門（J.B. von Helmont 1577～1644）將試驗技術引入植物生理學。他用桶種樹，然後測量生長期中加入的水量，結果發現樹所增加的重量與所加的水量是相等的，因此他結論"水爲植物生長唯一所需的物質"。他的測量顯然並未精確到能將植物從土壤吸收的約兩盎斯的物質考慮進去。而且當時也不明瞭空氣對植物生長的功能。

法國物理學家馬利奧圖（Edmé Mariotte 1620～84）從事植物營養的實驗，於1676年在法國科學學會宣讀其報告："論植物的生長"（On the Vegetation of plants）。他觀察植物體內木質液在壓力狀態下向上運送。他認爲植物必有某種構造可同時允許水分的進入並防止水分立刻流出。他又從簡單的實驗結果中，認定植物可經由某種化學反應將適合於各種植物的簡單物質製成特有食物。這種植物共同需要的物質主要從水與空氣中獲得。馬利奧圖的結論是植物並不從土壤中吸收既成的食物，而只吸收製造食物所需的基本物質。

空氣進入植物體的機制是由義大利顯微鏡學家馬爾必基（Malpighi）所提出，他觀察植物葉部下表皮的氣孔（stomata）。他曾鑑定並追踪植物體內輸送液體的導管（vessels），此外他又認爲葉部的功能爲製造食物。

英國牧師及植物生理學家哈里斯（Stephen Hales 1677～1761）曾在劍橋大學接受數學及自然科學訓練，故他所做的實驗比較客觀和精確。哈里斯對植物的興趣係受雷（Ray）對劍橋附近植物的報告所引起。哈里斯做了許多簡單而精巧的實驗，這些結果於1727年以"植物靜力學"（Vegetable Staticks）爲名發表。他曾經測量植物根部吸收的水分量，並比較葉部散失的水分量。他並曾推定土壤濕度及植物從土壤吸收水分之間的關係。他也研究水分在植物體內上升的速率。哈里斯用毛細管做成物理模型解釋水分經由植物體的小孔而被吸收。因此可以物理原則解釋植物體內的過程。

哈里斯的發現中最有趣的要算他認爲空氣提供植物某些營養物質。他做了一系列的實驗，將向日葵種在用金屬蓋密封的花盆中，測好重量，金屬蓋上裝有小管以便空氣與水進入，經由小管加入定量的水。在實驗過程中每天測重，結果發現植物增加的重量不是加入的水重所可解釋的。哈里斯認爲是空氣的緣故。現在已知植物

所需的二氧化碳來自空氣，當時哈里斯能否測出二氧化碳令人懷疑。或許哈里斯的發現純係一種巧合，而未認爲二氧化碳係植物營養的一因子。

植物營養的早期觀察及實驗進行時，空氣中的成分尚未被發現。此時已知燃燒所需的某些物質與空氣有關。早期人們認爲使火燃燒的成分存在於被燒的物質中。德國化學家史塔爾（Georg Ernst Stahl 1660～1734）將此種物質命名爲"燃素"（phlogiston），並認爲每種可燃燒的物質中都含有燃素。物質燃燒完後，燃素以煙的形態回歸空氣，非燃素的成分則變成灰。煤全由燃素組成，而硫則含有高比率的燃素。

英國化學家普力斯萊（Joseph Priestly 1733～1804）於1772年發現植物浸在水中時放出一種氣體（氧氣），這種氣體爲動物生存所必需，法國化學家拉瓦錫（Antoine Lavoisier 1743～94）研究動物呼吸作用，發現氧、二氧化碳、水在呼吸中所佔地位的重要性。從此燃素學說被氧化作用學說取代。燃燒爲氧氣與被燃物的作用。

荷蘭的醫生兼博物學家茵琴豪斯（Jon Ingenhousz 1730～99）發現自然界中碳循環（carbon cycle）的重要部分，這種發現用以解釋綠色植物體內澱粉的合成。他創立"生命之平衡"的觀念，並於1779年出版一書，書名："植物在陽光下淨化空氣、在陰暗及夜晚污染空氣的實驗"。他說明植物在白天從大氣中吸收二氧化碳作爲養分中的碳的來源，並以陽光爲光合作用的能源。但於夜晚呼出呼吸作用的產物二氧化碳。

自然界碳循環中動物亦佔一環，動物以植物爲食物，並以呼吸作用及屍體分解釋放二氧化碳於空氣中。植物的基本特徵之一爲將二氧化碳固定爲有機化合物，亦爲自然碳循環的一重要部分。

參與光合作用的酵素系統發現後，對植物營養的瞭解又邁進一大步。植物體內的綠色物質被稱爲"葉綠素"（chlorophyll）。1837年法國實驗家杜陀其特（Henri J. Dutrochet 1776～1847）發現只有含葉綠素的細胞才能將二氧化碳與其他物質合成營養物質。當時認爲葉綠素爲光合作用必需的酶。

當時有關植物的實驗已發展到需要特殊實驗設備的時代。1824年波京雅（J.E. Purkinje 1787～1869）在他家中設立第一所植物生理實驗室，1844年得到普魯士政府的生理學基金資助。波京雅雖爲一植物生理學家，但其研究十分廣泛，包括動物細胞學、動物生理學、醫學等。他早先在普拉格攻讀生理學與醫學，後來到

德國定居於布勒斯勞（Breslaw）。1823年國王費德列希第三封他爲生理學大教授。由於他的生物學背景很廣，故他將生理學教得很吸引人。也由於他講課的受歡迎，當時醫學學生人數迅速增加，當時他的研究超越時代前端。約翰（H. J. John）爲他所寫的傳記中曾提到他的幾項發現：(1)1835年發現動物的表皮由細胞組成，並認爲這些細胞與胡克所觀察的細胞相似。(2)1839年首創"原生質"一辭形容生命物質，這一名辭於1846年由摩爾（von Mohl）加以介紹推廣。(3) 1841 年描述脊椎動物的纖毛運動。而 20 年後（1861）西波（von Siebold）觀察同一種運動。(4)1835年發現神經系統的白質由纖維組成，而灰質則含有很多細胞，此事實於1841年由享勒（Henle）正式證實。

波京雅的學生薩克斯（Julius Sachs 1832～97）從事傳統的植物生理學實驗，成爲當時最具影響力的植物學教授。1862年薩克斯進行一種實驗，用蠟包住植物葉子某些部分，置於陽光下照晒，發現沒有包臘的葉子部分才會製造澱粉，由此可見陽光在光合作用過程中的重要性。這些研究導引薩克斯與披令斯含（Nathanial Pringsheim 1823～94）發現"葉綠體"（chloroplastid）爲綠色植物體內葉綠素的構造。葉綠素並不如從前所想像的隨意分佈於植物細胞及組織中，而是限定於細胞質的色素體中。

植物營養的主要發現大都在十九世紀，而近代的發展方向在找出光合作用中各種化學步驟。澱粉合成及貯藏的技術問題亦同受研究。

2. 氮素循環

十九世紀的化學家，如海德堡（Heidelberg）大學化學教授李比格（Justus von Liebig 1803～73）及德國植物學家與化學家奈格里（Kal Nägeli, 1817～91）發現含氮化合物爲植物生長及生命延續必需的物質。利比在他的1840年出版的教科書"農業及生理有機化學"（Organic Chemistry Applied to Agriculture and physiology）中指出氨（ammonia）、二氧化碳及水同爲植物生長所必需的物質。後來發現植物死亡分解時將這三種物質釋放出來。

法國化學家波辛哥特（Jean B. Boussingault 1802～87）發現植物從土壤中吸收硝酸鹽（nitrates）以取得氮素。因此認爲土壤縱然不含碳化合物，而有硝酸鹽，亦可促進植物之生長。1886年柏色洛（Mercellin Berthelot 1827～1907）發現土壤中某些細菌可將氮氣固定合成硝酸鹽，供給植物吸收。不久發現硝酸鹽與土壤肥力相關，使氮素固定有實用價值。許多學者的觀察和研究，瞭

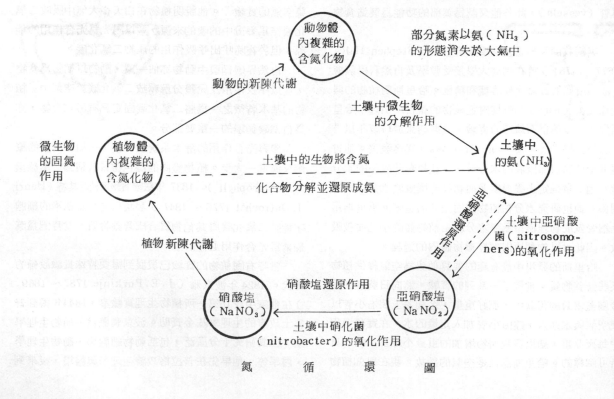

氮　　循　　環　　圖

解氮循環（nitrogen cycle）。兹以上圖表之。

　　自古以來作物輪作是一種良好有效的農業方法。一種特別有利的輪作是介乎豆科植物，如豌豆、莢豆、苜蓿等，和穀類作物如大麥、小麥、玉蜀黍等。實驗結果顯示這種輪作的利益，但沒有人明白其原因。1686年馬爾必基研究豆科植物的發芽，發現幼苗根部有許多小瘤。直到十九世紀後期大約與 Berthelot 發現土中細菌固氮作用的同時，才發現豆科植物根部的瘤腫含有細菌（根瘤菌 Rhizobium）。1888 年威爾福（H.Wilforth）及海瑞格（Hermann Helriegal）證明豆科植物能直接吸收利用大氣中的氮氣（nitrogen），其根瘤中的細菌與這種過程有直接關係。後來更證實和豆類植物共生的根瘤菌能將大氣中的氮氣固定，即使土壤中沒有硝酸鹽或氨，豆科植物仍可生存和生長。

七、十九世紀的主要的生理學家

1. 繆勒（Müller）

　　繆勒（Johannes Müller 1801～58）是十九世紀德國偉大生理學家之一。他早期研究醫學，後為波昂大學的解剖及生理學教授。1840年以其所出版的"生理學手册"聞名於世，此書被廣泛地採用作教科書及參考書。當生理學以一門科學的姿態出現時，繆勒成為此領域的領導人物。他經由著書、教學及研究而有所貢獻於生理學。他將比較解剖學、化學、物理學與生理學互相連串相關，以使生理學發展邁進一大步。他的主要興趣在研究感覺器官與感覺產生的機制。他設計一些研究對顏色感覺的實驗程序。他研究發聲器官的解剖學，並找出其構造與各種不同聲音間的關係。他研究內耳構造，發現耳部接受衝動並將衝動傳至腦部的機制。

　　繆勒曾以"特性神經能學說"為眾所知，這學說指出由特殊感覺器官產生的衝動，經由特別通道輸送到中樞神經系統。實驗顯示，決定反應類別的不是刺激的種類，而是刺激所經由的通道。外界刺激引起神經的作用而將刺激傳送到大腦，在此解釋為感覺。

　　繆勒晚年擴大其興趣，除生理學外，尚研究形態學及胚胎學，這兩門學科許多成就都緣於繆勒的研究的影響。他曾做過腺體與結締組織的顯微解剖，並且訓練出數位解剖學及生理學傑出人才，其中較有名的有細胞學說創始人蘇旺（Theodor Schwann），細胞病理學之父斐爾科（Rudolf Virchow）及研究動物電學的赫爾姆霍茲（Hermann Helmholtz）。

　　繆勒的同事，另一位偉大的生理學教師，魯特衞克（Karl Ludwig 1816～95）。他除了教學與研究外，發明許多研究生理學的精巧裝置，如以旋轉鼓輪和波動曲線記錄器記錄心跳、肌肉活動及呼吸等。他也研究分泌作用，並對動物體內進行的各項活動給予物理及化學的說明。

2. 柏納（Bernard）

　　柏納（Clande Bernard 1813～78）是十九世紀法國有名的生理學家。他在生理學上的貢獻比任何人都多。八歲時在教區牧師的指導下，開始接受教育，主修拉丁文及其他正統學科。後來他入耶穌會學校時，利用課餘時間在家教授語文及數學。

　　柏納十八歲時（1832），家中無法繼續供應他上學，因此輟學到鄰鎮藥劑師米列（M.Millet）處當學徒。他的工作為一般藥房例行工作，並兼做灑掃、洗瓶子，做紙瓶塞及送貨等工作。藥房附近有一所獸醫學校，柏納有機會送貨到學校。他時常逗留並觀看動物手術。他對活體解剖有很深刻的印象，並經常與米列討論他所看到的。後來柏納被准許配製簡單藥品，因此獲得更多經驗。當他第一次自己配製鞋油成功時，感到十分驕傲，常常對人說"現在我能自己做東西，我已是成人了"。

　　柏納晚上不到藥房當班時，經常去戲院觀看喜劇或滑稽劇。他觀看許多舞台表演後，認為自己也能寫出像樣的好劇本，因此決心一試。他的第一篇劇本是一篇劇名"La Rose du Rhone"的短劇，根據當時流行的一種解毒藥寫成的滑稽喜劇。這種解毒藥約由六十種不同藥物混合而成，包括鴉片、海葱根、五加科植物、蜂蜜和酒。除了處方所列的成分外，藥劑師往往將腐敗的及藥架上剩餘的藥加入，沒有人知道解毒藥真正的成分，顯然地也沒有兩批解毒藥的成分真正完全相同。當發現某一批藥對某種病有特佳藥效時，再也不可能製出相同的解毒藥。柏納的劇本就是描寫服用解毒藥後發生的奇怪事件的假想故事。此劇在里昂的小戲院上演，成績不錯，柏納因此成為劇作家。

　　此劇的成功使柏納非常自信能成為作家。然後又開始一篇五幕的劇本。此劇為一歷史劇，以十二世紀約翰王與繼其王位的姪兒之間的關係為主題。此劇之編寫超過其能力及時間容許範圍，以致柏納不能照顧他的藥房工作。米列因此寫信告訴柏納的父母，謂柏納經過一年半的學徒生涯，對藥房工作失去興趣，不應再留在藥房工作。柏納離開藥房，帶着未完成的劇本來到巴黎。巴

黎的一位劇評家Saint-Marc Girardin 勸他另學一技之長，而於餘暇寫作劇本。柏納採納他的建議，於1832年入法國學院研讀醫學。

　　1839年柏納參加實習醫生考試，成績並不理想。應試的29人中排名26。這是他對工作漠不關心的結果。雖然如此，法國生理學家馬堅廸（Magendie）看中柏納手藝的技巧，選他當助手。馬堅廸雖然十分有名，但他卻是個多疑、固執、好諷刺、對學生及助手沒耐心的人。但他十分熱中於研究，他經常與學生共同解剖，一面研究，一面教學。柏納對他的工作感到滿意，追隨馬堅廸好幾年。柏納三十五歲時還是一名助手。他也曾想到大學任敎，他雖是一位良好的思想家及優秀的技術家，卻因口才不好而苦無機會。1858年終於接替馬堅廸的位置而爲法國學院的醫學敎授。二年後因感染肺病，回到法國南部家鄉休養。在健康許可下，養病期間仍繼續從事研究與寫作。

　　柏納對研究很有耐心，他從生理學方面瞭解很多事實，他的工作作爲以實驗方法在生理學上有效應用的好例子。由柏納的研究方法可看出他對自然法則的尊重，不論在有機或無機方面都同樣尊重。他的成就包括對同時代生理學家的影響以及醫學及生理學的敎學。他於養病期間完成一本重要的書，"實驗醫學入門"（Intro-duction to Experimental Medicine），這本書是第一部介紹實驗生理學與實驗醫學原理的優良的書。

　　柏納曾有許多重要發現。他的第一篇報告爲關於供給前面三分之二舌部味蕾及頜下腺的索膨神經（chorda tympanic nerve）的研究報告。他追踪後發現這神經爲第七腦神經的分支。他在這項研究中表現熟練的解剖技巧、耐心及追踪神經所須的技術。1843年他發表另一篇有關消化液及其在消化過程中的任務的報告。在這研究中，他追查不同食物在消化道不同部位的消化情形。此外他還發表報告，描述脊髓附神經（spinal acces-sory nerve），並說明它與迷走神經的關係。以後又發表有關胰腺及交感神經的報告。他的最重要的發現可區分爲下列數種：

(1)胰消化

　　柏納發現兎子飼以肉類食物時兎尿係清澄，倘飼以草類食物的兎尿爲混濁。因此他認爲動物性食物與植物性食物的消化必有不同的化學反應。他追查消化過程，因而發現胰脂酶（steapsin），並且發現胰液中含有多種作用於蛋白質、碳水化物及脂肪的消化酶類。

(2)肝臟的肝醣化功能

　　柏納對動物體內澱粉的形成，研究達十二年之久，發現動物體內碳水化合物以肝醣形成貯存於肝臟。這種工作對糖尿病的瞭解與治療貢獻很大。且對基礎生理學於瞭解動物體不獨能分解複雜化合物，並且可以合成複雜化合物，更具重大意義，亦卽說明動物具有分解與合成的功能。柏納並以化學方法發現肝臟能直接釋出糖分於血液中，這種過程定名爲"內部分泌"（internal secretion）。

(3)管制血管口徑的神經

　　柏納觀察兎子耳內的血管收縮神經及血管擴張神經，它們都是交感神經。同時發現血液中有許多不同的化學物質可刺激神經而改變血壓。

(4)藥物對身體的作用

　　柏納觀察美洲印地安人所用的箭毒（curare）所引起的反應，發現其作用點在神經進入肌肉之處。現在箭毒已在生理實驗室中被用來做活體解剖的神經阻滯劑。他還研究一氧化碳（CO）的毒性，發現一氧化碳可取代氧與血紅素結合成爲一種比氧化血紅素更穩定的化合物。故一氧化碳的毒性在破壞血液攜帶氧的能力，使細胞缺氧窒息而死。

參、生物體的發育成長

　　生殖和發育最早的記述是根據超自然的見解，直到希臘的哲學家——科學家才有較實在的說明。當時的醫術學校出版三本接生術與婦科醫學書籍。這些書曾討論四液（血液、黏液、膽汁、憂鬱液）與人類胚胎形成的關係，並提供許多接生的方法。亞里斯多德（Aristotle）寫過一篇胚胎學通論，他提出的若干問題二千餘年未能獲得解答，譬如他懷疑胚胎究竟是先成再經發育長大抑或先爲無形物質，後來分化形成？亞里斯多德本人相信卵是未分化的物質，受精後開始形成器官及生長。

一、先成說與新生說

　　有兩派學說解釋胚胎發生過程的變化。這兩個學派各以亞里斯多德對胚胎形成的兩種意見中不同的一個爲中心。先成說（Preformation）的人士認爲卵內含有微小的個體，這微小的個體僅需適宜的環境就可成長爲成熟

的個體。相反的，新生說（epigenesis）則認爲卵是未分化的，在發育過程中一步一步的分化成爲個體。

1.先成說

先成說在古代有其立足點，此說對聖經中上帝創造人類的解釋十分重要。恩貝多克利（Empedocles）、柏拉圖（Plato）以及教堂神父都屬先成說派。亞里斯多德認爲男性的精液只是一種液體，故反對動物在精液中已成形體的說法，但其理論並無根據。如果亞里斯多德知道精液中有精細胞的話，他很可能會成爲先成說派的學者。

約瑟夫（Joseph）可能是第一位十七世紀作家宣稱在孵化之前可由鷄卵中看見鷄胚幼體。在他的1626年10月31日寫的一封信中提到未孵化的鷄蛋中已可看到鷄的形狀。亨利鮑爾（Henry Power）於1664年支持約瑟夫的觀點，並說當小鷄心臟跳動點出現時，就可用顯微鏡看到有心耳和心室的完整心臟。他相信卵孵化的第二天完整的循環系統已發育成形，其不易辨別係因循環液仍爲無色，尚未經心臟轉變成爲紅色的血液。

史璜瑪頓（Swammerdam）觀察靑蛙的早期發育，並加繪圖，推演出先成說的一種類型。1669年他寫下對先成說的信仰，以先成說解釋聖經中的某些部份。他錯將蛹當做蝴蝶的卵，認爲卵中有蝴蝶的幼蟲，並以此推論所有動物都是先成。他觀察昆蟲發育，看到各生長期的過程，認爲胚胎發育僅是一種成形的生物體由小變大爲成體的過程。1674年法國哲學家馬爾卜蘭西（Nicolas de Malebranche）將史璜瑪頓的論點發展成爲一個無盡系列的胚胎的概念，就像一組盒子一個套一樣。史璜瑪頓更認爲所有人類都是亞當與夏娃的後代，當原先供應的胚種用盡時，人類就要絕跡。

馬爾必基（Malpighi）比他同時代的人更富科學性。他對鷄胚不同的發育期曾做正確的顯微觀察，並將觀察所得做簡潔的繪圖與記述。他認爲一般的發育成長是循序漸進，但他卻不相信身體各部分的形成也是循序漸進。他的先成說中一些理論似乎與觀察所得結果相反。例如他認爲剛開始心臟就完全形成。事實上他卻觀察到孵化38－40小時，心臟才開始跳動。理論與觀察矛盾的原因之一或許是他不能看到鷄胚的早期發育，在孵育的24小時內，他根本看不到什麼。有一次他偶然發現陽光下的一個未經孵化的蛋內有成形的鷄胚，啓發他認爲胚胎先成。馬爾必基的兩篇有關鷄胚的報告是"論鷄蛋內鷄的形成"（On the formation of the chick in

the egg，1673）及"孵化的鷄蛋的觀察"（Observations on the incubated egg，1689）。

大約在1674年之後，先成說已大致爲人接受。此時唯一爲人爭論的問題爲既成的小生物體係在卵中抑在精子中。我們必須知道在先成說與新生說的整個爭論時期中，很少人做研究觀察以爲論據。故爭論的持續，主要是缺乏早期胚胎發育的顯微觀察。

2.精子先成說（Animalculists）

劉文厚（Leeuwenhoek）爲一精子先成說派的學者。他是第一個注意到精子在動物發育過程中佔有重要性的人，他的先成說觀點並不清晰，時常矛盾。譬如他曾指出昆蟲係由昆蟲幼蟲蛻變而來，但昆蟲幼蟲並不是昆蟲；同樣的嬰兒雖由精子而來，但精子並不是嬰兒。他不承認卵內有未成熟的小靑蛙，卻認爲胚胎的各部份是在受精卵內漸漸成形。靑蛙的胚胎並不是靑蛙的形狀。他認爲卵受精後，小靑蛙一定固定在受精卵內，但他卻不認爲未受精的卵中或精子中有小靑蛙存在。劉文厚對精子內成形的小嬰孩的描述雖是錯誤的。但他卻曾因此而受讚譽。無疑的他是個哲學派先成說的擁護者，也是精子先成說的擁護者。他曾公開表示他相信精子內有成形而模糊的小幼體。

贊成精子先成說的人很多。他們的觀點主要建立於哲學的推想，他們試圖將其學說與宗教信條連繫。當時許多所謂的科學家曾記述並繪圖表示人類小個體在精子內的情形。他們所繪的胎兒，天曉得只有他們見過，並憑想像加上許多的描述。

3.卵先成說（Ovists）

哈勒（Albrecht von Haller 1708-1777）及龐奈（Charle Bonnet 1720-93）爲最有名的卵先成說學者。他們相信卵中含有微小的生物個體，並且認爲自有世界時所有的卵都在同一時期產生。根據他們的解釋，"生殖"（Generation）包括兩個不同的步驟：(1)雌性受雄性的影響產生一種"醚發酵"（Ethereal ferment），作用於已成形的休眠態胎兒，使準備膨脹增大。(2)生殖過程本部或胎兒的營養及發育。

1758年哈勒完成鷄胚發育過程的觀察。他認爲當時幾乎可以證明卵中有胚胎及母體卵巢中含有胎兒的各要素。哈勒認爲卵先成說最有力的根據係1695年劉文厚發現未受精的蚜蟲卵可生出小蚜蟲，而龐奈亦於1745年證實這項發現。但今日我們已知蚜蟲可行不定型的單性生

殖，即在某些季節中雌蚜蟲不經受精作用而生殖。

　　龐奈以他對蚜蟲單性生殖的觀察作爲卵先成說的證據，稍後他並以先成說爲根據解釋再生現象。他認爲高等動物的胚種（Germs）局限於一定的器官內。但是蠕蟲及水蝺等，其胚種分佈全身，故身體各部皆具再生的能力以補償失去的器官，甚至新的個體。如果有人問到，爲何動物前端只再生頭部，後端再生尾部，他卻飾詞以生物體不同器官中有的胚種增加有的減少，以使他的學說配合觀察。他對“生殖機制”的解釋簡單明瞭：“大家都知道童貞鷄的蛋會生長，蛋中的胚種是先成的，故胚種也會生長，而這胚種中還含有胚種，亦隨之生長”。根據龐奈的看法，胚種是先成而且不可毀滅的。身體的復活是因其由重要，不朽的基礎或組織所構成，不受發育或死亡的影響。

4. 先成說的評論

　　福爾特爾（Voltaire）對精子先成說的評論屬於非科學性的。他曾於1767年提出疑問，假如精子內有小嬰兒存在，而這小嬰兒在精液中的運動又是如此的迅速，它如何能在母體子宮中靜止九個月呢？雖然如此，他仍相信，不管將來先成說或是新生說優勝，執行生殖任務的是精子。康德（Immanuel Kant）完全反對先成說，並反對機械論派對生命起源的概念。他的批評：“先成說主張每一生物個體係直接來自造物主之手，而不是來自自然形成的力量……不管剛開始是否有一種超自然的力量使生物體形成各種形狀，或是在世界進化過程中演化形成，每一生物體都不會完全一樣。”康德認爲以經驗的證據來看，新生說比先成說佔優勢，何況新生說認爲自然不只具自我表露性，還具有自我生產性，故他認爲即使沒有證據，光是理論亦較有利於新生說。奧康（Oken）相信卵內具有動物的概念與圖樣，但卻無動體的構造，故他不但反對精子先成說也反對卵先成說。

　　希賴萊（Saint-Hilaire）在正常情況下孵蛋三天，然後以不正常的方法處理，如搖盪、穿孔及以油漆或臘包在殼外等等，產生各種不同的畸形結果。他認爲這是反對先成說的實驗證據，但別人則認爲即使是先成的生物體受到傷害後，仍可變成畸形。

　　1828年貝爾（Karl von Baer）的工作報告“動物的發育生長”（Development of animals）給先成說一大打擊。他曾觀察卵以及其實際發育的各種時期，發現分化作用是累進的過程。他的觀察的細心與正確不是先成說派的人所可比擬的。

　　先成說維持一段長久的時間令人驚訝。邱維埃派（School of Cuvier）的胚胎學家很少，無疑的這種原因使先成說能以其原來的形態生存。近代的遺傳學家以基因學說爲基礎，重新解釋先成說。他們認爲發育生長是生物潛能的擴張，而這種潛能是先成的，表現於生物體的基因全體。但是很顯然的生物體不是只由基因組成，如果能將基因產物間的相互作用加以考慮，則先成說的解釋將更站得住腳。生殖細胞並不是一個簡單，沒有組織的單位，而是一個高度複雜的小生物體，其結構多少可由發育過程中的反應作用推斷。

5. 新生說

　　新生說（epigenesis）認爲每個生物體完全是新生的。依此學說的觀點，生物是由卵內未經組織或未分化的物質逐漸發生形成。亞里斯多德可能是新生說的創立人，他對鷄的觀察顯示先成說之不可能，但其主要興趣在哲學含意。他認爲有一種生命的外力指導生命物質的機構。一如本章前面所指，如果他知道有精子存在，他可能會成爲先成說派的人。

　　新生說之所以能成爲學說，與哈維（Harvey）所做的工作有關，但哈維的許多觀念及意見都直接得自亞里斯多德。哈維談及卵的發生來自雄性與雌性，故具兩性特徵，所生之幼兒酷似父母。哈維不相信先成說，但他卻認爲受精卵具有潛能以產生胚胎的各部位。他創造“新生”（Epigenesis）一辭以描述胚胎的發生係從一個未分化而均質的卵經由一種漸進的分化與生長的過程。他並曾假定具有引發生長力的“第一動機”（first cause）或“生殖律”（Generative principle）的存在，以解釋生殖。

　　縱使有亞里斯多德和哈維兩人的力量，十七世紀並無人支持新生說。十八世紀的渥爾夫（Friedrich Wolff 1738-94）爲新生說的發揚人。他用的實驗材料與馬爾必基用以創立先成說的實驗材料相同。他發現馬爾必基的鷄胚報告可適用於以新生說來解釋發育。渥爾夫以顯微觀察法研究鷄胚的形成，結果在卵內找不到成形的鷄，故沒有證據以支持由先成的小鷄發育長大的觀念。所以他主張一種連續的生長程序與漸進的發育形成複雜的形體。渥爾夫對植物，尤其是顯花植物有過優異的觀察報告。他對鷄胚的研究中曾示範說明腸及其他內部構造的實際發育情形。原腎（primitive kidney）又名渥氏體（Wolffian body）係以渥爾夫的姓爲名。

　　渥爾夫爲胚胎學家所做的工作並未贏得他人的支持

。他的報告不爲同時期的科學家接受乃因 他有超時代的思想，以及利用現代生物學的研究方法，最大原因還是當時的生物學家對空想推論比對觀察的興趣來得大。

　　如果罕特爾（John Hunter）的報告早被發表的話，十八世紀的胚胎學史與新生說的重要性可能會改觀，但罕特爾的工作記錄大都失落。幸好 他在1773年至1780年間所做的鷄胚詳細圖解保留著，但還是到了1840年才被發現應用。除了鷄胚研究外，他還對昆蟲的發育做過詳盡的研究，可惜他這份工作記錄或被遺失或被忽視，否則它可能會改變先成說與新生說的爭論。罕特爾在他的討論中曾指出有關發育的三種不同的學派，即：先成說，變態說（Metamorphosis）及修正的新生說——胚胎發育之初已有各部構造，但在發育過程中則有形態上及功能上的改變。胚胎學到十九世紀才正式成爲一門獨立的科學。

二、早期的生殖學說

　　十七世紀有數個關於生殖的學說與當時的新生說—先成說之爭並存。其中的一些曾影響當時的生物學思想，但是這些學說現在都已過時，歸入歷史範疇。下面略述其中較重要的四種：汎生說（Pangenesis）、沈澱說（Precipitation）、精液說（Seminism）、及汎精說（Panspermy）。

　　最古老的生殖學說爲汎生說。這一學說主張身體各部分會產生小粒子以代表後代的身體各部。當生物達到性的成熟時，這些小粒子攜帶遺傳訊息集中到生殖器官，整個生物體參與生殖作用。海摩爾（Highmore）在1651年5月15日發表的一篇有關生殖的報告中，曾指出生殖器官集合代表身體各部分的微粒，在生殖腺中濃縮發育成爲胚種。

　　汎生說具有演化的觀點，這種學說曾提出同種動物變爲不同而演變出新種的方法。達爾文（Charles Darwin）在其"培養之動植物的變異（The variation of animals and plants under domestication, 1868）第二册中曾以汎生說解釋變異的起源。當時達爾文尚不知孟德爾（Mendel）的遺傳工作，故達爾文需要遺傳的理論。他認爲體細胞分泌帶有代表身體各部位生長型的小微粒或小芽體（Germmules），體液及血液將這些小芽體送至生殖細胞，並在古生殖細胞中形成卵子或精子。小芽體決定新個體的特徵及古生長型。

　　沈澱說主張在受胎作用的一刹那，卵內已有的物質忽然沈澱形成胚。精液說則認爲雄性與雌性的精液（se-men）中具有生殖要素，但沒有解釋這些要素物質的來源。精液說的早期觀念係由亞里斯多德提出，他認爲雄性精液代表推動力或動因，而雌性精液則爲作用實體，兩者相互作用而產生胚。

　　汎精說認爲生殖依靠一種原生的、不朽的，沒有組織的物質或要素，這物質類似水、空氣和土而有生命。稍後汎精說又認爲胚種的廣泛分佈可用以解釋自發生殖（Spontaneous generation）。

三、植物的發育與生殖

　　雖然狄奧佛拉斯塔（Theophrastus）曾詳細研究種子發芽和植物發育，格魯（Nehemiah Grew）曾記述包括生殖部分的植物解剖，及雷（John Ray）對植物生殖作用特感興趣。但是到十七世紀末，科學家才將人所發現的付於實驗或直接觀察，故有關植物有性生殖的記述始於此時。

1. 卡梅拉劉斯

　　卡梅拉劉斯（Rudolph Camerarius 1665-1721），Tübingen大學藥學教授，於1691至1694年間設計並進行植物生殖的實驗。他將篦麻（Ricinus）的花藥去掉，發現所生的種子是空的，沒有發育，然後他去掉柱頭只留花藥，發現不生種子。因此他認爲花藥與柱頭一定是植物的性器官。他引用史璜瑪頓發現的蝸牛雌雄同體，指出雌雄同體的生殖法在動物中屬例外，在植物中卻很常見。他以玉蜀黍實驗，儘量避免花粉接觸鬚毛（雌花花柱和柱頭的部分），實驗結果仍然發現十一個玉米粒，他解釋爲花粉未被完全控制。爲求證實這種解釋，他計劃更精確的實驗。

　　卡梅拉劉斯於1694年8月25日寫給Giessen大學植物學教授加百利（Gabriel Valentin）的信中包括他所做的實驗報告。信中有一部分係以"植物的性別"（The sex of plants)爲題，記載他對植物有性生殖最深奧的觀察，這種觀察比柯劉塔（Kölreuter）較早一世紀。

2. 植物雜交

　　植物有性生殖的發現導出植物雜交實驗方法的可行性。卡梅拉劉斯將大麻（hemp）與蛇麻草（hop）雜交成爲記錄上第一個以人工法產生雜種的人。據說費爾柴爾德（Thomas Fairchild）曾於1717年將康乃馨授以石竹花（pink）的花粉，所得的雜種具雙親的特性，有

人稱之爲費爾柴爾德的美洲石竹"（Fairchild's sweet willian）亦有人稱之爲"費爾柴爾德的雜種"（Fairchild's mule）。雖然他本人未曾留下類似的雜交的記錄，但由當時的許多證據看來，這種實驗顯然是經過設計且其結果不是偶然而得。從此以後有許多人做不同而相關的植物的人工授粉工作。

3. 柯劉塔

柯劉塔（Joseph Kölreuter 1733-1806）爲十八世紀重要的生物學研究家，他指出植物"變種"（varieties）間雜交所產生的雜種，可能類似雙親的任一方，也可能顯出中間性。其中最有價值的發現爲兩親貢獻的相等性，也就是說雄性Ａ種與雌性Ｂ種雜交的結果與雌性Ａ種與雄性Ｂ種雜交的結果相同。

柯劉塔具有廣泛的興趣及正確的判斷力。他所做的實驗都經過詳細設計及精心操作。在他的一系列高莖種與矮莖種煙草雜交實驗中，得到的結果反映近代計量遺傳的原理。得到的雜種第一代的高度介於父母之間。雜種第二代間的變化是連續性的，成爲常態分佈，也就是說成熟的雜種有些與高莖的親代同高，有些則與矮莖親代同矮，但大多數的雜種高度則介於父母之間。柯劉塔無法解釋這些結果，事實上直到本世紀初期利用複基因學說，才能給予這些結果適當的解釋。

四、受精作用及發育的機械學

華必利利斯（Hierouymus Fabricius 1537-1619）是第一個對生殖機制提出合理圖解的人。他寫過兩篇有關胚胎學的論文："論胎兒的形態"（On the form of the foetus, 1600）和"論雞蛋與雞的形成"（On the formation of the egg and the chick, 1621年他死後才公佈）他不相信精液到達生殖器，也不相信精液在生殖中參與其事。哈維（Harvey）曾追隨前人的研究而思考生殖問題，但找不出發育的完全自然的解釋，因此有些解釋帶點神秘色彩。哈維死前六年，出版一篇冗長使人討厭的"動物的發育"（The development of animals, 1651）這文章對胚胎學的進步並無幫助。事實上，哈維並未具備研究發育所應有的技術。

哈維的書中最易記住的部分爲其斷言"所有動物都來自於卵"，就此觀念來說，哈維已走在時代的尖端，但必須注意他的"卵"的觀念是與現代的"卵"的定義不同。他的所謂"卵"是指一切胚胎期的物質。他從未見過哺乳類的卵，故不知道卵爲何物。但他的觀念應用

於所有高等動物卻是正確。他也曾指出精液在發育過程中，具有一種賦以生命的角色。

1667年斯坦諾（Steno）首先以"卵巢（ovary）一辭表示雌性生殖腺。1672年拉格夫（Regnier de Graaf 1641-73）報告他曾成功地追蹤卵（他極力主張卵已先存在於卵巢中）經由輸卵管（fallopian tube）到達子宮（uterus）。他曾研究哺乳動物的卵巢切片，發現卵巢內有充滿液體的囊泡——即現在稱之爲格拉夫氏卵泡（Graafian follicles）。他誤認這些爲卵。雖然他只看到這些囊泡而未見到卵，但因這些囊泡的數目與子宮中產生的胚胎數相同，故格拉夫能記述產卵作用的過程。所以在哺乳類的卵發現之前一個半世紀就已將生殖過程與卵的變化連貫一起。

1677年劉文厚（Leeuwenhoek）用單架透鏡（Single-mounted lenses）觀察人類的精子，此後數年內他又觀察了許多不同種動物的精子。他也曾觀察青蛙與魚的精子與卵結合的關係。他認爲精子提供必要的賦與生命的物質，而卵只提供胚胎發育所需的特有環境與營養。1683年劉文厚發表他對受胎的本質的觀念時，堅持精子使卵受孕。他指出性交後的狗，可用顯微鏡觀察從子宮中取得的樣品中有活的精子。

1694年精子先成說者哈特索以克爾（Hartsoeker）表示每一隻鳥的精蟲中含有一個同種的雄鳥或雌鳥，交尾時單一個精蟲進入一個卵中，而在卵中得到營養生長。安得烈（Andry 1700）及其他的人也相信卵的功用只是用來接受容納並營養精蟲。十八世紀間，此類問題使人混亂，主要原因爲大家誤認格拉夫氏卵泡就是卵，使探索的努力引向了失敗與空想。對何時、何處可在雌性生殖器中發現精蟲及受孕需要多少精蟲等問題，各有不同的看法。這一時期的特色是推測的空論，各種不同的學說將簡單的眞相弄得混淆不清。

史璜瑪頓於十七世紀首先觀察卵細胞分裂，但其研究報告直到1738年才發表。他曾看到蛙卵分裂時形成的第一個溝紋（furrow）。1780年史伯蘭山尼（Lazaro Spallanzani）以圖文表示蟾蜍卵第一、二卵裂所形成的溝紋。他也是第一個示範人工受孕的人。他指出人工受孕的蛙卵發育情形與自然受孕的蛙卵相同，不受孕的蛙卵不會發育而分解。人工受孕曾在多種動物中——包括不同的兩棲類、昆蟲和狗——成功地完成。當史伯蘭山尼解釋人工受孕的結果時，主張即使不含先成小動物體的精液仍有受孕能力。

五、十九世紀的胚胎學

1828年貝爾（von Baer）發現哺乳類眞實的卵，在胚胎學歷史上具有重大的意義。此一發現確立卵爲所有動物發育的形態單位。他發現哺乳類的卵在顯微鏡下看來是一團未分化的物質，其內並無先成的小動物。這種發現回答了亞里斯多德的問題。他是第一個由卵探索到胚胎的人，因此贏得"現代胚胎學之父"的美名。

1. 貝爾（von Baer）

貝爾（Karl Ernst von Baer 1792–1876）出生於俄國 Esthonia 的德國窮貴族家中。1810年進入多帕（Dorpat）大學，十分不情願地成爲醫預科學生。在自傳中他說他寧可選擇別的科系，顯然的當時醫學爲進入傳統科學學術事業的唯一途徑。1814年他以一篇有關 Esthonia 居民所患的地方性疾病作爲畢業論文，獲得醫學博士學位，但他卻無任何實驗室的工作經驗，他深感自己應該學習用雙手工作，但卻找不到適當機會。

畢業後他到奧地利和德國旅行，並在符茲堡（Würzburg）停留一段時間。在符茲堡時他到藥房買了一隻水蛙作爲他的第一個解剖標本。他在符茲堡研究生理學及比較解剖學，直到他用盡了其所有和金錢，才於1816–17年冬天步行到柏林，並在柏林找工作維持生活及繼續其醫學研究。

貝爾後來在科尼斯堡（Königsberg）大學擔任解剖學特任教授，然後又在動物博物館工作。在博物館工作時，他證實自己是個有才能有技巧的胚胎學家。以後他被選爲醫學院院長，他曾印行數篇解剖學及生理學演講詞，他也曾寫一本生理學教科書，並被選爲該大學校長。

1828年貝爾出版三篇論文集："書信"（Epistle）陳述他對卵的發現；"註釋"（Commentar），將第一篇論文加以註釋擴張；及"動物的發育"（Development history of animals），後來成爲胚胎學的標準教科書。內容包括胚胎學上的四大成就：哺乳類卵的發現；胚層學說的主張；有關胚胎發育各時期的原則；脊索的發現。當時貝爾尚不知道卵是一個細胞，因細胞學說在十年後才系統提出。雖然貝爾沒有廣泛的建立學說，但他記述其所見並解釋他的觀察。

貝爾利用胚層學說將發育的複雜部分加以簡化。他信奉渥爾夫（Wolff）的觀念，認爲有四胚層：一個外層，一個內層，中間有兩層。1845年雷馬克（Remak）發現胚胎中間只有一層而不是兩層，故共有三胚層：外胚層（ectoderm）、中胚層（mesoderm）和內胚層（endoderm）。他指出外胚層發育形成神經管和外表皮，內胚層形成消化管及相關腺體，中胚層形成結締組織，肌肉及其他內臟。

貝爾比較不同種類動物的胚胎發育相當時期，然後提出四項原則，此四原則今已歸入生源律：(1)在發育過程中，一般的形質比特殊的形質出現得早，(2)由一般形質發育爲較不普遍的形質，最後成爲特殊的形質，(3)在發育過程中，各種類動物之間的分歧是連續的，(4)高等動物在發育過程中須經過類似低等動物發育所經過的時期。貝爾在其比較研究中並未將其觀察與演化聯貫。而赫克爾（Ernst Haeckel 1834–1919）却將個體發生與演化聯貫，並且以通俗的一句話表示："個體發生的經過像種族發生的縮影"（Ontogeny recapitnlates phylogeny）。

表面上看來，縮影的證據似乎很充足。例如脊椎動物早期胚胎所現的咽裂（pharyngeal clefts）類似魚類的呼吸構造，又如高等脊椎動物之心臟與中樞神經系統的構造，至少在表面上與演化各時期的低等脊椎動物的形態與構造相類似。但是赫克爾只重視形態特徵的相像，忽視化石記錄的重要性。如果以時間次序來考慮動物歷史（種族發生史），則可發現，有許多新變異加在舊形態上。

近代發育生物學的研究顯示討論赫克爾的重現學說應特別小心。1915年查爾德（Child）指出在發育過程中可找到軸性的變化階梯（Axial gradients）。1918年史培曼（Spemann）指出活的生物體各部分，不論在時間上與空間上彼此互相依賴。例如兩生類胚孔的背唇區可引發周圍組織的分化。現代基因學說除可解釋個體發生的最後結果外，尚可解釋個體發生過程中所發生的一切變化。由於貝爾是以發育過程解釋動物間的相似性，而赫克爾則以先列及重現說解釋動物間的相似性，以現代胚胎學觀念看，貝爾的解釋較爲合適。

巴爾福（Francis Balfour 1851–82）在他的兩冊"比較胚胎學"（Comparative Embryolgy）中發揚赫克爾的工作優點。這兩冊書記述脊椎動物及無脊椎動物的發育，並作詳盡的比較。將赫克爾學派所搜集累積的資料加以選擇，融會貫通使成爲一種有組織的整體觀念。

除了這些特殊貢獻之外，貝爾以一般的方法影響胚胎學，譬如在他的書中制定較高的胚胎學研究標準，並使胚胎學成爲一門比較性的科學。他的書包括羊膜形成

起因的說明，泌尿生殖系的發育及肺的發育。他亦曾記述消化管及神經系統各期的發育。

貝爾晚年以聖彼得堡學會（Academy of St. Petersburg）會員身份回到俄國。他又被選爲倫敦的英國皇家學會（Royal Society of London）會員，並接受 Copley 獎章，且被選爲巴黎科學學會（Paris Academy of Science）的通訊會員。貝爾創立聖彼得堡的地理學及人種學學會（Society of Geography and Ethnology），同時也是德國人類學學會（German Anthropological Society）的創始人之一。

雖然貝爾的主要成就全在胚胎學，但事實上他是一個具有廣泛興趣的博物學家，他曾領導科學探險隊到拉布蘭（Lapland）及新地（Nova Zembla），然後他又參加北角（North Cape）和亞述海（Sea of Azov）的探險。他亦曾調查帝俄的漁業，特別注意裏海的漁業情況。然後又花三年的時間遊覽歐洲各博物館。他的視力及聽力衰退時，貝爾退隱到多帕（Dorpat）並繼續其研究工作，1876年死時，享壽八十四歲。

2. 羅克斯

羅克斯（Wilhelm Roux 1850-1924），赫克爾的一位學生，曾以公式說明胚胎發育的機械觀點，並發現似乎可以支持先成說的證據。他創立“功能適應說”（Functional adaptation）──身體構造的一種淘汰機制。主張身體中每一器官及每一細胞都有一定的構造，並具變化的能力以順應其功能。羅克斯研究胚胎發育的機械學，以實驗方法考證其學說。他發現胚胎的一些構造係先成的。胚胎的某些部分在具有功能作用之前，依循一定的方式發育。他想像受精卵中有一架具有功能的複雜機器，暗示胚胎先成說。羅克斯解釋這種機器在細胞分裂過程中，以某種方式分解爲組成成分，這些成分可以傳遞到另一細胞，並且在此細胞中以某些方式重新裝配，並再行使功能。在有絲分裂（mitosis）與減數分裂（meiosis）還未完全了解前，羅克斯創立模型說明細胞分裂時，各單位（即今所知的染色體）必須排列於細胞中央，如在有絲分裂，則這些單位進行複製，如在減數分裂則這些單位進行分離。

1888年羅克斯曾做一次似乎可以證明先成說的實驗。他用熱探針將青蛙受精卵第一次卵裂產生的兩個分溝細胞（blastomere）中的一個細胞刺死。另一個細胞發育成半胚，故羅克斯認爲在兩個細胞階段就已決定胚的發育。他相信兩個分溝細胞各具發育爲半胚的決定因素，故當其中的一個細胞被破壞後，另一個細胞只能發育爲半胚。1891年海威特（O. Hertwig）以海蟾卵做類似的實驗，他用探針小心的將兩個分溝細胞分開。結果兩個細胞都分別發育爲全胚，顯然這兩個細胞並未事先決定發育爲半胚。赫特威重複羅克斯所用的青蛙卵再做實驗，亦得到兩個發育完全的全胚。先成說的證據不復存在。

3. 細胞受精作用的觀察

1683年劉文厚（Leeuwenhoek）斷言，一個精子進入卵時便完成受精作用，但此種主張在一個半世紀後才經證實。1855年 Pringsheim 觀察植物 Vancheria，首次發現核結合（Nuclear fusion）。他敍說他看到許多雄性配子和一個雌性配子。由此可見他可能看到受精作用而不是核分裂。1875年赫特威指出受精作用後，必有核結合的發生，然後產生核分裂。赫特威·魏斯曼（A. Weismann）和賀爾（H. Fol）於1875年至1879年間，以動物示範說明單一精子進入卵子的現象，精子在卵內的命運和卵核與精核在受精卵中具相等的貢獻。

肆、進　　化

進化，和許多新的科學一樣，開始也是由哲學家們思考出來的。隨着愛奧尼亞（Ionion）希臘哲學家的到來，“自然界是不停的變動”觀念開始成形。恩貝多克利（Empedocles, 504－433 B.C.）融合以前各觀念，創立一些和現代進化原則相似的觀念。他認爲低等生物的生命由自然發生而來。但高等生物則從低等生物，經過一連串緩慢的變化，逐漸發展而成。

恩貝多克利以爲植物是地球上最早出現的生物。根據他的觀念，這些植物是先存於地球表層底下，由噴出的地球內部岩漿經由地表岩層搬至地球表面，而動物則由植物變化而來。這種演變和其他生物的主要改變一樣，並不是快速的，而是經年累月，經過來自愛的融合力和恨的破壞力，再加上地球上四基本元素：火、水、空氣和泥土共同促成的。所以任何高等皆非直接產生出來。在其最早出現時好似奇怪，笨拙的怪物般，其中大部分因不能適應環境而被淘汰。經過無數次的考驗自然界中發生不少的組合，造成某些動物的生存的繁殖，雖然大部分恩貝多克利的觀念是原始的，但有些也是合現代生物學家認定的事實，⑴高等生物是逐漸轉變而來⑵植

物的出現在動物之先⑶適應力不強的生物為適應力強的所取代，即適應力弱者逐漸絕種，而適應力強者能夠繼續生存並繁衍其後代，延續種族。

亞里斯多德（Aristotle，384-322 B.C.）也相信泥土是低等生物生命的發源地，但他認為高等生物代表著一種進步的體系（a progressive series），體系中的每一個單位由它們所含靈性（psyche）程度來決定。植物和類似植物的動物，如海綿，只具有植物性靈魂（vegetable soul），低等動物具有動物性靈魂，高等動物具有理性靈魂，至於最高級的人類則具有理智的靈魂，一種粗略的動植物種類的發生次序就是這樣的擬定。

亞里斯多德又相信在宇宙中已先存有一張藍圖來主宰整個宇宙及所有生物。雖然已有事先的藍圖，但仍有變化和進化發生。需要帶來性質的改變"的觀念導致人們相信先天的影響（Prenature influences）及後天特性的遺傳（the inheritance of acquiredcharacteri-stics）。亞里斯多德較其前人，同時的人甚至後來的人更有興趣於實驗和歸納法（induction），但是他並未以此方法來研究進化，只是以哲學態度思考這些問題，不管亞氏在進化上所做的研究工作是如何的粗略，在後來的2000年內，卻未受到任何有力的攻擊，今天大部分亞里斯多德的進化原則，不是被摒棄，便是致修改。

某些基督教的神學家也參與進化的討論。聖奧古斯丁（St.Augustine，354-430 A.D.）對聖經創世紀（Geuesis in the Bible）裏關於進化的寓言式的解釋，非常滿意，坦率推崇以反對所謂特意的創造。上帝的六天創造世界計劃即為後來所有變化的根據，即使至今，一切進化程序也都是為完成其意旨，聖奧古斯丁的觀點恰在無生源論（abiogenesis）和生源論（biogenesis）之間，首先，他認為在地球上生命的來源有兩種：⑴為可見的，和動植物體有關。⑵不可見的，在適當時機可以不須由其他生物的協助而生長成為生物。他不僅應用這種觀念到生物上，亦用以解釋無機物質，所以月亮、太陽、和地球，都是最初生命的源頭，生命一旦確定，本身就會進行改變，長期延續不斷的演變也就不可避免。

一、達爾文前的進化學家

從早期希臘哲學家到最初耶穌紀元進化被許多學者公開自由地討論。在較自由的教堂裏，神父們對這理論並不震驚，有些甚至認為這是一種有根據，且可取的理論，與聖經並無矛盾之處。

在中世紀時，進化問題並未引起人們很大的興趣，

文藝復興時，隨著生物學斷斷續續地發展，這個問題再度引起討論，但只有少數哲學上的貢獻。

十七、十八世紀，許多分類學家從事自然界物體的分類，包括各種動、植物，完成一定的分類系統，林奈（Carl von Linnaeus 1707-78）和其他從員確立各種類生物的命名和分類。於是在這種環境下，進化論被冷落一旁，極難引起當時生物學家的注意。

1. 巴方

巴方（Comte de Buffon，1707-88）是一位法國博物學家、政治家、及作家。他非常積極地討論進化問題，但在他一生的各個不同時期裏對進化却有不同的看法。早期巴方採類似林納的看法，相信特別創造（Special creation）然而其他方面他並不贊同林奈的看法，他認為林納分類法過於瑣碎，人為。巴方視自然界為一整體，找尋其中大部分的相似性，而不是輕微的相異性，這明顯的導引人們去思考更廣泛的自然關係及進化。

稍後巴方主張「後天特性（acquired characters）的遺傳」以為影響進化改變的因素為⑴環境的直接影響⑵遷移⑶地理上的分隔⑷過於擁擠和生存競爭。這些因素，綜合影響的結果即為生物新形態的逐漸發展，但不是突然改變。

巴方在晚年生涯裡，因熱衷於政治他又採取一種較為自由的看法，綜合他早年兩極端看法。巴方以極廣泛地臆測，折中特別創造與進化的觀點，例如豬，他認為是其他動物的混合，而驢子為馬的退化，猿是退化的人類。

巴方為一多產的作家，詮釋當代的各種思想，但並不是個原物的觀察家（Original investigator）。他具極廣泛的興趣於數學、物理學、及生物學，他曾撰寫"自然的歷史"（Natural History）企圖包括所有科學知識，一共有 44 冊，其中一部分是在他死後才出版的。

2. 伊拉斯馬斯達爾文

伊拉斯馬斯達爾文（Erasmus Darwin，1731-1802）為英國哲學家和自由派思想者，在進化的概念上他有較巴方清楚的認識。"動物生理學"（Zoonomia,1794）"他最著名的一本書，被公認為代表有機生命的原則。在這本書中，伊拉斯馬斯達爾文提出後天獲得特性遺傳的看法。認為地球早在數百萬年前即已形成，而生命起源於原始的原生質塊。後來，他的孫子，查理達爾文（Charles Darwin）的生存競爭主張在動物生理學中已

被提起。

在動物生理學的序文裏，伊拉斯馬斯達爾文寫著：偉大萬物創造者，其工作雖是無限，且不同的，然在同一時間內，祂已付與自然界某種相似的特性。即顯示我們宇宙整體實是來自同一父母的一個大家庭，從這同一來源可以追究所有合理的相似性。伊拉斯馬斯達爾文終結所有生物皆源於一共同祖先，在所有不同種的動物間，生殖力越強者，在競爭中越易生存。現在證實查理達爾文接受許多他祖父的觀念。在所有查理達爾文寫的書中，都會有他祖父所寫的通信的一章。在某一本書中，他亦提及對他祖父寫的 "動物生理學" 的失望，認爲幻想多於科學。

3. 拉馬克

拉馬克（Jean Baptiste Lamarck，1744-1829）爲十八世紀最重要的進化論學者。他的父親在他十六歲時死去，所以他進入耶素（Jesuit）學院，適值七年戰爭，他無法繼續求學就應召入伍，駐於摩納哥（Monaco）在一次與朋友打鬥中，頸子受傷，他就回國就醫，然而受傷的淋巴腺始終未好，即使接受手術。當他身體較好時，拉馬克留於巴黎攻讀醫學和植物學，並在一銀行裏工作維持生活，在巴黎時，他受業於著名植物學家素西（Bernard de Jussien，1699-1777）1781～82年間，旅遊歐洲學習植物，並爲他的植物學辭典收集資料，後來他寫成 "法國的植物"（Flora of France）" 由法政府助其出版，經由巴方的推薦，拉馬克在自然歷史博物館中取得一職位，致使他在植物學文獻方面有更多的貢獻。

在將成爲一位優秀植物學家之際，拉馬克轉變其研究領域於無脊椎動物。在此後數年中，他寫了七冊無脊椎動物的分類研究，其中最著名的爲 "理性動物學"（Philosophical Eoology，1809），拉馬克結婚四次，有許多孩子，因此一直生活於窮困之中，晚年失明，85歲時，死於孤獨及失去記憶中。

拉馬克在分類學，植物學，比較解剖學上的貢獻很大，另在進化論上的貢獻亦不可忽視，雖然並非大家皆推贊之。拉馬克認爲整個動物界係由一系列，由簡單至複雜的動物組成。在他的觀點中，沒有一種動物會因突來的災禍而絕種，只是由一種形態轉變到另一形態！拉馬克並未接受如巴方，丘維爾（Cuviet）所受過的嚴謹教育及訓練，但他提出進化論上最初的有力支持。他以來自希臘，又經伊拉斯摩斯達文及巴方發展的後天獲得

特性遺傳的理論來解釋進化的機制，由於拉馬克對進化論膽大心細地思考求證，後天獲得特性遺傳的理論雖非出自其手，卻常和其名聯繫一起。拉馬克的主要觀念有：(1)環境會改變動、植物(2)新的需求會改變舊器官並使新器官發揮功能(3)器官的使用，不使用改變其演進(4)各種改變都是可遺傳的。

拉馬克在進化其他方面的貢獻亦非常重要，但總無上述後天獲得特性遺傳理論來得出色。拉馬克非常贊成隔離（isolation）在產生新種上的功能並注意到常久接觸對種別間特性的喪失的影響。拉馬克由此發現自然界中生物的單位一種，提出最早的進化樹圖（diagram of an evolution tree）給予一大自然生理上的平衡概念。

拉馬克是最早用 "種" 做爲動植物的自然單位。早先亞里斯多德曾用過此辭，後來人們也一直用於邏輯學上後來的雷（John Ray，1627-1705）及其他分類學家亦曾將其用於動、植物上，但眞正給予 "種" 現代觀念的却是拉馬克。

一、丘維爾與聖希萊爾

丘維爾（Georges Cuvier，1769-1832）在分類學，比較解剖及古生學上有不少的貢獻。他雖然有助於完成地質期表（geological time table），且具有充分進化論方面基本知識，但他的理論對進化論的貢獻是微乎其微。他公然反對進化成爲一種理論却主張種的固定性（fixity of species）說法。丘維爾的災變理論（theory of catastrophism）及一連串創見風靡當時，致使同時期拉馬克的學說不得伸揚，丘維爾輕視拉馬克見解是由於他對拉馬克的認識不夠。

希萊爾（Geoffroy Saint - Hilaire, 1772-1844）和丘維爾曾有同事之誼。他反對丘維爾的看法而支持進化理論。他相信巴方及拉馬克的說法，進化上的小差異是由於環境的直接影響。希萊爾承認隔絕在進化上的力量，認爲 "種" 形成過程中，生理上的隔絕和地理上的隔絕具有相同影響力。

丘維爾和希萊爾之間有一著名爭辯，即關於烏賊的起源。他二人非但沒以客觀、私人的態度來討論他們的看法，反而以一公開的辯論訴諸於感情勝於理智的行動，希萊爾主張進化論，雖有正確看法，但由於粗淺的觀察，準備不足，在許多細節上皆犯錯誤，而辯論失敗。丘維爾認爲烏賊來於特別的創造（special creation），在原則上根本不對，但是由於觀察詳盡而佔上風。二

人爭辯的結果反而延遲進化論的研究達數代之久。

二、查理達爾文

　　達爾文（Charles Rebert Darwin，1809-82）在畢格船上（Beagle）的五年當中，觀察收集了許多來自世界各地的動、植物，及化石標本。在蓋勒普斯群島（Galapagos Islands）上，他對當地的巨龜及巨蟹印象深刻，它們都比六百哩外內陸上同種的大得多，達爾文也注意到鷽鳥（Finches）的變異。由於長期生長於孤島上，免於取食競爭，這些鳥已經特化至必須棲居於特殊生態的環境裏，內陸環境不再適其生存。許多加強適應性構造上的改變，即為生態特化結果，如：鳥喙大小、形狀的改變等。達爾文結論，最初只有一種或少數幾種祖先到達此島，而其後代由於遷至不同的環境，而形成新種，這些觀察對於爾文天擇進化論的形成具重大意義。

1. 理論的長成（Beginnings of a theory）

　　達爾文發現在不同的島嶼上常有完全不同種的甲殼動物（armored animal）存在，而介於中間的"過度形態"有時亦被發現。他不斷收集這類資料，觀察其間關係。經過長久觀察，逐漸動搖他對丘維爾所提"種之固定性"（fixity of species）的信心，1838 年，達爾文返回英倫，出版所撰"研究錄"（Journal of Researches）。此後達爾文回復繼續研究其"種之形成"（species formation）。

　　其中有些問題急待解決：種是固定不可變成亦可經長時間改變？如何改變？當時一般人相信動物和植物是不會變的，可是少數觀察者提出主張：種是會慢慢改變的，現有之種來自不同之種。人們知道可經"選種交配"來改良家畜品種，可是自然界天擇作用則為一不可解的謎。

　　起初達爾文僅分析其觀察結果。1838 年馬爾薩斯（Tohmas Robert Malthus）的"人口論"（an Essay on the Principle of Population ior a View of its Past and Present Effects on Happiness）開啓他靈感之門。人口論主張，世界人口的增加快於食物的增加，所以有生存競爭的發生。競爭奮鬥的代價即為生存。一方的勝利往往即係於對方的失敗，達爾文相信只要能確立"適者生存，不適者淘汰"，就能找出種的來源。

2. 達爾文和華萊士

　　達爾文花費近 20 年之工夫來完成其理論，在早期（1842 年）他特請一些生物學界朋友審訂剛完成的理論大綱。由此理論得以更近完美，其中許多觀念也得以加強，達爾文開始動手寫其巨著，然而當他才完成前言（abstract）之半時，達爾文接受審查博物學家華萊士（Aefred Russel Wallace，1823-1913 ）即將發表的一篇與達爾文論點極近的有關進化的短文：on the Jendency of Varieties to Depart Indefinitely from the Original Type。二人論點相似，達爾文曾謂，此文可以作為其書之序。

　　此二學者看法雖然一致，但其研究途徑卻迥然不同。達爾文花費 20 年觀察收集資料才得此結論。華萊士雖早在三、四年前，主觀上已有概念實際上是在 1858 年二月當黃熱病（yellow fever）來襲時，在病床上思索"生物如何達於現在狀況"的問題，記起英國經濟學家馬爾薩斯"人口論"觸發"適者生存"（survival of the fittest ）的想法。只經過數小時的思考，華萊士當天晚間即寫下綱要，學說則在兩天後完成。

　　達爾文非常賞識華萊士的學識，建議其立刻將之發表，但萊伊爾（Charles Lyell）和虎克（J. D. Hooker ），深知達爾文在這方面的苦心研究，則建議二人聯合發表。於是新的進化論"種之演變趨向及天擇對其之作用"（on the Jendency of Species to form Varieties and on the Perpetuation of Varieties and Species by Natural Means of Selection）"在 1858 年七月一日由達爾文，華萊士聯合完成，而在同年八月二十日在林奈學會會刊（Journal of the Proceeding of the Linnean Society ）上公諸於世。

3. 物種之起源

　　達氏的巨著事實上根本未完成，他所寫的只是其序言，長達三百五十頁，即花費了十三個月之久的工夫。1859 年十一月二十四日以"物種起源於天擇作用"或適者生存"（On the Origin of Species by Means of Natural Selection，or the Preservation of Favored Races in the Struggle for Life）為題付印，當天即被搶購一空。

　　達爾文並非第一位進化論者，他的理論有不少從其祖父處得來，當時許多學者即反對他所得的成就。但在另一方面，即使此種理論不是他所創，憑其摒棄當時充斥學術界許多無意義想法的毅力，達爾文無愧於其所得的聲譽。當畢格（Beagle）號 1831 年起航於朴資矛斯

（Plymouth）時，沒有一位科學家對進化感到興趣。後來也只有他一個人真正考慮到可能由一個種的變異可產生另一新種。

天擇論，即達爾文論（Darwinism），雖可能依據於其祖父的資料，卻完全是達爾文自己的創作。天擇論簡述如下：自然界所有生物皆增殖得非常快，除非大多數死亡，不遺留後代，否則世界很快即達繁殖過剩。事實証明各種動、植物的數量保持穩定。生存競爭必定存在於種族內以及種族間，競爭失敗即便死亡。結果種內若有一份子，因變異比其他分子具有較强的競爭條件，它就較易於生存，亦較易於產生後代。並且此後代可承繼其親代一切利於生存的優點，再繁殖於自然界，達爾文相信所有變異皆具遺傳特性。

4. 變異的來源

當"物種之起源"（Origin of Species）在 1859 發表時，達爾文因不知變異過程，正感迷惑，認為是生物學上一不可解的難題。1868 年"馴養動植物的變異"（The Variation of Animals and Plants under Domestication）出版時，達爾文得到變異的解釋。這解釋是基於"後天所得特性之遺傳"（inheritance of acquire traits）理論的修改而得，達爾文試圖以此解釋遺傳性變異的來源，並未涉於天擇作用。

長頸鹿的長頸常是進化論上被舉出討論的一個例子。拉馬克認為長頸鹿頸子變長乃由於頸子天天向樹頂取食時伸長導致的。達爾文則主張這是由於具有長頸遺傳因子的長頸鹿比短頸者具有利優點，而在天擇作用下導致。假如有過多的長頸鹿在爭取食物，當低枝樹葉被食光後，短頸者即無法獲得食物，長處飢餓狀況，以致衰亡。但長頸者則可安穩成長，產生長頸之後代。此種長頸進化一直會發展到長頸不再佔有任何優勢為止。達爾文雖仍感迷惑於代與代間變異的機制，但已肯定這些變異是可遺傳的。

達爾文並提出數項天擇可行的証明：(1)新種可由人工培育產生。(2)自然界的現狀足夠提供自然界的選擇條件。(3)這就是現今自然界能存有許多不同形態生物的原因。由上幾點，達爾文指出所有動物皆出自同一祖先。在當時，達爾文進化論並不普遍為人能接納，尤其是不懂生物學基本原則的外行人。

5. 達爾文之末期著作

當各項進化論爭執進行時，達爾文只默默地推動工作，收集各種資料以支持自己的理論。他在植物研究上下了不少工夫，1862 年他發表對蘭花受精作用的研究 "On the Various Contrivances by which British and Foreign Orchids are Fertilized by Insects and on the Good Effects of Intercrossing"這是最早有關 "種之起源"的研究工作，他主要目的在於用此文章抨擊反對其理論的人，因此不少反對達爾文的人以蘭花重覆的實驗。在當時，蘭花被認為是上帝為藝術而特別創造的藝術品。達爾文則以被大家認為是無意義的蘭花唇瓣上的隆起及角距實為吸引昆蟲傳粉的器官，來推翻特別創造的舊論。至於其中誘陷昆蟲精細構造及內部上翹的機制，迫使昆蟲擠過另一出口達成授粉作用，亦是因生存競爭，由極簡單形態進化而成。

二年後（1864）年達爾文出版 "The Movements and Habits of Climbing Plants "此書的概念先在林納學會會刊（Journal of the Linnean Society）上發表，書本身則完成於 1875 年。1868 年達爾文首次推廣其進化理論於 "The Variation of Animals and Plants under Domestication "書中，再次於 "Descent of Man and Selection in Relation to Sex "中提及人類亦在進化論範圍內。達氏後來亦將性擇（Sexual Selection）理論解釋為進化機制之一。1872 年達爾文出版 "The Expression of the Emotions in Man and Animal " 一書，對進化論作更進一步地貢獻。達爾文後期著作皆以植物為題。

達爾文對後世的衝激力及影響力，僅由閱覽其一生生活記載或檢視其種種貢獻，是無法瞭解的。他是一位深知生命精意，永不屈服的博物學家，亦是一位忠實的哲學家。但即使具備善良（goodness）、堅毅、忠實等氣質仍無法成就達爾文之偉大，他是觸發人類思想革命的先驅，對當代及後世的影響巨大。

達爾文本性又是謙遜的，在其後期文稿中，他常因未能直接造福人類而感遺憾。達爾文慈善的一面則充分地顯露在其對他自己的嗜好—閱讀小說—的評論上："祝福所有賦予圓滿愉悅結局的小說家。"達爾文在世74年，死於 1882 年 4 月 19 日，整個科學界都為這種改變世界人類觀念的思想家哀悼！達爾文葬於西敏寺（Westminster Abby）不遠處即為牛頓（Issac Newton）之墓。

三、赫胥黎

赫胥黎（Thomas H. Huxley，1825-95）是達爾文進化論最先的辯護者。早年，他即顯露在藝術方面的天賦，導致其正確充實的人生。他喜好發問，常沉溺於抽象思想裏（幻想中）。當他 12 歲時，幾乎讀遍父親藏

書室裏的書籍。但是由於他在英國的居處附近缺乏好的公共學校，所受的正規教育並不多。赫胥黎第一次接受高等教育，是在西登漢學院（Sydenham College）爲大學教育做些準備工作。1845 年他在倫敦大學（The London University）取得醫學學士學位，兩年後，他完成醫學研究，可是由於太年輕，無法取得資格在外科學院（College of Surgeons）裏工作。

赫胥黎於是加入英國海軍，醫事服務於勝利號（Victory）上。七個月後，轉到正起航前往澳洲的響尾蛇（Rattle Snake）艦上，在這次四年巡航生活裏，赫胥黎非常勤奮地收集有關生物方面資料，當他返囘英國時，他所累積的報告記錄已成巨册，因此無一私人出版商能夠接受。唯一的選擇，就是將之做成摘要付梓或用其他方法以財務支援出版社。赫胥黎選擇將原稿交予英國政府出版，但海軍部（Admiralty）拒絕擔此重任。最後於 1845 年由資金充裕的英國皇家學會（The Royal Society of London）以 "Oceanic Hydrozoa" 文名公諸於世。從此赫胥黎在科學界地位一日千里，而執牛耳。

此時，許多學者都已研究，探討過有關進化問題，赫胥黎卻無印象於各種理論証據。他不但考慮到這些証據的不足，並且認爲當時所用以解釋種與種間突變的原因，仍不足以解釋眞象。赫胥黎亦曾研究過拉馬克的說法，但幷不相信。1852 年，進化論的提倡者史班瑟（Herbert Spencer），將進化概念灌輸給赫胥黎，但他予以拒絕，因他未見一可信的解釋起源模型。不久，在他第一次與達爾文會晤後，他發表他的觀念－種與種間有一明顯分界線。當漸漸熟稔達爾文理論，赫胥黎發現一種足夠成爲研究基礎的假說。

"物種起源" 是達爾文學說的最頂點，赫胥黎在其工作中擔任起指導角色，他並且常游說他人接受自然淘汰的觀念。1859 年 "物種起源" 出版，赫氏積極支持之。1860 年在牛津（Oxford），赫胥黎以進化論與相信特別創造的韋伯佛斯主教（Bishop Wilber Force）舉行辯論會，因而贏得 "達爾文的猛犬（Darwin's bulldog）" 的綽號。

在赫胥黎晚年，他被尊爲今日最偉大生物學家之一。他發表了許多有關生物方面的文章，赫胥黎大部分的時間都發費在演講的準備與表達工作上。在 70 年的歲月裡，他盡力在生物科學各科目的的演說與出版。其中較著名的工作在於生理學，比較解剖學及病理學教科書上。後來他的孫子、朱連（Julian）及阿道斯（Aldous）繼及衣缽。

四、今日的進化論（Evolution Today）

1859 年 "物種起源" 出版後，對於進化方面理論有過無數次的討論與研究。由於達爾文的新認識，及興論界的批評、指論，使得 "物種起源" 做了很大的修改訂正，異於原稿。具體而言，這進化理論逐漸爲全世界生物學者接受。

近年來生物學方面的進步，使得進化論有更進一步地發展，如遺傳學及其他新智識提供了許多証據証實有關演化過程的機制。事實上，由於此些貢獻達爾文進化論的地位比以前更穩固。在今日，人們相信四種基本觀念有助於解釋進化。此四種基本觀念如下：(1)突變（mutation）爲最原始的變異來源。(2)基因重組（gene recombination），發生於有性生殖過程中，更有效的帶來種的變異。(3)淘汰（Selection）（自然或是人爲），進化的主要機制。(4)隔絕（isolation），造成種的特性。也就是以地理上的障礙，長期的限制某種性質的發展，造成遺傳基因上的不同，形成新種。

進化過程已經延續數百萬年，很明顯的不可能在實驗室裏重新再相同地進行一遍。人類個體以有限的年壽，亦不可能觀察全部無限的進化過程。但進化事實的各種物証仍能從化石資料，地理分佈，比較解剖，胚胎學及其他各種生物科學上取得。

一般相信在很久以前發生的進化過程至今仍延續著，有些作用甚至在實驗室裏爲人探討。雖然許多細節還不能完全解釋，但由於對遺傳過程及物理環境作用的瞭解，演化的基本原則已爲人知。最近進化的研究著重於(1)在自然族群裏變異的來源。(2)在族群裏新變異的建立。(3)進化的直接動力，及(4)導致新種與親緣族群分開的隔絕機制。

伍、遺傳學和優生學

自 1900 孟德爾（Mendel）的工作被人們認識以後，遺傳學發展成爲二十世紀的一門科學，它的根源卻可以溯自遠古。史前時代的農牧人，對遺傳原則幷無所知，但是他們也會應用選種（selection）和雜交（hybridization）。一些古巴比倫人六千年前的黏土板上，刻有馬的連續數代的血統記錄表，這可能是一項人爲的品種改良工作；有的泥板上也記載古巴比倫人用棗椰樹做人工授粉。此外，比耶穌更早時代的中國人曾經改良稻種

；西半球早期的美洲印地安人曾經種植及改良玉蜀黍。

　　在另一歷史時代，希波克拉底（Hippocrates），亞里斯多德（Aristotle），及其他希臘哲學家們做過許多觀察及推考，提出一些遺傳原則，然而這些基本原理模糊不清，錯誤百出。希臘人杜撰許多荒謬的雜交故事，這些故事經過蒲林尼（Pliny），及蓋斯納（Gesner）等古代受人歡迎的編纂家們渲染和附會的結果，於是，駱駝和豹交配後生下了長頸鹿、雙峯駱駝的雙親是駱駝和野猪，而麻雀和駱駝共有的子女是鴕鳥。植物也被認爲有類似的異常雜交，例如，相思樹和棕櫚樹共同生出香蕉樹。伴隨著這些故事，還有許多關於生殖及決定性別的怪誕說法。

一、孟德爾前驅的遺傳觀念

1.既得特性的遺傳

　　希臘哲學家們認爲個體繼承的特性受環境直接影響。在十八世紀前，這種觀念雖然錯誤但却廣泛的被接受。法國科學家拉馬克（Lamarck）將十八世紀生物學家們這一個普遍觀念有系統的作成一種理論，就是「用進廢退」說（the theory of inheritance of acquired characteristics），強調經過長期或短期時間的"用"或"不用"是決定個體特性的主要因素。環境能直接影響生殖細胞（精子及卵），因此可以遺傳給子代。

　　拉馬克的假說從未有人應用實驗加以證實。但以今天的觀念來看，環境直接改變遺傳性質極不可能，而突變和天擇比較能夠給予合理解釋。在西方國家，這一種理論已被歸入歷史範疇，但在 1940 年代蘇聯及其附庸國家在李森科（Lysenko）領導下仍然重視這種假說。

2.種質論

　　一位著名的德國生物學家魏斯曼（August Weisman, 1834-1915）在十九世紀末提出了與拉馬克相左的遺傳學說。他認爲種質（germ plasm）可以代代相傳，而後天獲得之性質則不易遺傳。環境縱然改變外形特徵，但對遺傳物質的影響却很微小。種質論的基本前題很好，強調種質的非常穩定性，雖然偶而會自然發生突變，突變的速率亦可用化學藥品或放射光線照射加速，但是發生的變化是任意而不可預料的。

二、孟德爾及其貢獻

　　被譽爲"遺傳學之父"的孟德爾（Gregon Mendel,

1822—1884）以豌豆實驗的革命性貢獻，奠定遺傳科學的根基。孟德爾一生對於生物，始終有莫大的興趣。他的家鄉是種植花卉，果樹和蔬菜的地區，他在一個小型果園農場中長大。孟父特別喜好植物，無疑的，果園工作亦深切的影響他的兒子。此外該地區有一位教區牧師，史瑞伯（Pater Johann Schreiber），時常鼓勵當地居民從事水果栽培，並且由於他的主張，學生們得以學習種植，嫁接及改良園藝品種的方法。

　　孟德爾長大後，對植物雜交深感興趣，他一生中做過許多不同種植物的交配，這些植物如糓斗菜、金魚草、菅茅、南瓜、亞麻、紫羅蘭、豌豆、蠶豆、李、梨、胡椒、薄荷、菫荷及玉蜀黍。孟德爾也喜歡動物，他曾養了一頭狐狸、一羣老鼠，並且用老鼠做過一些育種的實驗。

　　孟德爾得到他的老師法蘭士教授（Professor Franz）的勸助，進入阿特布僧院（ Altbrüm Monastery）。在他二十五歲生日的那天，正式被任命爲僧士。那時期的教會，通常鼓勵僧士們除神職外，並且從事科學或藝術等的創造性工作，孟德爾因而得以繼續最饒興趣的生物研究工作。後來他擔任一所學校的教師長達十四年。他的暑假都貢獻在布恩僧院花園中做那聞名的豌豆實驗。這十四年可能是他一生中最快活，也必然是最有成就的一段時光。

1.孟德爾的豌豆實驗

　　實驗通常需用一年生植物，這種植物又必須容易培養，容易交配並且有易於辨認的特徵。孟 氏選擇豌豆因爲它具備上述條件；此外，豌豆花的構造也很特殊，只能自花授粉，在自然狀況下，他花授粉絕不可能發生。豌豆經過長期自花傳粉後，育成純系（Pure line），其相對的遺傳單位（genetic unit ）可以從顯著的特徵變異上反映出來。在孟 德爾研究的所有每一相對的性狀中，如一個爲顯性，另一則爲隱性。所以他的選用豌豆爲實驗材料不僅明智，而且幸運，因爲豌豆正具有遺傳實驗特別有利的性質，這是孟 德爾所不知道的。

　　孟德爾選用了七對不同的性狀做實驗：豆莖或高或矮；成熟種子的胚乳或綠色或黃色；種子表皮或平滑或深皺；種皮或白色或灰色；豌豆花的顏色常與種皮性狀相關，白種皮植株開白花，灰種皮植株開紫花；未成熟豆莢或黃色或綠色；而花則或沿主莖散生或在莖頂聚生。

　　孟德爾以前的人採用整株植物的觀察法，尋求了解遺傳機制，却使問題複雜難解，但孟德爾則不同，他熟

習植物各對特徵，將具有相對特徵的植物予以不同的交配，分別研究其子代。他的成功，主要得力於儘量採用僅有一對性狀相異的母株互相交配。

授粉工作在豌豆開花時就要謹慎進行，因為雌雄蕊都在同一朵花內。在花粉成熟前必需先摘去雄蕊，等到雌蕊成熟後，再把選定的另一植株的花粉傳授過來。收成的種子留到下一季播種，而把生成的子株或種子加以分類，記下結果。集齊充足的數據，便可引出結論。這種實驗及其結果已具重要意義，而孟德爾基於植物性狀導出解釋遺傳機制的假說，更具價值。孟德爾於 1865 年將其實驗數據和結論，以 “植物雜交的實驗”（Experiments in Plant Hybridizaion）為題的一篇論文先在Brüm（Natural History Society）會中宣讀，然後發表於該會會刊 1866 年。

2. 孟德爾實驗的分析

在一個實驗裏，孟德爾種植兩種豌豆，高莖種及矮莖種。當高莖種自花授粉後，子代均為高莖，矮莖種亦然。氣候、土壤及溼度的狀況雖對豌豆生長有影響，但是兩種植物的高矮主要受到遺傳的控制。在他的實驗中，高莖種植株有六到七呎高，而在相同環境下矮莖種植株只有九至十八吋高。據他的觀察，從來沒有矮種變成高種；同樣的，即使在極不利的生長情況下，高種也不曾變成矮種。在比較不利的生長情況下，高種的莖蔓比正常的細，但是仍然很長，很容易區分為遺傳性的高莖種。

如將高莖種植株與矮莖種雜交，所得的第一代（F₁）均為高莖，矮莖種的特性完全不能顯現。若使所得的第一代自交，那麼，隱藏的矮莖種特徵可以在雜種第二代（F₂）顯現。第二代有一部份是高莖，一部份是矮莖。經過細心的區分，平均約每三株高莖，便有一株矮莖。茲舉一個數據來說明，總數 1,064 的豌豆第二代（F₂）中，有 787 為高莖，277 為矮莖。孟德爾所選的七對性狀都是獨立的，所有相對性狀雜交後第二代均有 3：1 的比例。每一對性狀中，必有一個性狀支配另一個性狀，具支配性的性狀係顯性，而被支配的性狀則為隱性。孟德爾從雜交所得的結論乃是基於單位性狀（unit traits）的完全顯性，及相對性狀遺傳成份的獨立分離。

孟德爾在他對實驗結果有見解的討論中，表現他豐富的想像力及出眾的才智。他假設生物體內有某種粒子運行如獨立單位，經由生殖方式傳遞遺傳特性。當時，對於細胞的染色體一無所知，但是孟德爾却清晰的想像著有種與遺傳有關的實質上的成份。他用了一個德國字 Anlage（pl. Anlagen）來表示這種遺傳單元，即今日所稱的基因。孟德爾認為既然親代之一的性狀在第一代中隱伏而於第二代再現，則基因必定成對。他相信種子或植株的對比表現，是由於這一對的兩個基因不同排列的結果。

3. 孟德爾實驗結論的評價

先驅者不可能在每一細節上都考慮得正確無訛，孟德爾的結論如以現代發展的遺傳學去評價時，則一些的修正極為必需，但這並無損於孟德爾及其工作成果。事實上，數據收集得愈多時，常需要新的解釋和判斷。孟德爾以為一個基因支配單一個性狀。現在却知道，在一個生物體中的許多個基因，甚或所有的基因，都對每一個性狀有直接或間接的影響。但是，某些獨特的基因可以影響一些基本的反應過程，因此這些基因便支配著特別的產物。或表現型（Phenotypes）此外，可以遺傳的是基因而非性狀。許多基因分離為許多的獨立單位，至於性狀，則由許多基因相互作用而生成。

孟德爾研究的七對相對性狀（allelic pairs）均有顯性表現，因此很自然的，他便將顯性當做基因的一個遺傳性質和通則。在孟德爾論文再發現（1900）後不久，以香豌豆及金魚草的雜種實驗中發現有中間型存在。以香豌豆為例，紅花的純質（homozygous）植株與白花的雜交，得到粉紅色花的雜種第一代（F₁）。這種異質接合體（heterozygote）在表現上與親代截然可辨，並不如同在豌豆雜種第一代中受顯性所支配。現在已知顯性受到外在，內在及基因等三類因素所影響。因此孟德爾之顯性為基因的一個基本性質的觀念，已不再受人支持。

孟德爾從他第一個實驗導引出最重要的結論為分離律（Principle of segregation）。分離律描述種細胞成熟過程中成對基因的分離，此律不僅適用於豌豆，也適用於有性生殖的各種植物和動物，而且已成為遺傳學的一個基本法則。現在瞭解，攜帶基因群的染色體就是分離單位。孟德爾後來做兩對基因的雜交實驗，結果顯示兩對基因各自獨立互不干涉。獨立組合律亦因之建立，以說明位於不同染色體上基因的獨立分配。

4. 孟德爾理論的認識

孟德爾的豌豆實驗，對於應用育種上沒有立即產生影響。這份成果在 1866 年發表後，埋沒了三十四年之

久，三十四年間知道這篇論文的人微乎其微，可以說根本沒有一位懂得它的人。這期間有兩位生物學家，賀凱（W. O. Focke）和奈格里（Karl Nägeli），在他們自己的文章裏提到孟德爾的實驗。賀凱於 1881 年對孟德爾提出十五項查詢。奈格里爲當代科學界領導者，認爲孟德爾的工作不完全，需要進一步的證明。這些阻礙孟德爾成就的傳揚。

關於孟德爾理論被忽視的原因有幾種說法。最主要的是他的理論太新，人們難以接受。當時人們的生物學和數學的基礎不夠。在 1866 年，細胞構造和功能的知識實在貧乏。對細胞分裂尙未了解，更不必談生殖細胞和成熟過程。缺乏這些基本知識便不可能認識孟德爾理論的重要性。

另一個原因則是孟德爾本人不能確定並認識到他的實驗的結果的重要。因爲繼豌豆實驗之後，孟德爾使用他種植物雜交却不能印證他的早先的結果。他用數種山柳菊屬（Hieracium）雜交，子代均和母株相像，毫無親代基因分離的跡象。其實這些植物不需受精就能無性繁殖。孟德爾當時認爲山柳菊屬雜種的子代，事實上並不全然是雜種。因此孟德爾無法肯定早先豌豆實驗結果，究竟反映生物的重要原則，或僅是豌豆的特性。

在孟德爾豌豆實驗進行的同時，達爾文發表震撼世俗的 "物種起源論"（The Origin of Species, 1859），受到大衆的讚賞，使得生物界其他學科一時晦暗無光。達爾文後來的一本書 "培養的動植物之變異"（Variation of Animals and Plants Under Domestication, 1868），其中强調動物及植物的逐漸改變和連續變異。孟德爾理論中的斷然不連續變異似乎與之衝突。這可能也是孟德爾理論不受了解和欣賞的另一個原因。

許多人推測孟德爾能夠發現遺傳原則的原因，及他那燦爛思想的來源。可惜的是，孟德爾同時代的人全不知道他會如此成名。他生時的一切，被寫下來的很少。孟德爾的傳記作家伊耳地斯（Hugo Iltis）曾收集並編纂孟德爾私人生活及思想。另外從孟德爾寫給奈格里的信件中也可得到一些資料，但他大部份的生平仍不可知。孟德爾有高度的天賦與好奇心。他早期的家庭生活及其親友們，尤其是他的父親和敎區牧師的鼓勵，激起他對生物的興趣，播下日後成熟的理想種子。大學敎育使他對機率有清楚的了解，並學到實驗的技能。僧院和敎師的職位，給予他充裕時間和一個很好的思考環境，以及一些對實驗工作的鼓勵。孟德爾本人是謙虛的，他沒有將他自己的工作成果賣出去。顯然的，他體驗到宗敎與

科學工作之間內在的矛盾。他的某些實驗結果沒有寫下來，特別是老鼠雜交的一部份。也許老鼠雜交實驗，不適於一位僧士。孟德爾晚年曾想毀棄所有的論文，或許是預防在他死後這些論文被人誤解。在這一方面，孟德爾和達爾文很不相同。達爾文留下一整書架科學書籍；一部範圍廣泛的自傳及一堆信札，使他的家人在他死後忙於爲他寫傳記。相反的，孟德爾却沒有爲他的傳記家留下多少資料。

孟德爾熟讀達爾文的書，現在想起來，孟德爾只寫信給奈格里而不寫給達爾文眞是可惜！說不定達爾文會欣賞孟德爾的實驗工作。但是奈格里不僅漠視孟德爾的工作，而且認爲以無性生殖的山柳菊屬植物做個別性狀遺傳的研究不合適。結果，孟德爾的科學餘生便在死巷中打轉。謙遜的孟德爾並不爲奈格里的苛評及傲慢態度所動搖，却似乎很樂於接受那個偉人的答覆。他再三的寫信，試圖告訴奈格里他所做的，但從不和奈格里爭論。

1900 年，孟德爾的論文同時爲三個人發現：佛里（Hugo de Vries），一位以突變論聞名的荷蘭植物學家，研究待宵草和玉蜀黍。可倫斯（Carl Correns），德國植物學家，研究玉蜀黍、豌豆和蠶豆。還有捷爾默克沙撒涅格（Erich von Tschermak-Seysenegg），奧國植物學家，研究豌豆及其他數種植物。三位都各自從自己的研究中得到與孟德爾原則相同的結果。他們認識這種研究的重要性，並且也發現孟德爾的成果，引用在他們自己發表的文章中。可倫斯和捷爾默克沙撒涅格都對應用方面有興趣，特別是雜種優勢（heterosis），因此沒有繼續推展孟德爾的理論。佛里研究突變以及與基本遺傳學有關的問題，他得到孟德爾工作眞正的理論上的發現。佛里的發現受到「遺傳學之父第二」的貝特森（Bateson）的認可與支持。

人們已不再把孟德爾當做無名小卒，一百二十個以上的社團、大學、學會都和Brüm Society 交換那份發表孟氏工作的刊物。孟氏論文分佈在維也納、柏林、倫敦、羅馬、烏普沙拉，以及其他的文化中心。倫敦的皇家學會（Royal Society）和林納斯學會（Linnean Society）均有孟德爾的論文。他的論文並非不能流傳，只是過去沒人了解它，或對它有信心。孟德爾的理論不適於當時，只因爲他的同時代人，還沒有足夠的數學能力去了解遺傳，而且孟德爾是一個沒有地位的僧侶。或許在當時一些人的眼中，他只是發表怪誕與不負責任的觀念的業餘植物學家。

三、佛里與突變論

突變論使遺傳和演化上變異的來源有了解釋。突變是一種突然發生的改變，沒有事先的預兆，也不能觀察到一系列的變遷形式。這一理論由荷蘭植物學家佛里（Hugo de Vries, 1848–1935）發表在 "突變論"（The Mutation Theory, 1901）一書中。佛里在來登（Leyden），海得堡（Heideberg）及威斯堡（Würtzbury）接受大學教育。在威斯堡他受到 Julius Sachs 的薰陶。隨著在德國幾個學術機構工作之後，1871 年他受聘於阿姆斯特丹大學（University of Amsterdam），從講師而至植物學教授兼植物園主持人，他對於生物的變異及演化極感興趣。

瑞士的解剖學家暨生理學家柯利凱（Albrecht Kölliker, 1817–1905）曾批評達爾文之天擇進化理論，他並曾提出突發改變的進化假說。這個意念比達爾文的緩慢機制更加吸引佛里。當時，佛里正在找尋支持突變理論的證據，尤其在他所熟悉的待宵草（Oenothera Lamarckiana）中找尋。這種植物，最初從美國引進，終於遍佈歐洲各地。當佛里之時，阿姆斯特丹附近的草地待宵草生長甚多。在熟知的種類中，種子都能保存其特有的性狀，偶然的，也會產生新特徵的新種。這些新出現的性狀有體型巨大，或是矮小，還有一種潤葉型的。這些變種都能產生純系，當初人們以為是新品種。及後更多仔細的觀察，發現這些顯著的性狀變化，係由於主要染色體的改變而非基因的改變。有一點應該注意，佛里採用觀察的實驗方法研究進化，是與同時代的人用推論法完全不同。

突變論初現時，遭受許多批評，尤其是來自達爾文派。批評中指出實驗系可能不純，新性狀的表現可能是基因重組的結果。當時一些生物學家認為佛里的理論，與傳統觀念太不相同而難以接受。突變論並不真正與達爾文的天擇論牴觸。達爾文不贊成拉馬克學派的人對於突變來源的觀點。而佛里的突變論却加強了達爾文的論點。達爾文理論中並不包含完全的或突然的變化。突變論則較可使人接受，因其表示小的變異和大變異一樣可能突發並具永久性。突變論經過若干修正，現在普徧採用以解釋變異的來源。如今，基因觀念已經建立，一種突變意即一個基因的一種改變，此種定義有時涵義包括染色體異常及基因改變。

四、遺傳學的誕生

1900 年後，遺傳學迅速發展，很快在生物科學領域中取得適當地位。一經開始，加上許多學者的貢獻，旋即引起遺傳學爆炸性的發展。早期有名的領導者計有五位：英國貝特森（William Bateson），法國裘諾特（Lucien Cuénot），美國卡梭（W. E. Castle），丹麥詹納森（W. L. Johannsen），及德國可倫斯（Carl Correns）。

貝特森（1861–1926）是劍橋大學的一位實驗生物學家。1900 年孟德爾實驗研究再發現後，他立刻對它發生興趣。根據他的一位學生而且又是同事彭納特（R. C. Punnett）的資料，1900 年 5 月 8 日貝特森是首先在英國宣佈孟德爾工作的一位。在他坐火車到倫敦英國園藝學會去發表一篇以 "The Problems of Heredity as a Subject for Horticultural Investigation" 為題的演講途中，他讀到佛里關於孟德爾實驗研究的報告。貝特森馬上修改講稿，加進孟德爾的發現，這樣戲劇性的把孟德爾消息首先帶給英國。1901 年英國園藝學會會刊（Proceedings of the Royal Horticultural Society）登載一篇完全英譯的孟德爾的論文。

在孟德爾研究再發現的時期，貝特森正從事實驗育種工作且有顯著成就。例如，1894 年他出版一本書 "Materials for the Study of Variation" 書中提出許多問題與孟德爾所提及的相似。當時貝特森策劃並指導許多實驗，以求解答那些未明瞭的問題。1900 年孟德爾研究發現之時，這些實驗都還在進行中。孟德爾論文再發現之後，貝特森又策劃新實驗，以求瞭解孟德爾定律是否適用於他種植物，尤其是能否適用於動物。他養殖一些家禽，便和赫斯特（C. C. Hurst）安排實驗，以印證孟德爾定律是否適用於家禽。家禽的繁殖率高，短時期內，可以得到大批的子代。因此，很快的觀察到孟德爾法則不獨可以適用於家禽，並可適用於兔子和香豌豆。貝特森、貝特森夫人和彭納特認真的重復孟德爾的實驗，並加以補遺。他們的實驗工作結果，顯示所用的實驗材料九屬植物和四屬動物都符合孟德爾定律。

回顧歷史，假如孟德爾研究在 1900 年仍未再發現於世，可能貝特森本人也會發現如同孟德爾所發現的原則。1899 年，貝特森在國際雜交學會（International congress of Hybridization）所根據的實驗和目標與孟德爾的極為相近。從貝特森的兩本書中：Mendel's Principles of Heredity——A Defense（1902）及Mendels Principles of Heredity（1909），遺傳學的基本原則明晰而確定。1906年，在英國園藝學會（Royal

Horticultural Society）主辦的一個 "雜交" 討論會中，貝特森把這門新科學定名爲遺傳學（genetics），他並且採用兩個新名辭，即同質的（homozygous）和異質的（heterozygous），表示基因的兩種配對。他並且取用 "allelomorph" 的縮寫allele 以表示相對基因。1909年，劍橋大學設立遺傳學教授講座，貝特森是第一位教授。一年後，John Innes Horticultural Institute成立，貝特森便把教授講座讓給彭納特，擔任這個新機構的第一位領導人。

裘諾特（Lucien Cuénot, 1866–1951）是一位聞名的無脊椎動物學家。在孟德爾研究再發現以後，他用老鼠做遺傳實驗。1902年他發表老鼠的孟德爾遺傳性的事例，1903 年又發表一篇對老鼠皮毛的外型與顏色更詳盡的分析。他不僅發現孟德爾比率（Mendelian ratios ）關係，並且使用化學分析法追踪基因和性狀之間的關係。1911年他又發表一系列的論文，這些論文對齧齒類遺傳學有很重大的貢獻。此後，裘諾特轉而研究老鼠癌症的遺傳。

美國的卡梭（W. E. Castle, 1867–1962）將孟德爾定律立即應用於哺乳類。1903年他發表有關下述問題的五篇論文，如安哥拉貓的遺傳，人類白化病、性遺傳、及孟德爾遺傳律。爾後、卡梭更擴展他的研究在天竺鼠、兔子、老鼠及其他哺乳類的皮毛特徵。卡梭後來在哺乳類遺傳上做更廣泛的發展，成爲權威。晚年他的興趣在於家畜，特別是馬的研究。

詹納森（William L. Johannsen, 1857–1925），丹麥的一位遺傳學家暨植物生理學家。他與遺傳學早期發展爲一種科學關係密切。第一篇遺傳學論文 "遺傳與變異" （On Heredity and Variation ）寫於 1896 年，1898年他開始研究大麥和豆類。自此，專心致力於遺傳工作，1905 年受聘爲哥本哈根大學植物生理學院的院長。

再發現孟德爾論文的同年（ 1900 ），詹納森發表一篇論文題爲 "純系" （Pure line），這是當時遺傳學上很熱門的問題。經由一系列智巧的研究觀察，他指出了選擇（selection）效應在一般交配生殖的植物與在自交植物（self fertilizing ）上的差異。當植物經過長期自交後，因選擇而改變的效果就消失了，它們變得完全或近乎純質的（ homozygous ）。因此，一個純系的所有變異均係得自環境。

他集中心力於整理遺傳原則，寫了遺傳學第一本教科書 "Elements of Genetics "，發行於 1905年。此書堪稱遺傳學發展史上的里程碑。書中使用 1903年他所創造的新字： "基因" （gene），他還創造兩個新名辭如 "基因型" （genotype）及 "表現型" （phenotype）。並且強調基因與性狀兩者間明顯的區別的重要性。

可倫斯（Carl Correns, 1864–1933 ）是 1900 年發現孟德爾理論三人中的一位。 1890 年他在Tübingen 大學做過許多植物雜交實驗，如玉蜀黍、紫羅蘭花、豌豆、蠶豆及百合花等。他收集豌豆雜交實驗四代的數據，得到與孟德爾相似的結論。他因實驗工作查閱文獻時，發現孟德爾的論文。1901 年他發表許多玉蜀黍雜交的報告，以後的若干年中，他研究植物遺傳的各種問題，如性別、生殖機制、自花不育（self-sterility）和雜斑葉的細胞遺傳。 1902 年，他轉入來比錫大學，1913年受聘爲 Berlin Dahlem 的凱撒威約翰生物學院（ Kaiser Wilhelm Institute for Biology）院長，仍繼續他的細胞遺傳研究。

五、遺傳的染色體論

孟德爾對遺傳學的貢獻，是以精細的數字方法解釋基因的傳遞，但是他對有關的生物機制却一無所知。再發現並接受孟德爾理論之後，下一個重要問題是基因的位置，及基因與生物構造和功能的關係。親代的基因傳給子代，顯然是和生殖機制有關。但是好奇的生物學家們，希望知道更多的特有的遺傳機制。性細胞的那一部份與遺傳有關？動態的生理過程又如何與遺傳相關連？當孟德爾從事實驗的時期，人們已經知道動、植物生殖的一般情形，但僅限於細胞、及其在生殖行爲上的粗淺概念。細胞學的基本原則建立於 1865 年至 1900 年間，正是孟德爾實驗工作完成以至再發現的期間。

1. 細胞學上的發現

十九世紀最後的二十五年，發現細胞經由有絲分裂以繁殖個體及經由減數分裂以產生配偶子。複雜的生物體發生於單一的細胞，經過細胞分裂成爲成體。例如，一個人發生於一個受精卵或接合子，最後接合子發育成爲有千百萬個細胞的成體。生物學家先對細胞構造感到興趣。隨後更擴及細胞生理及生化特性。雖然各種細胞的構造和功能變異很大，他們具有一些共同性質，並且都是生命物質的單位。

各種細胞，在其生活史中某一時期，總有一個由細胞質圍繞的細胞核。細胞核是細胞中最恆定不變的一部份，它在植物細胞中的位置通常受中央大液泡所限制。細胞核比細胞質濃稠，形狀固定，核內可能有一個或多

個核仁。其他的核內含物及染色體，在細胞分裂時可以看到，但在平常時常則看不到。細胞質及其組成物質負責細胞的新陳代謝。細胞吸收食物，一部份捨棄不用，一部份轉變爲能量，一部份則合成爲細胞本身的原生質

2．生殖與遺傳

孟德爾理論再發現之前，生物學家對於追尋遺傳傳遞的根源已發生興趣。性細胞如精子和卵，都參與受精作用，雙親都能將各自的特性傳給子女。因此，問題是細胞的那一部份與遺傳有關連。德國細胞學家 Strasburger 最初注意到卵比精子含有更多的細胞質。他便用各種植物的雜種做反交實驗（和一百年前 Kolreuter 的方法相似），得到的反交結果都相同。既然精子和卵的大小及細胞質攜帶量不相等，所以他認爲細胞質對於種間遺傳的差異沒有作用。波威利（Boveri），他以發現中心體（centrosome）成名，希望能在動物身上尋求到答案，因此設計許多實驗由一些遺傳學家和細胞學家研究，實驗結果顯示細胞質根本不帶遺傳物質。

孟德爾式的遺傳，基因必需在細胞分裂時傳遞給子細胞，但是何種機制可以使每一個子細胞接受親代細胞的所有，成爲一個完整的細胞，而不是親代細胞的一部份。羅克斯（Wilhelm Roux, 1850–1924 ）想出許多模型以研討這種細胞分裂的完成。其中有一種設計可以符合實際的結果，就是細胞內遺傳物體必需排成一列並完全複製，因此羅克斯認爲有絲分裂之能進行在於核內有排列整齊成串的念珠狀構造，並能複製。他推論如果核內眞有這種構造，則可以解釋基因經由細胞分裂傳遞的機械性。實際上核中染色體構造似乎符合這種要求。循此路綫，波威利創立基因位於染色體的理論。

一位年輕的美國人塞頓（W. S. Sutton 1876–1916 ）也發現染色體的行爲和孟德爾的基因分離有平行相關性。根據終產物判斷，如果基因位於染色體，基因行爲正爲所想像一樣，表現在生物生殖作用及細胞分裂過程。這種發現引起詳細探究高等生物生殖的過程，在動物性腺或植物花部中所產生的精子與卵均與生殖有關。終於確定基因位於染色體。

六、孟德爾學派與生物統計學派間的爭論

孟德爾的豌豆實驗，導出不連續變異的遺傳型態。豌豆經過雜交所得的子代或黃色或綠色、或圓形或皺紋、或高莖或矮莖，沒有中間型的存在。各相對性狀間形成簡單的比率。這種結果和古流塔（Kölreuter）、達爾

文、高爾頓（Galton），及其他科學家們所研究的植物計量的性狀及連續變異顯然相反。他們研究的性狀可以分爲等級，但沒有清晰的分界線。雜交的結果需要應用複雜的數學分析。連續變異似乎支持達爾文的泛生論（pangenesis）和天擇說。生物統計學的創始人高爾頓（Sir Francis Galton）和後來的兩位學者皮爾遜（Carl Pearson）和魏當（W. E. Weldon）熱烈的贊成以生物統計方法研究遺傳學。

廿世紀的早期工作者，尤其是貝特森等人，擁護那種以簡單數學分析的孟德爾率。他們不知道自然界有連續變異和不連續變異的可能，這類問題成爲那時期爭執的焦點。缺乏深厚統計學基礎的貝特森，是主要的擁護孟派人物。這場爭執的結果兩派不分勝負。後來由於數據的累積，終使孟德爾派和生物統計學派結合一起。

正當遺傳學成爲一種科學之際，生物統計的研究却一時黯然失色。事實上，孟德爾學派和生物統計學派都在遺傳學上佔有一席，因爲連續變異可用孟德爾的“多基因假說”解釋。1907年于來（Yule, 1873–1949）認爲如果多數基因以累積的方式發生作用，則可用孟德爾定律解釋連續變異。實驗上的證據係由兩位研究穀類植物的學者所提供，即：瑞典的育種家 Nilsson-Ehle (1908) 和美國的 East (1910)。1918年，費雪（R. A. Fisher）以孟德爾定律解釋生物統計的結果，終於使兩個學派聯合。而生物統計學亦成爲分析「計量遺傳」數據最有利的工具之一。

七、摩根與基因

聰明的孟德爾想像有一種實質的構造，作爲一種性狀發生的基礎，因此在他的理論中暗示著基因的觀念。荷蘭生物學家佛里也在這方面致力。詹納森於1903年創造「基因」一辭表示這個實體。貝特森確認促進孟德爾相對基因的觀念。波威利和塞頓在廿世紀早期，確認基因爲染色體的一部份，因此提出遺傳的染色體論。摩根（Thomas Hunt Morgan, 1866–1945）研究果蠅，因之創立基因學說，認爲基因係染色體上的一節一段或是分立的單位。

貝特森，廿世紀初期擁護孟德爾遺傳律的領導人物，起初並未被染色體論所動。1922年，他參觀摩根在哥倫比亞大學的實驗室後，終於認識了染色體的重要性。他讚頌這一個理論，比喩爲聖誕節日昇起的東方彗星。

摩根早期的研究範疇爲胚胎學。第一本出版物爲“ The Developmont of the Frog's Egg”（1887），

按照形態發展的次序編寫。不久，改變方式從實驗上着手發育（development）問題的研究，成爲實驗胚胎學界的領導者。這樣，自然導向再生的問題，他花費數年時間並且出版一本書，書名爲"Regeneration"(1901)。這位熱衷於實驗的學者，又轉而研究進化，獲得許多的實驗事實，寫了一本書，標題爲"Evolution and Adaption" (1903)。

孟德爾定律發現不久後，摩根着手遺傳研究，最初用鼠類爲實驗材料，到1909年才改用果蠅（Drosophila melanogaster）。在Castle、Moenkhaus、Luts、Payne的工作中，都顯示果蠅對於育種實驗特別有利。摩根利用果蠅做了廣泛而充分的研究，得到許多資料，以擁護基因觀念及遺傳學的其他說法。

摩根教導出一批學生，都對細胞學和遺傳學提供了莫大的貢獻。其中布里奇（C.B. Bridges）（1889－1938）有功於果蠅染色體上基因位置圖製作。慕勒（H. J. Muller）爲研究誘發突變的領導者。史特蒂文（A. H. Sturtevent）從事有關摩根發動的基因分析工作。史特恩（Curt Stern）在遺傳和變異的機械有很大的貢獻。這些科學家受摩根的影響很大，而他們的工作也影響了摩根。

1901年，摩根的實驗室有三項基本貢獻：(1)對於果蠅第一個基因突變的解釋。(2)性連鎖遺傳的解釋。(3)遺傳基因論的第一篇記載，包括連鎖（linkage）和互換（crossover）的原則。同在1901年，摩根就他對染色體的認識，開始編製果蠅染色體上的基因位置圖。這一項工作進行了數年，布里奇尤爲賣力，他曾確定果蠅四對染色體上數百個基因的位置。基因定位的根據起初是參照染色體交叉的數據，後來則得自巨型唾腺染色體（giant salivary gland chromosomes）的資料。摩根和他的學生如史特蒂文、布里奇及慕勒合寫了一本書"The Mechanism of Mendelian Heredity"(1915)，其中他們概括五年來果蠅實驗進展情形，這是一部劃時代的遺傳學鉅著。

1916年摩根在普林斯敦大學（Princeton University）一序列的演講，也編輯成書，"Evolution and Genetics"。在此書中他摘列從比較解剖學、胚胎學、古生物學、及遺傳學上的進化證據，並強調遺傳學上的證據或許能解釋遺傳及變異的機制。因突變是很小的可遺傳的變異，摩根把這種變異和不具遺傳性的環境變異區分，而達爾文却沒有做。爲了闡明基因突變在進化上平凡而不重要，摩根指出，遺傳學家和分類學家所採用

的一些微細的表面特徵，常是更重要的生理上變化的次級結果，這種生理上的變化雖不可見，但對於生物的生存却有重要的效應。「無用」特徵的基因可能和「有用」特徵基因靠近的連接。分類學家區分種類往往必須依據於這些在種間擔任極微或無用的特徵。

1928年摩根將基因理論寫成一本書"The Theory of the Gene"，在書中，摩根根據生殖物質（germinal material）中配對的基因，解釋個體的特徵。基因係在一定數目的連繫群（linkage groups）中，當種細胞（germ cell）成熟時，就按照孟德爾分離律而分離，結果每一個配子（卵或精子）僅含有一套（n數）。依據孟德爾獨立組合律，不同連繫群上的遺傳單元，彼此可以獨立分離。摩根還假定連繫群的相關單元間可以按照順序交換，交換的頻率提供證據有關在連繫群上基因的直線排列情形，及基因彼此的相關位置。

哥德史密特（Richard Goldschmidt，1878－1958）堅決主張基因是化學性的，而不是生理的一種構造單位。稍後的研究，先確定一種化學物叫脫氧核醣核酸（DNA），再發現更小的單位核苷酸（nucleotides）具有一些基因的機能。今天，基因的生化性和基因機能正由許多科學家作仔細的觀察。雖然Goldschmidt不是一個生化學家，却是生物學界第一流的理論家，他的一些理論却有助於生物學現代的發展。

八、優生學

人種改良學，是將遺傳學應用到人身上，有關於人類生物學上的改良。優生學家致力於人類優良品質的保留，人類種質的改進，或至少維持人類目前的水準。這類問題似乎含糊不清而又難以克服，但是爲後代保留人類最佳品質的策劃，其潛在的價值實在是值得謹慎考慮。人種改良學是一個複雜的題目，它還包括正統科學領域外的社會行爲和宗教信仰。

高爾頓（Sir Francis Galton, 1822－1911）造了「優生學」這個字，並使用在其"Inquiry into Human Faculty"(1883)一書中，指出可能改進人類天性的影響及如何發展至巔峯的原則。高爾頓出身於書香門第，有最好的教育及旅行的機會，他實在是具備了最佳的天賦，能夠做獨立的思考和創見性的研究。甚於童年的發展及後來的成就，心理學家Lewis M. Terman估計他的智商達200之高。從他227件發表的工作中，包羅了多種科學及人文的題目，可以看出他興趣之廣泛。在優生學方面最有名的著作爲"Hereditary Genius"(1869)

，"Inquiries into Human Faculty"(1883),"Natural Inheritance"(1889) 及 "Essays on Eugenics"(1909)。

高爾頓在優生學上最大的貢獻，也許是那些他所策劃、所進行而具實體性的科學工作。優生學起初被當做計量的科學。在他的刺激之下，數學變成了一項新的工具，統計學也跟著引進。機率、變異、頻度、中值、標準偏差、二項數列、及相關關係等觀念，被用來解釋人類的數據；取樣的技術，及適當的測驗、衡量的方法，被設計來收集客觀的資料。這種方法才可能將在一堆混亂中的重要數據提出，詳細加以審察。

高爾頓特殊的貢獻中，有部份是已經過時的遺傳觀念，或不健全的假說，故而被丟棄或重述。例如，他沒有把基因型和表現型分辨清楚。J. Lederberg 於是提議以「eu-phenics」這個字，來識別發生在基因與性狀間的可能變化。這就包括了將遺傳訊息自基因（DNA）傳遞到中間攜帶者（RNA）並包括蛋白質的合成過程。優生學（Eugenics）這個字用在指能夠改良遺傳物質的過程。環境的改良性狀則屬於 Euphenics 的範疇。

I. Q. 測驗所衡量的個性、技藝或智慧可以因環境而改進。教育就是以「人類可改良」為前提的。但是可以遺傳的是基因而非性狀。廿世紀早期，有遠見的少數科學家得到基本人類遺傳的想像力。例如，高洛德（Sir Archibald Garrod）研究遺傳性的 alcaptonuria 病及另三種遺傳性的新陳代謝缺陷。高洛德於1901年報導這些重要的工作。1908年在皇家醫學院（Royal College of Physicians），以 "Inborn Errors of Metabolism" 為題發表一序列的演講，他的工作直到多年以後才受到鑑賞和重視。

近代對於 euphenics 及 eugenics 的興趣，導引研究基因與性狀間新陳代謝過程。受到環境影響的問題，以及引起基因改變或突變的一些特殊環境因子，例如放射線、化學藥劑等。使用胰島素救活了數以千計的糖尿病患者，並使保持著健康。據估計，一般人群中約有百分之五的人有糖尿病的基因型（dd）。並非所有的這些人都現出症候。在藥物的影響下，只是疾病的症狀被控制了，基因仍然沒有改變。

一種偵查嬰兒苯酮尿（phenylketonuria）遺傳性疾病的方法已經發現。早期發現可以將許多小孩從嚴重的精神遲鈍拯救過來，治療的方法是控制飲食。和糖尿病比較，苯酮尿病是很稀少的，大約一萬個嬰孩中佔有一個的比例數。最近的一次研究，在約四十萬個受測驗的嬰孩中佔有一個的比例數。最近的一次研究，在約四十萬個受測驗的嬰孩中，却有三十九個患者。再次強調，飲食控制並不能夠改變基因，但至少控制了部份的症候。

高爾頓認為想要或不想要的表現型可以客觀的區分。他也假定性狀可以產生純系，而不生育多半是由於社會影響的結果，可以用開明的意見克服。不孕症更深一層的原因在那時並不很了解。儘管他極力主張有特別天賦的人應該多生育子女，高爾頓本身卻無嗣而終。

不幸的，在高爾頓之後，有一些過分熱心的人及團體，他們錯誤的人種改良計劃，建立在不適當的人類遺傳學基礎上，他們以為性犯及慣犯們的不良行為會遺傳給子孫，竟對此類罪犯施以不育計劃，這似乎沒有科學根據。優生學一辭不幸的被許多人看作與 "不生育" 的同義詞。高爾頓卓越的思想後來被一些直接而少價值的社會目標，甚或被一些感情用事的黨派運動所蹧蹋。德國的納粹於1933年頒佈優生法律以後，許多人被殺死或弄成不育，因為這些人不適合希特勒與其同僚所擬想的征服者種族的型態。在這運動中，偏見與利害取代了科學目的。遺傳特性和社會文化特性完全混淆。有好一段時間，德國的運動使得優生學變成鄙陋可恥。現代優生學家應用孟德爾定律並將之與遺傳的基本範疇相關聯後，優生學逐漸恢復其聲譽。

1930年代人類遺傳學正在一個穩固的基礎上發展時，優生學卻遭到它的黑暗時代。新的人類遺傳學由新一代的科學家們推進，他們受過基本遺傳學的教育，收集有關人類遺傳的各種基本的及客觀的資料，並將研究結果毫無私見的披露。潘羅絲（L.S. Penrose），後來為倫敦高爾頓實驗室的主持人，於1932年發表了一篇論文，題目為：On the interaction of heredity and environment in the study of human genetics (J. Genetics 25：407)。何秉（L. Hogben）在1933年出版了一書：「血統和教養 Nature and Nurture」。這些書刊為人類遺傳學的重要工作創立新的先例。從此以後，人類遺傳學家集中力量為健全充實人類遺傳學而努力。1948年，美國人類遺傳學會創立並出版會刊："The American Journal of Human Genetics"。Curt Stern 收集這方面的資料，於1949年出版一本教科書："Human Genetics"，是英文版的。其他已經出版的許多人類遺傳學的書，多半是他種語文，尤其以德文為最。

對人類遺傳學方面的興趣及活動，目前正達前所未

有的巔峯，日益增加的學會、年會及討論會所發行的期刊及報導，提出許多令人心服的證據。1956，第一次國際人類遺傳學會在哥本哈根舉行，1961年第二次學會則在羅馬舉行。

人類遺傳學的知識正快速而正確的增加。這些知識實用的部份應當傳送至人類社會中，至於未知的部份則加以適當的保留。科學家們已被譴責將他們的發現，如同棄嬰一般的丟棄在社會的門階，由一些不知所措的門外漢去撫育。人類遺傳學家應該協助他們詮釋及應用新發現的資料，以造福人群。

義大利，在遺傳學家、醫生及教師們的合作之下，一個健康計劃正在推展以控制庫利氏貧血症（Cooley's anemia）。這種疾病及其遺傳背景已被了解，即是人若帶有某一種不正常基因且呈同質狀態時，則產生一種不治之症：庫利氏貧血症（Cooley's anemia 或 thalassemia major）。這種基因若為異質狀態，引起的疾病程度較輕微，病名叫 thalassemia 或 microcythemia。

估計約有二百萬個microcythemia病例發生在義大利，其中以西西里島、PO Valley、及其他地區的頻率特別高，有的高達當地人口數的百分之二十七。輕微程度的病患者結婚後，他們的子女可能得到同質基因而患庫利氏貧血症死亡。每年有一千個以上的小孩喪命於庫利氏貧血症，輸血可以使患者的生命拖延一段時日，但是尚沒有藥物治療，唯一的辦法就是避免引起microcythemia的婚姻，義大利人在小學時都做了血液的檢驗。勸告帶有那種基因的人不要結婚，尤其不該和近親或帶有同樣基因的人聯姻，這種預防法的反應和影響曾被小心謹慎的研究。這種基因高速度的突變為不可能，同時microcythemia又不像鎌狀血球性貧血症的異質基因具有利的天擇機會（異質基因型的鎌狀血球貧血患者對瘧疾有免疫性）。基因的平衡沒有可以預見的傷害，主要的問題在於人，人類的感情因素和教育人群的問題。這種教育需要很大的機智和了解，才能對一般不開明的人群發生效力。

陸、二十世紀的生物學

要寫好正確的歷史，需要對歷史的發展作一前瞻。讓我們從有利的觀點注意一下什麼是現代生物學主要的發展。廿世紀生物學的特色是有高效能工具、團隊工作，以及普通的應用自然科學基本原則。發展的方向似是趨向解決這個生物界中最基本的問題。

不單是生物學，整個科學界都正顯示著空前的滋長，以及學科之綜合。從化學、物理學、及生物學的優秀研究中，許多新的組合產生，最初是生物化學、其次物理化學，隨後生物物理學亦被承認一種學科。此外有生物物理化學、生物核子學（Bionucleonics）、物理藥學、電生理學（electrophysiology）、衞生物理學（health physics）、太空生物學（space biology）及其他逐漸成為科學界中的新學科。

近代趨向專門化，在許多領域中專門化採用斷片研究及縮小觀點。從好的方面說，這種斷片研究提供科學問題成分更敏銳的觀察，使適合能綜合於較高基準。以前認為不相關連的學科，都已發現有共同的基礎。因此，一個想要有所成就的現代生物學家，對於自然科學要有更廣泛的理解。現代生物學不再是敍述的、分類的，而是計量的、概念性的科學。形態學及分類學繼續其原有之地位，但現行的活動包括較多生理定向的實驗。

現代工藝學的進步是各門科學合併活動的主因。例如電子顯微鏡、電子計算機、及一些精巧的分析設備之設計、製造、和運用，如無混合傳統學科的團隊工作，實際上不可能產生。這些研究工具亦轉而加速科學家們思想的交流。當科學家們面對著複雜的問題時，只想到聚集有效的力量以應挑戰，忘記歷史的分野。生物學家極力鑽研更多的數學、物理學及化學的知識。或者更重要的是把訓練有素的數學家、物理學家及化學家帶進生物學研究的王國。但有些由自然科學轉來的新人對於最基本的生物學毫無所知，而另一方面，知識的傳送又往往快得令人來不及吸收。舉一個例，近代對於遺傳學生化方面的重視，吸引許多化學家，研究基因構造及基因活動，但有些人好像是在做一種無生命的化學實驗一樣，無視於動態的生命系統。其實同一系統內其他基因間的交互作用及與環境因素之交互作用均應常加考慮。預測未來將可得到必要的互惠的知識，而聯合工作亦可增進共同的利益。

現代的傾向無可避免的也影響到單獨的科學家，他們以往艱辛竭力於生物學上探討的成果，被研究團隊吞噬，表面上這是眞實的；合作及綜合是廿世紀科學有效進步的必要條件，然而在這工藝時代裡，好的觀念仍然是一切科學觀察的基本要素。原始的觀念是來自那些富有創造力而又好奇的單獨的學者。

由於時間的流逝，更多的數據將被收集，有些解釋將被修正，但是下面所舉的一些例子，或有說明廿世紀中葉對於幾個重要問題的探討。

一、分子生物學

分子生物學爲化學（生物化學）、物理學（生物物理學）及生物學的綜合產物，這一種生物學未能在二十世紀以前發展因它依賴現代工具及自然科學背景。分子生物學研究構成生物系統最終的化學單位，因此分子生物學家特別致力研究基因的構造和機能。染色體上的蛋白質成分曾經一度被認爲是携帶遺傳信息的基礎物質，蛋白質供給生物體的骨架，在沒有具體證據前，蛋白質曾被認爲在遺傳上很重要，當下述幾個實驗結果經過分析後，這個觀念就不再存在。

抽取引起老鼠大葉肺炎的肺炎球菌（Pneumococcus）的核酸，高度純化後再種到另一種菌體內，受菌體（recipient）就會顯現出捐菌（donor）的某些特性，而且代代相傳不息，故而受菌的基因型也必然和表現型一起改變，這種現象叫做轉變（Transformation），由此也證實核酸是携帶遺傳信息的物質。

肺炎球菌的莢膜形成是最容易觀察到的一種移轉的（transferred）的特徵。在血液瓊脂中培養菌群，有些菌群細胞外圍具有多醣類莢膜而呈現平滑狀，它們並能產生專一性的抗原而具有毒性。另外一些菌群的細胞沒有莢膜，所以不呈平滑狀，也不具有毒性。具有莢膜的菌群有時由於自然發生的突變，喪失莢膜，變成不平滑狀且無毒性。

老鼠注射平滑莢膜的肺炎球菌就會感染肺炎，若注射無莢膜的肺炎球菌則不感染。如將活的無莢膜肺炎球菌與死的有莢膜菌體混合，發現仍有致病的能力。顯然的死亡菌體中某種物質是有致病能力。後來證實這是核酸進入活細菌體的遺傳系統，改變活菌體特性的結果。

分子生物學家改進實驗技術，繼續探究改變遺傳物質排列的轉變原則。在一個實驗中，用熱殺死外表平滑的Ⅱ型肺炎球菌細胞，和由外表平滑而經自然突變爲外表粗糙的Ⅱ型肺炎球菌混合，結果一部分球菌細胞的行爲就和Ⅲ型相似，轉變的方向係以因熱殺死的細胞物質爲誘導起點。

阿忽利（O. T. Avery）及其助手從一系列設計精巧的轉變物質化學分析及酶的研究，鑑定一種特別的核酸（DNA ：去氧核糧核酸），是遺傳信息的携帶者，這項鑑定後來由海塞（A. Hershey）和蔡斯（M. Chas）以放射性追蹤法作更進一步的確定。他們將噬菌體的核酸以放射性磷標記，又以放射性硫標記蛋白質外鞘，結果顯示出具有影響遺傳能力的是核酸而非蛋白質。

在金達（N. D. Zinder）和利達保（J. Lederberg）的實驗中發現噬菌體能夠把一個細菌的遺傳信息傳送到另一個細菌體，這種現象稱爲轉送（transduction）。實驗所用的噬菌體是寄生於傷寒菌。所有的病毒微粒如非全部則大部分由蛋白質和核酸組成。病毒微粒在細菌體中完成繁殖後，溶解或弄破細菌細胞，釋出大量新病毒微粒，新病毒微粒得以侵入或感染另一細菌細胞。利用放射性追蹤劑追查病毒微粒不同組成的侵犯路線，發現它的蛋白質部分並不進入寄主體中，只有核酸在細菌體內參予繁殖工作。並且每一個核酸單元在繁殖完畢後自行生出另一個新的蛋白質外鞘。顯然的只有核酸是具有遺傳機能。

植物病毒（例如 TMV，煙草鑲嵌病毒）含有另一種不同的核酸——核糖核酸（RNA），沒有DNA。某些病毒則似乎只含有DNA （例如大腸桿菌）。這兩種DNA 及 RNA 病毒微粒界於生物體與非生物之間，有些甚至可以結晶化，像無生命的化學藥品一樣的存放在實驗室中數月或數年之久，如果把這些微粒再行引入適當的寄主體中，例如TMA 引入菸草植物，病毒立刻「復活」。繁殖病毒微粒，並使寄主體產生特徵性的症狀。

1. 高等生物的DNA及RNA

高等動、植物的細胞中都同時含有 DNA 和 RNA，並且每一種核酸有其特定的機能。近代分子生物學們發現許多 DNA 的特性和機能，已被證實的有：(1)DNA可以在活體體中繁殖（故它不是完全獨立而需有一個蛋白質初生體或催化劑）。(2)具有密碼機制，能携帶大量的信息，(3)它能發生變化或突變；(4)它能會合 RNA 及蛋白質的合成，解釋另一活體携帶的信息。

高等生物的 DNA ，由親代的精子和卵子傳遞到結合子。細胞分裂的同時， DNA 也進行複製。每一個細胞中都有一套構成生物體結構與機能所需的完整信息。這種傳遞信息的機制是一種密碼機制。按照華生（Watson）和克里格（Crick）的 DAN 模型（圖），是兩條糖磷鏈，中間有腺嘌呤（A）、鳥糞嘌呤（G）、細胞嘧啶（C）及胸腺嘧啶（T） ，配對排列的雙螺旋體。腺嘌呤與胸腺嘧啶配對，鳥糞嘌呤與細胞嘧啶配對。由此可知腺嘌呤與胸腺嘧啶之量相等而鳥糞嘌呤與細胞嘧啶之量亦然。 RAN 是與合成作用相關（尤其是蛋白質合成），它是 DNA 所携信息的主要詮釋者。它含

有四種有機環基，除以尿嘧啶（ u ）代替胸腺嘧啶，其他三種均與 DNA 相同如腺嘌呤、鳥糞嘌呤及細胞嘧啶。從機能上分類，至少有四種 RNA：(1)鑄模 RAN，植物病毒的携帶信息者；(2)核糖體 RNA（ r - RNA ），是細胞質中的大分子核糖體之一部分；(3)信使 RNA（ m - RNA 或補足 RNA 作爲 DNA 及核糖體之間的媒介物；(4)移轉 RNA（ t - RNA ），移送胺基酸分子到核糖體，以完成蛋白質合成。

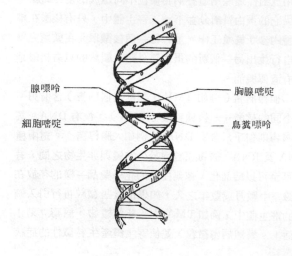

華生和克里格的ＤＮＡ模型圖

圖中標示：腺嘌呤　胸腺嘧啶　細胞嘧啶　鳥糞嘌呤

2. 遺傳密碼

尼倫保（ M. W. Nirenberg ），歐哥哈（ S. Ochoa ）及其他觀察家的實驗，提供一種機制的瞭解，經由這種機制 DNA 携常信息移轉給信使 RNA，參與蛋白質合成。配製一個僅含尿嘧啶合成的多核苷酸，讓它參與蛋白質合成而與生物體中所有的二十種胺基酸混合，結果只有苯丙氨酸被利用以製造多苯丙胺酸"蛋白質"。同時又確定在信使 RNA 上三個相連一組的尿嘧啶核苷酸是苯丙胺酸的密碼，依法繼續核苷酸其他組合的試驗，找出生物體蛋白質中二十種胺基酸各自有關的密碼。

核糖體是細胞中蛋白質合成的場所，核糖體通常由約一半的蛋白質及一半的 RNA 所組成，分佈在細胞質中或附著在雙層核膜的外層。

移轉 RNA 和一種致活性酶共同作用產生一種特別的 RNA ——胺基酸複合體，這種酶活動所需的能量由細胞的 ATP 供給。有關信使 RNA，移轉 RNA 及核糖體 RNA 的知識，大部分得自微生物、分子生物學上的研究，特別是大腸桿菌（ E. coli ）。强有力的證據

顯示，相同的一般模型亦適用於其他生物，包括哺乳類。

分子生物學家把生物的機制，縮小到只有化學、物理的過程。二十世紀中葉，雖然化學及物理學助長生物學的發展，然而，企圖只以分子生物學來說明整個生物體，困難因而發生。本世紀最重要的發現之一，遺傳密碼，就無法解釋生物中胚胎和演化的變化。假如所有的生命過程可以簡化到只有化學和物理現象，則生物學的存在豈不是多餘。生物活體，不能僅止於 DNA 束群，既然許多作用超乎分子觀點，其他領域的學科也有其在生物學上的重要性。今天的分子生物學家和許多其他相關科學的專家，均在著手解決一些久盼答案的問題，生物學家不能因爲某一部分特別顯要，而忽略整體的重要性。

二、胚胎學的分化

許多種動物的受精卵，大小和外形非常相似，但是所携帶的遺傳信息則極不相同。例如，一個蝴蝶卵與一個蚱猛卵的大小和形狀令人難以辨認，然而最後却孵出迥然相異的生命。老鼠、牛、大象或人的受精卵都很小，在顯微鏡下才看得見，而其中必然含有發展成該種生物特性的一切藍圖，那藍圖也許是大量而高度特化的。

卵子受精後，經過一系列的細胞分裂，卒至成爲成體之身體。在胚胎早期所有細胞看來相似，隨著分割不斷的進行，某一群細胞發展成特殊的性質，最後成爲神經系統，另外的有些變成表皮細胞，有些形成結締組織細胞等等。這種細胞分化成特定的機能及位置的過程，爲今日生物學主要研究努力的一個焦點。許多生物學家和科學家工作團隊想要尋得解答的問題是：來自同源而又携帶相同基因的細胞，如何分化成爲不同的構造和機能，並在發育中用生物體佔有適當的位置？

答案似乎牽涉到在適當時間某些基因發生作用而另一些基因不發生作用。數種可能的機制正被探討研究：(1)這種過程可以用回輸機制（feedback mechanism）說明，所謂回輸機制係對細胞媒體中某一終產物產量的管制。回輸機制好像加熱控制中心的定溫計一樣，當溫度昇高到某一程度時，爐內電流即自行關閉。例如，假使對細菌（ E. coli ）所必需且能自製的物質，給予過量的供應，細菌就停止自製，並消耗外來所供應的物質。另一例是牽涉到細胞內組蛋白的改變，這類蛋白質的變化顯示可以調節 RNA 的合成。腫瘤細胞是生物體內分裂最快的細胞，其生長抑制組蛋白（growth-inhibiting

histone ）的含量特別低。旁那（James Bonner）曾
認爲組蛋白可能具有多種不同的化學構造，每一種特殊
構造可以抑制某一種 RNA 。因此不同型的組蛋白能夠
選擇地開啓或關閉 DNA 的不同單位。

　　(2)由數個共同工作的基因組成一個單位，包括開關
機制，以控制酶生產過程。這種機制是由雅各（Jacob）
及摩諾（Monod）研究細菌提出稱爲動作子（operon）
的模型，需要一種抑制物質控制酶作用。酶抑制的預測
會比回輸作用慢些。在這模型中，一種抑制物質控制著
操作構造基因活動的開關器的酶，一當開關器開啓時，
一系列構造基因進入行動。當體外供應最終產物充分時
，開關器關閉，構造基因停止生產。

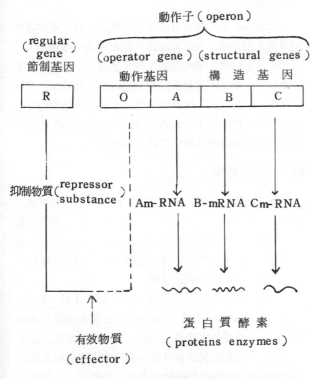

動作子的模型圖

　　(3)由激素控制分化。在雙翅類幼蟲的發育過程中，
追查多絲染色體（polyfenic chtomosomes），由染色
體上膨脹（puff）可能看出不同發育階段染色體某些部
位特別活躍製造 RNA 。染色體膨脹的次序最低限度部
分受幼蟲的一種激素管制。這個可以從幼蟲發育的不同
階段中有不同的基因被致活的事實得到證明。染色體膨
脹是由蛋白質組成，可能是 RNA 聚合酶和 RNA 。這
表示蛋白質合成和核酸合成是相關一致的過程。某一特
別系列染色體膨脹代表和它相關基因的活動，而某些基

因部位的活動又與其特別相關之細胞機能之間互有關係。克
利佛（Ulrich Clever, 1963） 將蛻皮激素注入雙翅類
幼蟲，某些特定基因位置的活度就增加，因此激素對分
化的某些方面是很重要，但不能說明整體的過程。

　　組織培養的技術曾被視爲是解決分化難題的利器。
凱尼格斯保（I. R. Königsberg） 曾經從動物的一個
未分化成熟的細胞培養成許多細胞，並且進行培養單個
的胚胎細胞和它衍生的細胞群。胚胎細胞由胚胎肌肉區
分離而置於培養皿中，保持適宜細胞生長及分化的環境
。前四天，這個單細胞增殖得很快，約有50～60個子
細胞。到了第五天及第六天，發現有肌纖維特徵的多核
細胞，同時單一獨立的細胞開始融合成爲成群的肌肉細
胞；每一群含有許多核，能自然的收縮，並且現出骨骼
肌肉特徵的條紋。

　　細胞分化的機制是一個老問題，多年來許多努力於
探究那些來自同一個接合子（zygote） 的細胞，如何
在成長個體中各自發育成爲不同的構造和機能？顯然包
括數種過程，其中有回輸機制，有由動作基因和調節基
因管制構造基因，及染色體上連續活動位置之激素管制
，這些過程大部分超越分子基準，需要生物體中奧妙的
交互作用。

三、學習與記憶過程的機械學

　　另一個廿世紀的綜合研究，爲聯合解剖學、生理學
及心理學，以求瞭解動物接近環境的思想與機制，實驗
多以老鼠或其他實驗室用的動物爲對象，既然高等動物
都共同以視覺、嗅覺、味覺、觸覺及聽覺等五覺與環境
接觸，人類也應可以據之以推測。

　　神經衝動的傳送，早已知道包括電流和化學的作用
。十八世紀，義大利伽凡尼（Luigi Galvani）示範通
電刺激動物的某一條神經，與神經有關的一條肌肉就隨
而收縮。伽凡尼製造的敏感的電流計，指示出作用神經
時常帶有微量的電流，稱爲動作電流（Action current
）。這項觀察已被納入現代的神經衝動傳送理論。

　　赫爾姆霍茲（Herman Helmholtz），十九世紀的
德國生理學家，進一步研究神經活動的電流，發現電流
在蛙腿內的傳導速度僅爲每秒鐘三十公尺，比銅線上的
電流速度要慢得多。他認爲化學作用亦參與神經衝動的
傳導，因此現代理論便以化學作用及電流解釋神經傳導
。衝動從外感覺器官沿著神經纖維傳至大腦，結果有些
反應再沿運動神經傳到手、腳或其他能產生肌肉運動的
器官。另一些衝動則在大腦裡發生不同的反應。

當電被用以刺激神經活動，電將無差別性地燃燒任一神經。另一方面化學藥劑則不然，化學藥劑將選擇性地刺激僅有管制某種行為的細胞系統。例如費雪（Alan E. Fisher）注射睾丸素酮於老鼠大腦某一個部位，結果不論雌雄都產生母性行為。同樣的激素如注射於稍微不同的部位，則皆產生雄性行為。注射新腎上腺素於老鼠下視丘上方的部位，可以引起已經餵飽的老鼠再行進食。若在同一部位注射乙醯膽鹼，則可引起老鼠喝水的行為。

記憶過程

最近數年的研究顯示，選擇型的信息在複雜的神經細胞網轉變為某種程度的永久記錄。人腦是一部比顯微照相機更精巧的自然記錄機器，這些信息可以再經一種組織的次序的「回憶」過程想出。記憶機械學曾經有過許多實驗，然而大部分尚待努力。大腦灰白質的外層有薄的皮質，是主要的記憶區。這層含有無數分枝神經織維根狀系統。人類腦皮質層含有億萬個神經細胞。

關於記憶機械學的解釋有許多種說法。有一個理論認為記憶係由某種特殊神經衝動不斷的重複，使得神經細胞產生構造上改變的結果。按照此種理論，新的記憶就在灰白質中建立新的「細胞——細胞」路線。這種變化可能發生在衝動所經路途上的每一個神經鍵。如果同一路線上的衝動次數重複愈多，通路就愈容易形成。

大腦的外科醫生們在病人接受麻醉的情況下，有機會用電極仔細的探究大腦皮質。病人不感覺疼痛，但能夠說出灰白質的不同區域接受刺激後的感覺。潘費德（Wilder Penfield）以及其他的研究者就研究結果繪成皮質機能中心圖。某些特定的區域的刺激，一致地使人想起相同的記憶事件和次序，如同原來發生時一樣。記憶的喪失或次序的顛倒，多半是由於神經路線受到機械的傷害。

另一種記憶理論係以神經細胞蛋白質的化學變化為論據。實驗顯示，神經細胞活動的增加，其 RNA 含量亦隨而增多。RNA 與蛋白質合成有關，假如能找出 RNA 與衝動的重複通過之間的關聯，則神經蛋白質作用如同記憶踪跡（Memory traces）。在實驗用的動物中，施用某種化學藥劑可以喪失記憶，毀壞 RNA 的 RNAse 就是其中的一例。

擔任遺傳信息移轉與詮譯和記憶作用的化學物質同為 RNA，也許只是一種巧合。然而，這種相同暗示，經由學習或經驗所獲信息的記錄，及經由遺傳機制的信息移轉與詮譯之間，有一種可能的化學關係存在。如果 RNA 同樣地在記憶機制內，那麼它也可像譯讀密碼一樣的譯讀記憶過程的密碼。

發現 RNA 與精神過程之機械學有關或許為一種巧合，但必須慎重以免錯誤。在認定此兩種機制相似之前，許多問題須先解決，例如，遺傳信息在體內是恒定不變的，然而記憶信息却是學習的產物。

生物體的蛋白質分子繼續地被用壞，大約每一個月要由新蛋白質分子來置換。因為記憶的保存遠超過三十天，那麼必須有一種化學過程，把記憶信息從一個蛋白質分子傳送到次一個蛋白質分子，要保存六十年的記憶就得經過七百二十次的轉遞，難免有差錯的發生，這正能夠解釋記憶的混淆或錯誤。

記憶踪跡的新組合可能產生新觀點，使人有創造性的思想。幻想或許是記憶踪跡片斷組合的一種機能。RNA 及蛋白質化學的品質反映思想方式的變度，頭腦能想起並正確地重複過去的經驗的踪跡。種種引人發生興趣的事情向一些二十世紀生物學家挑戰。他們的特色從腦外科到精神病學。他們聯合以尋求基本的生命過程的信息，及神經細胞携帶信息的機械學。

四、內分泌學

除了動物的大腦，動物其他機能的化學性亦曾被廣泛的研究，這是二十世紀的另一產物——內分泌學。假使沒有現代的工藝學，及有關學科的進步，內分泌學無法發展。科學家感興趣的是體內的激素，激素的化學和生理性質及內分泌腺的形態特徵。

直到貝利斯（W. M. Baylisis）和史太林（E. H. Starling，1902〜05）的實驗證明胰液素的存在和作用方式，內分泌學才算真正開始。當酸性食糜進入腸中，小腸上半部的黏膜就會分泌一種激素。這種激素經由血液傳送而刺激胰汁及膽汁的分泌。事實上，「激素」這個字源自希臘字「激起」的意思。史太林首先在 1905年使用激素一辭以論胰液素。貝利斯與史太林是首先明白地證明身體機能上的化學作用不需神經系統的參與。後來知道是由特別腺體產生化學物質（即激素），並分泌於血液中。激素對有相當距離的器官和組織發揮調節效能，激素有促進也有抑制作用。

第一個被結晶成功的是由腎上腺產生的腎上腺素，由塔克麥（J. Takamine）與阿德利奇（T. B. Aldrich）於 1901 年完成。1919 年甘達爾（E. C. Kendall）從猪的甲狀腺提分出純粹的甲狀腺素。但到 1926 年，哈

靈頓（C. R. Harington）報告甲狀腺素與酪酸氨有關，故是一種蛋白質性物質。胰島素是很難從胰腺提分出來，因爲在提分過程中，胰臟的葡萄狀分泌的蛋白水解酶，會摧毀胰島素的作用。班亭（F. G. Banting）和貝斯特（C. H. Best，1920）終於從狗的胰臟提分出胰島素，他們應用的技術是將胰管結紮，損毀葡萄腺。1926，阿貝爾（J. J. Abel）將胰島素製成結晶，並能示範它的蛋白質性。

阿斯開（S. Ascheim）和鍾德克（B. Zondek，1927）在姙娠動物的尿中，發現雌素酮和胎盤製性腺激素。雌素酮刺激動情期，胎盤製性腺激素則促使卵巢濾泡顯著的發展。1935年多依息（E. A. Doisy）直接從卵巢組織提分出數種動情期所生激素，統稱之動情激素。大衞（K. David）及其同僚也在1935年從睪丸組織提分出睪丸素酮的結晶，後來證明那是雄素酮，爲睪丸素酮分解的產物，在尿中也可以找到。

1936至1942年間，歐洲及美洲的研究，自屠宰場的動物腎上腺的皮質，分離出近三十種不同的類固醇，其中六種是生物學上有效的。所有內分泌腺中，腦下垂體是最複雜而難以研究的，要想將它移出而不傷害腦子眞是十分困難。所以多年來，學者們只能提出它是「主腺」的假說。垂體切除術終於由數位科學家完成，現在這種手術已經很普通，腦下垂激素都是蛋白質性，因此對其了解也較慢。已得到的腦垂體前葉激素有七種：促長激素（STH）、促腎上腺皮質激素（ACTH）、促甲狀腺素（TSH）、催乳激素、促卵胞成熟素（FSH）、黃體生成激素（LH），及黑素細胞刺激激素。後葉的激素只有兩種，催生素及加血壓素。

自1940年起，內分泌學開始其生化方面空前的發展。臨床的興趣爲其推動力，但在發展過程中，則仰賴新的工具與方法。例如位相差顯微鏡、電子顯微鏡、放射性同位素追踪劑，顯微分析法、色層分析法等等，對於生化過程的了解有不可否認的貢獻。放射性同位素是內分泌學家特別的利器，充滿 C^{14} 的膽固醇或者放射性醋酸鹽曾使科學家們得以追踪許多膽固醇激素的合成。放射性碘的使用，使得甲狀腺的新陳代謝大爲了解。

另一項是最近應用的技術，在研究上提供極有價值的資料，那就是在激素的末端基團（end-group）上附以氟二硝基苯標籤，所謂標籤係連結在蛋白質鏈之末端胺基上。運用此技巧，再加上水解，色層分析分離法，僧加（F. Sanger）找出了胰島素的全部化學構造。用同樣的方法，威格奴（V. dn Vigneuad）和其同僚於1953年確定催生素與加血壓素的構造。在1957年，波羅馬（W. W. Bromer）確定抗胰島素（glucagon）的胺基酸排列的次序，是產自小島組織 α 細胞控制血糖的一種激素。

內分泌學可能仍爲今後多年的研究主題。在許多方面，它仍只是幼年期，預期在未來定會帶來許多使人振奮的發現。

五、生物學：過去、現在及未來

生物學是研究生物的科學，源於人類對於自身及他種生物的好奇心。十七世紀以前的有關生物學上的成就的歷史資料只是片斷的，所以我們前面按年代記載的討論，多多少少必須引用散見各地的資料，尋找關聯的線索將之連繫。唯有記錄性的資料可提供吾人啓蒙之用，同時，只有那些留下工作記錄或者幸運的有一份傳記的學者，始能垂名於歷史。

自十七世紀末期，以至十八世紀及十九世紀，工具、方法及有系統的程式被設計發明以研究自然歷史。應用這些方法，生物學終於在十九世紀的後半及二十世紀的開始，達到空前的成就高峯。許多的植物、動物被加以命名、分類並用來做複雜的研究。微生物隨著發酵、腐敗和疾病而被發現。生物的機構與機能被仔細的探查。人們發現細胞分裂、配子形成及受精、研究動物、植物個體的發展過程。族群動力學之廣潤關係的研究及演化觀念之發展。孟德爾遺傳學之發現，再發現及擴大。行爲科學開始引起生物學家的興趣。這些支派將使概括的論述不復存在，是生物學史上一個極峯時期！

在二十世紀的前十年裡，生物學家證明並擴展前一世紀人所擬想的原則，發現許多證據和細節以支持已有的原則，但是到目前爲止，還沒有偉大的統一的原則可以和前世紀相比，這是對今後生物學家的眞正的挑戰。控制發育中的生物體的各部位一齊得到機能上的調和的定時機制終將發現。基因的化學性已經了解，但是個體的基因與特徵間相互作用的複雜系統仍然是謎。最後我們一定要了解整個生物體，整體比各部份的總和具有更大的意義，因爲其中包括深奧複雜的交互作用。族群如何與其環境相關聯，及不定時發生的變化的機制，都需要進一步的研究。地球上的生物還有許多尚待探討，但是太空方面的勘探，生物學家又面臨一項新的挑戰。

太空生物學，無疑的將在最近的未來更形重要，也許很快的就會有一個目前已知生物從未涉足的新環境。在無重量且充滿放射性環境下做生物的觀察將引發生物

系統新的研究。對月亮及金星上的生命的探索已經開始，現在正計劃著將太空船送到火星的近處。太空探討所得到的資料，可能會爲生物學拓展新眼界。過去的生物學歷史是有趣而富有教育性的，現代的發展是令人興奮的，對於未來的臆測則是奇妙怪異的。

　　*全史上篇節譯自Eldon J. Gardner：History of Biology .

地球科學史

壹、地球科學史之立場論

一、地球科學史與自然科學史

　　吾人知地球科學之內容，實係極廣泛之學問滙聚而成者。蓋以地球乃人類營生之所，一生一世不可須臾或離者也。

　　無論任何學問皆以剖析地球上之現象爲前題。換言之，吾人對地球上某一現象尋求瞭解時，必須藉助物理、化學及生物學等自然科學結合後所產生之線索，且地球以外凡宇宙方面之天文學亦莫不與地球科學間有密切關係。例如吾人研究行星時，對目前所居住之地球必須在事先充分瞭解始克奏效。初習天文學者雖應對天體之運行，倍加研究，但實際上僅不過係地球之如何旋轉已耳。

　　當吾人研究銀河系或銀河系以外之星雲時，在立場上除對地球高度理解外，別無他途可尋。故地球科學史者，亦卽自然科學之發展過程也。

二、科學、社會與人類之連鎖關係

　　任何學問之歷史，多不能獨立發展，蓋以其係人類歷史之一環也。由于人類常因生活上之需要而乞靈於新技術，於是新學問乃應運而生焉。不久某些學者更將其應用於地球之解說方面，而成爲地球科學之發展史。

　　例如產業動力上所需要之蒸汽機，雖屬於熱力學之領域。但推而廣之，則可引發吾人對地球內部熱及地球成因之進一步瞭解。又應用電動機或發電機之理論，可對地磁之解釋獲致更大效果。此種類似之例證誠可謂罄竹難述。

　　換言之，某些學者因對地球研究之狂熱，而感覺有創製新儀器之必要；又由於新技術之進步，乃對社會繁榮方面產生莫大之貢獻。除此之外，因地球科學之發現，更直接對社會提供有用之資源焉。

　　凡偉大科學家必非在世界臨風獨立，其促進科學躍進之人士，常自先進國家中脫穎而出。試觀歐洲之中古黑暗時期，雖亦有少數偉人之誕生，但僅憑其個人才華之發揚，殊難滙積成渠也。

　　一般言之，多係由科學產生技術，技術促進社會繁榮。而社會之發展，又可宏揚科學。於是科學與社會遂以人類爲中間之媒介，互相結合而呈螺旋式之進展，至其速度則更與時俱進。

　　在地球之上自人類出現後，其最初之十萬年間，概無任何科學之思考。所謂文化開始時代乃係指最近一萬年左右而言者。若與史前時代相較，則顯有驚人之進步。至中古之黑暗時期，又復陷於低潮。在最近一千年間，吾人所獲得之科學知識，較諸以前之全部有史時代，尚超出甚多。

　　迫至最近一百年間，其知識之滙積更較以往之九百年間者爲多。又進入太空時代之最後十年間，吾人知識之發揚，足可與以前之九十年相頡頏。科學之發展雖係日進千里，但其最基本知識以及科學思想，仍多導源於數千年前先賢之卓見。

貳、原始人生活與地球之關係

一、原始人之生活要項

⑴飲食方面

　　原始人類大多茹毛飲血，其對象首爲植物，隨手摘取用以充飢。於是對影響植物之地形，乃加以注意。緣山與谷均屬地表形態之一環，是以對地形上之分類，遂不得不細心推敲矣。

嗣後不久，便從事於播種及收穫之農業生活，更進而判別供植物生長之土壤，於是乃開始邁向地質領域之中。同時捕食動物者，亦多方探討動物棲息之所，更不得不對地形及地質注意思考焉。

至捕獵所用之石製武器，其適當岩石產地亦逐漸為人所注意，此即所謂地質方面之知識探求也。其後更進而發明金屬之製煉，此種將礦物加熱以從事精煉金屬之術，即後日礦物學與冶金學之起源也。

(2)居處方面

上古人民多巢居穴處，其以草木為巢者，即注意構築用植物之分布狀況及切割用之岩石產地。而以岩洞為穴者，則將岩石切割成一定形狀，以便從事掘挖。於是人類乃對岩石之種類及硬度等加以推敲，此皆岩石學，礦物學或地質等方面之知識也。

不久之後，聰敏人士試以泥土製坯，發現其所選用之原料，多形成一定之層位，因而產生地層之觀念。若再進一步探索時，則不難達到堆積岩之境地矣。

除此之外，在嚴冬季節室內取暖所用之燃料，亦為不可缺少者，為探求燃煤與石油之賦存狀態，其對地層之關切乃益為加深。

(3)衣著方面

衣著之製做原料多為草木之纖維與動物之皮毛，其對地球之關連，恰與飲食相同。

二、原始之地圖

原始人類或因進山追逐動物，或因黃昏摸索回家，或因鄰近部落交易，皆須仰賴地圖指示途路。在亞洲西南部底格里斯河（Tigris）與幼發拉底斯河（Euphrates）間之米索布達米亞（Mesopotamia）平原上，曾建立世界上四大文明古國之一，由紀元前一千七百年之巴比倫（Babylonia）人之遺物中，發現刻有地圖之磚瓦，除山川及部落外，更有東、南、西、北之方位指標，實為吾人所發現地圖中之最古者。

上古人類為尋覓生活上所需要之資源，而向周圍之山嶺探求隱秘，是為求滿足生活所進行之探險。在探險工作中，最引人入勝者，首推美麗珍貴之礦物以及製作工具原料之岩石等。

圖1　刻於磚瓦上之巴比倫地圖

圖2　上圖之解讀

參、古代人之天地觀

一、宇宙觀之起源

在二十世紀之今日，尚有少數文明落後之民族，對其所居住之地球成因及組成等漠不關心者。如埃斯基摩人（Eskimos）、澳洲土人以及非洲之布休曼族（Bushman）等皆是。

在另一方面，亦有文明民族於五千年前已對地球產生清晰之概念。如非洲之埃及、亞洲西南部之米索布達米亞、印度西北部及中國北部等四處民族，均為世界上最古老之文明民族。當時之尼羅河（Nile）、底格里斯河與幼發拉底斯河、印度河（Indus）以及黃河等流域之農業發達極早，生活悠閒，於是由部落之發展成為社會，更團結而形成國家組織，各種不同形式之文明遂因之形成矣。

上述各地區人民之生活現象與文明背景既不相同，故其對地球組成及形成過程之推敲亦自各異也。

圖 3　埃斯基摩人

二、印度人之天地觀

在二千五百年前之印度古詩中，曾論及萬物之起源。謂"原始宇宙由無定形之水瀰漫之"，即均一物質隨處瀰漫，呈均等之勢。乃希臘文渾沌（Chaos）之意也。其後德國哲學家康特（Kant 1724─1804）謂宇宙之形成爲"原始宇宙殆呈渾沌之均等分布"。其在二千五百年前之印度人所想像者，實爲具有近代科學思想之宇宙起源論中之一也。

圖 4　古代文明發源地區圖

印人謂渾沌初開，劃分天地，其所形成之宇宙則呈下述之狀況，"當時之地球一部呈切割形狀，由四匹巨象馱撐之。象皆佇立於巨龜之背上，龜則乘於盤捲大蟒之上。在全世界之中央高山聳峙，日月繞之運行，當日投入山陰時，則呈現黑暗云……"。

圖 5　古印度人心目中之宇宙

至所有人類均居住於宇宙之中心部位，鮮有其他例外者。

三、加爾底亞人之天地觀

距今四千至五千年前，繁衍於南巴比倫之加爾底亞人（Chaldeans）對宇宙之觀念，可以圖 6 表示之。

圖之中央部位爲大陸，四周則由海洋圍繞之。在海之外側爲陡似牆壁之山，此即所謂"世界之山"(Ararat

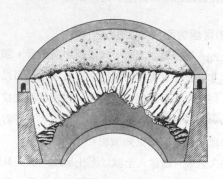

圖 6　加爾底亞人心目中之宇宙

Mt.）者是也。在世界之山上有拱狀之圓天井，亦即所謂之天，其內側星體羅列。在世界之上中由一巨管連通，朝則日出於東，午則昇於天井之空，而夕則暮於西，至夜遂潛入管中，再於翌晨始於東口復現。

四、古埃及人之天地觀

在上古時代埃及人對於天地之想法，亦具有類似之觀念。彼等認爲世界周圍，皆由高山聳峙，中間爲人類居住，而日月星辰則懸於天井。

圖 7　古埃及人心目中之宇宙

其後所描繪之圖形，雖因時因地而各不相同，但圓盤形之大地究爲何物所支撐？及至希臘時代尚不能解答。迨進入世界交通發達時代後，至體驗地球確係圓形之

階段，實已歷經若干困難矣。

肆、古希臘之自然科學

一、地圓說

在紀元前五百年左右，加爾底亞人自亞歷山大（Alexamdria）學者獲知地球係呈圓形，並進而計算其圓周之長爲 43800 公里。此與今日之數字相較，僅有 10% 之誤差而已。故其計算方法之精密，極爲驚人。但正式主張地爲球形之說者，實自希臘之畢達哥拉斯（Pythagoras）學派始。

彼等佇立海岸，先見船桅，後見船身；其去也，船身先沒，船桅後沒。於是根據此種事實，乃證明地球確係圓形。除此之外，彼等尚認爲地球時刻不斷動盪，此即 "地動說" 之濫觴。又畢達哥拉斯謂 "宇宙爲一向四面八方擴展之球體，其中央爲「中心之火」，地球、日、月及星辰則以火爲中心而運行不息。太陽經常反射中心之火，恰似映像之鏡然。至人類居住之所，則爲不見中心之火之位置也。

根據彼等之理論，地球每日沿軌道運行一周，月球每月運行一周，而太陽則每年運行一周。若當時畢達哥拉斯將中心之火改爲太陽，而再能慮及地球之自轉時，或可進入太陽系之正確觀念領域內。設無地動說穿挿其間，則非陷於極端之矛盾不可也。

二、古希臘之自然論

希臘文化於紀元前三千年發源於愛琴海（Aegean Sea）之克利特島（Crete），而於紀元前四百至六百年間在巴爾幹半島（Balkan）開花結實者。

圖 8　畢達哥拉斯

希臘哲學最初以解釋自然爲首要，當時以塔列斯（Thales）、畢達哥拉斯、底摩克立特斯（Demokritos）及赫拉克列特（Herakleitos）等自然哲學家爲中心而形成突出之學派。其中心人物並曾訪問文明古國埃及，以收文化交流之效。

塔列斯更於紀元前六百年左右提倡 "水爲萬物之源" 說，此種思想或係受埃及之影響。同時彼又創立凡物體均由土、空氣、火及水等四種元素形成之說，因而在不久之後，乃促發底摩克立特斯之原子觀念。彼認爲原子乃不斷運動，且係永遠不滅者，於是由原子之結合而形成萬物。凡此種種均爲不變之自然規律支配下之現象。

希臘哲學家既懷疑地球何以爲平坦之海所包圍而呈圓盤形，於是往日之觀念乃死灰復燃。當時之哲學思想正由自然科學邁向人類或社會方面之哲學領域，而以泛神論派之主張最爲有力。

三、蘇格拉底學派之自然論

反對泛神論者以蘇格拉底（Socrates B.C. 470-B.C. 399）最負盛名，即所謂形而上學之發軔也。至其弟子柏拉圖（Plato B.C. 427-B.C. 347）及再傳弟子亞里斯多德（Aristotle B.C. 384-B.C. 322）之成就，更屬輝煌。蘇格拉底曾聲稱 "所謂天文學者，終不能完全理解，其從事探究者，誠愚不可及也"。

柏拉圖謂德謨克利圖之著述，均不值一瞥，至亞里斯多德雖贊同地球爲圓形之議，但對動盪之說則極力反對焉。

考蘇格拉底學派之思想，顯然帶有宗教色彩，彼等謂 "天乃具有神性者，故呈球形。行星因不具運動器官，故不能自行運轉"。同時柏拉圖亦謂 "地球爲宇宙中最古之天體"。

上述各家之立論，直至中古時期咸爲人敬爲神話，因此在中古時期之自然界思想上，乃種下極爲嚴重之禍根矣。

四、天動說與地動說

擁有希臘文明與埃及文明之亞歷山大學者，當時均保持自然科學之傳統。埃拉托色尼（Eratosthenes B.C. 275-B.C. 194）曾在亞歷山大與埃及之西奈半島（Simai）測定太陽之高度，並由商隊之旅行日數以推算二處之距離。以目前之單位言之，當時所推定之地球圓周爲四萬六千公里，與今日之數值相較，其誤差僅爲 15% 而已。

亞利斯塔克斯（Aristarchos B.C. 270- ？）認爲宇宙之中心爲太陽，而地球與其他行星均繞其運行不息，同時並倡導地動說，至地球之自轉當亦包括在內

圖 9　托勒密

。然拘泥於宗教性之希臘哲學家則仍認其有冒犯神明之嫌，而予以譴責之。

　　及至公元二世紀左右，希臘天文學家托勒密（Claudius Ptolemy）始完成地球中心論，其內容恰如圖10所示者。此種思想傳至羅馬時代，一度爲基督教所採

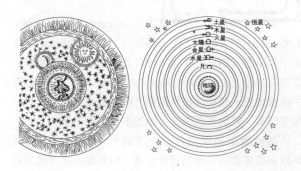

圖 10　托勒密之宇宙系

信。在其後約一千年之悠久時期，均以正確之姿態流行於人間，至其他自由思想則悉遭禁止，以致科學研究完全陷於停頓狀態，而呈長久之黑暗時代。

伍、自然科學之興衰

一、科學之黑暗時代

(1)羅馬帝國與科學之停頓

　　亞歷山大學派之埃拉托色尼雖曾對地球之大小做正確之測定，但在紀元前二百二十年科學又面臨重大危機。即當時意大利半島上之城邦國家，均爲羅馬帝國所吞併。故於紀元前二世紀之後半期，地中海殆已成爲特級大國之內海矣。

　　今日在羅馬帝國之遺跡中，尚可臆測當時羅馬人確具有組織力，且擅長土木工程，而完成甚多宏偉之建築。同時羅馬人不論在政治上或日常生活上，均極重實用，但對自然科學則無何濃厚之興趣。

　　羅馬人之觀念爲“凡事均須靠力”，除對當前有直接影響者外，均不屑一顧。故其在科學上之發展，遂遭受現實主義之阻撓矣。

　　在地球之研討方面，羅馬人之貢獻除對火山重視外，一無所有。斯特拉博（Strabo B. C. 63-A.D. 20？）認爲遠離大陸之島嶼，乃火山由地下上昇而成者。色尼加（Seneca B. C. 4-A.D. 65）並認火山爲地球內部熔融物質與地表面互相連結之現象。蓋以維蘇威（Vesuvius）與埃特那（Etna）等火山之噴火，乃意大利火國內司空見慣之事。其有名之科學家普利尼（Pluny the Elder 23－79 A.D.）即係觀察維蘇威火山噴火時，不幸喪身其中者。

圖 11　維蘇威火山噴火造成之廢墟

　　當時彼等所研討之主題，僅爲事實之蒐集。若以建立體系之角度觀之，其在天文學及建設方面，尚未見力學之曙光焉。

(2)基督教與科學

　　自羅馬皇帝奧古斯特（Augustus）繼位之後，國勢日隆。耶穌基督（Jesus Christ）誕生於猶太地區，而創立基督教。當時在羅馬首都多奴隸及貧民，其生活情形至爲悲慘。故基督教之對彼等恰如大旱之逢雲霓，極易深入民心。

　　創教之初，基督教徒曾受統治者之強烈壓制與迫害，不久之後，更視基督教徒爲仇讎，以致羅馬帝國難於統一。直至君士坦丁大帝（Constantine the Great 272－337）繼位之後，始擬利用基督教徒爲統一國家之工具，故於紀元三百十三年下令承認基督教，於是基督教乃成爲國家公認之宗教。但在另一方面，由自私黨所主持之革新派基督教，則逐漸成爲統治者之御用宗教矣。

　　在中古時期，日耳曼諸侯在精神上須由羅馬教皇取

得基督教之權威，而用以統治人民，於是基督教乃成為中古封建社會之精神主宰。因此對反抗基督教權威之思想，乃視為異端而橫加壓迫，在此種氣氛中，自然科學遂完全不能得到絲毫之培育也。

二、文藝復興時代之科學

十字軍與商人

中古時期歐洲既以基督教為精神堡壘而形成封建社會，在近東地區則為回教旗幟下撒拉遜（Saracen）帝國所拓展之領域。紀元七百五十年撒拉遜帝國更佔領北非，其氣勢之盛足可與西班牙相頡頏。

歐洲諸侯高唱由回教徒手內奪回聖地耶路撒冷（Jerusalem），乃群起共同對抗撒拉遜帝國，因而應羅馬教皇之召，自一〇九六年至一二七〇年間共發動七次十字軍遠征。當時各封建諸侯為鞏固其地位，故對十字軍之派遣積極支持，但此項任務必須藉助商人之力，始能達成。

其中最顯著者如威尼斯（Venice）、日那亞（Jenova）及非倫玆耶（Firenge）等意大利都市，均藉十字軍而獲得莫大利益。同時在歐洲失傳之希臘文化，均淪落於撒拉遜帝國之阿拉伯人手中，當時因十字軍東征，商業圈擴大，於是阿拉伯文化乃不斷流入上列都市中。

工商業既盛，商人自隨之抬頭而獲新貴之青睞。彼等最初雖從事藝術，但不久則轉趨於科學。於是長久之黑暗時代乃宣告終止，而新古典學派（Humanism）之時代遂應運復活。史家特稱之為文藝復興（Renaissance），即包括科學在內之人類求知活動，再度興盛之時代也。

(A) 達文西

具有文藝復興之性格者，以李奧那多達文西（Leonardo da Vinci 1452－1519）最負盛名，乃當時最傑出之畫家、雕刻家、建築家、詩人及自然科學家也。彼在力學、工程、生理學及解剖學等方面，均能充分發揮其才智，而在地球方面亦不絲毫放鬆。

圖 12　達文西

達文西為對化石成因做正確解釋之歐洲第一人，蓋貝化石雖可在遠離海岸地區尋獲，但其成因始終為不解之謎。在教會所發行之聖經中，與洪水說聯成一氣，星象學家則稱海盤車（asterias）之化石係從空降落者。當時達文西認為其說至屬荒謬，而做正確之解釋於下：
“化石之產地在遠古為海洋，係由河川之水注入者，貝類原生於河流之淤泥中，其後海底上昇而成陸地，泥土成為岩石，貝殼亦隨之成為化石矣”。

(B) 文藝復興時期之三大發明

文藝復興時代之發明對後世影響最大者，首為德國人所發明之黑色火藥。其後用之於大砲與鐵砲，對長距離攻擊之騎士及城池之保衞成為嚴重之剋制。影響所及乃促成封建制度之崩潰，因而進入龐大模規之組織體系，即所謂“國”之單位時代矣。*

其次為活字版印刷術，乃1440年德國古坦堡（Johannes Gutenberg 1400－1467）發明者。此後無論何人均可獲得廉價書籍，一掃往日由僧侶壟斷知識之現象。除此之外，科學家以印刷品為媒介，可以彼此互相交換學識，因而促成科學上之發達進步。**

第三為羅盤針之發明。當時之航海家均係一面以陸地為目標，一面沿海岸航行者，自羅盤針發明之後，對外洋之航行乃獲得保障，於是乃有由大西洋向西航行之議，因而不久即發現美洲新大陸矣。***

圖 13　哥倫布

(C) 大航海時代

當意大利城市逐漸繁榮與文藝復興風氣瀰漫之際，有少年哥倫布（Christopher Columbus 1446?－1506）

---

*　我國遠在第五世紀即可製造火藥，唐初孫思邈在第七世紀已可用硝石硫黃及木炭製黑色火藥，北宋時（十二世紀）已可應用於戰場。

**　我國在唐末馮道已可印刷古典（十世紀）。

***　我國製造指南針遠在六朝時，至應用於航海者則在十二世紀。

者，於熱那亞海濱遠眺，乃相信地球爲圓形。彼見商旅
由地中海東岸經"絲道"或"翡翠道"之陸路，自東方
印度或中國運入甚多珍貴物品，所需時日極爲長久。彼
深信"地球爲圓形，如捨東向西亦可抵達印度。設印度
位於大陸東端時，苟能改道而行，其所經之路程或可稍
近"。

　　哥倫布爲證實其信念，乃多方奔走，終於獲得西班
牙女王之援助，於一四九二年乘船向西航行。經七十二
日之海上苦撐，始抵達陸地，其在彼心目中之印度，實
係美洲大陸東方加勒比海（Caribbean Sea）中之一島
耳。

　　歐洲人士當時尚不知有新世界，其發現實屬偶然。
至查明哥倫布之發現爲新大陸者，乃貝斯堡西（Ameri-
go Bespuch 1451－1512） 也。除此之外，更有葡萄
牙人伽馬（Vasco da Gama 1469?－1524）於哥倫布
出海五年後之一四九七年，繞非洲南端之好望角。再橫
跨印度洋而抵達印度。是爲避免搶刼而開闢東方貿易航
線者。

圖 14　伽馬

(D)地圓說之確定

　　歐洲人士因哥倫布之航海探險，始知地球上尚有多
處仍未發現。於是乃引起甚多探險家從事遙遠之旅行，
此種熱潮逐造成西班牙與葡萄牙兩國在全世界上平分秋
色之勢。

　　在十五至十六世紀間，從事航海探險者，比比皆是
。其地理上之重大發現，僅於一千四百年代即達十六起
之多。計十次爲葡萄牙政府之支援，五次由西班牙政府
支援，一次由英國支援。其中最負盛名者，首推葡萄牙
人麥哲倫（Ferdinando Magellan 1480－1521），彼
對地圓之說曾親自體驗，因其在本國不得志，乃於一五
一九年獲得西班牙國王之支援，率船五艘向西進發。繞
南美南端而駛向太平洋，當其抵達菲律賓群島時，雖爲

圖 15　麥哲倫

土人所殺害，然其部屬仍繼續航行，卒於一五二二年繞
南非好望角返回西班牙。不但完成首次環球一週，而同
時更證實地球確爲圓形。

　　其後大航海事業更延續不斷，在一五〇〇年代中，
即有七十七次重要航行事跡。當時掌握海上覇權者，已
變爲荷蘭與英國，故十六世紀之航海事業，多由英荷二
國援助之。

　　十七世紀荷蘭發現澳洲大陸，吾人目前所描繪之世
界地圖，大約於此時始告完成。距今僅不過三百六十年
而已。其有關地球方面之知識，可謂已破過去記錄。至
南極大陸之發現，則爲十九世紀之事耳。

(E)哥白尼之地動說

　　哥倫布與麥哲倫因羅盤針之發明而成爲大航海家，
同時亦確切證實地球爲圓形。在大海洋航行時，雖不能
見到陸地，但觀測星辰即可確定船行之方向。於是在天
文學之研究上，對於從來奉爲金科玉律之天動說，乃不
能用爲圓滿之解說矣。

　　哥白尼於一五四三年發表"天體運行論"之基本理
論，而對當時天主教會所認爲正確之天動說進行挑戰。
天動說乃二世紀天主教會正統派羅馬人之先師托勒密（
Ptolemy 或 Ptolemaios）提倡者，在此種論斷中，不適
於解說地球附近之天體，而其中以火星爲尤甚。

　　哥白尼爲解說天體之運行，而改變原有之觀念。彼
認爲地球係受宇宙中心之吸引，恰與其他行星位於相同
之行列。

　　在哥白尼之"天體運行論"發表之後，不久又於"
地球探究史"上出現劃時代之文獻，此即一五五六年亞
哥里古拉（Georgius Agricola 1494－1555） 所發行
之"礦業研究De Re Metallica"是也。

　　亞哥里古拉出生於一四九四年，原名包爾（George
Baucer），當時德國南部之熱亞赫斯塔爾（Joahemstal
）地區，礦業頗爲發達。是以懸壺濟世者，亦多使用當

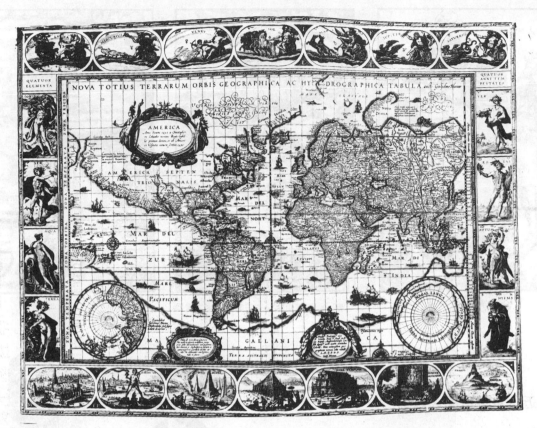

圖 16　大航海時代之世界地圖

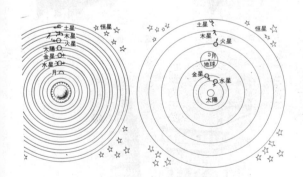

圖 17　哥白尼之宇宙圖

圖 18　亞哥里古拉

地所產之礦物。而亞哥里古拉對其應用及採掘方法等，均曾做有系統之調查與研究。彼認爲礦物之結晶有板狀、角狀及對稱狀等，同時更認其顏色、光澤及解理等乃礦物分類之基準。此種思考實已邁入近代礦物學之門矣。

在礦業研究問世之同時，葛斯奈爾（Gesner）並出版"化石大全De Natura Fossilium"，在其插圖之中，對化石之記載至爲詳盡。不久之後，更有麥卡托（Gerardus Mercator 1512－1594）出版完美之化石圖鑑。

其後隨印刷術之進步，同類工作叠經不同之人手，乃引起衆人之關懷，於是在各不同處所，接踵發現各種化石。不久之後，化石之研究遂形成科學之一部門，同時在地球歷史之解說上，更負有極重要之任務也。

圖 19　亞哥里古拉著礦業研究中之附圖

陸、地球科學之進步

一、近代自然科學之萌芽

(1)落體研究與萬有引力定律

在哥白尼之"天體運行論"之後，越百年始有伽利略（Galileo Galilei 1564-1642）之"論兩門新科學"於一六三八年間世。該書之刊行與天主教會無關，乃荷蘭書店出版者。其體材多取證實自然之觀察法與新科學之理論，而為三人之對話方式所做成之筆錄。

其中雖有地球上之落體問題，但係彼之實證思考之典型。蓋當時學者多認"物體重者其下落亦速，若重量加倍，則其降落速度亦倍之"也。但當伽利略用輕重不同之二球反覆試驗時，其所得之結果，恰好相反。在不久之後，彼又發現"在真空中做落體試驗時，不論其物體之輕重如何？其落下之加速度均有一定"。

伽利略為將其理論公諸於世，乃選意大利有名之比薩（Pisa）斜塔為最好之試驗場所。於是擇日邀集許多學者，共做見證。彼則使二鉛球自塔上同時下落，不論其重量如何？二球之重力加速度完全相同。

按比薩斜塔因地盤下陷而傾斜，但堅固程度反益逾往常，恰適於試驗之用。蓋以塔呈直立，其試驗反而不能進行也。

圖 20　哥白尼。　　圖 21　伽利略。

圖 22　比薩斜塔。

由於伽利略之落體定律，再經刻卜勒（Johannes Kepler 1571-1630）之行星運行法則，而導致牛頓（Isaac Newton 1642-1727）萬有引力定律之問世。按牛頓之出生係在伽利略逝世之第二年，此乃渡過漫長之黑暗時代後，科學突飛猛進之時期也。故在科學史上稱此時代為"最初之科學革命時代"。

(2)近代自然科學之特徵

近世時代之科學，已非一國或一民族所能推動者。如意大利、法國、英國及德國等，均分別在各不同地區盡力發展中。

為促進科學之進步，最重要者為各學者間意見之交換。如刻卜勒與伽利略之間，則橫跨國境以達成文化交流。波蘭人哥白尼之著書，在荷蘭亦有翻版；德國刻卜勒之著作，英國牛頓亦不斷研讀。

圖23　英國倫敦之皇家協會。

至十六世紀，歐洲各國不斷籌設學會，以資切磋，如一六三五年之方濟學會（Academy Francis）及一六六○年在倫敦成立之皇家協會（Royal Society）等皆是。

圖24　十八世紀之顯微鏡。

除此之外，工業技術更為促進科學革命之主要因素，而工業基礎之奠定，則以礦業為首要。故礦物學、地質學及化學等之發展，遂成為當時之急務矣。

科學家之研究方式，亦因工業之進步而獲得改進。其中最顯著者，首推顯微鏡與望遠鏡。按望遠鏡原係荷蘭眼鏡製造工人所發明者，其後經過伽利略之手，乃加速天文學之進步。而顯微鏡本係用之於醫學及生物學方面者，但至十九世紀則更擴展為礦物學及岩石學之研究儀器矣。

二、英國之進步

(1)產業革命與自然科學

自西班牙一三○艘之無敵艦隊於一五八八年為五十艘之英國艦隊摧毀之後，海上霸權乃以英國女王依利薩伯一世（Irisabeth I）為中心，代葡、西、荷三國而掌握世界大勢矣。

自依利薩伯女王去世之後，英王多對人民棄之於不顧，致有清教徒革命與名譽革命之發生。因此英國在世界政壇上，乃開放黨政治之先聲。同時因全球上財富之掠奪與奴隸制度之廢止，遂使英國首先以大規模機械化工業為中心而形成產業國家。

圖25　瓦特。

按機械化之風尚原自紡織開始，不久瓦特（James Watt 1736-1819）於一七八四年發明蒸汽機、紡織機械乃獲得改善，而機器工業更隨之突飛猛進。此所謂之產業革命即最初之動力革命也。自十八世紀英國首先發動之後，經十九世紀至二十世紀，乃擴展至全世界矣。

又因產業之勃興而導致科學上之發展者，當時亦不乏其例。蓋科學之有助於產業主力者，乃最初之現象。其後二者則居於相輔相成之狀態，故僅在二百年之短促期間，即有今日之輝煌成就也。

(2)產業革命與地質學之關係

產業與科學相互為用之最好例證，可於以煤為媒介之產業與地質學之關係中，見其梗概。考英國之產業革命係以蒸汽機之發明為起點，而取代人力、畜力以及水與風等自然力。當時除暖室與炊事外，至其他熱能之產生，亦多以煤為促發動力之源。英國產煤量頗豐富，故在供應上自極充沛。換言之，因英國位於含煤地層之上，故在長期間可執世界產業之牛耳焉。

按煤之使用，在英國已有一千二百年之歷史。早期所用者，僅係收集滾落海岸一帶之煤，充做家庭燃料。

至十三世紀中葉，則開始於海岸與河流附近煤層之採掘工作。迨十六世紀，煉鐵、玻璃及造船等工業，一日千里。不論在燃料或材料上，均不能離開木材，以致英國境內之山地，均為之採伐一空。及十七世紀初期，在煉鐵工業上更進而使用焦炭矣。

圖26　十九世紀英國之煤井。

煤之消耗量既增，僅憑掘挖地表露頭，自不敷用。於是開始掘挖坑道，不論海岸內陸，均為當時採掘之對象。

煤井不斷加深，排水與通風用之抽水機與風扇之發明與設計，遂成當時主要之課題。至其運轉所用之原動力，概以蒸汽機司之。故謂"產業革命首自煤井始"者誠不為過也。

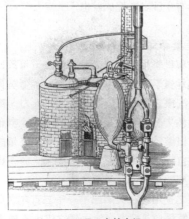

圖27　用蒸汽帶動之抽水機。

生產事業之發達造成燃煤之需要。反之，燃料之開採又促成新興之產業革命，於是燃煤之需要益形增加。此即互為因果之變換也。經此變換後，淺掘時代已成過去。其往日對含煤以外之地層，殆不過問之觀念，遂不得不做某種程度之變更矣。

緣以蒸汽機之使用而促成大規模之機械化，但大量投資必須於開採之前確定長久計劃，於是煤層之分布與儲量之測定尚焉。至煤層之層位及岩石厚度等問題，必須藉地質學之知識，始能達到解決之境地。

除此之外，為解決大量燃煤之運輸問題，尚須開鑿專用運河。於是大規模之土木工程，乃在含煤以外之地層中進行。因此其地區之地質層序及構造等，遂可進一步瞭解矣。

總之，生產事業之發達係以燃煤之需要為媒介，因而在英國促成新地質學之抬頭。目前吾人在地球歷史上所用之尺度，諸如寒武紀、泥盆紀、石炭紀及白堊紀等名稱，皆係取之於英國地名或其特殊之岩層名稱者，實非偶然也。

三、近代地質學之發軔

(1)威廉史密斯與層位學

史密斯（William Smith 1769-1839）原出身於農家，對煤層探查所引用之地層上下關係，研究極詳，故人多稱其為層位學之父。

史密斯幼時，僅受初等教育，旋即失學，但仍勤讀不倦，對幾何學與測量之術，更苦心研究。彼自孩提之

圖28　威廉史密斯。

時，即於住所附近採取化石以為遊戲。同時在測量農地及牧場之際，更極關心地質層序。彼由一七九一年開始，從事於煤井之測量工作，且對地質學之理論，更求澈底之瞭解。至其在地質學上所做之貢獻，約言之，計有下列四端：

(A)累重法則：

簡言之，即新地層被覆於舊地層上方之謂也。目前

地質學者，多類此以編定地球之歷史。

　　(B)以化石做對比之法則：

　　即含相同化石或同類化石之地層，均屬於同一時代之謂也。史氏於一七九三年至一七九九年間，曾擔任開鑿運煤河工程師達七年之久。彼對當地之地質層序，曾詳加研討，因而發現對同時代之地層，不能僅憑岩石性質上之推敲，做爲最後判定上之準據。不久之後，即確定其中所含之化石始爲決定時代之主要關鍵也。

圖29　史密斯地質圖之一部。

　　(C)確定英國中生代之地質層序。

　　(D)完成英格蘭與威爾士之地質圖。

　　基於上述1與2項之理論，史密斯乃製訂英格蘭南部地質層序與其中所含化石一覽表。進而於一八一五年出版英格蘭與威爾士地區遭受擾亂地層之普通地質圖，此即全世界上眞正地質圖中之第一幅也。

(2)水成論與火成論

　　在德國詩人哥德（Goethe 1749-1832）之作品中，其戲曲內之浮士德（Faust）或小說內青年憂思部分，對地球影射者，皆具有自然科學之意義。且在彼之遊記中，更常提及地質學方面有關之知識。

　　在浮士德第二集第四幕所演出水成論者（Neptunists）與火成論者（Vulcanists）之爭執，乃浮士德與魔鬼（Mephistopheles）間，對山之成因究爲水乎？抑爲火乎之爭論焦點。當時在法、德二國均極流行，但實際上即地質學者間之論戰也。

　　一七六五年世界第一所礦業學校建立於德國之弗萊堡（Freiberg），一七六五年該校敎師偉爾納（Abraham Gottlob Werner 1749-1817）以岩石水成論爲出發點，闡述地球之歷史，嗣由法國傳至英國，最後則遍及歐洲各學會，頗具一時之盛。

　　偉爾納認爲地球最初均爲水所被覆，當時之海水較今日尤濃，其中所含之岩石成分更富。嗣後海水發生化學沈澱作用而在原始海底形成沉積物。因海底崎嶇不平，故沉積物亦高低不一。此即所謂之原始岩石，而以花崗岩爲代表。因在最初之岩石中，未發現任何化石，故推定在原始之海中，並無生物生存於其間。其後海域縮小，海水面亦逐漸下降，最初之岩石乃露出水面。再經風化作用，化學沉澱作用及堆積作用等而形成混雜之新地層。至其固結之地層，則係形成時即行固結者。

　　法國地質學家哥塔德（Guettard 1715-1786）亦曾倡導水成論，其對玄武岩之解說爲“玄武岩係於水溶液中結晶而成者，否定由火力熔化之理論”。

　　至反對上述論斷者，以法國德斯馬勒斯（Desmarest 1725-1815）爲首，彼曾親赴哥塔德强調之奧弗紐高原（Auvergne platean），對其所見之玄武岩引起强烈回憶。而認爲其係隨昔日火山之遺物所產生者。同時更認爲“柱狀玄武岩係火山之產物，且其一定之正規形狀顯係往日熔融狀態之自然結果也”。

圖30　柱狀玄武岩。

　　哈頓（James Hutton 1726-1797）亦認爲玄武岩原係熔岩。按地層本爲在海中形成者，嗣後因構造運動隆起而成陸地。彼認爲促成地層隆起之動力，恰與火山噴發灼熱物質之力源相同。除此之外更在花崗岩週圍發現因熱而產生之變質作用，同時認爲礦脈係貫穿地層之產物。

哈頓謂造山運動之力源可能係地下熱能所促發，此種論斷即今日之學者仍深信不疑。同時哈頓稱火山爲地下能源之開口，其功能與汽鍋上的安全閥相類似。此種以熱能動力之源的觀念，恐與當時蒸汽機之普遍，不無關係。

圖31　哈頓

圖32　哈頓出版"地球理論"之封面。

當哈頓於一七八〇年旅行英格蘭與威爾士時，曾與瓦特交往甚深。故謂哈頓之將地球與蒸汽機做類似比擬，係受瓦特之影響者，亦非無因。換言之，即促成產業革命之蒸汽機，對地球形成觀念之影響甚大也。

(3)宗教思想之擺脫

自然科學隨十八世紀之產業革命而突飛猛進，聖經所載之創世紀亦可謂係歷史的事實。如化石之形成，據聖經記載與洪水有關。即地球過去曾發生數度之天變地異，往昔之生物宣告死亡，而在嗣後則演化爲其他種類。此種激變說或天變地異之倡導，以法國之丘維爾(Cuvier 1769-1832)最爲突出。

上述之論斷曾遭受哈頓之反對，彼謂造成今日地殼形態之運動，任何時代均有發生，其本質與目前之地殼運動諸如火山及地震等完全相同。此種論斷不久即與生物之進化相連繫，於是聖經上所載創世紀之語句，乃完全遭受否定矣。

圖33　丘維爾。

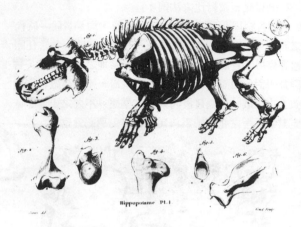

圖34　丘維爾著"化石遺骸研究"之插圖。

(4)林內 (Karl van Liuné 1707-1778)

十八世紀瑞典生物學家林內在歐洲做徒步之採集旅行，而完成今日生物分類學之體系，但其思想本質仍不脫基督敎之自然觀念也。

圖35　林內。

林內相信宇宙乃神所手創，一切事務均在神之意志安排之下。彼認爲自然界之生物衆多、種類分明皆係神之偉大證據。同時認爲"生物係神之作品，驟視之，雖感複雜，但實際上則整然有序"。根據此種觀念，對自然注意觀察時，亦可獲得生物分類之線索。此種信念在往日哥白尼亦曾倡導於前。

按哥白尼原系天主敎士，彼相信宇宙係神所造，故有簡單完美之理。其後繼續研究，乃否定昔日所宗之天動說，而轉向地動說之路線焉。

(5)進化論之萌芽

啓蒙思想家相繼出現於法國南部，高唱進化論以取代林內之創造說。其主流之形成，則係導因於新大陸之發現。蓋以甚多生物均爲歐洲人士所不熟悉者。於是生物與環境之關係，乃或爲學者熱衷之課題也。

解剖學家認爲外形不同之動物，其內部器官非常類似，且由僅具外形而無機能之痕跡器官判斷，在動物之相互間必具有類緣關係。因此啓蒙主義之思想家如狄德羅（Denis Diderot 1713-1784）與盧梭（Jean Jacques Rousseau 1712-1778）等人乃從事於進化論之思考。其主要目標並不直對生物，而對中古時代之封建社會予以無情之批判。其影響所及，以生物學家所揭發之進化問題最爲重要。

巴黎植物園之拉馬克（ Chevalierde Lamarck 1774-1829）率先提倡進化論，彼對生物之進化方面提出下列四定律。

　　1.生物具有擴大利用本身各部之慾望。

　　2.慾望與運動結果，在動物體內可產生新器官。

　　3.器官之形態與機能則因使用而愈爲發達。

　　4.個體在生活期間之形與質，可遺傳至其後代。

上述四項之中，以第三定律最爲重要。但其理論上多缺乏現實證據，因而遭受丘維爾之反對。同時丘維爾因拿破崙（Napoleon Bonaparte）之庇護而得勢，於是拉馬克在晚年遭受嘲諷，乃失意致死。

(6)達爾文之進化論

當啓蒙主義者活躍於法國革命之前夕時，伊拉斯馬斯達爾文（Erasmus Darwin 1731-1802）在英國發表進化論，當時雖未深入人之腦海，但不久則隨革命之進展而逐漸爲人所重視。於是進化論乃由其孫查理達爾文（Charles Darwin 1809-1882）正式確定之。

查理達爾文乘英國海軍調查船畢哥爾號（Beagle）赴南太平洋調查生物，達五年之久。當時全球七海洋之霸權，悉由葡、西及荷蘭轉移於新興之英國。於是英國除向海外拓展外，更不斷進行海洋探險工作。其中最負盛名者，則爲虎克（James Hook 1728-1779）於一七六八年至一七八〇年間之三度南太平洋探險。

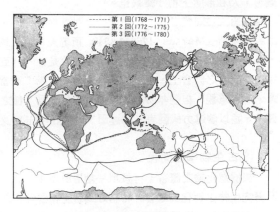

圖38　虎克探險之航線。

查理達爾文亦於一八三一年隨英國海軍環繞世界一周，當其出發之際，曾獲得萊伊爾（Charles Lyell 1797-1875）手著之地質學原理第一卷。

(7)進化論與地質學

在賴爾所著之地質學原理中，以攻擊丘維爾之激變說爲主題。因丘維爾之激變說，不知地球上發生天變地異之動力爲何物，乃歸之於神明而不求解。但萊伊爾則強調地層褶曲與夫海底隆起者，皆歷經長久時期逐漸發生，且在目前猶繼續不斷之物理學的力也。達爾文於研讀之餘所蒙受之影響極深，彼認爲生物之變化，亦非急驟之變易，乃係與萊伊爾所謂之地球相同，由若干微弱變化逐漸累積者。

達爾文在乘艦航行期間，最感興趣者爲南美太平洋中加拉帕哥斯群島（Galapagos Is.）所產之烏龜，其數多而分布廣，但形狀則因地而異。

圖39　加位帕哥斯群島之烏龜。

達爾文認爲火山之活動在海中形成島嶼，其鄰近之烏龜遂移住其上。但各島嶼氣候不同，龜類爲求長期之

圖36　查理達爾文。

圖37　詹姆虎克。

適應，乃在形態上稍予變異也。

　　達爾文在回國之後，即息隱於農村而從事著述。偶由馬爾薩斯（Marsus 1766-1834）所著人口論之啓示，而發現進化之原因爲“生存競爭”。於是在一八五八年林內學會之例會上，首先發表“自然淘汰說”。當時雖未受人重視，但翌年即有人將進化論易名爲“種之起源”，並以著述方式發表，此達爾文亦未在事先料及也。

(8)古生物學之問世

　　根據進化論之體系，再按單一地層所產生之化石進而研究生物之進化現象者，特稱之爲古生物學。自此以後，不但可將地球科學與生物科學之有關部分予以發揚，且近年來古生物學更有成爲地質學核心之趨勢焉。

四、科學世紀之黎明

　　往日研究地球方面之學問者，多拘泥於聖經中天地創造說之思想。至查理達爾文顯赫時代，不但生物學與地質學勃興，即所有科學均呈突飛猛進之勢。此乃產業革命之影響所以致之，而精密儀器亦因機器工業之發達而出現。同時在十七至十八世紀中，宮廷中凋落之文明更移轉於市民手內。即大衆之普遍研究，爲造成科學昌明之主因。

(1)法國革命與地球科學

　　法國在革命時期，度量衡制度五花八門，當時之單位每隨部落而異。在合理主義旗幟下之革命政府，爲解除民隱乃制定十進位之公制（C.G.S.System），其

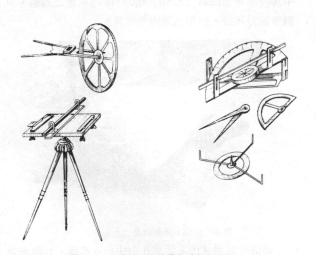

圖40　十八世紀之測量儀器。

中最重要者則爲長度之單位。法國政府與科學院協商，將地球北極至赤道間之距離——通過巴黎之子午線長度——予以精密測量，而定爲全世界通用之標準。

　　基於上述需要，必須從事於長弧線之測量。於是乃首先進行自法國北端之東柯奎（Dunkerque）至西班牙之巴爾塞羅納（Barcelona）間之三角測量，然後更延長爲直達海上巴列亞爾群島（Balearic Is.）之測量。但在第二期工作之結果尚未確定之前，已由德國數學家高斯（Gauss 1777-1855）與法國數學家拉格朗奇（Joseph L. Lagrange 1736-1813）等委員於一七九九年制定公尺（Meter）之標準。

　　當制定尺度之標準時，由第一次測量所得之數值，得知地球之形狀並非絕對之橢圓體，且其形狀亦非永久不變，此種重大發現，實爲空前所未有者。

(2)地球物理學之發軔

　　地球科學之進展，有賴連續不斷之檢查與觀測，於是地球物理學乃應運而生。如高斯自一八二〇年以來，即從事於漢諾威（Hanover）地區之三角測量。嗣後又與物理學家偉伯（Weber 1804-1891）合作，在葛廷根（Göttingen）創設世界第一所測磁站。更與地理學家洪保德（Alexander von Humbolt）合作，發動各國政府在全球廣設觀測網。蓋以當時無適當之測定裝置，

圖41　洪勃興。

難對地磁做有系統之觀測也。

　　基於實際上之需要，高斯首先用絕對單位測定地球之磁力，於一八三九年發表地磁之一般理論，並於一八四〇年完成地磁圖。

　　至地球形狀之最正確計算，乃德國貝塞爾（Friedrich W.Bessel 1784-1846）與英國克拉克（Josiah L. Clark 1847-1931）所推動者，故常以貝塞爾或克拉克橢圓體稱之。同時在測量期間，更發現懸吊重錘之細線，必指向地心。當印度人普拉特（Plat 1811-1871）在喜馬拉雅地區測定重力時，又發現高山地帶之數值小，

而平原地帶之數值大。於是提倡極爲有名之地殼平衡說（Theory of Isostasy)。

(3)近代氣象學之萌芽

十九世紀初葉，德國威瑪爾市（Weimar）成爲西方文化之中心，即宮廷之貴婦亦多闢建自然科學標本室，因而造成大衆對自然科學之熱中。洪保德(1769-1859)則爲當時之顯赫人物，由人文地理學以至海洋學之範疇，均有其大名，如洪保德海流及洪勃德企鵝等名詞皆是。

一八一七年洪保德將年平均氣溫相同之地點以曲線連結，是爲繪製等溫線之始，同時成爲創立近代氣象學之先鋒。氣象學萌芽之後，復於一八五六年在法國發行天氣圖，而開始進行天氣預報工作。

(4)海洋學之發靭

科學對人類提供實用價值，實用與研究又互成表裡關係，於是人類之知識乃不斷擴充。在地球表面，雖三分之二爲海洋，但其研究工作，却開始極遲。一八五七年美人摩利（Moore 1806-1873)首先繪製北大西洋圖，一八七四年更派專艦進行調查。而其中大西洋與太平洋之深度測量及水溫與鹽分之調查，尤屬確實。此項工作一直延續，至目前仍在不斷之發展中。

圖42　摩利。

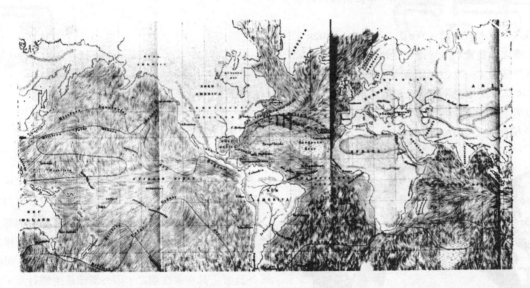

圖43　摩利繪製之世界第一幅海圖。

柒、近百年之地球科學

一、地球科學之獨立

(1)地球科學之分化

在達爾文之進化論流行以後，宗教之爲用僅限於人類之道德與精神方面，至自然方面之研究與推理則擺脫其約束。於是自然科學在近百年間之發展，乃呈突飛猛進之勢。

在一世紀之前，尚無專門研究地球科學之學者。如高斯本爲數學家而同時研究地磁之地球物理學者；又拉普拉斯（Pierre Simon, Marquis de Laplace 1740～1827）本爲數學家同時與哲學家康德（Immanuel Kant 1724～1804）合作，針對地球之生成而創立星雲說者；且礦物學家亦將花卉及家畜等一併收集研究，而成爲博物學家。

迨邁入近百年間之科學世紀後，科學家多按照其本人之興趣以釐訂工作之方向，毅然進行分業之研究。於是地球科學遂脫離其他科學之領域而獨立發展。同時在其本身之範圍內亦愈分愈細。如專攻古生物之地質學家，則對地球物理學方面之瞭解不甚透澈；且地球物理學家在觀察礦物時，亦難獲得正確之要領也。

吾人對地球方面知識之獲得，大多在近百年間，且此博大學問之突飛猛進，更非少數人所能促成，實成千累萬之學者在分工合作下所日積月累者。

凡科學家均不受社會環境或宗教與思想之限制，在地球之領域中，擇已所好者而全力研究之。其所獲得之知識常涉及許多部門，其研究之歷史亦非一書所可罄述，乃根據其不同之分野，始能窺知其大略傾向者。

(A)地震之觀測

英人約恩（Young 1855～1935）首先用儀器記取地震之振動，由於地震計之發明，地球科學之進展乃面臨一大轉機。蓋以地震波乃係將地球內部之情況傳送至地表者。

一九〇六年德人威赫特（Weihelt 1861～1928）在整理遠距離之地震資料後，認為地球內部係“變質玉石”狀之層狀構造。一九〇九年捷克人摩霍洛維西克（Mohorouicic）發現地表下數十公里處有不連續面之存在，於是乃確定地球係由地殼（Crust）、外套部（Mantle）及核心部（Core）所構成。

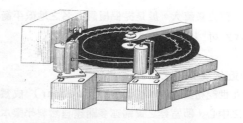

圖 46　約恩水平動地震計

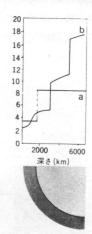

圖 47　威赫特之地球密度分布

由於地震波之啟示，設吾人假定外套部係呈長期之液態運動時，則地球上無論任何現象，均可迎刄而解答之。如威格奈爾（Wegner）於一九一二年所倡導之“大陸漂動說”係基於美洲大陸東岸與非洲大陸西岸之動物極相類似之故。當時學者多認其為無稽之談。但由地球外套部之具有柔性觀之，因外套部產生熱對流，其說似極合理，故大陸漂動說乃於最近再行復甦焉。

(B)礦物學與岩石學

礦物之研究最初多側重於資源之應用價值，嗣後因化學之進步，乃視礦物為一化學物質，進而研究其成因焉。

一八九二年美人狄納（Edward Salisbury Dana 1813～1895）以化學成分與結晶形態做為礦物分類之依據，而發行“礦物學教本 Textbook of Mineralogy”嗣後經多次修訂，即在目前猶保持礦物戶籍簿之地位。

先是英人聶古爾（William Nicol 1768～1851）

圖 44　摩霍洛維西克　　　圖 45　約恩

自此以後，吾人對地殼之厚度，知之甚詳，其在大陸部位者厚，而在海洋部位者薄。此對地殼平衡說之解釋，更可趨於合理化。即地殼之處境恰如冰山之浮於海上，乃露出於較重之外套部上方者。但海底之地質構造，直至最近十餘年間始臻明瞭。蓋以僅賴地上研究所不能解答之問題，必藉海底之推敲始克奏效也。

將方解石切割研磨，再膠合之製成偏光鏡。旋即用以研究岩石切片，即將岩石研磨至薄紙狀，使光線透過，而薄偏光以觀察其光學性者。

圖 48　方解石

圖 49　金史密德　　　　圖 50　賴爾

　　一九〇七年美國華盛頓創立加尼基地球物理研究所（Carnegie Institute），因其預算龐大經費充足，故能網羅各方專家，從事於岩石及造岩礦物之物理性研究。於是繼"火成岩之結晶分化作用"之論文發表後，對任何岩石之形成過程，均可加以判別。同時在操作技術方面，更逐漸從事於高溫及高壓之實驗。目前吾人已可將類似地球外套部上部之狀態，使其在實驗室復現矣。

　　在另一方面挪威人斯密特（Gold Schmidt 1888 ～ 1947）發表其以化學平衡爲基礎之接觸變質岩研究報告，嗣後更將化學平衡原則應用於所有之岩石上。一九二二年斯密特地球化學之基本論文，對於地球上元素之分布與循環現象，均按地球化學之分佈法原則，加以闡述之。

　　加尼基研究所之物理實驗與地球化學之方向，爲形成今日研究岩石之二大主流。

　　(C)構造地質學

　　自英國史密斯開始，及至蘇格蘭之賴爾，其間對地層之知識累積甚多。故在十九世紀中葉之後，多據以論證世界山脈之形成方式。其中以美人狄納爲首，蓋以美國係新興之工業國，當時正致力於阿帕拉契安（Appalachian）地區煤田之調查。於是狄納乃揭櫫堆積地層厚度與地殼運動之關係。而於一八五九年發表其地向斜與地背斜之觀念。

　　一八七五年奧人濛斯（Eduard Suess 1831～ 1914）在奧國境內研究歐洲阿爾卑斯山地，而對狄納之見解大力支持。且進而闡釋阿爾卑斯與喜馬拉雅山脈之形成機構焉。

　　一八九〇年英人吉爾柏特（Gilbert 1840 ～ 1903）稱此種現象爲造山運動，而德人斯梯勒（Stille 1876 ～ ）更認爲造山運動之能，係因地殼之收縮而產生者。

　　根據康德與拉普拉斯星雲說之解釋，地球在形成之初，溫度甚高，而於嗣後逐漸冷却者。此種觀念久爲人

圖 51　加尼基研究所

所深信。但近來已遭否定，蓋以認爲地球逐漸冷却者，寧不如謂其逐漸溫暖之理論更易使人瞭解。至其熱量之來源，自非放射能莫屬矣。

　　(D)放射能之發現與地球科學之進展

　　科學之進展專賴合理理論之累積，其由偶然發現之事件開始，至到達合理之體系間，必須經過若干階段之變化。一八九七年法人柏克勒爾（Bequerel）在偶然之試驗中，發現鈾可發出放射線。人目雖不能見，但可產生顯像作用，特稱之爲柏克勒爾射線。

　　至放射線之發現後，其對地球科學之影響，厥有下列二端。

　　第一爲地熱史觀念之改變。當時學者多認地球原呈灼熱狀態，而嗣後逐漸冷却者。至主張溫暖說者，雖亦不乏人，但彼等並未說明其熱源爲何？

　　自發現放射能後，已知岩石中所含極微之鈾、釷及鉀等四十餘種元素，均能發出放射能。由此立場言之，與其認爲地球係逐漸冷却，寧不如改以相反之見地更易於明瞭。況造山運動之能本係地球內部之放射能耶。因此吾人對造山運動與外套部之對流現象，遂可合而爲一矣。

　　第二爲使用放射能始可確定地球年齡之絕對標準。

按鈾、釷等放射性同位元素之蛻變，概不受其周圍溫度及環境之影響。將目前地球上鈾之數量與其蛻變後所產生之鉛加以比較時，則可推定地球之年齡焉。

各種岩石之形成時代均可用鉀—氬法、鉤法或 C^{14} 法等精密計算之。在此以前，研究地球之歷史除以生物之進化爲基準外，別無其他路線可尋。當此新尺度發現以後，其在生物進化之過程及地球歷史之研究上，乃可分別獨立進行也。

(2)地質學與地球物理學之結合

最近地球科學之發展趨勢，爲地質學與地球物理學之密切結合。至地球物理學之研究方向，其有關地球之形狀及密度者，常按地球爲一物體而進行。但測定之方法及資料之分析，則逐漸趨於精密。即每一地區之微妙變化亦不忽視，因此其變化之原因自須賴地質學者予以解釋焉。

反之，地質學家亦可應用地球物理學之觀測資料，以解決其本身所遭受之問題。因此，出發點原不相同之二學科，乃從事於密切之結合。茲將實際例證分別述之於下。

第一爲人工地震。吾人對普通地震不能預測其何時何地發生，但對人工地震則可事先充分佈置觀測網，在規定之時刻舉行之。同時天然地震之震源，可能相當廣濶，而人工地震則可在一點進行之。職是之故，吾人對地下構造，可以測之極爲詳盡，其所得資料自可參照地質調查結果，而予以解釋研判之。

第二爲地殼熱流量之測定，乃利用熱電偶從事測定者，其溫度差之變易由電流數值表示之。此項測定亦可印證地球外套部對流之假說。同時更可據以推敲目前發生造山運動之地區，其地下溫度之分布情形。於是其隨造山運動所發生之變質作用，亦可因之瞭然矣。

應用精密之測量儀器如地殼傾斜計、地殼伸縮計及檢潮儀等，可對地殼之運動做定量觀測。最近更有利用光之傳播速度，精測兩點間距離之測地計（Gesgimeter）裝置。上述各項儀器對地質學之瞬間以至數年內之地殼運動狀態，均可瞭如指掌。

申言之，地質學係以尋求某地或某岩層之呈現何種姿態及形成因素爲首要。蓋以吾人目前尚不能透視地下所發生之情況。在另一方面，吾人可藉地球物理學之資料，探知其目前究呈何種情況。故今後在地質學與地球物理學緊密結合下，將必能發揮更大之效果矣。

二、海洋探密

(1)海洋之調查

大航海時代隨查理達爾文環繞世界一周而告結束。計葡、西兩國人士從事航海事業，至此已達四百年之久，世界地圖之主要輪廓均出自彼等之手。自此以後不論海上或陸上之探險工作，則均以研究爲目的矣。

一八五四年摩利刊行北大西洋圖，首先繪入水路航線，雖以便利商船或軍艦爲主旨，但學者之關懷海底地形，亦爲工作推動之主流。

一八七二年至一八七六年間，英輪挑戰者號（Challenger）之任務，殆爲進行全世界之海洋探險。其主要工作爲測量海水深度、採取海底標本及觀測海面下所發生之現象等。

(2)海水深度之測量

一九二二年首先利用音響之反射，從事探測海洋深度，此即所謂之音響測深法是也。其操作係於船隻行駛中進行，而讀取其連續記錄者。故在海底地形之調查上，獲致莫大之改進。一九二五年至一九二八年間，德國在大西洋以美戴爾號（Medial）進行精密之調查時，則係使用音響測深法而獲致甚大成果者，因其效率極高，故各國爭相使用。如一九二七年德國用埃姆登號（Emden）在菲律賓海溝發現深達一萬零七百九十三公尺以上之深淵，故以埃姆登海淵（Emden Deeps）稱之。

一九二九年至一九三四年，美輪亦從事太平洋之調查工作，在日本海溝發現一萬零六百公尺深之海淵，但最近於該處複測時，並未見到一萬公尺以上之深海，故當時之探測，顯係錯誤。

又大洋之最深處，並不在其中央部位，而係沿四周島嶼形成之細長海溝呈帶狀分布者，故海底之形態於此可以想見。除此之外，美人赫斯（H.H.Hess）於一九四〇年在太平洋中部發現海山之群，其中部位並有平頂海山，此項發現對大洋底性質之判斷，可提供重要線索。

海洋之調查工作，在第二次大戰期間一度中斷。戰後各國爭先駛出調查船，如瑞典之海鷹號（Albatros）於一九四七至一九四八年間，首先航行世界一周。而丹麥之加拉提亞號（Galatia）亦於一九五〇至一九五二年航行世界一周。至英國挑戰者八號之環球航行，則與

圖 52　菲律賓海溝

圖 54　馬利亞那海溝

圖 53　挑戰者八號

丹麥同時，當其抵達馬利亞那海溝時，發現深達一萬零八百六十三公尺之海淵，故以查林吉爾海淵（Challenger Depth）稱之。至目前為止，為所有已發現之海淵中之最深者。＊

　　在二次大戰以後，所有科學技術之領導，均不出美、蘇兩國之右。蘇聯船隻自一九四九年以來，曾數次橫渡太平及印度兩洋，從事調查工作，如千島海溝及其他

圖 55　美國加洲大學之利克利普斯海洋研究所（Screeps Institute）

＊據最近美國地圖所載為 36198 呎，合計為 11033 公尺。

一萬公尺以上之海淵，均為其所發現者。

　　美國各海洋研究所及地質研究所均不斷派遣船隻，分赴各大洋進行調查工作，且再三做環球航行。故今日之海洋調查，並非一次短暫之單獨事業，而應視為日常研究調查之一環也。

　　至於東方之日本則自一九五九年開始以氣象廳凌風丸為中心之日本深海研究計劃，其中以日本海溝之探測尤為首要。在一九六二年進行之印度洋國際探測工作中，日本亦與美、蘇兩國並駕齊驅。

⑶潛海作業

　　除以儀器間接探測外，並設法潛入深海做進一步之探勘。故二十世紀之海洋研究工作，又向前跨進一大步矣。

　　據云二千三百年以前，亞歷山大曾製一玻璃球，人進入球內，可潛入百公尺之深海底。究諸實際，潛水球之最初潛水記錄，則為一九三四年美人巴頓（Barton）在百慕達（Bermmda）海心之潛水作業，當時之潛水深度為九百八十四公尺。第二次大戰後，各國人士對海洋更為關懷，一九四九年巴頓再度用潛水球潛入加里弗尼亞海心，其深度則達一千三百八十公尺矣。

　　在瑞士人皮卡德（August Picard 1884～1962）設計深海潛水器（Bathyscaphe）後，即成為彼一人獨佔之世界。皮卡德先於一九五三年在地中海潛水深達三千一百五十公尺，繼而於一九六〇年其子傑克皮卡德（Jack Picard）於馬利亞那海溝之查林吉爾海淵潛水深達大洋之底。嗣後不斷改良，潛水船除可潛水極深外，並可自由行動，而向欲搜索之方向前進。如日本之"讀賣"號即係此種類型之潛水船（Paeonia）也。

圖56　傑克皮卡德

⒜海洋地質調查

　　此為研究海洋之重要項目。海底既有砂粒與岩石之分，而岩石更有種類之不同。至其研究動機，則係由船隻停泊及捕魚事業所引起者。

　　第二次大戰之後，對大洋之底質研究一日千里。如一九四七至一九四八年間，環繞世界一周之瑞典海鷹號首先利用一萬公尺以上之尾索，尾索者乃由尖端起愈至根部愈粗之鋼絲繩也。因其粗細不同，故可調節其本身之重量。

　　由於尾索之設置，可使數百公斤之探泥器發揮功能。故以往對底質研究不能解決之問題，在戰後均能迎刄而解。此外因電子計測裝置之進步，乃使地質學家與地球物理學家攜之出海工作者，絡繹不絕。於是對造山運動力源之解答線索，乃繼陸上搜求之後，更由海底源源出現矣。

　　往日繪製海洋地磁變易圖時，常有模糊不清現象。其中有曲線一度中斷，而越數百公里再次出現者。此乃海底有水平滑動斷層之明證，故吾人對海底之有無動盪存在，於玆可見一斑矣。

　　在大西洋中央部位，更發現大規模之山脈，特稱之為"中央大西洋海嶺"。同時在山脈中央並具有裂痕，自裂痕噴出之玄武岩，愈至山脚部位，時代愈舊。最近高倡"外套部對流假說"者，即基於此也。

⒝外套部對流假說

　　乃最近十數至二十年間，因海底地球物理學及地質學之進步而出現者。其對造山運動之力源問題，有新穎之解釋。往日認地球之溫度因放射能而逐漸昇高，而認定造山運動之力源係由收縮所引起之論斷，至此乃告完全斂跡。同時外套部對流之假說遂因之脫穎而出。其影響所及，使一九一二年威格奈爾倡導之大陸漂動說於五十年後復蘇，此為事先所未料及者。

三、大陸探險

⑴隱秘地帶之深入

　　非洲大陸向稱隱秘，自英人李溫士敦（David Livingstone 1813～1873）及斯坦列（Stanley 1841～1904）開始涉足後，更經探險家多人之再接再勵，終將非洲全部情形逐步公諸世人。

　　探險家發現之地區，先後劃入英、法及比利時等國之版圖。與此遙遙相對者，則為葡、西兩國探險家之衝入南美大陸，並相繼建立國家。於是南半球之落後地區乃不再寂寞矣。

按非洲各國多係於第二次大戰後，經十五年之奮鬥，迨進入一九六〇年代始紛紛相繼獨立者。故稱其爲文明之最後滲透地區，亦不爲過也。

據最近之研究，在坦干伊加湖（Tanganyika L.）之東非地溝一帶，有世界最古人類居住之遺跡。嗣經地質學家之判斷，非洲大陸原以此地溝爲界，分離爲二，其後由地殼下灼熱外套部之岩漿上昇，而形成火山。同時沿火山地帶更發現大規模之金剛石礦床。自物理學之論點觀之，金剛石必須在地下極深部位始能形成。故盛

圖 57　東非地溝帶

圖 58　東非地溝帶

產金剛石之地區，顯係屬於此種特殊地質學之環境無疑也。

(2)人跡罕見之三極

非洲黑暗大陸因探險家之來臨而大放光明，卽歐洲人士由其原始住所一變而成非洲住民矣。

地球之上尙有荒蕪而無人居住之地區，如北極、南極及世界最高峰等三處是。上述三處之探險，直至本世紀方始達成。美人匹亞利（R.E.Peary）於一九〇九年四月六日始乘狗橇抵達北極，挪威亞姆森（Roal Amu-

圖 59　佇立埃佛勒斯峰頂之英國探險隊員

ndsen ）於一九一一年十二月十四日抵達南極，至世界最高之埃佛勒斯峰（Mt. Everest ）峰頂高出海面八千八百四十八公尺，於一九五三年五月二十九日始爲英國探險隊西拉里（Hant Hirary）等所征服。於是地球之探險工作，至此乃告全部完成矣。

目前北極之流動冰山上，設有美國及蘇聯之科學觀測基地，從事於氣象及海洋之觀測。而南極大陸則由十數國觀測隊所組成之常駐基地，以進行地球物理、地質及氣象等之觀測及調查工作。

四、高空研究

(1)天氣預報原理之確立

　　近代氣象學發軔於十九世紀中葉，一八二〇年德人布朗德斯（Brandys 1777～1834）蒐集歐洲各地氣象觀測資料，並繪入地圖之中。結果發現天氣與氣壓之配置有密切關係。目前天氣預報之原理，卽係當時所確定者。

　　究諸實際，天氣圖之繪製必須假以時日，故電訊儀

圖60　浮於北極點附近之原子潛水艇

器之發明，乃爲不可缺少者。今捨全球各地不談，卽對一國之狹小地區，在無電訊時代，欲知其當日之天氣狀況，亦不可能也。

　　如一八五四年十一月十四日，當克里米亞（Crimea）戰爭正在激烈進行時間，停泊於塞巴斯特堡爾（Sebastopol）海中之聯合艦隊，突遭暴風雨之侵襲，以致法艦沉沒海底。當時巴黎天文台長爲發現海王星之名人魯貝利耶（Le Verrier 1811～1877），彼應法國海軍大臣巴依雁（P. Painleve）之請而進行事故原因之調查。於是乃繪製由十二日至十六日之天氣圖，因而獲知係自歐洲西北部掠向東南之低氣壓所造成者。

　　最初法國於一八五六年，開始以電報向遠方報告氣象，而英國則於一八六〇年繼之於後。不久各國更群起直追，至一九一四年，由於國際間之合作，卒完成全歐洲之天氣圖焉。

　　至於東方之日本，最初於一八八三年二月十六日由全國十六處測候所以電報蒐集氣象資料，而繪製成天氣圖。一九一〇年復由海上船隻搜集氣象電報，而把握天氣預報之確實性。

　　一九一八年挪威人比亞哥尼斯（Bjerkness 1897～）根據挪威國內之精密觀測，而提供前線參考。嗣因

圖61　日本初期之天氣圖

氣象學之長足進步，乃使天氣預報益加確實。於是挪威學派乃於長久期間保有世界氣象學之先導也。

(2)高空氣象學之發軔

　　一九三〇年前後，在氣球內設置觀測儀器與無線電

發報機，而使無線電氣象記錄器（Radiosonde）達於實用化。於是乃由地面氣象學時代進入高空氣象學時代，同時由平面氣象學躍向立體氣象學。吾人特稱其爲後期氣象學時代。

由於高空氣象學之理論，吾人乃能澈底把握大氣全體之循環狀況。如柯本（W.Köppen）之氣候圖分類，即基於此。除此之外，更對高氣壓及低氣壓之發生原因等，亦獲得高度之瞭解矣。

(3)大氣圈之搜索

考人類之向高空探險也，首自氣球始。氣球之發明爲法國造紙家蒙哥爾費耶（Montgolfier）兄弟於一七八三年完成。當時乘之昇空者爲巴黎化學家羅基（Rogie），其後更將氣球容量增大，至第一次世界大戰之後，雖曾一度供運送旅客之用，但因一九三七年曾發生爆炸，故其所負之任務乃由飛機所取代矣。

嗣後高空探險工作仍不斷進行，在第二次世界大戰後，美國空軍少校西孟斯（Simmons）於一九五七年曾昇至高空三萬公尺以上。

考飛機之凌空飛行，早在一九〇三年，美國懷特兄弟（Wilbur Wright ＆ Orville Wright ）首次完成五十九秒之飛行。其後飛機之進步一日千里，在第二次大戰期中之B29，在颱風眼中亦通行無阻。同時因其航行距離頗長，故可追蹤颱風以進行連續式之觀測。對日本附近颱風進行路線之劃時代預測，即基於此地。

不久之後，飛機不斷改良，而進入大型噴射機時代，在高空一萬公尺附近之成層圈通行無阻。按飛機之凌空飛行，係基於流體力學原理，其最高之飛行記錄，則爲107.96公里，乃一九六三年美國X15實驗機所創者。

(4)大氣圈之征服

一八八二年即認爲地球磁場之變化原因爲“空氣愈高愈爲稀薄，至氣球不能到達之高度，則爲電離層”。

究諸實際，上述理論之確定，直至無線電通訊發達後始行實現。一九〇二年意大利人馬可尼（Guglielmo Marconi）首先完成橫渡大西洋之歐美大陸間之無線電通訊。其不能直接到達之電波，係沿地球之曲面進行，由此更可證實電離層之存在。於是英人阿普列登（Appleton）乃於一九二五年爲把握電離層之主體而發射電波，因而首次完成反射波之收穫。其後又改用各種不同之波長，不斷觀測電離層之反射。目前爲對短波無線電通信之有效研究，故在各地每日均對電離層觀測多次。

繼氣球之後所出現之高空觀測儀器爲火箭（ rocket ），乃使化學品燃燒之氣體強烈噴出，藉其反衝力而飛行者。故在無空氣之處所，亦可照常飛行。一九四六年美國科學家將德國製造之V2號加以改良而成火箭，以便從事上層大氣之研究。火箭之上昇速度極快，每秒之飛行可達數公里，而與氣球之緩緩上昇者迥不相同。故在短時間內，即可連續測知由下而上之大氣狀態。

一九六〇年日本東京大學設計之加弗火箭（Cover rocket），可做二百公里以上超高空之觀測。其後拼命追隨先進國家之後，在一九六一年卒能觀測至一千五百公里以上之高度也。

五、地球遠眺

(1)人造衛星

第二次大戰後，火箭在科學研究上之利用，更不斷進步，一九五七年十月八日蘇聯之第一枚人造衛星斯普特尼克號（Sputnik）首先發射成功。考物體脫離地面至某種程度之距離，以秒速八公里以上沿水平方向拋出時，即圍繞地球運行不息。蓋以其因加速度所產生之離心力，恰與地球之引力抵消也。吾人稱此種狀態之物體爲人造衛星（Satellite）。

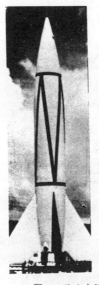 

圖 62　改良之V2　　　　圖 63　ATS衛星

(2)人造衛星與地球科學

人造衛星對科學家又引起新構想，即將觀測儀器送至遠離地球之處所也。人造衛星可以負載各種儀器，以便從事各種不同之觀測，其在地球物理上所獲之成果，計有下列四端：

(A)對全球地磁分布之變化，可做連續之觀測。

(B)用人造衛星之活動觀測，可瞭解地球正確形狀及重力之分布等。

(C)直接觀測電離層之離子密度，同時可在電離層上搜索由上方反射電波之電離層。

(D)在人造衛星上裝設電視攝影機與紅外線電視攝影機，可以觀測全世界雲層之分布，以及地表放出熱量之分布等。同時對長期之天氣預報更可加以補正。目前最主要之人造衛星，多為美國所發射之氣象衛星，而成為世界各國常時利用之體制。

在距地心三萬六千公里之大圓軌道上所運行之人造衛星，其環繞地球一周所需要之時間為二十四小時。在對準地球某點上空靜止之人造衛星，是為靜止衛星。第一枚靜止衛星為一九六三年美國發射之同步通訊衛星一號（Syncom 1）。至一九六一年所發射之應用技術衛星（ＡＴＳ），在二十分鐘後，即將電視照片播送至地球。於是吾人遂可由遠方觀看本身所居住之地球矣。

圖 64　世界第一枚人造衛星

至人類乘人造衛星之凌空飛行，於一九五九年始克成功。吾人可由人造衛星對地球攝影，且可進一步做各種不同之觀測，於是對地球科學之數值亦可大事補正。例如在美國雙子星（Gemini）計劃中，將東非地溝帶予以詳盡之攝影；越數十年後，再於該處攝取照片，且加以比較，彼時吾人對大陸漂動說之是否正確，當可獲得圓滿之答案矣。

六、奔向月球及宇宙

(1)大氣圈外之觀測

設人造衛星之速度再增加時，則可擺脫地球之引力，而成圍繞太陽運轉之行星，於是奔往月球之困難，遂可消除矣。

第一枚人造行星為蘇聯於一九五九年一月二十日所發射之月球一號（Lunik 1），人造行星可將地球以外之宇宙空間狀態探測清楚，同時更可將地球周圍之磁性及電離粒子分布情形做正確之報導。

地球為二重奇妙狀之放射帶所包圍，此乃范諾倫（Van Allen）根據人造衛星與人造行星之資料所發現，故稱之為范諾倫輻射帶（Van Allen Radiation belt）。

地球上因具磁性，故由太陽發出之荷電粒子，常避地球飛行。在地球之部位遂形成一種空間，於是地球之形態在最外側乃呈清晰之帶狀焉。

(2)月球探秘

人類發射之火箭首次到達月球者，為一九五九年蘇聯之月球二號（Lunik II）。自一九六四年至一九六五年間，由美國遊騎兵月球太空車（Ranger Moon-craft）曾攝取一萬七千枚以上之月球密集照片。較諸用望遠鏡自地球所拍攝之月面照片，自極詳盡。

一九六六年二月三日蘇聯發射之月球九號（Lunik IX ），在月球登陸成功，首次將月球之旋轉照片（Panorama）播送至地球。美國亦於五月三十日發射測量員太空車一號（Surveyor 1），並在月球登陸成功。

一九六七年四月十七日，美國又發射測量員三號（Surveyor）Ⅲ ，使在月球登陸，並用鏟掘挖月球表面

圖 65　月球表面 1967 年測量員三號攝

圖66 月球表面照片，爲1966年美國環月者太空車 Lunar Orbitor 所攝

，於是原屬於天文學領域內之月球，乃完全成爲地球物理學家及地質學家研究之對象矣。

(3)太陽系探秘

美蘇兩國在探測月球之後，下一目標即爲探測金星（Venus）與火星（Mars），而從事通過其附近之人造行星發射工作。

一九六四年十一月二十八日美國發射水手四號（Mariner-4），至翌年七月十四日掠過火星附近，首次將二十一枚最接近火星電視照片傳送至地球。不久之後

圖67 火星表面1964年水手四號攝

，地球最近之行星亦將投入地球物理學家與地質學家之研究領域內。。同時美蘇兩國更於一九六九年開始由人駕駛太空船，數度登陸月球探險，並携回標本供科學家鑑定。此種藉地球所屬之衞星或地球之兄弟行星上之新發現，進而用於地球之研究上，必大有助益焉。

七、輝煌科學與國際合作

(1)自然科學方面

自然科學之發達，多係一國科學家之研究累積而成者。但地球之體積既大，且與人類生活之關係更爲密切，故在研究方式上，實不可忽視大規模集體研究之成果也。

所謂集體研究有同行科學家之私人集合者，亦有藉大學、學會以及國家事業進行者。最近更感到一國力量尚不敷用，非賴國際間之合作而共同研究，殊難奏效。如訂一九五七至一九五八年爲國際地球觀測年（I.G.Y.），即其例也。

在國際地球觀測年中，首先參加者爲美國、蘇聯及日本，其後陸續參加者計有數十國之多，商訂於某日某時在全世界同時進行地磁、電離層及高空氣象等多方面

之研究。然後將各國之單獨報告與國際間之報告一併整理，則可獲得極大之成果焉。

國際地球觀測年首次將火箭用之於觀測工作，而美、蘇兩國亦於是年首次發射人造衞星。除此之外，尚有南極之觀測。目前在南極設有十數國之觀測基地，經常執行地球物理學與氣象學方面之觀測。同時對其附近之地理、地質及生物等，亦進行研究。參加南極觀測之國家並於一九五九年訂立南極條約，爲防止向南極做領土之拓張，規定任何國家不得在南極做軍事活動。此外更規定各國之調查研究應予公開，並由美蘇兩國開始互相交換研究心得。於是爲冰山所封鎖之南極大陸，其研究序幕乃爲之展開矣。

至海洋之觀測亦復如是，如一九六二年所進行之印度洋，即出動美、蘇及日本等國之船。科學家彼此交換意見，因而展開國際合作下之綜合研究。

自一九六〇年開始，又訂立地球外套部之上部研究計劃（Ｕ．Ｍ．Ｐ），亦即爲瞭解造山運動之力源是否在地殼下面之外套部上部問題，乃動員全世界科學家之思考，以進行研究之謂也。

圖68　日本與捷克發行之國際地球觀測年郵票

在世界各地由各國科學家對地震、人工地震、地磁及地熱等，以各種不同之方式進行觀測，而求進一步對地球外套部之瞭解。

與Ｕ．Ｍ．Ｐ計劃有關者，爲美、蘇兩國進行之摩氏計劃，即鑽深眼直達地球外套部者。一九六一年在加里弗尼亞半島西方太平洋中之瓜達路普（Guadalupe）群島附近，於三千六百公尺之海底進行鑽探；在夏威夷附近之五千公尺深之海底，亦進行鑽探工作。

(2)輝煌科學之展望

地球科學史上之先哲先賢爲數雖多，但其時代已成過去。今後之大發現均非個人之力所能爲，必須賴一國或全人類始能勝任。故稱此種大規模之研究事業爲輝煌科學（Big Science）。

捌、中國地球科學之今昔

一、中華民族之發祥

(1)漢族來自西方說

漢民族之本源相傳來自崑崙，根據陳文壽著"先秦自然科學概論"之記述，漢民族來自西方之證據如下：

(A)玉爲于闐所產，中國無有。麟、鳳、龍三者皆中亞細亞之生物，而中國載籍數稱之。穆天子傳，天子乃循黑水至於群玉之山；此山在今和闐，黑水即哈拉哈什河。此可爲古代漢族對於西方民族關係之證一。

(B)簫管之制，起源甚古，幷編竹爲之，而北地無竹；漢書律歷志，黃帝命冷綸自大夏之西，崑崙之陰，取竹之解谷；是竹產於大夏也。各族習用音律，彼此殊異；故云聞聲足以定姓也。此可爲古代漢族對於西方民族關係之證二。

(C)說文黃，地之色也。禹貢九州中，惟極西北雍州爲黃土；可見西北一隅、實漢族初來時之根據地。說文鹵下云：西方鹹地也，鹹地之西方，亦在于闐；漢書西域傳，于闐在南山下，其河北流與葱嶺河合，東注蒲昌海，蒲昌海者，鹽澤也。此可爲古代漢族對於西方民族關係之證三。

據呂誠之所著歷史，謂漢族之始，似自中央亞細亞高原遷入中國本部；因其入中國後，祭地祇仍有「昆侖之神」與「神州之神」之別也。古代所謂昆崙有二，一在黃河發源之處，一在今青海境。在今青海境之昆崙爲西戎所居；則漢族所居；昆崙當在黃河上流，實爲今于闐河。

又屠孝寔之「漢族西來說考證」云：「庖犧之世，漢族大多數尚在西域。觀庖犧氏所創八卦中，有澤而無海，浸澤之大者，如裏海、鹹海、巴爾庫里等，皆在西域；及入中國本部，如陝、甘、山西、河南諸省，殊無汪洋之澤，足以聳人視聽者。若庖犧氏果生長於中國本部，則兌卦之象，應易澤而爲河矣。可知八卦之創，乃在西域。並上數證，則漢族自來西方巴比倫，說或不虛。……」。

(2)漢族原定居於黃河流域

以上漢族西來之說，純係歷史學家望風捕影之推測與想像，並無絲毫科學上之根據。迨本世紀初期，因人

除此之外，民國二十二年又於周口店發現北京原人洞穴之上方，掘得人類祖先之新人化石，計得七具之多，特稱之為上洞人。其後由於考古學家之調查，更在四川、安徽、廣西等地發現新人之化石骨，由此可知其居住地之分佈至為廣濶。根據魏敦瑞（F. Weidenreich）教授於民國二十六年之研究，該七具人骨並非原來之中國人，乃係原始蒙古人、美拉尼西亞人（Melane-sian）與埃斯基摩人之混合種。此種複雜民族何以能居住於同一處所，實令人尋味。據魏敦瑞教授之解釋，彼等是否當時控制華北原中國人之俘虜，則難以證實。緣此種新人之出現，大約在二萬年以前，當時中國則屬於舊石器時代之後期。而北京原人之時代當遠在其以前，至二者間之遺跡則於綏西鄂爾多斯草原發現，其中人之門齒屬於鏟型，乃目前中國人中常見之齒形。特以鄂爾多斯人或河套人稱之。據李濟教授於民國四十一年就台灣大學九百二十四名學生中之調查統計，其中百分之九十屬於此種齒型，且此種齒型在殷代人骨中亦有發現，至北京原人則與之相類似。故中國人之祖先究係北京原人，抑或以鏟型齒為決定中國人之唯一依據，而以鄂爾多斯人為原來之中國人，則殊難確定。除此之外，在四川資陽黃鱔溪橋畔亦發現新人頭骨，與上洞人相類似，而稱之為資陽人；在興安省札賚諾爾於民國三十三年發現頭蓋骨化石，遠藤隆次稱其為札賚諾爾人；在吉林榆樹縣亦發現頭骨殘片，特稱之為吉林人。至成為中國人核心之漢民族是否舊石器時代出現之問題，其答案之尋求仍待今後之努力研究焉。

(3)漢民族之興起

據漢司馬遷著史記黃帝本紀云：「軒轅之時，神農氏衰，諸侯相侵伐，暴虐百姓，而神農氏弗能征。於是軒轅乃習用干戈，以征不享，諸侯咸來賓從，而蚩尤最為暴，莫能伐；炎帝欲侵陵諸侯，諸侯咸歸軒轅。軒轅仍修德振兵，治五氣，蓺五種，撫萬民度四方，教羆貔貅貙虎，以與炎帝戰於阪泉之野，三戰然後得其志。蚩尤作亂，不用帝命，於是黃帝乃徵師諸侯，與蚩尤戰於涿鹿之野，遂禽殺蚩尤。而諸侯咸尊軒轅為天子，代神農氏，是為黃帝。天下有不順者，黃帝從而征之，平者去之，披山通道，未嘗寧居。東至於海，登丸山（青州臨朐）及岱宗（泰山），西至于空桐（隴右），登雞頭（崆峒山），南至于江，登熊湘（湘山在長沙益陽，熊耳山則在商州洛縣），北逐葷粥（匈奴），合符釜山（嬀州懷戎），而邑於涿鹿之阿。遷徙往來無常處，以師

圖 69　神農一號火箭

類考古學之進步，乃展開先史時代之研究。在民國十六年至二十六年之十年間，於北平西南之周口店首先發現人類之臼齒，繼而發現頭蓋骨，步達生（D. Black）博士命名為北京原人（Sinanthropus pekinesis）。其後更發現甚多頭蓋骨及顎骨等，總計達四十具以上。由其頭蓋之形狀觀之，雖非目前現代人（Homosa-piens）之直接祖先。但在數十萬年之前確係於該地築穴而居，當時已知火之為用，且應用石器以營狩獵生活。此可由同時掘出之動物骨幹證明之。

兵爲營衞。……」。

由於上述人類考古與歷史記述之融和印證，漢民族自古當係盤據於黃河流域。鄂爾多斯地區之三面均爲黃河圍繞，而形成廣濶之草原，極適於農牧民族之居住，即所謂河套者是也。考黃河源出青海，上游地區山嶺起伏，入寧夏境內始流於平坦之黃土高原上方，綏寧二省住民，多在附近掘渠，引水灌溉，故有「黃河百害，唯富一套」之諺。漢民族原居該地，恰與印度人之繁衍於恒河流域，埃及人卜居於尼羅河下游，以及巴比倫人定居於兩河流域者，如出一轍。其後因逐漸向東拓展，而該地乃爲蒙古民族所乘，以致漢、蒙兩族在歷史上常發生紛爭，究其主因即基於此也。

二、上古時代之宇宙觀

中華民族既非巴比倫之源流，故對宇宙之觀念亦具有其獨特性，而不若屠孝寔之牽强附會也。

(1)天地開闢論

中國古代學者對於天地開闢之說，自經籍遭秦火，鮮有專門之書可考。據淮南子天文訓云：「天墜未形，馮馮翼翼，洞洞灟灟（無形之貌），故曰太昭（或爲太始）。道始於虛霩（廓），虛霩生宇宙，宇宙生氣，氣有涯垠（重安之貌）。清陽者薄靡（塵埃飛揚之貌）而爲天，重濁者凝滯而爲地。清妙之合專易，重濁之凝竭（結）難，故天先成而後地定。天地之襲精（合氣）爲陰陽，陰陽之專精爲四時，四時之散精爲萬物。積陽之熱氣生火，火氣之精者爲日；積陰之寒氣爲水，水氣之精者爲月；日月之淫（氣）精者爲星辰，天受日月星辰，地受水潦塵埃。昔者共工（官名）與顓頊爭爲帝，怒而觸不周之山（西北）。天柱折地維絕，天傾西北，故日月星辰移焉。地不滿東南，故水潦塵埃歸焉。天道曰圓，地道曰方，方者主幽，圓者主明。明者吐氣也，是故火曰外景。幽者含氣也，是故水曰內景。吐氣者施，含氣者化，是故陽施陰化。天之偏氣，怒者爲風。地之含氣，和者爲雨。陰陽相薄（迫），感而爲雷，激而爲霆，亂而爲霧，陽氣勝則散而爲雨露，陰氣勝則凝而爲霜雪……」。

又據淮南子精神訓云：「古未有天地之時，惟像無形，窈窈冥冥，芒芠漠閔，澒濛鴻洞（皆無形之象），莫知其門。有二神（陰陽）混生，孔乎（深貌）莫知其所終極。滔（大貌）乎莫知其所止息。」

後漢張衡著靈憲云：「太素之前，幽清玄靜，寂寞冥默，不可爲象，厥中爲靈，厥外惟無。如是者永久焉。斯謂溟涬，蓋乃道之根也。道根既建，自無生有，太素始萌，萌而未兆，并氣同色，渾沌不分。故道志之言云：有物渾成，先天地生。其氣體固未可得而形，其遲速固未可得而紀也。如是者更永久焉。斯謂龐鴻，蓋乃道之幹也。道幹既育，有物成體。於是元氣剖判，剛柔始分，清濁異位。天成於外，地定於內。天體於陽故圓以動，地體於陰故平以靜。動以行施，靜以合化。堙鬱構精，時育庶類，斯乃太元，蓋乃道之實也。」

苻秦徐整著三五曆記云：「未有天地之時，混沌如鷄子，盤古生其中，一萬八千歲。天地開闢，清陽爲天，濁陰爲地，盤古在其中。天日高一丈，地日厚一丈，盤古日長一丈，如此一萬八千歲。天數極高，地數極深，盤古極長，後乃有三皇」。

爾雅釋地云：「地者，說文云：元氣初分，輕清陽爲天，重濁陰爲地，萬物所陳列也」。

觀以上所舉各端，除三五曆記所載全爲神話外，淮南子所載則頗有泰西十七至十八世紀“水成論”之意味，而張衡之論述雖遠在一千八、九百年之前，但其思想已具有目前先地質時代與地質時代之觀念焉。

(2)蓋天說與渾天說

前儒之言天地體形者，自古有蓋天與渾天二說。在前漢之末二說對峙，玆將其概略分述於下：

(A)蓋天說

即天在上地在下之說也。周髀云：「天如蓋笠，地法覆槃，則蓋天也」。後人主張最力者，爲後漢王充，其言云：「舊說天轉從地下過。今掘地一丈輒有水。天何得從水中行乎？甚不然也。日隨天而轉，非入地。夫人目所望不過十里，天地合矣。實非合也，遠使然耳。非入也，亦遠耳。當日入西方之時，其下之人亦將謂之中也。四方之人，各以其近者爲出，遠者爲入矣。何以明之？今試使一人把大炬火，夜半行於平地。去人十里，火光滅矣。非火滅也，遠使然耳。今日西轉不復見，是火滅之類也。日月不圓也，望視之所以圓者，去人遠也。夫日，火之精也；月，水之精也。水火在地不圓，在天何故圓？」。

(B)渾天說

愼子云：「天形如彈丸，其勢斜倚」。此種天形如彈丸之觀念，乃因地爲圓形，天包地外，周人早已知之

。茲舉證於下：

a.大戴禮記：「單居離問於曾子曰：“天圓而地方者誠有之乎”？曾子曰“如誠天圓而地方，則是四角不掩也；參嘗聞之夫子曰：“天道曰圓，地道曰方”」。即道曰方耳，非方形也。

b.周髀算經：「春分之日夜分，以至秋分之日夜分，極下常有日光；秋分之日夜分，以至春分之日夜分，極下常無日光。冬至夏至者，日道發斂之所生也。故曰運行處極北，北方日中，南方夜半。日在極東，東方日中，西方夜半。日在極南，南方日中，北方夜半。日在極西，西方日中，東方夜半」。

又曰：「北極之下，不生萬物；北極左右，多有不釋之冰，物有朝耕暮穫；中衡左右，多有不死之草，五穀一歲再熟」。

c.呂氏春秋：「冬至日行遠道，夏至日行近道，乃參於上，當樞之下無晝夜」。「按地形圓，故南北極常半年無晝夜之分。樞極也，周末地圓之理離已發明，然未必人盡知之。故惠施常假其說以與人辯難，施所云“天與地卑”。（地形圓，故地之下有天，澤之下有山）。南方無窮而有窮。今日適越而昔來，我知天下之中央，燕之北、越之南是也」。此皆就地圓立說也。

後漢張衡更主渾天之說，自運巧思作渾天儀，晉書天文志云：「順帝時張衡又制渾象。具內外規，南北極，黃赤道，列二十四氣，二十八宿，中外星官，及日月五緯。以漏水轉之於殿上室內。星中出沒，與天相應」。

其後蔡邕盛稱渾天，曰：「周髀術數俱存。考驗天狀，多所違失。惟渾天僅得其情。今史官所用候壺銅儀，則其法也。立八尺圓體而具天地之形，以正黃道，占察發斂，以行日月，以步五緯。精微深妙，百世不易之道也」。

晉葛洪嘗據渾天以駁王充蓋天之說，而淮南子天文訓謂「天傾西北」，亦當屬渾天之說，淮南子不言渾天儀，蓋書成於武帝初年，而渾天儀之製造乃在桓帝中葉耳。

三、中古時代之地球科學

(1)地震之記述與觀測

(A)地震之記述

我國地震之記述始於黃帝時代，按竹書紀年云：「黃帝軒轅氏……百年，地裂，帝陟（帝王之崩曰陟）。帝發七年，泰山震。帝癸，一名傑，十年，五星錯行，夜中星隕如雨，地震，伊、洛竭。三十年，山崩。（以上為夏代）。帝乙，名羨，三年，王命南仲，西拒昆夷，城朔方，夏六月，周地震。帝辛，名受，四十三年春，大閱，嶢山崩。（以上為殷代）。幽王名涅，二年，涇、渭、洛竭，岐山崩。隱王二年，齊地暴長，長七丈餘，高一尺。（以上為周代）。

據呂氏春秋卷六所載：「季夏紀，周文王立國，八年，歲六月。文王寢疾五日，而地動東西南北，不出國郊。

國語、史記與前漢書均載有「幽王二年，西周三川皆震」。

通鑑外紀：「貞定王三年，晉空桐震七日，臺舍皆壞，人多死」。

詩經節南山，十月之交「山冢崒崩，高岸為谷，深谷為陵」。

春秋：「文公九年，九月癸酉地震。襄公十六年五月甲子地震，昭公二十三年八月乙未地震，哀公三年夏四月甲午地震，僖公十四年秋八月辛卯沙鹿（即沙山之麓）崩，成公五年夏，梁山崩」。以上各款於史記與前漢書亦有同樣之記載。

史記：「六國年表魏文侯斯，二十六年山崩壅河。本紀始皇帝十五年，大興兵，一軍至鄴，一軍至太原，取狼孟，地動。十七年，內史騰攻韓，得韓王安，盡納其地，以其地為郡，命名潁川，地動。世家幽繆王遷五年，代地大動，自樂徐以西，北至平陰，臺屋牆垣太半壞，地坼東西百三十步。六國年表秦昭王二十七年，擊趙，斬首二萬，地動，壞城，趙王遷五年，地大動」。

除上述各款之先秦時代地震記錄外，如前漢書、續漢書、後漢書、後漢紀以及三國志、晉書、宋書等，對地震之記載更為詳盡。

(B)地震之觀測

世界最初之地震計為後漢張衡所製，據後漢書張衡傳之記載云：「陽嘉元年，復造候風地動儀，日精銅鑄成，圓徑八尺，合蓋隆起，形似酒尊，飾目篆文山龜鳥獸之形。中有都柱，傍行八道，施關發機。外有八龍，首銜銅丸。下有蟾蜍，張口承之。其牙機巧，制皆隱在尊中，覆蓋周密，無際。如有地動，尊則振，龍則機發吐丸，而蟾蜍銜之。振聲激揚，伺者因此覺知。雖一龍發機，而七首不動，尋其方面，乃知震之所在，驗之目

事，合契若神。自書典所記，未之有也。嘗一龍機發，而地不覺動，京師學者咸怪其無徵，後數日驛至，果地震隴西，於是皆服其妙」。

　　據歷史之記載，我國當時在三十年內連續發生地震，受災甚重，故張衡於二度充任太史令後，潛心研究地震，終於在公元一三二年發明地震儀。至其構造日本今村明恒博士曾致力研究，而予以模仿復製。民國二十五年王振鐸亦研究仿製，並認其構造係以擺子為主，而沿

圖 70　張衡地動儀想像圖

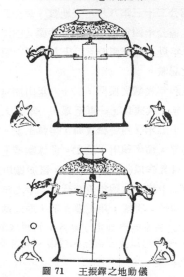

圖 71　王振鐸之地動儀

圖 72　萩原博士仿製之地動儀

地震方向運動，且以曲柄與龍口相通，而司張開之用，亦即張衡傳所稱之「一龍發機」者是也。當擺子發生前後變位時，最初墜落之銅丸恰擊中另一銅丸，使之墜落。按王振鐸之設計，當擺子最初振動時，一面衝開龍之上顎，使之落下，同時藉曲柄一端之鈎使擺子趨於靜止。而今村博士認為其設計係基於繼擺子變位之後，而發生左右移動，於是擺子乃趨於停止焉。基於此種理想，遂指導萩原博士從事設計，其所得遠較王振鐸所製者為簡單。即於上部裝以與重錘相連接之倒立擺子，當地震發生而將其震導時，乃沿地震之方向而倒入上蓋之溝內；同時更將龍口中所繫之棒押出，於是遂使銅丸墜落焉。此種簡單之裝置可使一度進入溝內之擺子，因垂錘之傾倒而停止擺動。至民國四十一年王振鐸亦改用倒立擺子，而另行設計一地震計，乃基於今村博士之建議而得者也。

(2)地磁

(A)指南車之發明

　　磁石之穩定於南北方向者，即我國所流傳之指南性也。在明末清初之際，基督教傳教士咸稱指南性之發現，遠在中國之神話時代。據稱黃帝造指南車以敗蚩尤，其詳情則無從查考。至可提出事實證據者，則為後漢之張衡，三國之馬鈞等皆曾造指南車。晉代以後均載於天子之鹵簿上，其遺物尚存。而再古之傳說皆為指示方向之裝置，即所謂之羅盤針也。據宋史輿服志所載燕肅有關於指南車之記述，即指南車之復原也。如圖所示，人在車山，使面南而立，先南行，再轉向東，其所轉角度，以齒輪司之，即南偏東也。王振鐸仿製之模型，則仍存於北平歷史博物館中。

圖 73　王振鐸之指南車模型

(B)磁石指南性之發現

考磁石之吸引鐵片也，不問東西均於紀元前數世紀即已知之。據呂氏春秋載鐵片之受慈石吸引，猶慈母之撫育幼子也。其後以磁代慈而得之名。接磁石之起源，乃磁鐵礦之多產於磁州附近而來者。據宋沈括著夢溪筆談卷二十四雜誌一云：「以磁石磨針鋒，則銳處常指南，亦有指北者，恐石性亦不同，如夏至鹿角解，多至麋角解，南北相反，理應有異，未深考耳」又括曾云：「方家以磁石磨針則能指南，然常微偏東，不全南也……其中有磨而指北者，予家指南指北者皆有之」。同時沈括更以二十四至定方位，其精密度已超出前人之三倍矣。

後漢王充所撰之論衡卷十七是應篇云：「司南之杓，投之於地，其柢指南」。據王振鐸之解釋，彼認爲司南之杓，即係將磁鐵礦切割，磨成匙狀物，因細長方向磁化而靜止於南北方向者。其後更特別將磁鐵礦切成匙狀，其長柄方向自必位於南北，而開改用磁針之先聲焉。

由先秦時代開始，經後漢王充之記述，至六朝時乃改爲磁針。同時除將鐵針以磁石摩擦使之磁化外，並加熱處理，而置於南北方向，俟冷却之後即受地球磁場之磁化，此種現象國人早已知之。至用之於航海，則在紀元一千一百年左右，即十二世紀初葉，朱彧著萍州可談中稱：其父爲宦廣東，在船上以指南針導航云。按宋代阿拉伯船隻不斷駛至廣東，於是磁針乃由阿拉伯船隻傳至歐洲。嗣後加以改良，而成今日之指南針焉。

(C)偏角之發現

上述沈括云：「方家以磁石磨針，則能指南，然常偏東，不全南也……」。此地磁之南北方向與天文學南北方向不呈一致之現象，沈括早已知之矣。按沈括籍隸杭州，而卜居丹徒。夢溪筆談即其隱息於丹徒（今之鎮江）時所撰者。其中雖未說明發生偏角之處所，但遠在十一世紀彼已確知偏角之存在，殆無疑問。而較之歐洲人士之於十五世紀始發現偏角者，已提早四百年也。究諸實際，國人對磁針之偏角，遠在第八世紀即已發現，此種說法在英人威里（A. Waley）之著作中，已有記述。

(3)礦物及岩石

宋沈括著夢溪筆談卷一云：「館閣新書淨本有悮處，以雌黃塗之。嘗校改字之法，刮洗則紙傷，紙貼之又易脫，粉塗則字不沒，塗數遍方能漫滅。唯雌黃一漫則滅，仍久而不脫，古人謂之"鉛黃"，蓋用之有素矣」。據章鴻釗著石雅卷中「雄黃」云：「吳普曰"生山

之陽，是丹之雄，故曰雄黃"。李時珍曰"可點化黃金，故本經一名黃金石。案即今稱雞冠石是也，今亦有名雄黃者，乃即古之雌黃"。博物志云"雌黃似石留黃"是也，是名與物今昔迭相亂矣。華陽國志曰"蜀郡出丹砂雄雌黃"。後漢書郡國志"牂牁郡，夜郎出雄黃、雌黃"」。

夢溪筆談卷十八云：「醫之爲術，苟非得之於心，而恃書以爲用者，未見能臻其妙。如尤能動鍾乳，按乳石論曰"服鍾乳當終身忌尤"。五石諸散用鍾乳爲主，復用尤，理極相反，不知何謂。予以問老醫，皆莫能言其義。按乳石論云"石性雖溫，而體本沈重，必待其相蒸薄然後發"。如此則服石多者，勢自能相蒸，若更以藥觸之，其發必甚。……」。

章鴻釗著石雅卷中「石鍾乳」云：「曩之說石鍾乳者，以范成大之桂海虞衡志爲尤詳，其言曰"桂林接宜融山洞中，鐘乳其（甚）多，仰視石脈湧起處，即有乳牀，下垂如倒數峰小山。峰端漸銳，且長如冰柱，柱端輕薄，中空如鵝管，乳水滴瀝未已，且滴且凝"。……若夫唐宋以下諸史以及元和郡縣志，太宇寰宇記、元豐九域志諸書所稱州郡貢鐘乳者不一而足」。

夢溪筆談卷二十五云：「信州鉛山縣有苦泉，流以爲澗，挹其水熬之，則成膽礬，烹膽礬則成銅，熬膽礬鐵釜，久之亦化爲銅。水能爲銅，物之變化，固不可測……」。

章鴻釗著石雅卷下「五金」神農本草云：「石膽能化鐵爲銅，成金、銀」。宋史食貨志云：「紹興十三年，韓球復鑄新錢，以膽水盛時浸銅之數爲額，曰"浸銅之法"，以生鐵鍛成薄片，排置膽水槽中，浸漬數日，鐵片乃爲膽水所薄，上生赤媒，取括鐵煤入爐，三煉成銅……」。明史地理志云：「德興縣北有銅山，山麓有膽泉，浸鐵可以成銅。鉛山縣西南有銅寶山，湧泉浸鐵，可以爲銅。上杭縣西有金山，山有膽泉，浸鐵能成銅」。方輿紀要稱：「曲江縣膽礬水，宋時初置場採銅，謂水能浸生鐵成銅。又出生熟膽礬，歲以充貢。又翁源縣岑水一名銅水，可浸鐵爲銅。水極腥惡，兩旁石色皆赭，不生魚鱉禾稼之屬，與曲江縣膽礬同源異流」。

按石膽一名「水膽礬」，即硫酸銅與氫氧化銅之斜方柱狀或針狀晶體。膽水，其液體也。目前金瓜石即將其礦液引於置廢鐵之槽中，使成硫酸鐵之溶液而流去，再將置換後之浸鐵煉製而取銅焉。

補筆談卷三云「熙寧中，闍婆國（案宋史云："在南海中"）使人入貢方物，……又"無名異"一塊，如

蓮葯，皆以金函貯之……使人云『……"無名異"色黑如漆，水磨之色如乳者爲眞』。廣州市鉑司依其言試之，皆驗，方以上聞」。

章鴻釗著石雅卷下亦有相同記載，謂無名異乃軟錳礦，粒顆大小不等，其色褐黑，輒襄以土，略似蛇黃。本草綱目謂「生川、廣山中，善收濕氣」。天工開物云：「無名異不生深土，浮生地面，深者掘下三尺即止，各省直皆有之」。山西通志謂「無名異出遼州、和順」。

石雅又稱有「無名子」者，與無名異似同而實異。正字通載：「廬陵新建產黑赭石，磨水畫瓷坯，初無色，燒之成天藍色」。蓋青料也。景德鎭取之婺源名「畫燒青」，一曰「無名子」。又江西通志云：「無名子出則天岡，景德鎭用以繪畫瓷器」。案此乃養化鈷礦 As-bolite, Co(Fe, Cu)O + x H₂O 也。質異於錳，然往往從錳礦中出，今雲南猶有產者，俗名"碗花青"取燒瓷得青爲義，似赭而微黑，故一名"黑赭石"，實即回青。天工開物云：「回青乃西域大青，美者亦名"佛頭青"，上料無名異，出火似之」。蓋其形與色均極似無名異，而淵源亦甚近，此又曩之所以稱「無名子」歟？

又據夢溪筆談註云：「案農商部舊時雲南礦產調查云"碗青出昆明縣、富化縣、晉寧州、旬州、霑益州、路南州、新興州、文山縣等處"，又景德鎭陶錄謂「新建未聞產料，亦未聞取婺邑料。凡料之住（佳）者，名老圓子、韮菜邊。亦無畫燒青、無名子之稱"。然則景德鎭得者，其爲雲南之產乎」？

編者按：據張守範著礦物學載「土狀鈷礦 Asbolite CoMn₂O₅·4H₂O 爲不純硬錳礦 Wad 之一種，中含氧化鈷百分之三十二，福建、雲南多產之」。其語與狄納氏之"礦物學敎本"及木下龜城著之"礦物學名辭典"所載者相同。而最近（1970年）日本古今書院發行之"新版地學辭典卷二"載「吳須土 Asbolite 爲含鈷之錳土，普通除含 CoO 外，並與 NiO 或 CuO 相伴。除產於含鈷之礦床氧化帶外，更呈礫岩等之膠結物產出之。多用爲陶磁器之藍色顏料」。由此可知，景德鎭所用之顏料，旣非取之新建，亦非取自婺源，更非得之雲南，實乃採自福建耳。

夢溪筆談卷二十六云：「太陰玄精石，生解州鹽澤大鹵中，溝渠土內得之，大者如杏葉，小者如魚鱗，悉皆六角，端正似刻，正如龜甲，其裙襴小橢，其前則下刻，其後則上刻，正如穿山甲相掩之處，全是龜甲，更無異也。色綠而瑩徹，叩之則直理而折，瑩明如鑑，折處亦六角，如柳葉，火燒則悉解折，薄如柳葉，片片相

雜，白如霜雪，平潔可愛，此乃稟積陰之氣凝結，故皆六角。今天下所用玄精，乃絳州山中所出絳石耳，非玄精也。楚州鹽城古鹽倉下土中又有一物，六稜如馬牙硝，清瑩如水晶，潤潔可愛，彼方名曰"太陰玄精"，然喜暴潤，如鹻之類，唯解州所出者爲正」。

章鴻釗石雅卷中"玄精石"云：「玄精石者何？即石膏也，一名"太陰玄精"，或曰"玄英石"，又名"鹽根"，諸說均云"產解州鹽澤中"」。

夢溪筆談卷十一云：「鹽之晶至多……又次"崖鹽"生於土崖之間、階、成、鳳等州食之」。此即指陝、甘一帶之岩鹽也。

夢溪筆談卷二十四云：「鄜延境內有石油。舊說高奴縣出"脂水"即此也。生於水際，沙石與泉水相雜，惘惘而出。土人以雉尾裛之，乃採入缶中。頗似淳漆，然之如麻，但煙甚濃，所霑幄幕皆黑。予疑其煙可用，試掃其煤以爲墨，黑先如漆，松墨不及也，遂大爲之，其識文爲"延川石液"者是也。此物後必大行於世，自予始爲之。蓋石油之多，生於地中無窮，不若松木有時而竭。今齊魯閒松林盡矣，漸至太行、京西、江南、松山太半皆童矣。

章鴻釗著石雅卷中"石油"云：「石油古曰"石漆"，唐稱"石脂水"，五代及宋稱"猛火油"，亦單言"火油"，或曰"石腦油"又曰"石燭"。而"石油"之名，亦始於宋」。

漢書郡國志"酒泉郡延壽"，注："博物記"曰：「縣南有山石出泉，水入如筥篚；注地爲溝，其水如肥，如羹肉洎，羹羹永永，如不凝膏。然之極明，不可食。縣人謂之"石漆"」。

漢書地理志云：「上郡高奴縣（唐之延州）有洧水可㸑（古然字）」。

酉陽雜俎云：「高奴縣石脂水，水膩，浮上如漆，採以膏車及燃燈極明」。

元和郡縣志曰「延州膚施縣清水，俗名"去斤水"。自金明縣界流入。地理志謂之"清水"，其肥可燃」。

案"石油"之名始於沈括，蓋沈氏曾爲鄜延經略史，故知之特詳，而言之鑿鑿，乃若是也。又陸游老學庵筆記云：「石燭，出延安，堅如石，照席甚明，有淚如蠟而烟濃」。此或即今日之油頁岩也。

由上列各端，今之延長石油漢代早巳知之，至唐代則其用愈廣矣。

除上述者外，在明宋應星撰天工開物中，對磁土、灰石、煤炭、礬石、硫黃、砒石及金、銀、汞、銅、鉛

、鐵、錫、代赭石（赤鐵礦）、滑石、石黃、玉、瑪瑙
、水晶等，均有詳細之記載。

(4)地殼變動及化石

夢溪筆談卷二十四云：「予奉使河北、邊太行而北
，山崖之間，往往銜螺蚌殼及石子如鳥卵者，橫亘石壁
如帶。此乃昔之海濱。今東距海已近千里，所謂大陸者
，皆濁泥所湮耳。堯殛鯀于羽山，舊說在東海中，今乃
在平陸。凡大河、漳水、滹沱、涿水、桑乾之類，悉是
濁流。今關、陝以西，水行地中，不減百餘尺。其泥歲
東流，皆爲大陸之土，此理必然」。

高泳源引唐代顏眞卿以化石推測海陸變遷曰：「…
東北有石崇觀，高石中猶有螺蚌殼，或以桑田所變」。
認爲沈括除對海陸變遷有具體之描述與解釋外，更對
沉積之形態加以闡明。彼又引南宋朱熹語錄曰：「嘗見
高山有螺蚌殼，或生石中，此石即舊時之土，螺蚌即水
中之物，下者却變而爲高，柔者却變而爲剛」。

陳楨認爲沈括已瞭解地層之形成。孫敬之認爲沈括
對河流侵蝕與沉積作用做深刻之論斷，在地形學上確立
科學理論。並根據古生物學之遺跡，對海陸之變遷做正
確之推斷」。

夢溪筆談卷二十一云：「近歲延州永寧關大河岸崩
，入地數十尺，土下得竹筍一林，凡數百莖，根幹相連
，悉化爲石。適有中人過，乃取數莖去，云欲進呈。延
郡素無竹，此入在數十尺土下，不知其何代物。無乃曠
古以前，地卑氣濕而宜竹邪？婺州金華山有松石，又如
桃核、蘆根、魚、蟹之類，皆有成石者，然皆其他本有
之物，不足深怪。此深地中所無，又非本土所有之物，
特可異耳」。

據王國維夢溪筆談手識云：「水經資水注："湘鄉
縣石魚水下多玄石。山高八十餘丈，廣十里，石色黑而
理若雲母，開發一重，輒有魚形，鱗鬐首尾，宛若刻畫
，長數寸，魚形備足；燒之作魚膏，腥。因以名之"。
此化石之首見紀載者」。

由上可知國人對化石之注意，爲時極早。而至宋代
更對古氣候之變遷，已有相當瞭解矣。

又夢溪筆談卷二十四云：「……予觀雁蕩諸峰，皆
峭拔嶮怪，上聳千尺，穹崖巨谷，不類他山，皆包在諸
谷中。自嶺外望之，都無所見。至谷中則森然干霄。原
其理當是爲谷中大水衝激，沙土盡去，唯巨石巋然挺立
耳……」。

竺可楨認爲沈括與阿拉伯人阿維西納 Aricena 之以
剝蝕作用解釋山岳之成因，如出一轍。章鴻釗著中國地
質學發展小史稱：「詩經云："高岸爲谷，深谷爲陵"
，已有風化輪迴之說。莊子云："風之過河也有損焉，
日之過河也有損焉"，爲對自然間之蒸發作用和風化作
用觀察之精密。顏眞卿云："海中揚塵及東海之爲桑田
"，皆係按麻姑山東北石中有螺蚌殼所推定者。葛利普
A. W. Grabau 亦認爲朱熹之瞭解化石性質，已較達
文思早三、四百年」。

(5)測地學

我國測地之學起源甚早，戰國時代燕太子丹遣荊軻
行刺秦王，即係以呈獻地圖爲名者。據夢溪筆談卷十一
云：「熙寧中，高麗入貢，所經州縣，悉要地圖，所至
皆造送，山川道路，形勢險易，無不備載。至揚州，牒
州取地圖，是時丞相陳秀公（升之）守揚，紹使者："
欲盡見兩浙所供圖，倣其規模供造"。及圖至，都聚而
焚之，具以事聞」。

又補筆談卷三云：「地理之書，古人有"飛鳥圖"
，不知何人所爲。所謂"飛鳥"者，謂雖有四至，里數
皆是循路步之，道路迂直而不常，既列爲圖，則里步無
緣相應，故按圖別量徑直四至，如空中鳥飛直達，更無
山川回屈之差。予嘗爲守令圖（天下州縣圖）雖以二寸
折百里爲分率，又立準望、牙融、傍驗高、下、方、斜
、迂、直七法，以取飛鳥之數。圖成，得方隅遠近之實
，始可施此法，分四至八到，爲二十四至，以十二支，
甲、乙、丙、丁、庚、辛、壬、癸八干，乾、坤、艮、
巽四卦名之。使後世圖雖亡，得予此書，按二十四至以
布郡縣，立可成圖，毫無無差矣」。

竺可楨謂沈括既廣貯指南針，則測量時用二十四至
以定方位，較唐李吉甫之元和郡縣志及宋樂史之太平寰
宇記之以八到記述方向者，詳確多矣。其影響所及，不
但爲元、時時代航海定向之準則，且於地形高下極爲注
意，既以水準測量，又復筆之於圖。此外，尚有地面模
型之創作焉。

(6)氣象及海洋

宋沈括著夢溪筆談卷二十一云：「熙寧中，予使契
丹，至其極北黑水境永安山下卓帳。是時新雨霽，見虹
下帳前澗中，予與同職扣澗觀之，虹兩頭皆垂澗中。使
人過澗，隔虹對立，相去數丈，中閒如隔綃縠。自西向

東則見；立澗之東西望，則爲日所鑠，都無所覩」。彼
引孫彥先之說，謂虹之成因爲：「虹，雨中日影也。日
照雨，即有之」。南宋朱子語錄云：「虹非能止雨也，
而雨氣至是已薄，亦是日色射散雨氣」。

　　筆談卷二十一又云：「登州海中時有雲氣如宮室、
臺觀、城堞、人物、車馬、冠蓋，歷歷可見，謂之"海
市"。或曰"蛟蜃之氣所爲"。

　　又云：「熙寧九年，恩州武城縣有旋風自東南來，
望之挿天如羊角，大木盡拔。俄頃，旋風卷入雲霄中。
既而漸近，乃經縣城，官舍民居略盡，悉卷入雲中。縣
令兒女奴婢卷去復墜地，死傷者數人；民間死傷亡失者
不可勝計。縣城悉爲丘墟」。

　　竺可楨曰：「颱風（Tornado）舊視爲美洲特具之
現象，自1901～1910之十年間，據徐家滙觀象臺所接
各方報告，僅在山東，有一類似颱風之現象。但筆談卷
二十一所紀，則我國之有颱風無疑」。

　　筆談校證云：「陸龍捲之外形，頗似象牙，從積雨
雲之底部下垂。沈括所云："望之挿天如羊角"者，形
容酷肖，足見其紀事之精詳」。

　　夢溪筆談卷二十五云：「江湖間唯畏大風。多月風
作有漸，船行可以爲備；唯盛夏風起於顧盼間，往往罹
難。曾聞江國賈人有一術，可免此患。大凡夏月風景（
暴）須作於午後，欲行船者，五鼓初起，視星月明潔，
四際至地，皆無雲氣，便可行，至於巳時即止，如此無
復與暴風遇矣。國子博士李元規云："平生遊江湖未嘗
遇風，用此術"」。

　　竺可楨對沈括預告天氣之精確，極爲讚揚。如今四
川、貴州各村鎮小客棧門前紙燈上家家寫有：「未晚先
投宿，雞鳴早看天」的對聯，猶是沈括的遺風。

　　漢東方朔云：「礎潤而雨，月暈而風」。亦與今日
之氣象學原理完全符合。

　　補筆談卷二云：「盧肇論海潮（唐盧肇海潮賦序）
，以謂"日出沒所激而成"，此極無理。若因日出沒，
當每日有常，安得復有早晚？予常考其行節，每至月正
臨子午則潮生，候之萬萬無差。月正午而生者爲"潮"
，則正子而生者爲"汐"，正子而生者爲"潮"則正午
而生者爲"汐"」。如此沈括對海水性質與月球之引力
已獲相當瞭解矣。

四、近世地球科學之發展

(1)外籍人士之倡導

　　遜清晚期，歐美地質學家先後來我國從事調查工作
，其中以德人李希霍芬（Ferdinand Von Richthofen
）最爲突出。著作亦精深而博大。彼於1868年抵上海，周
遊我國閱四年之久，足跡所至計爲粵、贛、湘、鄂、江
、浙、皖、豫、魯、冀、晉、秦、隴、蜀、黔、遼及內
蒙各地。其後接踵而來者則有匈、俄地質學家，分別做
局部之調查，亦有相當收穫。

　　1903年美人威理斯（Baileg Willis）與勃拉克維
德（E. Blackwelder）受美國加尼基研究所之委託，
來華調查地質，由此而喚起國人之興趣。除此之外，尚
有法人戴普拉（J. Deprat）自安南入滇調查，日人小
澤文次郎之對滿，鮮及山東之研究，石井八萬郎與野田
勢次郎之對長江流域之研究，亦多貢獻。

(2)我國地質學之先進

　　我國最早之地質學書籍爲清同治十二年華蘅芳譯之
地學淺識（原本爲 Charles Lyell's Principles of
Geology）與金石識別（原本爲 Dana's Textbook of
Mineralogy）。至圖幅方面則爲清宣統二年鄺榮光繪
製之直隸地質圖、直隸省礦產圖及直隸石層古蹟。除此
之外，尚有宣統二年章鴻釗撰寫之世界各國之地質調查
事業及民國元年撰寫之中華地質調查私議，二文均載於
地學雜誌。

(3)我國之地質調查事業

　　民國元年一月南京臨時政府實業部首於礦務司下置
地質科，章鴻釗爲首任科長，不久改由丁文江擔任。民
國二年工商部假北京大學地質門舊址設立地質研究所，
章鴻釗爲首任所長。民國五年六月農商部設立地質調查
局，同年十月改爲地質調查所，所長先後由丁文江、翁
文灝二氏擔任。其後在各省相繼成立者計有民國十二年
成立之河南省地質調查所、民國十六年三月成立之湖南
省地質調查所，同年九月成立之兩廣地質調查所，首任
所長爲朱家驊。民國十七年成立之中央地質調查所，首
任所長爲李四光。民國十九年三月成立之北平研究院地
質研究所，民國二十一年成立之西部科學院地質研究所
，民國二十四年九月成立之貴州地質調查所。除此之外
，民國十七年十月在江西南昌成立地質礦業研究所，以
及北平協和新生代研究所等。勝利後臺灣光復，並將日
本原有機構改組爲臺灣省地質調查所。

至調查成果，因我國幅員廣大，地域遼濶，交通不便，雖經多年努力，但並不若理想之大。其所完成之地質圖計有民國十三年譚錫疇主編之北京、濟南地質圖幅，十五年王竹泉主編之太原、榆林圖幅，十八年李捷等主編之南京、開封圖幅等。民國二十五年更開始編製之地質圖幅計有懷寧、南昌幅、上海、杭縣幅、長安，洛陽幅，長沙、萬縣幅，桂林、湘潭幅，貴陽、昆明幅，成都、巴縣幅，西寧、酒泉幅等八幅，均爲百萬分之一地質圖幅。此時在東北方面，則爲日人進行地質，資源之全面調查工作。

民國二十六年，抗戰發生，日軍大舉入寇，本部各省相繼淪陷，地質調查工作乃轉入西北與西南地區。

(4)我國地球科學教育事業

我國大學設置地質學系者，並不普遍。其中北京大學首先於民國七年恢復地質學系；十六年南京中央大學重設地質學系（原擬十四年設置）；中山大學於民國十七年設置地質學系；二十一年清華大學設置地學系，並分爲地質、地理及氣象三組；重慶大學於二十六年添設地質學系。抗戰勝利後臺灣大學將原地質生物科改爲地質與生物二系；青島山東大學、天津北洋大學亦於民國三十五年設置地質學系；中國文化學院更於民國五十二年開辦，先設置地學系，旋於五十九年分爲地質、地理及氣象三個學系，而開私立院校設置地質學系之先聲；成功大學於民國五十五年增設地球科學系，中央大學更於五十三年成立地球物理研究所。除此之外氣象與海洋方面之研究亦分頭並進，計臺灣大學設有氣象系，海洋研究所，文化學院設有海洋學系，臺灣省立海洋學院亦設有海洋學系等。

(5)研究成果

由於多年來之努力，其所獲得之成果亦有輝煌，除各地質調查所出版之地質彙報、地質專報及地質圖說明書外，尚有各種專刊如古生物誌、地震專報及礦業專報等。在地層方面自先寒武紀至第四紀均已完成有系統之研究，各時代之名稱均以我國地名命爲系、統、階、層等之標準區分，岩石、礦物之分布已瞭如指掌；古生物方面亦發現無數我國特有之種屬；構造地質方面，更確定我國特有之造山運動。全國地質圖除外蒙地區不能深入調查外，舉凡本部各省、東北、西北、西南及西藏高原等均已經過通盤之調查與研究，繪製而成相當精確之地質圖矣。

中山自然科學大辭典 （第一冊）

自然科學概論與其發展　索引

Index

中華民國六十四年五月初版
中華民國七十八年十一月三版

中山自然科學大辭典（全十冊）

第一冊

自然科學概論與其發展

本冊基本定價十元正

名譽總編輯　王　雲　五

編輯委員會召集人　李熙謀(常務)　鄧靜華　易希陶

本冊主編　李熙謀　徐賢修　劉世超

出版權授與人　中山學術文化基金董事會

出版者　臺灣商務印書館股份有限公司

印刷及發行所　臺灣商務印書館股份有限公司

登記證：局版臺業字第〇八三六號

臺北市 10036 重慶南路一段三十七號

郵政劃撥：〇〇〇〇一六五一號

電話：(〇二)三一一六一一八

傳眞：(〇二)三七一〇二七四

〇五三〇一

有著作權
翻印必究

中山自然科學大辭典（全十冊）

第一冊

自然科學導論與生理學

發行人　王雲五

編纂人　李熙謀

印刷人　李國鼎（暫）

臺灣商務印書館股份有限公司

臺灣商務印書館股份有限公司